CB048191

A marca FSC® é a garantia de que a madeira utilizada na fabricação do papel deste livro provém de florestas que foram gerenciadas de maneira ambientalmente correta, socialmente justa e economicamente viável, além de outras fontes de origem controlada.

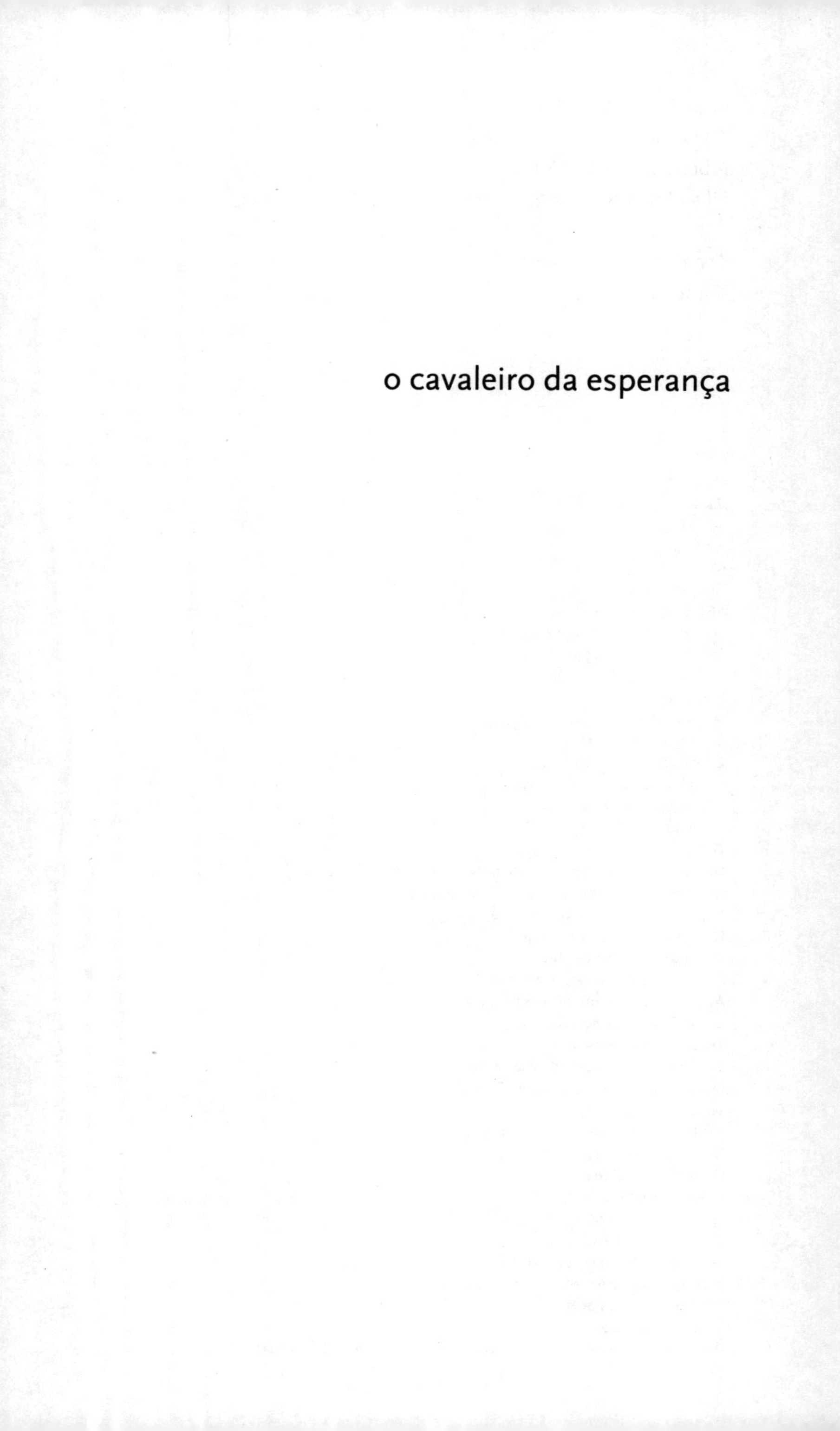

o cavaleiro da esperança

O país do Carnaval, 1931
Cacau, 1933
Suor, 1934
Jubiabá, 1935
Mar morto, 1936
Capitães da Areia, 1937
ABC de Castro Alves, 1941
O Cavaleiro da Esperança, 1942
Terras do sem-fim, 1943
São Jorge dos Ilhéus, 1944
Bahia de Todos-os-Santos, 1945
Seara vermelha, 1946
O amor do soldado, 1947
Os subterrâneos da liberdade
    Os ásperos tempos, 1954
    Agonia da noite, 1954
    A luz no túnel, 1954
Gabriela, cravo e canela, 1958
De como o mulato Porciúncula descarregou seu defunto, 1959
Os velhos marinheiros ou O capitão-de-longo-curso, 1961
A morte e a morte de Quincas Berro Dágua, 1961
O compadre de Ogum, 1964
Os pastores da noite, 1964
A ratinha branca de Pé-de-vento e A bagagem de Otália, 1964
As mortes e o triunfo de Rosalinda, 1965
Dona Flor e seus dois maridos, 1966
Tenda dos Milagres, 1969
Tereza Batista cansada de guerra, 1972
O gato malhado e a andorinha Sinhá, 1976
Tieta do Agreste, 1977
Farda, fardão, camisola de dormir, 1979
O milagre dos pássaros, 1979
O menino grapiúna, 1981
A bola e o goleiro, 1984
Tocaia Grande, 1984
O sumiço da santa, 1988
Navegação de cabotagem, 1992
A descoberta da América pelos turcos, 1992
Hora da Guerra, 2008
Toda a saudade do mundo, 2012
Com o mar por meio: Uma amizade em cartas (com José Saramago), 2017

o cavaleiro da esperança
vida de luís carlos prestes

JORGE AMADO

Posfácio de Anita Leocadia Prestes

1ª reimpressão

1ª edição, em espanhol, Editorial Claridad, Buenos Aires, 1942;
primeira edição brasileira, Livraria Martins Editora, São Paulo, 1945

Grafia atualizada segundo o Acordo Ortográfico da Língua Portuguesa de 1990, que entrou em vigor no Brasil em 2009.

Consultoria da coleção Ilana Seltzer Goldstein

Projeto gráfico Kiko Farkas e Mateus Valadares/ Máquina Estúdio

Pesquisa iconográfica Bete Capinan

Imagens de capa © Luís Carlos Prestes em São Paulo, 1945. Acervo pessoal de Anita Leocadia Prestes (capa); © Luiza Chiodi/ Companhia Fabril Mascarenhas (chita); © Acervo Fundação Casa de Jorge Amado (orelha). Todos os esforços foram feitos para determinar a origem das imagens deste livro. Nem sempre isso foi possível. Teremos prazer em creditar as fontes, caso se manifestem.

Cronologia Ilana Seltzer Goldstein e Carla Delgado de Souza

Assistência editorial Cristina Yamazaki

Preparação Leny Cordeiro

Revisão Isabel Jorge Cury e Marise Leal

Texto estabelecido a partir dos originais revistos pelo autor. Os personagens e as situações desta obra são reais apenas no universo da ficção; não se referem a pessoas e fatos concretos, e não emitem opinião sobre eles.

Dados Internacionais de Catalogação na Publicação (CIP)
(Câmara Brasileira do Livro, SP, Brasil)

Amado, Jorge, 1912-2001.
O Cavaleiro da Esperança : vida de Luís Carlos Prestes / Jorge Amado ; posfácio de Anita Leocadia Prestes. — São Paulo : Companhia das Letras, 2011.

ISBN 978-85-359-1878-6

1. Brasil - História - Coluna Prestes, 1924-1927 2. Prestes, Luís Carlos, 1898-1990. 3. Revolucionário - Brasil I. Prestes, Anita Leocadia. II. Título.

11-04674 CDD-923.281

Índice para catálogo sistemático:
1. Brasil: Revolucionários : Biografia 923.281

Diagramação Spress
Papel Pólen Soft, Suzano S.A.
Impressão Gráfica Santa Marta

[2021]

EDITORA SCHWARCZ S.A.
Rua Bandeira Paulista, 702, cj. 32
04532-002 — São Paulo — SP
Telefone (11) 3707 3500
www.companhiadasletras.com.br
www.blogdacompanhia.com.br
facebook.com/companhiadasletras
instagram.com/companhiadasletras
twitter.com/cialetras

À memória de dona Leocadia Prestes,
dignidade e heroísmo.

Para Anita Leocadia e Lila.

Para Rodolfo Ghioldi, o brasileiro.

Para Pedro Mota Lima, Pompeu Acioli Borges
e Roberto Sisson, lembrança do exílio.

Quero escrever na edição brasileira desta
biografia os nomes de Dias e Lourdes,
fiéis de Prestes, com todo o carinho.

[...] *Estrela para o povo,*
— Para os tiranos — lúgubre cometa!

Castro Alves

PREFÁCIO DA PRIMEIRA EDIÇÃO BRASILEIRA

FINALMENTE PODE ESTE LIVRO CIRCULAR EM EDIÇÃO BRASILEIRA. Escrito em Buenos Aires, de dezembro de 1941 a janeiro de 1942, apareceu em maio daquele mesmo ano em língua espanhola, numa edição argentina... Traduções para outras línguas foram feitas sobre a tradução espanhola; no Brasil, além dos exemplares daquela edição vendidos clandestinamente, por vezes por preços absurdos, apareceram cópias datilografadas e até em fac-símile fotográfico... Os exemplares aqui vendidos nunca chegaram a ser propriedade individual de alguém, viveram sempre de mão em mão. O povo se referia a este livro com os mais diversos nomes: *Vida de são Luís*, *Vida do rei Luís*, *Travessuras de Luisinho* etc. Depois também sua edição argentina foi proibida e queimada em Buenos Aires, por ordem do governo Perón. Valorizaram-se ainda mais os exemplares que circulavam no Brasil. Houve quem vivesse do aluguel de exemplares. Na luta pela anistia, pela democracia e contra o Estado Novo, mas principalmente contra o fascismo, este livro foi uma arma.

Junte-se a tudo isso a emoção que ele despertou na América espanhola, onde quebrou recordes de venda, e pode-se imaginar quanto não me envaideço dele, quanto não me orgulho de ser o seu autor.

Datado de janeiro de 1942, estudado e escrito na maior parte em 1941, quando eu me encontrava numa atitude de violenta oposição ao governo brasileiro, ao ser publicada, em maio de 42, a edição argentina, fiz algumas modificações no texto, sem sequer arranhar a verdade histórica, mas com a intenção de abrir perspectivas democráticas para os governantes brasileiros, já então em vésperas da guerra contra o Eixo. Este é um livro político, escrito para a campanha da anistia, para a liberdade de Prestes. Assim sendo, não creio que as suas edições possam jamais ser absolutamente iguais no demarcar das perspectivas políticas, pois estas variam com o tempo e com o desenrolar dos acontecimentos. A edição atual, conservando o mesmo rigor histórico e a mesma paixão do original, procura rasgar perspectivas para este momento vital que vivemos no Brasil em vésperas de eleições e num processo de democratização.

Refleti muito antes de entregar os originais aos meus editores. Preocupava-me a possibilidade desse livro ser explorado demagogicamente contra figuras do governo e, em particular, contra o sr. Getúlio Vargas. Explorado pelos elementos golpistas que fazem no momento que escrevo a pregação de uma saída violenta e perigosa da crise atual. É claro que minha posição de escritor de esquerda é absolutamente antigolpista, é pela Unidade Nacional, é pela saída pacífica da crise através de um governo de coalizão nacional que presida eleições livres e honestas. É claro também que, desde 1942, quando apresentei-me com vários companheiros exilados às autoridades brasileiras para colaborar no esforço de guerra contra o nazismo, modificou-se profundamente minha posição ante o governo brasileiro. É que a posição política deste governo igualmente muito se modificara... E nós, homens de esquerda, não sujeitamos nossa linha política a ódios pessoais e a ressentimentos individuais. Nossos compromissos são com o povo e com princípios que servem o povo.

Vínhamos da insurreição de 1935, quando da Aliança Nacional Libertadora. Naquele momento de perigo fascista se estendendo sobre a pátria, nossa posição era de armas na mão. Hoje ninguém mais longe dos golpes, da luta armada, da guerra civil, de uma saída violenta que nós. Desejamos ordem e tranquilidade porque hoje nossas perspectivas são de democratização, são de uma total vitória dos princípios democráticos. Acreditamos que o caminho da democratização é o da Unidade Nacional. Por isso mesmo procuramos nos conservar como uma força independente, lutando por eleições livres e honestas, por unidade entre todo o povo e entre todas as forças democráticas, lutando pela completa pacificação da família brasileira, por programas concretos que vejam a realidade do país e as necessidades do seu povo, por eleições livres, honestas, à altura dos sentimentos dos brasileiros que são hoje também heróis da guerra na bravura dos soldados da Força Expedicionária Brasileira (FEB), os imortais de Monte Castelo. Não temos medo de aplaudir qualquer ato democrático do governo como não deixamos em nenhum momento de reivindicar outros atos da mesma força democratizadora daqueles que aplaudimos. Confundir esta atitude com qualquer desejo de sustentar a Constituição de 37, o Estado Novo ou o Ato Adicional, é apenas deturpação nascida de más intenções. Nós sempre fomos contra o Estado Novo, sempre lutamos contra a Constituição de 37. Porém, neste momento, não desejamos transformar esta luta numa simples competição pessoal de xingamentos, de vingança contra figuras do governo. Fazemos uma política realista e por isso mesmo justa.

Existem os que, em toda a crise atual, só desejam o golpe de Estado ou o golpe armado. Estes não querem democracia. Querem tão somente a substituição de nomes no poder. Nós desejamos a democracia e estamos firmemente convencidos que seu caminho é "o largo caminho da Unidade Nacional. Largo e pacífico".

Refleti sobre tudo isso antes de me decidir a entregar a meus editores estes originais. E concluí que este livro pode ser também o melhor elemento de combate ao golpe, à luta inglória e sangrenta pelo poder. A própria evolução dos fatos aqui narrados mostra e prova que neste momento estamos longe daqueles dias de pura miséria moral sobre o país. Que deles saímos para a manhã da liberdade e da democracia. O governo que vinha da noite do Estado Novo desembocou na guerra contra o Eixo, na participação direta e ativa na luta contra o fascismo. E o governo que nascer das eleições deve ser, para poder cumprir a sua missão histórica de dirigente da sexta potência mundial, necessariamente de unidade nacional, sem o que só nos restaria a desgraça da guerra civil. Ao demais, a posição assumida neste momento, antigolpista, unitária, serena, independente, por Prestes, a maior vítima do Estado Novo, e acompanhada pelo autor da sua biografia (sem dúvida o escritor brasileiro que mais restrições sofreu do Estado Novo), deve servir de exemplo de serenidade e de compreensão na hora presente para aqueles que, de boa-fé, não estão vendo a realidade e a justa saída da nossa crise política. Se Prestes coloca-se acima de qualquer ódio e ressentimento, então a ninguém cabe o direito de situar seu desejo pessoal de revanche sobre os supremos interesses da pátria.

Não estamos em hora de vãs demagogias. O Brasil ganhou enorme responsabilidade com sua justa posição na guerra contra o nazifascismo. Aqueles que, em vez de refletir sobre a necessidade de uma saída unitária para o processo de democratização, vão para as praças públicas insultar e açular não desejam progresso e liberdade para a pátria. Outro dia, não faz muito, num discurso durante o Congresso Brasileiro de Escritores, alguém disse que ali se assistia à ressurreição da inteligência patrícia. É uma afirmação falsa e confusionista, sem nenhuma base nos fatos. Em verdade, a inteligência brasileira não morreu. Suicidaram-se alguns quantos escritores nas páginas de *Cultura e Política* ou de *Atlântico*, na indiferença, no ceticismo, nos DIPs, na forma pela forma, na luta contra a arte social, nos grupinhos amargos, na bajulação a aventureiros chegados do estrangeiro para embasbacar botocudos, na adesão rasgada ou vergonhosa do Estado Novo, no trotskismo. A verdadeira inteligência brasileira resistia, no entanto, por vezes apenas com o silêncio, mas resistia.

Acontece que a ressurreição é artificial. Esses mortos que agora, quando pensam chegada a hora de nova distribuição de prêmios, lugares e postos, pregam o golpe e a violência, esses são apenas cadáveres, cada vez mais cadáveres, e cheiram mal, oh!, como cheiram mal...

Em compensação abre-se uma radiosa perspectiva para a literatura e a arte brasileiras com a volta de liberdade, com a liquidação do nazifascismo, com a possibilidade de discutir os problemas brasileiros, de criar sobre a realidade do povo. Principalmente os intelectuais mais jovens, essa última geração que surge quando iniciamos nosso processo de democratização e que conta com a estimulante presença de Prestes em meio ao cenário nacional. Acredito que marchamos para grandes realizações.

Jorge Amado
São Paulo, maio de 1945

NOTA À VIGÉSIMA EDIÇÃO

ESCRITO EM 1942, DURANTE A VIGÊNCIA DA DITADURA DO ESTADO NOVO, com o objetivo fundamental de servir à causa da anistia aos presos (e exilados) políticos, *Vida de Luís Carlos Prestes: O Cavaleiro da Esperança* circulou amplamente no Brasil, mesmo antes do lançamento de sua primeira edição em língua portuguesa, através da tradução em espanhol, publicada naquele mesmo ano. Cumpriu, creio eu, o objetivo visado, concorrendo para popularizar e intensificar a campanha pela anistia naquele então apenas iniciada. No correr do tempo, sucederam-se edições e traduções.

A contingência política resultante do golpe de Estado de 1964, com o estabelecimento da ditadura militar, retirou *O Cavaleiro da Esperança* das livrarias brasileiras, às quais retorna agora, com o mesmo objetivo que o inspirou: servir à causa da anistia aos presos (e exilados) políticos, campanha que é novamente a mais urgente e generosa bandeira de nosso povo.

Numa entrevista, há algum tempo, um jornalista perguntou-me se eu estaria de acordo em reeditar *O Cavaleiro da Esperança*, caso ocorresse tal perspectiva. Respondi que certamente o faria, assim fosse possível, pois sinto-me orgulhoso de ser autor deste livro que é, também, homenagem de estima e admiração a um brasileiro dos mais notáveis, figura que extralimitou de todas as diversas fronteiras onde o quiseram deter, para tornar-se uma legenda e um símbolo, no Brasil e pelo mundo afora. Sou velho amigo e admirador de Luís Carlos Prestes, cuja vida parece-me exemplo de coerência e dignidade, de dedicação ao povo. Discordar de Prestes, combatê-lo, é direito de todos os seus adversários políticos. O que ninguém pode fazer, honradamente, é negar grandeza à sua presença em mais de meio século da vida nacional, o extremo amor ao Brasil, paixão a conduzi-lo numa extraordinária trajetória.

Pessoa amiga, que somente agora leu este livro, achou-o ingênuo; a classificação não me desgosta. A ingenuidade não representa um mal maior; perigoso é o cinismo que vem se transformando em hábito no pensamento político do país. A condição ingênua destas páginas, escritas quando Hitler ameaçava dominar o mundo e a ditadura do Estado Novo parecia inabalável, nasce de minha obstinada crença no futuro.

Jorge Amado
Bahia, fevereiro de 1979

INTRODUÇÃO COM RIMANCE, UMA NOTA E UM AGRADECIMENTO

Rimance

TE CONTAREI AGORA A HISTÓRIA DO HERÓI. JÁ TE CONTEI, AMIGA, a história do poeta, a poesia era a sua arma, ia na frente do povo. Foi no cais da Bahia, era noite de mil estrelas, lembras-te? Deste-me a tua mão direita, eu te contei a história do poeta Castro Alves. A grande lua no céu, o verde mar onde o refluxo das estrelas se confundia com o brilho das lanternas dos saveiros. Vinham sons de atabaque da nossa cidade misteriosa, Iemanjá espalhava sua cabeleira sobre o mar, também ela viera ver a lua cheia no céu da Bahia. E também ela ficou, junto com os marítimos, os estivadores, o cego que era poeta, os operários que descansavam de um dia árduo, os jogadores semiprofissionais e o negro tocador de violão, também Iemanjá ficou ao teu lado ouvindo a história do poeta. Cantei a minha louvação do poeta do povo e o povo me deu de beber e de comer. Os marinheiros trouxeram os mariscos, os estivadores trouxeram frutas e pão, cachaça dos vagabundos. O negro pinicou sua viola, o cego disse seu improviso. Os jogadores semiprofissionais partiram os baralhos sebentos e deixaram no seu reconhecimento e na sua bondade que eu ganhasse uma partida e aprendesse todas as marcas, mesmo as mais misteriosas, dos seus baralhos preparados.

Naquela noite veio música do cais, falava do mar, do supremo mistério do amor. Veio música da cidade, música negra das macumbas, falava de homens escravos e da suprema beleza da liberdade. Iemanjá saiu da sua encantada morada e veio para junto de nós, era a poesia de repente conquistada. E tu me deste teu corpo nas areias do cais e nele descansei minha cabeça, cobri as estrelas, a lua, os homens e Iemanjá com o manto dos teus cabelos, e repousei em ti, negra minha, nas areias do cais da Bahia.

Cantei a minha louvação do poeta do povo e o povo me deu comida para a minha fome, bebida para a minha sede, negra para o meu desejo.

E sobre todos nós brilhava no céu a estrela matutina que era o coração do poeta Castro Alves junto aos homens se libertando.

Tempos depois, estávamos no mar, tu me disseste: "Havia outra estrela no coração dos homens e havia um negro, gigantesco e risonho como os negros dos teus romances, que tinha um enorme P tatuado no peito. Saía uma estrela do seu coração. Como nas histórias que narras, mas só que dessa vez era tudo verdade. Por que havia tanta esperança boiando sobre nós nessa noite do cais da Bahia?".

Uma estrela existia e não era a estrela matutina, brilhando do alto dos céus, não era uma luz na noite do passado. Tu a sentiste, vinha mesmo do peito dos homens, dos operários que descansavam, dos marítimos que cheiravam a maresia e tinham os olhos ardidos do vento do mar, do soldado que amava u'a mulata nas areias do trapiche, vinha da terra, uma luz de presente, uma luz de esperança, uma luz de futuro. Tu a sentiste na noite, boiando no ar, vinha do povo sentado na areia.

Várias vezes vimos essa estrela, amiga, nas nossas viagens de feira em feira no Brasil. Certa vez — era noite de chuva e vento — íamos pela rua pobre de uma cidade distante. Íamos curvados, teu corpo bem junto ao meu. Do escuro de uma sala, através da madeira das janelas, o rumor de vozes de homens em uma prática amarga chegava até nós. E, de súbito, na sala alguém disse um nome. E desapareceu a amargura e o desespero, ficou só a esperança. Também sobre nós, sobre a chuva e o vento, brilhou na rua pobre uma estrela. Houve uma alegria de primavera na noite chuvosa de inverno. Outra vez nós vimos os homens que iam presos. Sorriam, não eram ladrões, nem assassinos, não exploravam mulheres, nem vendiam tóxicos. Os que os levavam eram ladrões, assassinos, exploravam mulheres e vendiam tóxicos e eram a polícia. Os presos sorriam, as mulheres que os viam passar choravam, os homens apertavam os punhos. Alguém murmurou um nome, o nome de outro preso. E a esperança brilhou no sorriso dos que iam presos, nas lágrimas das mulheres, nos punhos cerrados dos que ficavam. Luz de uma estrela que empalideceu os assassinos, ladrões, cáftens, cocainômanos que eram a polícia.

Na noite do Brasil, amiga, vimos uma estrela que brilha e ela anuncia os raios e a tempestade do povo e anuncia também a manhã de bonança e de alegria. Estrela da esperança.

Vou te contar, amiga, a história dessa luz, dessa estrela, dessa esperança. Muitas vezes me perguntaste se era Pedro Ivo, se era Tiradentes, se era o negro Zumbi dos Palmares, algum dos heróis cantados pelo poeta Castro Alves. Na noite do cais da Bahia, um negro sorria, ele tinha um P tatuado no peito, ele sabia da verdade. "Seria um milagre?", me perguntaste. "É um milagre", eu te respondi.

Um milagre do povo, amiga. Nós que somos vagabundos dos caminhos do Brasil, que o cortamos em todas as direções em todas as conduções, nós temos visto diariamente novos milagres, espantosos milagres do povo. Aqueles que não creem no povo são os que não mais creem na poesia e no heroísmo. E o povo realiza cada dia novos milagres de poesia, novos milagres de heroísmo.

Um dia o povo negro do Brasil, escravo e desgraçado, fez o milagre de poesia que foi o poeta Castro Alves. Um povo que não podia falar precisando de uma voz que clamasse. Fez o milagre da mais bela das vozes.

E muitos anos depois, todo o povo do Brasil, escravo e desgraçado, o povo negro, o povo índio escondido no fundo da floresta, o povo branco, o povo mulato que é o povo mais lindo do mundo, povo de mãos e pés atados, com sede, com fome, sem livros e sem amor, fez o milagre de heroísmo que é Luís Carlos Prestes, P no peito dos negros, no coração dos soldados da Coluna, luz no coração dos homens, operários, marítimos, camponeses, poetas, sambistas, tenentes e capitães, romancistas e sábios. Luz no coração dos homens, das mulheres também, estrela da esperança. Um povo escravo precisando do seu Herói. Fez o milagre do maior dos heróis.

Herói, que coisa tão simples, tão grande e tão difícil! Herói, que palavra mais linda! Só o povo, amiga, concebe, alimenta e cria o Herói. Nasce das suas entranhas que são as suas necessidades.

Nasce do povo, é o próprio povo no máximo das suas qualidades. Como o Poeta, vai na frente do povo. O Poeta e o Herói constroem os povos, dão-lhes personalidade, dignidade e vida. São momentos supremos na vida de uma nação e na vida de um povo. Tão necessários como o ar que se respira, a comida que se come, a mulher que se ama. Por isso os inimigos do povo, os traidores, os que o querem enganar e desgraçar, tentam apresentar poetas e heróis nas praças públicas. Mas, amiga, esses são falsos heróis e falsos poetas. O Poeta está na praça quando o povo clama, pedindo liberdade. O Herói está na frente do povo quando o povo se levanta, conquistando liberdade. Os outros são fabricados, poetas incensadores dos tiranos, nascidos de um setor de classe, vendidos por migalhas de pão de mesas ricas, capados no seu poder criador igual a um capão que tem a plumagem tão linda como um galo mas não tem nenhuma força viril. E os que, coroados de louros, se apresentam como heróis são apenas tiranos sobre o povo, em dramático carnaval.

Nunca te enganarás, amiga, porque o povo nunca se engana. Ele sabe como é a voz dos seus poetas, porque é a sua própria voz. Ele reconhece a figura dos seus heróis porque é a sua própria figura. Não importa que literatos vendidos se apresentem como poetas, que o tirano se apresente como o Herói. O Povo os repele e se afasta deles. Não ouve a voz dos literatos, nem fixa o gesto teatral dos tiranos. Seu coração e seu pensamento estão com o seu Poeta e o seu Herói, sua voz e seu braço.

Vê, negra, que os tiranos mascarados de heróis, cercados de polícia, cercados de literatos vendidos mascarados de poetas, clamam sobre os mares, os campos e as cidades do Brasil. Campos que amamos, que conhecemos nas suas plantações de cana, de milho, de cacau, de café e de algodão, cidade e povoados tão líricos, usinas e fábricas, mares dos saveiros, das canoas e dos navios, livros dos romancistas e dos sociólogos, sobre tudo isso a pequena sombra mesquinha da tirania se estendeu, sujando e envilecendo a paisagem física e a paisagem humana. Os anos de terror e de desgraça, de escravidão e de miséria rolaram como uma capa sobre o Brasil.

Tu choraste um dia, negra, quando alguém que nos era caro se vendeu, vestiu ele também sua camada de lama. Durante um momento perdeste a confiança e desejaste morrer já que tudo era tão podre e tão vil. E então eu te prometi contar a história do Herói, aquele que nunca se vendeu, que nunca se dobrou, sobre quem a lama, a sujeira, a podridão, a baba nojenta da calúnia nunca deixaram rastro. E como ele é o próprio povo sintetizado num homem, é certo que o povo não se vendeu nem se dobrou. Como ele o povo está preso e perseguido, ultrajado e ferido. Mas, como ele, o povo se levantará, uma, duas, mil vezes, e um dia as cadeias serão quebradas, a liberdade sairá mais forte de entre as grades. "Todas as noites têm uma aurora", disse o Poeta do povo, amiga, e em todas as noites, por mais sombrias, brilha uma estrela anunciadora da aurora, guiando os homens até o amanhecer. Assim também, negra, essa noite do Brasil. Tem sua estrela iluminando os homens: Luís Carlos Prestes. Um dia o veremos na manhã da liberdade e quando chegar o momento de construir no dia livre e belo, veremos que ele era a estrela que é o sol: luz na noite, esperança; calor no dia, certeza.

Te contarei a história do Herói, amiga, e então não terás jamais em teu coração um único momento de desânimo. Como naquelas noites em que o seu nome, balbuciado por vezes a medo, afastava a amargura e o terror, agora eu falarei dele para que tu e o povo do cais que me ouve saibam que podem confiar e que a noite não é eterna. Eterno no mundo, amiga, só o povo e a memória dos seus heróis e dos seus poetas. É curto o tempo dos tiranos, é curta a noite da escravidão. E tão bela é a manhã da liberdade que vale a pena morrer por ela, dar a vida pela certeza de que ela vem, que chegará para os homens. Mas, ah! amiga, morrer é fácil, seja por uma mulher, seja pela liberdade! Difícil é viver uma vida de sofrimento e de luta, sem desanimar e sem desistir, sem se vender, sem se curvar. Mais que a morte, a liberdade pede a vida de cada um, todos os seus momentos, todas as suas forças.

Assim fez Prestes, amiga. E assim o está fazendo. Tudo lhe ofereceram, não se vendeu. Todos os bens da vida na sua frente, não se vendeu. Tudo lhe fizeram, não se curvou. Todos os sofrimentos na sua frente, não se curvou.

Cortou o Brasil com os seus soldados, general do povo. Cortou os caminhos do exílio, seu coração estava com o povo do seu país. Voltou um dia, um raio cortou a noite do Brasil. Têm-no num cárcere, é o povo encarcerado. Um dia sairá, será o povo se levantando, rompendo as cadeias da escravidão. É o povo num homem. O Herói que o povo concebe, alimenta e cria: Luís Carlos Prestes.

Sua mãe no exílio com suas irmãs. Sua esposa, prisioneira dos nazistas, num campo de concentração. Sua filha nascendo na prisão, crescendo no exílio. Esse, amiga, sabe viver pela liberdade e pelo povo.

E se em qualquer momento nosso pobre coração sente fraquejar diante do sofrimento e deseja a morte para se afastar de toda a dor e de toda a imundície, então basta pensar por um minuto naquele que se chama Luís Carlos Prestes e que, em meio à suprema dor e à suprema imundície, sofrendo, vendo os seus sofrerem, vendo o povo sofrer, vendo outros morrerem, cederem ou se venderem, continua de pé, sua vida pela liberdade. E então teremos novas forças, coragem, esperança. Esperança, amiga.

Chamaram-no Cavaleiro da Esperança, nome que o povo lhe deu. Estrela na noite negra, temporal do povo, raio na escuridão, vento noroeste que sacode a tirania, adivinhado pelo gênio dos poetas do passado, Cavaleiro da Esperança. Dá-me tua mão, amiga, te contarei a história de Luís Carlos Prestes.

Bem sei, negra, que essa não é uma noite do cais da Bahia. Diferente é esse cais, são outras suas estrelas, onde está a lua nessa noite fria? Noite de exílio no cais de outra terra. Não importa, amiga. Não importa que os homens desse cais falem outra língua e cantem outras canções. Assim como sentimos a beleza das canções que cantam os marinheiros de todo o mundo, assim eles entenderão a história que te vou contar. O povo desse cais se reunirá em torno de mim, igual ao povo do cais da Bahia. E me dará de comer e de beber e tocará seus instrumentos de música e dirá seus improvisos. E depois de ouvir a história do Herói, os homens levantarão as mãos, altearão as vozes e clamarão, sobre os mares e as montanhas, pela sua liberdade. Porque, amiga, o povo é o mesmo em qualquer porto do mundo, na beira de qualquer cais, sob qualquer céu: bom e forte, generoso e compreensivo, amando a liberdade, a beleza e o heroísmo. Não, amiga, não é uma noite de exílio num cais estranho. Nunca estarei entre estranhos e no exílio desde que esteja junto ao povo, falando para ele. Por isso te conto daqui, longe do cais da Bahia, essa história. Aprende nela uma lição de coragem e de fidelidade ao povo e à liberdade. E saberás então por que se pode deixar a pátria e as pessoas que amamos e partir para outras terras ou para os cárceres e ainda assim ser feliz. Nunca é caro, amiga, o preço da liberdade, mesmo quando é mais que a morte, é a vida no exílio ou na prisão.

Nesse cais distante dá-me tua mão esquerda, ouve a história do Herói.

NOTA

COMO SENTI NECESSIDADE DE ESCREVER UMA BIOGRAFIA DE CASTRO ALVES, da mesma maneira achei que era meu dever de escritor, perante o povo do Brasil, escrever uma biografia de Luís Carlos Prestes. Esse parêntesis que faço no meu trabalho de romancista para escrever a biografia de um Herói e a de um Poeta eu o encontro sumamente honroso para mim. Ontem, no Brasil em efervescência, o povo se levantando, lutando e construindo a Revolução, estava muito bem que eu me preocupasse apenas com as figuras de romance que simbolizavam a luta, o sofrimento, a vida do povo. Hoje, quando o nazismo sangrento e assassino ameaça a própria existência de nossa pátria, achei que devia falar para o povo sobre as figuras que ele produziu e que nunca foram sufocadas, as que construíram liberdade.

Falei primeiro do Poeta, aquele que fez a Abolição e a República, que cantou as revoluções que haviam de vir, gênio e profeta de um povo. Queria apresentar ao povo o seu Poeta na sua inteireza. E ao mesmo tempo queria ver se, com o exemplo de Castro Alves, era possível salvar uns restos de dignidade e de honra na degradação por que está passando parte da literatura brasileira, dia a dia se entregando às forças da reação. E quis que o povo soubesse que existem artistas que nunca se entregaram, nunca se venderam, que lutaram sempre, longe deles os mesquinhos interesses. Por isso falei de Castro Alves, artista do povo, social, político interessado, revolucionário. E, por isso mesmo, genial. Ao entregá-lo ao carinho do povo, quis também deixar marcada a sua tradição literária para os escritores novos que surgem no Brasil e que se encontram, nesse triste momento, diante de forças intelectuais em decomposição, vencidas ou pelo medo ou pelo suborno, pregando a volta às formas caducas e reacionárias da "arte pela arte", afastando criminosamente a literatura do povo.

Falo agora de Luís Carlos Prestes, trago para junto do povo a sua figura de Herói, nascida do povo e na frente do povo. Um exemplo para todo o Brasil. Por maior que possa ser a sujeira sob a ditadura, a dignidade de Prestes, por si só, é suficiente para lançar uma luz sobre esse charco, uma luz de esperança. Quando o povo do Brasil vê uma geração de homens se entregar, nada melhor que mais uma vez apontar para Luís Carlos Prestes.

Por outro lado esta biografia representa o pagamento de uma dívida. Muito se tem falado nos motivos que resultaram na moderna literatura brasileira, na novelística e na crítica. Inúmeros artigos e ensaios se têm escrito sobre isso e não sei de nenhum que ligue o nome de Luís Carlos Prestes a esse movimento. No entanto ninguém teve em relação a ele uma importância maior, uma influência mais decisiva. A moderna literatura brasileira, aquela que deu os grandes romances sociais, os estudos de sociologia, a reabilitação do negro, os estudos históricos, resulta diretamente do ciclo de movimentos iniciado em 22 que só encontrará seu término com o pleno desenvolvimento da revolução democrático-burguesa, 22, 24, 26, 30 e 35 trouxeram o povo à tona, interessaram-no nos problemas do Brasil, deram-lhe uma ânsia de cultura da qual resultou o movimento literário atual. E como Luís Carlos Prestes foi e é a figura máxima de todos esses movimentos, chefe, condutor e general, a sua ligação com a moderna literatura brasileira é indiscutível. E essa literatura não tratou dele, da sua figura em nenhum momento. É justo que o "modernismo", movimento de uma classe, dos oligarcas paulistas, não tomasse conhecimento de 22 e 24. Creio que só a voz de um poeta se levantou para cantar a Coluna Prestes. Foi Raul Bopp, e os seus poemas com essa temática até hoje se encontram inéditos. E só um romancista descreveu a vida do Brasil de então, ligando-a aos acontecimentos revolucionários: Pedro Mota Lima, com *Bruhaha*. A vitória do movimento armado de 30 permitiu que este e as lutas anteriores produzissem seus frutos literários, toda a moderna literatura do Brasil, voltada, ao contrário do "modernismo", para as realidades cotidianas, voltada para o povo. Com o surgimento da Aliança Nacional Libertadora toda essa literatura, que se iniciava, encontra o seu apoio num movimento de massas e pode atingir seu máximo. Com Prestes. O fracasso da insurreição de 35, a prisão de líderes revolucionários e de Prestes, vem paralisar essa literatura. Ainda produziu ela alguns livros, com a força que restava do movimento da Aliança. A implantação do Estado Novo em 1937 traz o suborno como arma política. A compra de uma literatura. Os escritores mais nobres silenciam, impedidos de falar. Outros se vendem. Outros ainda se limitam, abaixam a voz numa última tentativa de dizer alguma coisa. Quando Prestes deixar a prisão, libertado pelo povo, e as massas brasileiras voltarem à rua, esse movimento literário voltará à vida, renascerá com certeza com maior força e já com uma imensa experiência literária, sobrepujadas as suas falhas, vencidos os seus erros.

Esta biografia vale assim também como o pagamento de uma dívida de toda uma geração de escritores para com um líder do povo. Muito devemos a Luís Carlos Prestes, com esta louvação quero lhe pagar uma parcela dessa dívida.

Esse é, no entanto, o menor dos motivos que me levam a escrever este livro. O mais importante de todos é o meu amor ao povo, ao seu heroísmo, à sua beleza. Como escritor tenho uma enorme dívida para com o povo. Tudo de belo e de forte que possam ter meus livros eu o aprendi com o povo. E com ele aprendi a amar Luís Carlos Prestes. Era ainda um menino de internato quando o seu nome lendário chegou pela vez primeira aos meus ouvidos. Desde então não mais deixei de ouvi-lo e de me apaixonar pela aura de heroísmo, de dignidade humana, de estranha beleza, que o rodeava. Esse homem, que era amado por gente de todas as classes, que era uma palavra de ordem para o povo, foi uma das figuras que encheram a minha adolescência e a minha juventude. E que encheria depois a minha vida política, seu soldado que fui na Aliança, e que ainda sou hoje, minha maior honra. Essa a maravilha do sortilégio de Prestes. Não é apenas um herói para a juventude. Se conserva íntegro e completo pelo tempo afora. Cada vez maior.

A primeira vez que prometi escrever este livro foi em 1938, num ônibus que ia de Estância a Aracaju, em Sergipe. O chofer havia sido da Coluna Prestes. Fora depois da Aliança. Falávamos de Prestes e ele me perguntou por que eu não escrevia a vida do Herói. Desde esse dia tenho sentido cada vez mais urgente essa necessidade. Como uma necessidade do povo. E a realizo hoje, feliz de ter cabido a mim a tarefa de falar sobre o maior dos homens do meu país. E muito mais feliz por isso acontecer num momento em que, por miseráveis moedas, alguns escritores brasileiros fazem, envergonhados, a apologia do regime cujo processo de decomposição e de desagregação desmoraliza o Brasil. Há muito que, enojado, me afastei desses escritores. Disse uma vez que uma coisa me ligava poderosamente a Castro Alves e que por isso escrevia sem medo a sua biografia: a fidelidade ao meu povo, às suas lutas e aos meus ideais. Repito isso de referência a Prestes. Como ele, tenho sido fiel ao meu povo. E é essa fidelidade que me leva hoje a escrever a sua vida.

Diante da sua enorme figura não me sinto amedrontado. Ante ele ninguém sente medo. Infunde coragem e vontade de vencer. Nunca medo diante dele, sempre amor. Escrevo sem receio. Existirão as falhas literárias, ninguém sabe melhor dos meus defeitos de escritor que eu mesmo. Mas também sei que nunca tomei da minha pena senão para tratar de assuntos que amo, que nunca minha voz se dirigiu senão ao povo e que nunca foi beber em outra fonte que a da sabedoria popular. Um escritor do povo falando sobre um líder do povo tem sempre a certeza de que fará uma obra útil. Sei que deste livro que inicio a figura de Prestes saltará inteira. É o que me importa. As fronteiras técnicas da biografia, que os críticos amam impor, não me interessam como nunca me interessaram as fronteiras marcadas para o romance. Em geral os críticos não escrevem nem romances, nem biografias, e quando as escrevem são romances ou biografias medíocres.

Outra coisa: este não é nem pretende ser um livro frio. Não analiso uma figura distante no tempo e distante na minha afeição. Nunca trataria de uma figura que não amasse. Este é um livro escrito com paixão, sobre uma figura amada. E, quanto ao equilíbrio e à imparcialidade, de referência a Luís Carlos Prestes são coisas que não se faz necessário medir. Porque nele os lados negativos não surgiram nunca, nem nos dias de luta, nem nos dias de triunfo, nem nos dias de prisão, esses dias que despem o homem de todas as capas artificiais e o colocam nu nos seus verdadeiros sentimentos. Nestes dias Prestes apareceu ainda maior e mais o Herói.

Falo dele com admiração, com entusiasmo e com fé. Não falaria sobre ele se não o amasse, não confiasse nele. Falo dele como um escritor do povo sobre um condutor do povo. Com liberdade e com amor.

AGRADECIMENTO

ACABO DE PÔR A PALAVRA *FIM* NA ÚLTIMA FOLHA DATILOGRAFADA DESTE LIVRO e volto a tomar da máquina para deixar aqui um agradecimento a todos aqueles que, de uma ou de outra maneira, colaboraram comigo na realização desta biografia de Prestes.

Para escrevê-la eu saí do Brasil. No clima policial do Estado Novo não era possível criar este livro. Tampouco publicá-lo. É claro que isso me trouxe enormes dificuldades, como qualquer um pode se dar conta: longe dos meus livros, das fontes de informação, a minha tarefa se dificultou sobremaneira. Escrevi dezenas de cartas a pessoas dentro e fora do Brasil pedindo dados. Muitas não me responderam sequer (nem sei mesmo se receberam minhas cartas), outras responderam desculpando de nada poderem me enviar, outras, por fim, me enviaram muita coisa. A estas últimas, cujo nome não posso citar devido ao atual estado político do Brasil, aqui ficam os meus agradecimentos. Principalmente àquelas duas pessoas sem os esclarecimentos das quais não me seria possível reconstruir a infância e a juventude de Prestes.

Quero agradecer muito especialmente à corajosa pessoa que, a meu pedido, vasculhou na Biblioteca Pública do Rio de Janeiro os jornais da época da Coluna, copiou deles o que podia me interessar e me enviou. Sei que essa pessoa foi ajudada por outras nesse trabalho. A estas estendo os meus agradecimentos.

Ele é dirigido também às pessoas, brasileiras e estrangeiras, que, nos países americanos, me forneceram dados e cujos nomes não estou autorizado a citar.

E também a Rodolpho Ghioldi, o grande líder do proletariado argentino e grande amigo do Brasil, cujo auxílio para a reconstrução da vida de Prestes no exílio me foi tão útil. A Rosa Meireles, vida dedicada à revolução brasileira, que pôs à minha disposição o seu magnífico arquivo sobre o tenentismo e as revoluções que, de 22 a 30, se processaram no Brasil, além de me haver fornecido um grande número de informações verbais. Ao major Costa Leite que foi meu consultor militar e que traçou, com o engenheiro Pompeu de Acioli Borges e com o auxílio de Telmo França, o croqui do mapa da marcha da Coluna. Este mapa (publicado na edição argentina) foi feito por Calabrese, o jovem e excelente desenhista argentino. A Pedro Mota Lima, o querido companheiro, tantas vezes consultado nas minhas dúvidas. Àqueles que datilografaram os originais da tradução castelhana deste livro, que ainda o estão datilografando no momento em que escrevo: o casal brasileiro cujo nome não posso citar, e Teresa Kelman. A Teresa Kelman, campeã da campanha pró-liberdade de Prestes, devo também uma boa parte do material sobre essa campanha em todo o mundo. Ao comandante Roberto Sisson, a Ivan Pedro de Martins, a Brasil Gerson, ao tenente Antônio Tourinho, a Luís Cuneo que me auxiliaram com dados enviados desde Montevidéu. Ao dr. Júlio de Mesquita Filho, que me forneceu dados tão úteis sobre Siqueira Campos, e ao dr. Eliézer Magalhães, a quem várias vezes consultei sobre detalhes. Aos demais companheiros emigrados em Buenos Aires: Telmo França, Manuel Palheiros, Antônio Nunes e Walter Benjamin da Silva, que por várias vezes me foram úteis. E principalmente a Pompeu Acioli Borges, que deixou todos os seus outros serviços para traduzir este livro para o espanhol ao mesmo tempo que eu o escrevia.

Quero deixar aqui consignada uma lembrança à memória de Lourenço Moreira Lima. Não me teria sido possível reconstruir a marcha da Coluna se não fora o seu livro, esse livro tão marcado de vida. Bem merece ele uma edição nova, comentada por militares e intelectuais, tal a sua força e o seu pitoresco. Tampouco me seria possível reconstruir os processos e a vida de prisão de Prestes se não fossem os documentos jurídicos do dr. Sobral Pinto, que uma pessoa amiga conseguiu e me enviou. A essa pessoa mais uma vez os meus agradecimentos. O arquivo dos exilados nacional-libertadores em Buenos Aires me foi igualmente de grande utilidade.

Quero agradecer ainda ao meu amigo Carlos Dujovne, que me deu tempo para escrever este livro. Tempo que ainda assim não chegaria se Abraham Pinus, a quem igualmente agradeço, não houvesse tomado a si outros trabalhos meus.

Por fim quero agradecer a seu Joaquim. Quero que ele saiba, esse magnífico símbolo da força do proletariado brasileiro, que muito devo ao seu entusiasmo na construção deste livro. Foi ele o meu grande animador nesse trabalho.

Como se vê, este livro é quase um trabalho coletivo. Eu apenas o estudei e escrevi. E na sua realização ele sofre vários defeitos, eu bem o sei.

Uns provenientes da minha estada no estrangeiro, me escapando, apesar dos meus esforços, uma parte do material. Outros provenientes da proximidade de fatos tratados, alguns deles ligados a mim diretamente, tratados por consequência com paixão. Sei que por vezes me perco em detalhes de literatura deixando talvez detalhes políticos mais importantes. É que sou um escritor e minha vida política decorre da minha honestidade de escritor... Demais a minha ignorância em matéria militar e também — confesso-o — em corografia, não podia ser liquidada em tão pouco tempo. Resta-me a certeza que procurei vencê-la o quanto possível.

Sendo um trabalho com a cooperação de tanta gente, reunindo uns material, outros enviando dados, outros datilografando originais, esclarecendo dúvidas do autor, quero fazer notar, no entanto, que ele representa a opinião pessoal de um escritor brasileiro sobre um Herói, alguns fatos e alguns homens da sua terra. Dou essa explicação porque, tendo sido eu membro da Aliança Nacional Libertadora, não quero que em torno dela, ou de qualquer outro partido político, se crie, à raiz da publicação deste livro, nenhuma classe de exploração. Se as opiniões aqui expendidas coincidirem com as opiniões dos nacional-libertadores ficarei feliz. Mas, que saibam desde logo os eternos exploradores, que a Aliança nada teve que ver com as afirmações que aqui faço. Como nenhum outro partido político.

Aos leitores estrangeiros quero dizer que, se encontrarem neste livro alguns homens demasiado pequenos e mesquinhos, creiam que eu não os reduzi na sua miséria. Eles são realmente assim. Outra coisa que quero fazer notar é que, se bem este livro seja publicado em idiomas estrangeiros antes que chegue o dia em que possa aparecer em português, eu o escrevi, antes de tudo, para o meu público do Brasil. Foi pensando nele, e no meu povo, que me entreguei à tarefa desta biografia.

E agora, ao mesmo tempo que espero os xingamentos dos quintas-colunas do Brasil e dos seus capangas literários, volto ao romance cuja criação interrompi para escrever a vida de Prestes. Desde que publiquei uma biografia de Castro Alves, muitos leitores me escrevem ou me mandam recados com sugestões para que eu escreva ora a vida de Zumbi dos Palmares, ora a de Lima Barreto, ora a de Euclides da Cunha. Creio difícil que venha a fazê-lo. O romance é minha natural vocação. Para ele volto hoje. Na minha frente vejo a figura de Antônio Vítor, o pequeno lavrador de cacau, plantando a sua terra, defendendo-a com seu sangue, vivendo sua vida difícil no romance em que trabalho.

Antes de deixar, no entanto, a companhia daqueles que vivem na realidade e nas páginas desta biografia, quero dizer também que saí do trabalho deste livro com a minha admiração por Luís Carlos Prestes aumentada. Depois de estudar a fundo a sua figura e a sua obra, depois de viver a sua vida ao narrá-la, o meu amor pelo Herói do Brasil só fez aumentar. Nunca acreditei nele como acredito hoje.

Buenos Aires, 3 de janeiro de 1942
(no dia do 44º aniversário de Prestes)

QUERO ACRESCENTAR MAIS ALGUNS AGRADECIMENTOS, ESSES JÁ DE REFERÊNCIA à edição brasileira. Desejo agradecer a Chester e a Felícia que guardaram no estrangeiro, com tanto carinho, durante anos, os originais deste livro, e também aos meus amigos de Porto Alegre que providenciaram a sua vinda para o Brasil, muito especialmente ao escritor Casemiro Fernandes.

Agradeço também ao ministro Orlando Leite Ribeiro, revolucionário de 24, dedicado amigo de Prestes, e a Alfredo Felizardo que me forneceu o material fotográfico para esta edição.

São Paulo, abril de 1944

PRIMEIRA PARTE

O MENINO POBRE

En la orilla del día nació Luís Carlos Prestes.
Es como si os dijera, nació un río.
José Portogalo

1

NESSAS TERRAS DO SUL ELE NASCEU, AMIGA. AQUI, NESSES CAMPOS que se estendem em busca do infinito, correm livres os animais e as lendas. É o pampa, planície sem fim, melancólica e suave; o céu azul, azul de impossíveis comparações, o campo verde, verde de todos os matizes, onde pastam os bois calmos, onde correm nervosos cavalos. Aqui nascem os homens valentes, amiga, aqueles que deixam um rastro de lenda na sua passagem. É o país do Rio Grande do Sul, dos caudilhos, das revoluções, da coragem sobre todas as coisas.

Nessas terras do Sul ele nasceu. Nessas terras deixaram a marca dos seus passos a brasileira Anita Garibaldi e o italiano Giuseppe Garibaldi. Esse aprendeu liberdade e democracia nessas terras do Rio Grande, no seio dessa brasileira Anita. Os dois nos seus cavalos, à frente dos gaúchos. História do Rio Grande, saborosa como uma lenda, heroica como uma epopeia. O amor misturado com as revoluções, as cavalgadas partindo dentro da noite, poeta morrendo nos campos de luta.[1] Nessas terras ele nasceu.

Houve uma revolução, ela se chamava Farrapos. Houve uma república nessas terras, quando ainda as forças reacionárias do Império eram donas do país. Luta de anos, os gaúchos dando sua vida pela liberdade. Caindo nos campos, junto com os seus cavalos. Sangue empapando essas terras, dando-lhes o imortal sentido da liberdade. Os caudilhos na frente dos seus homens. As noites eram então, amiga, cheias do tropel das colunas partindo, os cascos dos cavalos arrancando a erva do chão. Durante anos e anos nasceram os caudilhos nas terras do Rio Grande. Homens que chefiavam os demais, coragem e decisão. Uma palavra na boca: liberdade. Os gaúchos seguiram sempre essa palavra quando a pronunciaram homens corajosos. Amavam-na como a nenhuma outra, como amavam a coragem sobre as demais virtudes. A voz de tribunas sobre esses pampas falando de república. Os gaúchos aprenderam essas palavras, aprenderam ainda mais esses exemplos. Nunca vacilaram, que não é próprio dos gaúchos a vacilação. Esses fazendeiros de gado a quem se misturaram a partir do século XIX os imigrantes europeus, esses brasileiros que durante anos haviam vivido confinados nas suas fazendas, em contato somente com a natureza e os animais, o cavalo sendo quase um complemento das suas pernas, se sentiam os guardiões das fronteiras sulistas do Brasil, já que essas terras marcavam os limites da pátria e o começo de outros países.[2] Um dia vieram para a corte quando a corte se estabeleceu no Rio, nos tempos ainda do vice-reinado. E se transformaram em políticos, em oradores, em parlamentares, homens cujo talento ganhava fama nos salões do Rio de Janeiro de d. João VI, nos salões de Pedro I e de Pedro II. E na terra do Rio Grande, nas fazendas feudais, sob o calor dessas palavras, sob a ação imediata das necessidades desses fazendeiros e dessa economia rural, os homens se transformaram em revolucionários, os cavalos cortando a noite do pampa, as figuras românticas dos caudilhos ganhando legenda pelo país afora. Nesse tipo de economia rural agrário-pastoril, haviam de florescer os governantes patriarcais. Mas havia de florescer também, amiga, o amor à liberdade e à luta, a rebelião contra essas fórmulas feudais de governo. Essas terras do Sul estão encharcadas de sangue revolucionário, é vermelha a raiz desses pastos e dessas árvores.

Melancólicas lendas do Sul, melancólicas como a sua natureza. O deus amado desses gaúchos é o negrinho do pastoreio, o mais sofredor dos heróis das lendas brasileiras. O menino negro que morre vítima dos maus-tratos do senhor e revive pelos pampas nas noites silenciosas de bois e de estrelas. Ele vai, negrinho sacrificado às torturas da escravidão, na frente dos cavaleiros rebeldes, a música do tropel dos cavalos é doce música para seus ouvidos. Essa economia atrasada que daria os tiranos, daria também os grandes revolucionários. Sofrendo ditaduras longas, o gaúcho aprenderia o amor à luta, à liberdade, faria de um menino negro, escravo e infeliz, o herói dos seus cantos, o mais terno dos deuses da gente brasileira.

Esses campos do Sul, essas terras dominadas e indomáveis, explodiriam em tiranos e em revolucionários. Nessas terras, amiga, dessa economia, nasceram os tiranos. Filhos de dono de fazenda, senhores feudais, de alma escravocrata, da raça daqueles que mataram o menino negro, dos torturadores do negrinho do pastoreio. Fazendeiros feudais, pais de família da época patriarcal, donos do destino dos seus homens, senhores da terra, da vida e da morte, o lado reacionário, atrasado, odioso da raça dos gaúchos. O dono da terra, o que nunca viu um livro, o que desconfia das cidades e do progresso, aquele que dos animais e da natureza não aprende senão os maus ensinamentos, as manhas e as espertezas. Da raça dos que mataram o negrinho do pastoreio. Os senhores da terra traziam todos eles gotas de sangue do negrinho do pastoreio nas suas mãos. E no coração o desejo de dominar os homens, sob chicote, como dominavam os pacíficos bois do pampa sem fim. Sonho eterno dos tiranos que nasceram nessa terra. Sonho impossível, porque como um rio subterrâneo corre nas planícies do Rio Grande o sangue dos revolucionários caídos na luta.

Mas, amiga, aqui também haviam de nascer os homens da revolução. Pela mesma causa por que nasciam os tiranos: porque os homens eram tratados como animais, valendo menos que um boi de raça, que um árdego cavalo. Haviam de nascer também os que fizeram do negrinho sacrificado o seu deus, estes que o levaram como uma bandeira na frente das suas cavalgadas, estes que haviam de aprender da natureza, dos animais e dos homens escravizados, o amor à vida livre, os que aprenderiam as grandes lições. Os que fariam as cidades, sairiam das fazendas, para aprender e depois voltar aos pampas com a sua experiência e então levantar os homens e na sua frente partir para derrubar os tiranos e tornar a vida melhor, mais digna e mais bela. Em nenhum lugar do Brasil, amiga, a escravidão e a liberdade se encontraram tantas vezes no terreno de luta como nessas terras. Nasceram mulheres, nasceram homens e esses traziam o sangue do negrinho do pastoreio não nas mãos mas no coração, como um desejo de vingança e de justiça. E o desejo de libertar os homens do chicote dos senhores, dos donos da vida e da morte. Sonho eterno dos homens dessa terra. Sonho que é a realidade de cada dia,[3] que é a luta de cada instante. Porque, como um rio, corre por estas terras o sangue dos que morreram na luta pela liberdade. Nessas terras do Sul, amiga, nasceu Luís Carlos Prestes. E seu nascimento marca o instante em que começa o fim do tempo dos tiranos. Seu nascimento é a prova de que a raça dos esmagados já tinha adquirido suficiente força para derrubar os tiranos e ganhar a liberdade. Porque essa raça já tinha tanta força e tamanha necessidade que, por fim, havia produzido o Herói. O negrinho do pastoreio, bandeira de escravos, desapareceu nesse dia 3 de janeiro de 1898 da frente dos seus homens. Porque outra bandeira surgira, bandeira dos homens livres. No momento em que ele nasce começa uma nova época para todos os escravos do Brasil. Com ele chega o momento da luta final, o terrível e maravilhoso momento da última batalha.

Nessa terra do Sul, amiga, nasceram os tiranos, aqueles que, partindo da sua fazenda, do chicote sobre os bois e da espora sobre os ginetes, haveriam de chicotear e esporear, humilhar, desonrar e desgraçar a raça brasileira.

Nessas terras do Sul, amiga, nasceu o Herói, aquele que, partindo do meio dos homens escravizados do campo, dos homens explorados da cidade, haveria de animar e levantar, dignificar, dar consciência e libertar a raça brasileira. Nessas terras do Sul, amiga, do sangue do negrinho do pastoreio, do sangue dos homens vivendo como animais do pampa, do sangue dos revolucionários do passado, do sangue de Anita Garibaldi, do sangue dos homens sacrificados na cidade, nasceu Luís Carlos Prestes.

2

UM DIA, AMIGA, UM MENINO DE TREZE ANOS FUGIU DE CASA PARA SENTAR praça no Exército como simples soldado. A mãe aristocrática chorou lágrimas de desespero no seu orgulho ferido. O seu sangue azul se revoltava contra a ideia daquele filho em tão plebeia profissão. Um seu avô fora guarda-roupas do imperador e esse nobre emprego doméstico lavara no sangue da família Freitas Travassos as possíveis manchas negras ou indígenas, deixando-o azul, de um puro azul aristocrático. Sobre o retrato do antepassado que tivera a honra de calçar meias no imperador, de ajudá-lo a vestir o sobretudo, rolavam as lágrimas desesperadas de Luísa de Freitas Travassos. Nessa hora ela nem se lembrava que diante desses seus sobrenomes havia um outro, mais humilde, de sangue apenas vermelho, o apelido Prestes. E quando se lembrou foi para lhe atribuir a culpa daquela fuga do menino, daquela sua vocação para soldado como o filho de qualquer taverneiro. Agora o neto do guarda-roupas do imperador aparecia envergando a humilhante farda de soldado raso. Luísa fitou o retrato do nobre com remorso. A culpa fora dela. Casara com um plebeu, de posição é verdade, mas em cujas veias corria não o sangue azul aristocrata da corte, mas sim o sangue artesão de um calafate profissional. Daí esse instinto vulgar do filho. Desde criancinha se lhe metera na cabeça aquela ideia de ir para o Exército, de ser soldado. Diante da sua resolução obstinada ela por fim cedera, mas sob a promessa de que pelo menos ele começasse do alto, entrasse para a Escola Militar como cadete, ao que tinha direito, devido ao seu sangue azul. Ser militar já era uma vergonha para a honra da família, acostumada a empregos no Paço, a olhar com desprezo qualquer profissão que não fosse a honrada, a rendosa e descansada profissão de parasita da corte. Qualquer profissão, qualquer trabalho, amiga, era para Luísa quase um insulto. O homem, a seu ver, nascera para as intrigas da corte, para os galanteios refinados, as polcas dançadas com a maior arte, os ditos de espírito sendo toda uma difícil ciência. Esse, sim, era um serviço para um aristocrata, a sua natural vocação, algo verdadeiramente distinto e refinado. Olhava com desprezo toda outra classe de trabalhos. Mesmo o trabalho de distribuir justiça, que fora o trabalho cotidiano do seu marido. Não. Não fora para isso que Deus criara, no seu momento de melhor inspiração, a classe privilegiada dos nobres. Criara-os para que eles enchessem a terra com a sua graça, com o seu talento, a sua fidalguia, a delicadeza das mãos tratadas, da pele macia quase impossível de distinguir entre os homens e mulheres. Por vezes dizia isso ao marido, amiga, e o juiz Antônio Pereira Prestes, o "velho dr. Prestes", como chamavam em família e na cidade de Porto Alegre, sorria seu sorriso entre irônico e bondoso, e falava:

— Dona Luísa, vosmicê esquece que muitos desses fidalgos têm um sangue bem misturado e o cabelo nada sedoso Quanto a mim, dona Luísa, francamente muitas vezes prefiro esses bons negros escravos...

Dona Luísa de Freitas Travassos tinha um sublime olhar de desprezo. Estava acima daquelas ironias do marido, o insinuante sorriso e o soberbo porte do antepassado seu que saltava, parecendo vivo, do retrato a óleo na parede da sala, um sorriso feliz de quem acabara de entregar a d. Pedro o lenço de cambraia finíssima para que ele assoasse as ventas imperiais, esse sorriso e a graça desse porte bastavam para situá-la muito acima das plebeias ironias do velho dr. Prestes. Casara com um plebeu, o coração não sentiu a voz azul do seu sangue, gostou daquele advogado brilhante e culto, a quem todos acatavam pelo conhecimento do direito que possuía, a quem todos vaticinavam uma brilhante carreira. Não era nobre, mas o seria um dia, com certeza; ali estava o imperador, em nome e em lugar de Deus para limpar com um decreto o sangue dos seus fiéis e dar-lhe a cor de um céu azul sem manchas. Não era nobre, diziam os seus parentes molestados. Ainda era muito viva a lembrança do calafate, trepado no costado dos barcos, no trabalho ignominioso de operário. Um trabalho a soldo... Sobre os ouvidos fidalgos de Luísa a voz das tias, a voz dos tios, o sorriso mofador dos primos nobres, o cochichar sem fim das primas, das amigas, das conhecidas da corte. Mas, ah!, negra, o amor é maior que qualquer orgulho e que qualquer preconceito. É capaz de fazer uma nobre descendente de um guarda-roupas do imperador dividir seu leito com o filho de um calafate. Demais — pensava Luísa nas suas noites de indecisão — um dia, triunfante, respeitado, rico e conhecido, o seu advogado teria das mãos do monarca o prêmio de um título de visconde ou de barão que jogaria para as lonjuras do passado a opressora recordação do calafate trepado no costado de um barco, na popa de uma canoa, na proa de um navio. Um navio... Uma caravela, cortando os mares... Sim, até podia fazer desenhar no seu escudo de armas o perfil de uma caravela, as brancas velas abertas ao vento do oceano, as vagas rebentando ao seu encontro. E então a história de um filho de calafate seria invenção de inimigos anônimos e covardes e subsistiria a lenda dos fidalgos portugueses que atravessaram o oceano nas frágeis caravelas para a aventura das descobertas dos mundos desconhecidos. E um dia entregou a fidalga mão ao filho do calafate e foi viver com ele na cidade de Porto Alegre, onde Antônio Pereira Prestes se fez o mais estimado e conceituado dos juízes. A sua familiaridade com as leis, seu conhecimento das matérias do curso jurídico, e, mais que tudo, o seu inato senso de justiça, a independência de caráter que herdara do pai calafate, fizeram dele um homem popular na cidade, espécie de exemplo de caráter reto, de homem cumpridor dos seus deveres, em que o senso da honra só era igualado pelo senso da justiça, a verdadeira justiça, não aquela que se apoia somente na lei, mas a que tem raízes igualmente na bondade e no conhecimento da vida desigual dos homens.

As sentenças do dr. Prestes não morriam no ambiente provinciano da então pequena cidade de Porto Alegre. Ecoavam, amiga, nos tribunais da corte, onde faziam doutrina, conceituados desembargadores se guiando por elas. E o mesmo prestígio das suas sentenças tinham os seus conselhos, conselhos justos de homem bom e sábio, que muitas vezes evitavam os pleitos demorados, solucionando questões que passeariam muitos anos pelo foro antes que as leis as resolvessem. E a sua casa, tal a sua fama, era muitas vezes convertida no lar das crianças que, por uma ou outra razão, tinham que ficar sob a guarda da lei. Ele não as tratava como a órfãos ou a pequenos delinquentes. Deixava, amiga, que os filhos nesses dias fossem cordiais companheiros dos menores depositados à sua guarda. E se dona Luísa de Freitas Travassos reclamava contra aquela intimidade dos filhos com meninos pobres, órfãos ou delinquentes, achando que um menino fidalgo deve saber guardar o seu lugar, o velho dr. Prestes, com a sua mansa voz, objetava-lhe que criava os filhos para serem homens e não manequins da corte.

Esse desprezo pela corte, pelos hábitos, pelos títulos nobiliárquicos, pela vida elegante, esse entregar-se de corpo e alma aos seus deveres de juiz, irritavam e magoavam dona Luísa. Perdera já a esperança de ver o marido desembargador no Rio de Janeiro, frequentando o Paço, trocando ciência com o imperador que tinha fama de sábio, sendo um dia obsequiado com o título tão almejado de barão ou de visconde ou mesmo de marquês. Decididamente essa não era a ambição do dr. Prestes, que se contentava com o respeito e o bem-querer de Porto Alegre, que não almejava nem a corte, nem a honra de discutir com o imperador, nem o título de nobreza. Para ele bastavam o seu gabinete, os livros, o estudo meticuloso de cada sentença e a satisfação que via no rosto daqueles a quem a justiça era feita.

Além de tudo — e isso era o mais terrível para a descendente dos Freitas Travassos — o juiz vivia a falar no pai calafate, a reviver com muito orgulho aquela desprezível história que Luísa tanto sonhara substituir pela poética lenda dos conquistadores sobre as caravelas, sobre a terra bravia, sobre os índios nas bandeiras civilizadoras do sertão. O dr. Prestes tinha uma estranha inclinação em narrar o que chamava a "heroica vida do pai calafate", lutando para dar ao filho uma vida melhor que a desgraçada vida que levara. Lutando e vencendo, fazendo do filho, à custa de sacrifícios que o juiz narrava com desagradável abundância de detalhes, ao ver de Luísa, fazendo do filho um doutor em leis. Não que Luísa desejasse que o marido odiasse ou esquecesse o pai. Mas que deixasse essas histórias, esses detalhes para os momentos de intimidade no leito de jacarandá que ocupava dois terços do quarto de dormir. E que deixasse a ela a narração da história da família para as visitas, que ela a tinha bem estudada, bem detalhada, os sacrifícios do calafate sendo substituídos pelos atos de bravura, pela matança em massa de tribos de índios, praticada pelo avô bandeirante.[4]

E não só para as visitas, amiga. Para os filhos também. Desde que se desiludiu de ver o marido interessado num título de nobreza, toda a sua esperança foi depositada nos filhos, especialmente no mais velho. Esse herdaria do sangue dos Freitas Travassos a graça irresistível da nobreza, o segredo da conquista da corte e das grandes cidades, o ar mundano e a superioridade natural que um sangue nobre inculca nas pessoas. Esse, amiga, era sua esperança, seu trunfo naquele jogo de ambições. Talvez herdasse do sangue do calafate o amor ao trabalho, aos estudos, a aprender para poder viver melhor, à justiça e a outras coisas tão terrenas. Que fosse assim não importava, porque ao imperador agradavam os homens cultos. Assim pelo menos ela ouvira dizer... Seria um nobre culto, porém nobre antes de tudo... Luísa se embalava no sonho daquele filho, levando-a um dia pela mão através dos salões esplendidamente iluminados do Palácio Real. Chegava a ouvir os diálogos murmurados à passagem de mãe e filho:

— Lá vai a senhora Freitas Travassos e o jovem visconde.

— Ela é de excelente família... Sangue de lei... Mas o pai? De onde veio?

— Existe algo sobre um bandeirante... Um fidalgo também.

Porém por que o dr. Prestes se obstinava em narrar aos filhos a sua descendência paterna, fazendo por vezes burlas alegres sobre a diferença do seu sangue e do sangue dos Freitas Travassos? Por que consentia que os meninos, o pequeno Antônio em particular, brincassem com os esfarrapados e esfomeados órfãos que a justiça depositava em sua casa?

Sem dúvida — pensa nessa manhã em que constatou a fuga do filho — fora em meio àqueles moleques, impressionado com as suas histórias, que Antônio começara a conceber a louca ideia de entrar para o Exército. Esses meninos pobres, essa molecada da rua, tinham uma admiração rude e sincera pelo Exército que era recrutado entre a gente pobre, um exército que tinha muito poucas prerrogativas no Paço e contava com muito pouca simpatia do imperador. Já antes de o dr. Prestes falecer, o menino Antônio falava em ir para o Exército,[5] em ser soldado. Luísa achava que o marido não rebatia com suficiente autoridade as ideias do filho. Quando o dr. Prestes morreu, deixando os filhos ainda muito crianças, não tendo Antônio, o mais velho, sequer dez anos, Luísa se lançou à batalha de vencer as tendências plebeias do filho. Contava que o seu sangue nobre falasse mais alto no coração de Antônio que o sangue ralé do calafate. Inútil batalha. Todos os sonhos do menino, todos os desejos, se reduziram a ingressar nesse Exército. Se pelo menos fosse a Marinha...

Essa, amiga, era uma carreira nobre. Nela ingressavam muitos aristocratas, filhos de famílias nobres ou de famílias ricas, brancos todos, onde não eram permitidos os oficiais feitos ao calor da luta, os oficiais sem cursos, como no Exército. Carreira que incluía viagens aos países estrangeiros, conhecimento de outras civilizações, contato com a nobreza da velha Europa, que brilhava em cortes distantes e faustosas. Não era o Exército com seus quadros recrutados entre os trabalhadores, negros e mulatos libertos, entre os camponeses, os oficiais muitas vezes sem curso, uma grande desigualdade entre uns e outros, poucos nobres, poucos ricos, alguns mal sabendo ler, tendo conquistado os galões no campo de luta, pouco amigos de "arrastar a espada no Paço", não tendo livre entrada nele como os oficiais da Marinha, só chegando à presença augusta do imperador com audiência solicitada. Ah!, amiga, se ainda fosse a Marinha...

Mas esse menino Antônio herdara aquela vontade firme do avô calafate que conseguira fazer do filho um doutor em leis. Sabia o que queria e não desistia assim da sua vocação. Aquele apelido Prestes abafava os gritos de protestos dos Freitas Travassos.

Luísa conseguiu a muito custo que Antônio lhe prometesse que pelo menos entraria para a Escola Militar, começaria do alto, não procuraria escalar posições, partiria já de um alto degrau da escala. Antônio prometera. Mas que estranha atração, amiga, arrastava esse menino para o meio do povo, para junto da gente pobre, para perto desses índios, negros e mulatos que formam o Exército? Vinha de um avô calafate mas vinha também de um guarda-roupas do imperador. Será então, negra, que esse sangue plebeu dos calafates do mundo é mais poderoso e forte que o sangue azul dos nobres?

Um dia Antônio Pereira Prestes fugiu de casa e sentou praça no Exército. Soldado raso. Tinha treze anos de idade mas já era decidido como um homem, disposto para a vida, amando-a como a uma aventura que se deve viver integralmente.

Luísa chorava diante do retrato do avô aristocrata que parecia, sob os veludos que o vestiam, ter um gesto de significativo enojo para a decadência do sangue daquela sua família. Num outro retrato, vestido com roupas mais modernas e mais modestas, sorria seu sorriso bom e irônico o juiz Antônio Pereira Prestes, pai do jovem soldado. Entre os dois retratos, as lágrimas de Luísa, as lágrimas de Luísa Freitas Travassos, transbordavam em soluços.

O que ela não compreendia, o que doía dentro do seu coração, era aquela vitória do sangue vermelho do calafate sobre o sangue azul do nobre nas veias do menino, na vontade, nos desejos, nos pensamentos do menino. Se assim continuasse — pensava a nobre Luísa de Freitas Travassos — os seus descendentes, no futuro, estariam com os calafates do mundo contra os condes, barões, viscondes, duques e imperadores do mundo. Um dia...

Um dia, amiga, uma menina que tinha a mania de ler jornais e se interessar por política pôs uns livros numa maleta de estudante e marchou para a escola, para ser professora como a filha de qualquer costureira que queria subir um pouco mais na vida. Isso para a família de Leocadia representava descer na escala social. Gente abastada, comerciante de dinheiro o pai, filha de uma família patriarcal a mãe, tinham sobre o destino da mulher no mundo a ideia de que a esta competia casar bem e se limitar ao seu lar, aos pensamentos do marido, sem se interessar pelo que se passava além das fronteiras da sua casa. Não existia o mundo para mulher de então, amiga. Naquele tempo em que ler um romance era um ato quase imoral por parte de uma jovem, constituía realmente uma extravagância o interesse que Leocadia demonstrava pela política. Uma menina querendo ler os jornais, se interessando pela Revolta da Armada, discutindo sobre revoluções, era um acontecimento inesperado na pacata vida do casal Felizardo. E agora aquela ideia de ir para a Escola Normal, de sair professora, de ensinar o bê-á-bá a meninos pobres.

É verdade que dona Ermelinda Augusta de Almeida Felizardo, a mãe de Leocadia, possuía uma capacidade de evoluir, de acompanhar as ideias mais novas do século, que a levaria a seguir toda a carreira do filho de Leocadia até o distante ano de 1941, quando morreu.[6] Mas as ideias mais novas daquele momento na cidade de Porto Alegre, no extremo sul do Brasil, eram de que nada tinha a mulher que ver com os acontecimentos do mundo. E de que uma filha de gente abastada não tem realmente nenhum motivo para seguir a carreira sem futuro de professora, carreira para gente pobre, para gente necessitada. A filha de um comerciante abastado devia se preparar era para o casamento. Devia era ser moça prendada, sabendo seu pouco de francês, seu pouco de piano, cuidar da casa, temperar um prato, dançar com elegância, para poder casar bem, com um moço nobre que a levasse para a corte, para uma vida mais alta ainda. Dona Ermelinda se uniu à oposição da família, à oposição de todos os preconceitos levantados contra a absurda ideia de Leocadia. Talvez que não protestasse com muita convicção. Talvez dona Ermelinda sentisse a asfixia de cárcere que era a vida das mulheres de então. Talvez pensasse que a filha agia bem, que devia mesmo realizar sua vida, conseguir a sua independência conseguindo trabalho. Mas, como não se opor, amiga, se todo o mundo se espantava da resolução de Leocadia?

Joaquim José Felizardo protestou mais veementemente. Que diriam os fregueses da Casa Felizardo, aquela popularíssima casa comercial da rua dos Andradas? Mas tampouco Joaquim José era homem para estabelecer uma reação que a menina Leocadia não vencesse. Essa menina, amiga, não era uma simples obstinada. Ela, como o jovem Prestes, sabia o que queria, e conquistaria a sua vida. Vida para ela não significava casar bem, com um moço de boa família e boa posição, ter casa confortável, negras que cuidassem dos seus filhos, da cozinha, mucamas para cantar as nostálgicas cantigas nas noites cálidas de verão, gordura e displicência. Não, amiga. Todas as manhãs Leocadia via a vida passando pela rua, na figura dos homens que iam para o trabalho, dos negros escravos, dos fregueses que discutiam monarquia e república, abolição e escravatura na Casa Felizardo, das mocinhas que tinham de ir para a escola para aprender algo com que ganhar a vida. Sim, amiga, a vida passava diante de Leocadia e a tentava, chamava-a com as suas mãos de trabalho, com o muito que fazer de bom e de nobre que a moça descobria no mundo. Ela não nascera para viver nos limites da sua casa, o mundo se movimentando lá fora, os problemas, os sofrimentos se processando lá fora sem que sua mão se levantasse para os mitigar.

Em Leocadia se revelavam os traços mais acentuados do caráter dos pais. De dona Ermelinda vinha-lhe a insatisfação, o desejo de evoluir, de acompanhar a marcha das ideias; de Joaquim José herdara os sentimentos progressistas, o amor à cultura, a compreensão das injustiças sociais.

Um curioso homem, esse comerciante, Joaquim José Felizardo. O espetáculo dos políticos profissionais cuidando dos próprios interesses em vez de se preocuparem com os interesses do povo e do país levara-o a odiar a política, a considerá-la como algo indigno. Culto, leitor ávido de quanto livro novo aparecia na Europa, era um estranho tipo de comerciante, se diferenciando dos seus colegas da época não só por ser letrado e capaz de discutir com qualquer homem da lei ou qualquer político, como porque se revoltava contra princípios inteiramente assentes como os dogmas da Igreja ou a escravidão. Tudo isso o fazia simpático a todos os infelizes, a todos os que formavam a legião imensa dos pobres, dos oprimidos, dos escravos. A abolição o apaixonava, os versos de Castro Alves eram seus versos favoritos. É verdade que o seu ódio à política limitava a sua colaboração à campanha abolicionista. Não formava ao lado do partido que clamava pela redenção dos escravos. Desconfiava que esse partido jogava com tão nobres palavras e tão belas ideias apenas como uma hipócrita bandeira política. José Felizardo acreditava que a hipocrisia era o mais torpe dos defeitos. Fazia abolição à sua maneira: comprando escravos com o único fito de libertá-los, empregando fortunas nessa obra de fazer homens livres. "Pai dos Negros", chamavam-no em Porto Alegre. As portas da sua casa sempre estiveram abertas para os negros fugidos que ali encontravam a fortaleza de onde os senhores não os podiam sacar. De uma maneira ou de outra o comerciante que lia Revolução Francesa e declamava Castro Alves dava-lhes o presente da liberdade.

Os negros o saudavam na rua:

— Bênção, meu pai…

E saudavam-no também, com carinho e respeito, as viúvas e os órfãos que sabiam que naquela mansão da rua da Ponte encontrariam sempre um alívio a seus sofrimentos, u'a boa e carinhosa mão que lhes ajudaria sem parecer estar ajudando. Sua morte foi um dia de luto para toda a cidade. Nessa tarde de 1899 o presidente do estado ia atrás do carro fúnebre. Mas ia também uma multidão anônima, gente pobre, mulatos, viúvas e negros, principalmente negros, escravos que ele resgatara.

Leocadia pôde vencer rapidamente a oposição daquela mãe interessada pelo evoluir do mundo, daquele pai reto e culto, interessado nos mais graves problemas do seu tempo. Desde cedo, amiga, Leocadia se acostumou a vencer obstáculos e a lutar. Por isso na sua gloriosa velhice pôde espantar toda a América com a sua coragem, a sua dignidade no sofrimento, a sua inteireza moral, a sua impressionante grandeza.

E um dia a menina rica partiu a caminho da Escola Normal como a filha de qualquer calafate. O comerciante Felizardo comentava com os fregueses da sua casa comercial aquela extravagância da filha, mas sorria liberalmente. Dona Ermelinda sorria com certo orgulho ao contemplar a filha em companhia das normalistas que estudavam para ter uma profissão. Lá ia ela, a sua Leocadia, misturada com moças pobres, tão álacre como qualquer uma delas, tão feliz, tão consciente do que fazia… Sim, ela não seria como as mulheres que dona Ermelinda conhecia, uma criatura de horizontes limitados, confinada à sala de visitas, à cozinha, ao leito conjugal, para quem a leitura era um ato indecente, a vida um espetáculo distante e perigoso.

No dia em que Leocadia tomou dos seus livros e partiu para estudar, em meio aos lamentosos suspiros da família, dona Ermelinda não suspirou, não ficou entre triste e espantada. Ficou pensando, amiga, um pensamento lindo: um dia as mulheres do mundo serão livres, a sua casa não será um cárcere dourado, cairão os preconceitos idiotas, colaborarão com os homens na construção de um mundo melhor. Um dia...

Um dia, negra, um dia radiante de sol, o moço soldado e a moça professora, Antônio e Leocadia, se encontraram, se namoraram, se compreenderam e se amaram. Tiveram um lírico noivado nas ruas de Porto Alegre e juntaram num casamento suas rebeldias adolescentes.

3

OS CADETES, NAQUELA MANHÃ DE 15 DE NOVEMBRO DE 1889, manhã gloriosa, amiga, quando o trono ruía no Brasil, reuniram-se em torno de seu mestre e chefe, o tenente-coronel Benjamin Constant Botelho de Magalhães, e juraram "vencer ou morrer". Na sua frente estavam a república, a democracia e o futuro. Atrás haviam de ficar a monarquia, a reação, o passado denegrinte. Nessa manhã os cadetes da Praia Vermelha, a mais culta e a mais célebre das escolas do Exército de então, a escola dos "doutores do Exército" selaram o "pacto de sangue". Ou a república, o governo do povo e para o povo, ou a morte na luta. Vieram um a um e juraram. Era um momento emocionante, amiga. Os jovens que terminavam os seus estudos, colocavam de imediato sobre os seus ombros a tarefa imensa de construir os destinos da pátria. Essa geração aprendera patriotismo, civismo e dignidade da boca daquele íntegro tenente-coronel que era um sábio, um justo e um herói.

Vieram um a um, amiga. Um veio pálido de emoção, outro veio sorrindo, um terceiro trazia os lábios contraídos de ódio porque este era um mulato e seus avós haviam sido escravos do Império. Chegou a vez do cadete Antônio Pereira Prestes. Marchou resoluto e firme, os olhos para a frente, a cabeça erguida, o olhar sereno, o gesto impávido. E jurou e se colocou ao lado de Benjamin para acompanhá-lo.

Este cadete, como aquele outro mulato, como o camponês que terminava os estudos, não havia entrado para o escola da Praia Vermelha pela porta fácil dos direitos da nobreza. Bem que o quisera sua mãe. Muito lutara para que ele começasse desde o alto a sua carreira, para que se aproveitasse das regalias que a família lhe podia proporcionar e iniciasse sua vida de militar como aluno de uma das escolas. Mas Antônio Pereira Prestes pensava de outra maneira. Pensava como seu pai, o filho de operário, que é preciso começar de baixo e conquistar as posições. Por isso, naquele momento em que jurava lutar contra a monarquia e vencê-la ou dar pelo ideal da República a sua vida, ele não o fazia, amiga, levado apenas pelo entusiasmo juvenil despertado pelas lições e pelos discursos de Benjamin. Esse cadete tinha sete anos de vida de soldado, de vida misturada com o povo, em contato desde baixo com os seus problemas, sentindo-os não como um observador ou um espectador mas como alguém que os vivia em carne própria. Sabia quanto custava a um soldado transpor as portas da Escola Militar e da Escola de Estado-Maior, portas que tão facilmente se abriam à nobreza parasitária e aos filhos da gente rica. E sabia mais, muito mais, amiga. Sabia do que se passava pelas cidades e pelos campos, um soldado raso vive em contato com a gente mais pobre, com a gente mais explorada e mais sofredora. Sabia dos negros, com eles, com os muitos que eram seus iguais de armas, aprendera do inenarrável sofrimento de toda uma raça escravizada. Assistira às suas lutas reivindicadoras. Pudera ver dia a dia a hipócrita reação do Império se levantando cauta e fortemente contra o pensamento abolicionista. Como vivia ao lado de ex-escravos e de filhos de escravos, trabalhando com eles igual na sua profissão, soube não se deixar enganar com a demagogia da família imperial querendo fazer o imperador e os seus passarem como "abolicionistas que não decretavam a abolição por não lhes permitirem as forças políticas do país". Soube ver e compreender que a escravidão negra era a base em que se assentava o Império, era a sua própria vida. E que por isso a família imperial e o imperador tinham que ser necessariamente escravocratas.[7] E que, mesmo abolida a escravidão, vitorioso o povo nesse particular, mesmo assim não estaria completa a obra dos patriotas. Que era preciso um regime onde o povo estivesse representado, onde pudesse escolher seus governantes, onde pudesse fazer ouvir o clamor das suas necessidades. Necessidades que o soldado Antônio Pereira Prestes enxergara com os seus olhos assombrados de menino que fugira de casa para viver no Exército a aventura da vida. E descobrira que a vida do povo era uma bem triste aventura, amiga, amarga e dolorosa aventura, heroica por vezes, trágica quase sempre. Vira as famílias esfomeadas dos artesãos no mesmo momento em que nos salões do Paço, ante os bufetes sortidos de esquisitas delicadezas culinárias, os bailarinos descansavam as pernas mastigando comidas de complicados nomes franceses. Vira nos sertões do Nordeste os homens sem terra virarem profetas da desgraça, se improvisarem em chefes militares e religiosos para lutar pelo direito àquela terra com que os condes, os barões, os marqueses de então (que seriam os "coronéis" de hoje) haviam sido presenteados pelo imperador em agradecimento a uma frase de espírito, a uma valsa bem dançada, a umas surras bem aplicadas sobre o lombo dos negros. Vira esses negros fugirem das senzalas imundas e vis para a liberdade nas selvas. Vira vítimas e heróis, vítimas anônimas e anônimos heróis. Vira o povo, vivera sua vida, sentira com ele, sofrera seus sofrimentos. Foi assim, amiga, que esse menino Antônio Pereira Prestes se fez homem e aos vinte anos completava seus estudos militares.

Naquela manhã de 15 de novembro de 1889 não foi o cadete Antônio Pereira Prestes, o discípulo de Benjamin Constant, somente quem jurou morrer pela vitória da República. Foi também — e principalmente, negra — o soldado Antônio Pereira Prestes, discípulo do povo, que já aprendera da vida, antes de aprender dos livros, a necessidade da democracia e da liberdade.[8]

Um a um vieram os cadetes, pulsava de alegria o nobre coração do tenente-coronel Benjamin Constant Botelho de Magalhães. Eis uma geração que ele formara nos princípios de dignidade do homem, de fé na humanidade, de fraternidade universal. Nunca, amiga, fora no Brasil a cátedra de professor tão bem empregada em função de uma ideia progressista e revolucionária como o foi então por Benjamin Constant. Os que hoje, amiga, perseguem no Brasil os professores que pregam as novas ideias do século do alto das suas cátedras, honrando e dignificando a sua profissão de educadores, os que os perseguem, que lhes arrebatam as cátedras conquistadas em concursos, que os torturam e os encarceram, esquecem a lição da República, a lição de Benjamin Constant. Esquecem que este fez da sua cátedra a sua tribuna.[9] E que a estas lições republicanas deve muito o Brasil a queda da monarquia. Foi ele quem, baseado na filosofia de Augusto Comte, em grande parte norteado por ela, denunciou a cada momento a demagogia do imperador se fazendo passar por liberal, por abolicionista, até por "republicano". Este, amiga, foi realmente o homem que representou todos aqueles que desejavam a República, como d. Pedro II representava, melhor que ninguém, todos os reacionários.

No século XIX, amiga, os revolucionários, os que queriam derrubar o Império e implantar um governo do povo, levantaram a bandeira da abolição. É o republicano Castro Alves primeiro, depois é Rui Barbosa, ainda estudante em São Paulo, são todos os que sonham a República, os que fazem a campanha da libertação dos negros. O Império resiste. Mas quando, sob a pressão popular, a abolição é concedida, Pedro II faz-se passar por abolicionista. Atribui aos seus ministros inteira responsabilidade da demora da medida. Lembra que antes decretara outras medidas tendentes a melhorar a situação da raça escrava. Em verdade, amiga, ele apenas tentava, com esses decretos — pequenas concessões feitas ao clamor público — retardar o mais possível a abolição. Esse imperador Pedro II, a quem os áulicos chamaram de Magnânimo, num retórico abuso do adjetivo, foi em verdade uma criatura reacionária ao extremo, de pequena inteligência que virou assombrosa inteligência devido a alguns maus sonetos publicados na imprensa e a umas quantas composições em latim.[10] Escravocrata, esmagando com sangue os levantes populares, as revoluções surgidas aqui e ali por toda parte do Brasil. Mas dando-se ao luxo de conversar com escritores, de se interessar por arte, de se fazer chamar de neto de Marco Aurélio. Inimigo do povo e da inteligência se fazendo passar por pai do povo e por mecenas.

Assim também hoje, amiga, os inimigos do povo, os chefes conscientes e seguidos da alas mais reacionárias, mais obscurantistas e mais retrógradas da população brasileira, esmagando com sangue os movimentos libertários do povo, mas dando-se ao luxo, também eles, de conversar com escritores, de visitar exposições de pintura, de se fazerem chamar de "protetor das letras". E quando os seus capangas se lançam como cães de guarda à perseguição dos escritores e da arte, quando seus guarda-costas policiais prendem, torturam e assassinam os revolucionários e os líderes do povo, eles "protegem as letras", intervindo nas eleições da caduca Academia Brasileira de Letras. Como Pedro II, os quintas-colunas de hoje amam a hipocrisia e a intriga; como o lobo das histórias, amiga, eles vestiram uma pele de cordeiro e procuram aparecer diante do povo sempre como eternos irresponsáveis, jogando sobre os ombros dos seus acólitos toda a responsabilidade dos desmandos do poder.

Muitos se deixaram enganar nos tempos do Império, amiga, com a máscara de bondade e de liberalismo com que Pedro II vestia o seu reacionarismo. Muitos se deixam enganar hoje, amiga, com a máscara da vítima, de bondade e de democracia com que o Estado Novo veste o seu fascismo.

Porém, negra, nós sabemos que o povo termina sempre por alcançar a verdade e fazer dela a sua bandeira. E sabemos também que os verdadeiros líderes do povo, os que foram produzidos por ele, não se deixam enganar com a máscara dos tiranos.

Assim aconteceu no dia de ontem com Benjamin Constant. Esse era um líder do povo, um que soube ver a verdade, arrancar do rosto do tirano a máscara impudica de liberal e mostrá-lo ao povo na sua verdadeira e mesquinha fisionomia. Assim acontece também, amiga, com Luís Carlos Prestes. Este soube denunciar a máscara trágica dos inimigos de hoje e mostrá-los ao Brasil na sua trágica nudez.

Benjamin Constant representava nos fins do século XIX as virtudes mais nobres do povo brasileiro. Era um homem de honra por excelência, um condutor, inteligente, culto e sincero. Veio de uma existência de menino pobre, galgando postos, sofrendo todas as injustiças e todas as privações. Seu prestígio perante o povo não vinha de condições exteriores que por vezes fazem o prestígio dos falsos líderes. Vinha de uma grandeza concreta, algo palpável e visível. Não possuía ele nenhuma das qualidades de demagogo e, sim, as qualidades de verdadeiro chefe do povo.

Com uma enorme parecença moral com ele, Luís Carlos Prestes é hoje o seu continuador dentro das novas condições. Esse também, amiga, não possui nenhuma das qualidades do demagogo. Nada nele é exterior e falso. Sua grandeza é também algo concreto e palpável. Vem de uma vida dedicada ao povo, de culto à honra, à dignidade e à verdade. De fidelidade à causa do Brasil. Como Benjamin Constant ele é culto, inteligente e franco. Veio como o republicano de uma família pobre e galgou os postos, sofrendo todas as injustiças e todas as privações. Também ele um dia se encontrou com uma filosofia da vida como Benjamin Constant se encontrara com o positivismo. O marxista Luís Carlos Prestes representa no cenário brasileiro de hoje a mesma importância — se não uma importância histórica maior — que o positivista Benjamin Constant na segunda metade do século XIX. São ambos militares provados na luta e que revelaram um os seus conhecimentos e a sua coragem, e o outro um gênio militar e político sem similar na América. São ambos homens que sacrificam tudo ao bem do povo. E não possuem nem um nem outro os arrebatamentos emocionantes dos oradores fecundos, nenhuma teatralidade de gesto, não põem sobre o rosto bondoso, nem um nem outro, nenhuma máscara para com ela surgirem diante do povo. Exteriormente nada têm de magnético nem de arrebatador. São calmos e serenos, afáveis e simples.[11] Mas ambos possuem uns olhos penetrantes e vivos, olhos que dão a medida dos seus corações. Em ambos, de imediato o povo reconhece a figura dos seus líderes. Encontra sem vacilação, em Constant e em Prestes, no positivista e no marxista, o seu condutor nessas horas tão distantes e tão semelhantes na luta contra a monarquia e da luta contra o fascismo. Porque, se nesses dois homens não existiu nem existe a teatralidade dos gestos nem a falsa retórica dos demagogos, em compensação vem deles uma aura de força, de verdade e de ideal que arrasta e conduz os homens. Eles trazem o futuro nas mãos.[12]

Na frente dos seus alunos, Benjamin Constant marcha contra o Paço. Os homens que chefiavam a revolta do Exército naquele dia ainda não sabiam até onde deviam levar o povo. Ouviam os gritos que pediam República mas estavam em dúvida sobre se proclamá-la ou não.

O tenente-coronel Benjamin Constant Botelho de Magalhães vai na frente dos seus alunos, aqueles cadetes que haviam acabado de jurar fazer a República ou morrer. Entre eles, tranquilo e decidido, vai Antônio Pereira Prestes. Atravessam as ruas da cidade do Rio de Janeiro que os tribunos agitam, discursando de cada sacada, trepados sobre caixões, Lopes Trovão, Pardal Mallet, Raul Pompeia, Silva Jardim. A multidão que os vê passar os aclama, brada pela República, segue os cadetes tão jovens e tão heroicos.

Na rua do Ouvidor, amiga, a populaça viva o nome de Benjamin Constant. E dão vivas também aos cadetes que conhecem, vivas que chegam de vozes isoladas e que vão se juntar ao eco das aclamações a Constant. Porém em determinado momento os cadetes passam junto a um grupo de mulatos e negros, ex-soldados. E nesta hora as aclamações se dividem entre o tenente-coronel que comanda e um dos cadetes que o segue. É que aqueles ex-soldados, aqueles negros e mulatos, reconheceram entre os cadetes alguém que fora soldado como eles e que de todos os soldados se fizera amigo, reconheceram o soldado Antônio Pereira Prestes.

Nessa manhã, amiga, de 1889, o nome de Prestes foi pela primeira vez aclamado nas ruas da cidade do Rio de Janeiro.

4

A CRIADA SAIU APRESSADA, O ROSTO NEGRO ABERTO NUM RISO LARGO. Foi entrando, sem cerimônia, nas casas dos vizinhos, naquela rua do Riachuelo da cidade de Porto Alegre. Se já haviam passado as festas de Natal e de Ano-Bom, por que então, amiga, a negra empregada dos Prestes invadia assim a vizinhança como quem leva a notícia de uma festa?

Ah!, amiga, nesse 3 de janeiro de 1898 havia realmente uma festa na rua do Riachuelo. Hoje há uma festa em toda a América, comemorando esse dia. Os negros do Brasil, os mulatos do Brasil, os brancos do Brasil, os operários nas suas fábricas, os camponeses com as suas foices, os soldados com os seus fuzis, os aviadores com seus aviões, os intelectuais com seus livros, os sábios com seus instrumentos de ciência, todos, todos com sua imensa fome de liberdade, com sua sede de progresso, em cada 3 de janeiro festejam o nascimento do herói da liberdade. Presente de Ano-Bom para o Brasil. E já que hoje é uma noite de terror, amiga, as bocas impedidas de falar, as mãos impedidas de escrever, nas pobres casas operárias, nas casas de palha dos camponeses, nas casas cada vez mais humildes dos pequenos comerciantes, dos pequenos lavradores, dos empregados, nos quartéis de soldados, sargentos e tenentes, nas casas vigiadas dos intelectuais e dos sábios, os corações se voltam emocionados para uma célula triangular que existe no pavilhão dos tuberculosos da Correção. Ali está aquele que nasceu em 3 de janeiro, que empunhou a bandeira do povo e com ela partiu para a sua cruzada de libertação. Os oligarcas e os inimigos da pátria tremem nesse dia. Não ousam nessa noite sair de casa, cobrem-se com os lençóis até a cabeça e nem assim conseguem abafar os latidos alarmados dos seus pequenos corações. Porque eles sabem que essa é uma data do povo e que, em cada casa brasileira, em cada coração limpo da mancha da traição, há festa nessa noite do aniversário de Luís Carlos Prestes. E há esperança. Um latido de esperança, tão forte e tão sentido, que atravessa o silêncio imposto pela polícia e ressoa como uma sentença implacável no peito acovardado de cada traidor do bem da pátria. Um latido de esperança, amiga. Tão forte que atravessa o imenso cárcere que é o Brasil de hoje e transborda sobre a América, de norte a sul, do Alasca à Patagônia.

Esse dia, amiga, é um dia de festa do povo, de todo o povo da América. Vem do Canadá, dos índios do México, dos camponeses, dos operários do México, Lázaro Cárdenas, Lombardo Toledano. Da América Central, de Nicolás Guillén com os poetas de Cuba, os mulatos de Cuba, nossos primos-irmãos morrendo nas plantações de cana-de-açúcar como os mulatos do Brasil. De Batista, soldado escalando posições como os soldados do antigo Exército do Brasil. Um grito que vem num verso quente como uma rumba, nostálgico como um *son*. De Marta Aguirre, de Emilio Ballagas. De toda a América do Sul, seus operários, seus estudantes, seus sábios, seus escritores. Do Peru, da Colômbia e da Venezuela. Do Equador de negros macilentos e de índios tristes, crianças esmolando no porto cinzento de Manta. De Aguira Malta, de Jorge Icaza e do túmulo de José de la Cuadra, que conheceu tão bem os sofrimentos do seu povo. Um grito, um latido de esperança. Do democrático Uruguai, tão valente! Do Chile forjando liberdade, lição na América. Do gênio de Neruda, da força de Laferte, do meu amigo Geraldo Seguel, dos operários reunidos querendo enviar um advogado ao Brasil. Da Bolívia onde ele viveu, do Paraguai sofrendo uma ditadura tão violenta quanto a do Brasil. Da Argentina, das mulheres pedindo por ele, seu nome nos comícios, seu nome nos versos dos poetas. Cantado por Portogalo, cantado por Raúl González Tuñón, seu nome num comitê de ajuda à União Soviética. Esse dia, amiga, é um dia de festa para a América. Um dia de esperança, um dia de amor e de confiança no líder encarcerado. Um dia de ódio contra os tiranos. Mulheres e homens pensam nele, murmuram, dizem e gritam seu nome, reclamam sua liberdade, sonham com vê-lo mais uma vez atravessando os sertões do Brasil na frente dos seus homens, rasgando estradas por onde caminhará, esplendidamente bela, a liberdade. Estradas para a liberdade que ele construiu, caminhos de libertação. Um dia de festa, amiga, para toda a América.

As negras que velaram nossos berços nas noites do Brasil contavam histórias de heróis lendários e anunciavam nas suas predições supersticiosas o nosso futuro. Lembras-te, amiga, da negra que velou teu berço? Com certeza foi ela quem primeiro disse, olhando os teus olhos, que tua vida seria sofrer e acompanhar um contador de histórias, vagabundo e rebelde, amigo de ver a lua dos mais diversos portos. Foi uma negra também quem disse certa noite distante de Ilhéus que eu amaria estar sentado no meio do povo na feira ou no cais e que inventaria modinhas e histórias. As negras sempre acertam, amiga, porque elas veem com os olhos do amor. Assim aquela negra empregada dos Prestes que, na manhã de 3 de janeiro de 1898, corria as casas da rua do Riachuelo anunciando que nascera aquele que havia de ser uma estrela. Era o que ela descobria nos olhos vivos do infante. O brilho de uma estrela, tão forte que a assustou, uma luz ardente. Lembrou dos seus deuses e viu Oxóssi, o deus da caça nas matas, o que atravessava as florestas da África. Mas viu também Xangô, o deus do raio e do trovão, o deus vitorioso das batalhas. E viu mais, viu o brilho daquele que se fizera deus no Brasil, aquele que da África viera homem e aqui, num sonho de escravo, se fez o deus da liberdade. Viu Zumbi, o deus mais novo dos negros, o que levantou os escravos, fugiu para a selva dos Palmares e fez uma república de homens livres. Viu uma luz nos olhos do infante. Oxóssi rompendo as selvas, Xangô lançando os raios na batalha, vencendo as guerras, Zumbi forjando a liberdade. Nunca, jamais vira um menino assim. Na macumba, naquela noite, dançaria em honra dele e em honra dele cantaria aquele canto de vitória:

Erô ójá é pará mon, é inun ójá li a ô lô.

Eis por que, amiga, ela invade as casas dos vizinhos, o rosto explodindo numa gargalhada, o corpo quase numa dança para dar o recado que o tenente Antônio Pereira Prestes e dona Leocadia mandavam.

— O seu tenente e iaiá mandam dizer que têm mais um criado às ordens… — e seus olhos riam como seus lábios, como seu corpo todo.

Ria toda ela, excitada e feliz, ria com a mesma ampla gargalhada com que festejava nas noites de macumba o aparecimento de Oxolufã, o maior dos deuses.

A sua infância, amiga, foi uma infância de menino pobre.

A pobreza foi a mais fiel companheira da família de seu pai, tenente Prestes. Este tinha um caráter demasiado independente e altivo para que as posições lhe fossem facilmente dadas. Apesar do seu valor e de sua capacidade, sua vida foi sempre difícil em matéria de dinheiro. A carreira do Exército não era então das mais bem pagas. E ele, além da família, ainda sustentava do seu soldo os parentes maternos.[13] Por outro lado o dinheiro do sogro e da Casa Felizardo há muito que não existiam, as fugas de negros protegidos por Joaquim José, a ajuda aos escravos, às viúvas e aos órfãos haviam gasto o melhor do pecúlio do comerciante. A vida do tenente era dura. Suas ideias positivistas e as suas concepções de honra impediam-lhe de viver arrastando sua espada na antessala dos gabinetes ministeriais ou nos palácios do governo. Nunca fez "carreira" no Exército. Havia de morrer em 1908 no posto de capitão engenheiro, pobre, deixando a família inteiramente sem recursos.

O menino Luís Carlos Prestes cresceu aprendendo que às crianças pobres não é dado ter caros brinquedos de mola nem livros de luxuosas gravuras. Nos seus Natais ele via que Papai Noel era feito apenas para os filhos daqueles que souberam armazenar moedas. Aquele menino que por vezes parava o riso fácil de criança para se tornar subitamente sério e pensar num problema de adulto, cedo compreendeu que a beleza e a alegria do mundo estavam mal divididas. Via os meninos da sua rua órfãos de qualquer presente, da ilusão de qualquer brinquedo. Via que a conversa em casa falava repetidas vezes na questão dinheiro. Teve desde criança esses problemas diante de si e desde criança aprendeu a resolvê-los da maneira mais digna que era, por estranha casualidade, a maneira mais difícil.

Eram ele e quatro meninas. Como não havia brinquedos, ele não se contentava com fabricar os seus. Fabricava também bonecas para as irmãs porque, amiga, desde cedo este menino pobre amou ver a gente feliz em seu redor, desde muito cedo ele se interessou pela felicidade alheia. A alegria ambiente era a sua alegria. Primeiro foi a sua casa, amiga. Depois foram os seus colegas de curso, quando oficial foram os seus soldados, logo depois era todo o Brasil, até que um dia, no exílio, ele viu e compreendeu que o problema era um problema do mundo: da felicidade de todos os oprimidos. Desde cedo começou esta sua carreira, negra. De casa, em meio às dificuldades de menino pobre.

Aprendeu de Antônio e de Leocadia que a vida não se resumia ao lar. O pai positivista, preocupado com o mundo. A mãe, queimando os olhos cada noite nos jornais do dia, acompanhando passo a passo o caso Dreyfus que se desenrolava na França longínqua, falando em Zola, dando detalhes do drama. Desde a sua primeira infância Luís Carlos Prestes soube do mundo, das lutas dos homens, das injustiças e dos sofrimentos. E desde a primeira infância começou a temperar o aço do seu caráter. Aprendeu com o pai as lições de incorruptibilidade. O capitão de engenheiros lhe ensinou, amiga, que a felicidade não se conquista vendendo a inteligência, o caráter e o coração. Ensinou-lhe que a felicidade está na compreensão da justiça, numa vida valente e digna. Por isso, amiga, muitos anos depois ele pôde desde a sua cela de prisioneiro escrever a dona Leocadia que, "apesar de tudo se sentia feliz". Isso quando acabavam de condená-lo a mais trinta anos de prisão, no mais iníquo dos processos. Essa fortaleza de ânimo, esse conceito da verdadeira felicidade, não daquela que se encontra facilmente nas comodidades exteriores da vida, mas a que se procura no serviço da humanidade, foram-lhe dados desde aqueles anos pelo exemplo do capitão e da sua mulher preferindo todas as privações a qualquer concessão de ordem moral ou intelectual. Compreendeu que havia dois caminhos na vida e viu que seus pais seguiam o mais difícil. Parecia-lhes o mais belo. Assim também pensou o menino.

Infância de filho de oficial, transferido muitas vezes, de guarnição em guarnição, primeiro em Porto Alegre, depois no Rio de Janeiro, em seguida no interior do Rio Grande do Sul, em Ijuí e em Alegrete, mais uma vez em Porto Alegre. Como uma família de ciganos de terra em terra, levantando o acampamento para seguir o seu chefe. O menino Luís Carlos encheu os olhos com o espetáculo dos homens no campo, aqueles que não tinham terra e viviam curvados sobre a terra trabalhando para os que se haviam apossado dela. Viu nas cidades os donos das fábricas acumulando dinheiro à custa dos que trabalhavam nas fábricas e dos que compravam os produtos das fábricas. Viu o operário, o camponês, o pequeno-burguês, viu o povo sofrendo. Era uma criança séria. Sorria e brincava como as demais crianças, corria e brigava,[14] mas costumava muitas vezes parar num canto, o rosto concentrado, pensando. Essa criança se acostumou a pensar e a tirar conclusões do que via.[15] A sua seriedade, que por vezes parecia timidez, não era medo da vida. Era que ele sentia, amiga, que os problemas da vida tinham de ser encarados seriamente, necessitavam reflexão.

Um dia o pai adoece. Foi uma longa enfermidade da qual não se curaria jamais, que o levaria a viajar para o Rio com a família, em busca de melhoras. São tempos sombrios. Na casa suburbana do Rio de Janeiro, o pai na cama, o menino Luís Carlos assiste à mãe se desdobrar no trabalho. Dona Leocadia é o chefe da casa nesse momento, é a mãe carinhosa, a esposa cuidando do marido enfermo, e ainda aquela que tinha de providenciar para que o dinheiro chegasse para todas as despesas. Foram tempos tristes, a casa envolta no ambiente pesado de um drama que se desenrolava a cada instante. Os amigos foram rareando, em pouco era só a família pobre e triste em torno ao capitão moribundo. Faltava dinheiro e faltava alegria. Dona Leocadia escondia dos filhos a sua aflição, mas realmente era difícil esconder algo desse menino Luís Carlos de percepção tão aguda. Ele compreendia todo o drama da mãe mas compreendia também quanto ela era forte no sofrimento. Compreendia que ela não sentia a menor parcela de infelicidade por o marido ter preferido uma vida dura mas honrada a uma fácil existência acomodatícia.

Dona Leocadia atravessava a casa com os passos leves. Na quarto, o capitão Antônio Pereira Prestes agonizava. O menino Luís Carlos cuidava de que as irmãs estivessem alegres, que não sentissem o drama que se desenrolava na casa. Seu rosto ficava cada vez mais sério. Mas também cada vez mais tranquilo. E, quando o capitão morreu, deixando-o com menos de dez anos, foi ele quem consolou a todas. Foi ele quem enxugou as lágrimas de Leocadia e desviou para os brinquedos a atenção das irmãs. Os meninos pobres, amiga, desde os primeiros anos tomam contato com a vida, têm sobre os ombros débeis de crianças responsabilidades de adultos. Os problemas estão próximos a eles, estão por vezes sobre eles. O menino pobre Luís Carlos olhou em torno de si: sua mãe e suas irmãs sem esposo e sem pai, quase ao desamparo. Era um horizonte cinzento e sem perspectivas. Não, amiga, não era sem perspectivas. Desde esses anos distantes esse menino acostumou-se a não perder a perspectiva, a não perder a confiança, a não perder a alegria interior. Olhou para a frente e se dispôs a enfrentar a vida.

Muitos anos depois, amiga, um dia, desde a sua cela ele escreveu a dona Leocadia no exílio: "O que me passa hoje não representa para mim nem surpresa nem infelicidade". Essas grandes palavras, negra, ele as aprendeu ainda na sua infância, na sua casa materna, ao contato com a dor e com a pobreza. É essa a lição que ele hoje nos ensina: não há horizonte, por mais cinzento que ele seja, por mais sem perspectiva, que não tenha por detrás a esperança de um céu azul e livre. Nos ensina também, amiga, que a liberdade está dentro de cada um de nós e que mesmo na prisão o rebelde é um homem livre. Escravo é só aquele que ama a escravidão.

5

Señora, hiciste grande, más grande a nuestra América.
una madre de llanto, de venganza, de flores,
una madre de luto, de bronce, de victoria.
Pablo Neruda

COMO UMA SOMBRA TUTELAR, AMIGA, SE DEBRUÇA SOBRE a vida de Luís Carlos Prestes, desde a mais remota infância, a grandeza de uma mulher forte. Nas veias dela, de Leocadia Prestes, corre aquele mesmo sangue das santas e das heroínas: de Anita Garibaldi, de Maria Quitéria e também de Ana Néri. No painel em que se destaca em primeiro plano a figura heroica de Luís Carlos Prestes, dona Leocadia se levanta como a força que o cria, o protege e o sustém. Eu te diria, negra, que por vezes vejo nessa anciã a melhor imagem do povo brasileiro. Vê, amiga, é o povo. Igual a seu filho. Se o Herói é concebido, criado e alimentado pelo povo, sem dúvida nessa Leocadia Prestes, de altíssima presença humana, encontramos a transfiguração do povo. Seu filho se chama o Cavaleiro da Esperança.

Vê, amiga, no céu do exílio brilha a grande lua amarela do Brasil. Ela veio daqueles céus, de iluminar aqueles mares e aqueles campos. Brilhou sobre os saveiros no pequeno porto do mercado da Bahia. Seu alvacento brilho foi nossa mesma noite, negra, o misterioso cabelo de Iemanjá. Brilhou sobre as pontes do Recife, sobre as águas volumosas do Amazonas, sobre as águas dramáticas do São Francisco. Brilhou sobre a caatinga e sobre o pampa. E brilhou também, amiga, sobre a desolada ilha de Fernando de Noronha, saudades para os presos de 35, nossos irmãos, brilhou sobre aquela célula da penitenciária do Rio onde Luís Carlos Prestes sonha o Brasil de amanhã. Vem do Brasil esta lua, amiga, na sua luz amarela chega uma cálida lembrança da pátria.

Uma vez, negra, era também noite de lua na caatinga, onde se limitam Bahia e Sergipe. Eu estava com o cangaceiro Zé Baiano, do bando de Lampião. Era um negro enorme, tinha matado muita gente, muitas marcas na sua repetição. Mas era um homem bom, negra, gostando de ouvir histórias e de contar façanhas e valentias.[16] Lampião o mandara para que cobrasse impostos em Sergipe. Nesse tempo, amiga, em anos muito próximos, Lampião governava o sertão de cinco estados. Zé Baiano estava sentado, tinha posto a repetição de um lado, contava bravezas de Lampião. Sua voz rude de camponês transformado em bandido pelos donos da terra tinha ao falar do seu chefe, do maior dos cangaceiros, uma doçura comovente. Contava valentias de Lampião, até a lua, amiga, parava para ouvi-lo. "É o homem mais valente do mundo", me disse "não há ninguém como ele." Narrou de tiroteios na noite de ataques a fazendas, de punhaladas à traição. Contou de Arvoredo, de Bem-Te-Vi, de Corisco, o loiro bandido romântico. Contou de Volta Seca, que era um menino. Contou de Maria Bonita, valente como seis cabras. E contou de Lampião, contou muito do seu chefe. Tinha um orgulho na sua voz que se fazia doce e melodiosa, no brilho dos seus olhos mansos de negro. Depois — ia alta a lua no céu, a caatinga tinha tons fantasmagóricos — me perguntou se eu conhecia alguém mais valente. "Não há no mundo", me disse.

Eu me lembrei então, amiga, que em terras de França u'a mãe de família brasileira falava em comícios, visitava ministros, conversava com políticos, clamava para o povo, para salvar das mãos infanticidas do nazismo uma criança de meses, sua neta. Zé Baiano sorria, era um sorriso de triunfo. Então eu lhe falei de dona Leocadia Prestes e ele e os outros que ouviam ficaram atentos e escutaram. "É u'a mulher", lhes disse, "é uma velhinha, uma velhinha e não usa revólver, nem punhal, nem repetição, mas é uma velhinha valente."

Foi um dia, negra, dona Leocadia Prestes. É como se te dissesse: foi um dia o povo do Brasil. Nós a sentimos como se sente a pátria. Pátria da dignidade e da coragem, dos sentimentos maternais no seu máximo, da força no sofrimento. Quando esta velha, amiga, levanta o altivo rosto sulcado pelas marcas da dor, máscara de tragédia grega, é todo o povo do Brasil, é a pátria mesma quem se ergue na plenitude das suas grandes qualidades.

Então, naqueles tempos da infância de Leocadia, ela fora uma menina rebelada contra os preconceitos idiotas que faziam da mulher uma empregada de luxo. Depois fora a companheira do marido, junto com ele, não na passiva atitude das mulheres do tempo, se lamentando, se queixando quando os esposos preferiam viver duramente em vez de sacrificarem a sua maneira de pensar e se acomodarem. Leocadia, ao contrário, foi a animadora consciente e tenaz da atitude do marido. Era com alegria que o acompanhava nas suas sucessivas transferências, era com alegria que imaginava o equilíbrio doméstico para que o pequeno soldo chegasse para as despesas. E era a primeira a apoiá-lo quando ele recusava curvar a espinha às exigências da política mesquinha dos homens que deturpavam a obra dos republicanos. Da sua boca nunca saiu, amiga, uma palavra de pessimismo nem uma palavra desalentadora. Educou-se com o marido, aprendeu dele o muito que ele podia lhe ensinar, como depois haveria de aprender do filho os segredos da miséria do mundo e os segredos da felicidade do mundo. Antônio e Leocadia foram um casal unido e corajoso, apoiados um no outro, caminhando para a frente com decisão. Esses anos de casamento foram uma tranquila marcha para a frente de dois caracteres e de dois corações fortes.

Mas cedo morreu Antônio. Imagina, amiga, a dor dessa mulher ainda jovem que perdeu o seu companheiro de todos os dias, aquele que soubera lhe auxiliar quando ela procurava desenvolver a sua personalidade, quando ela procurava perscrutar o mundo lá fora com seus olhos curiosos e humanos. No primeiro momento Leocadia pensou que tudo lhe faltava. Não apenas pelos problemas imediatos de comida e de casa que se projetavam diante dela. Também pela falta da força moral do marido, pelo exemplo que ele era para os filhos.

Leocadia reagiu de imediato. Ali estavam os filhos pequenos, ali estava principalmente o menino, amiga, esse Luís Carlos para quem ela tinha que ser mãe e pai, a quem tinha que dar os carinhos da melhor das mães e o exemplo do mais digno dos pais.

Quando o caixão saiu levando o inesquecível morto bem-amado, Leocadia se voltou para os filhos, se voltou para Luís Carlos. E partiu para a frente. Agora era mãe e pai, carinho e força, bondade e confiança, tenacidade e firmeza.

O primeiro problema era o do sustento da família. O montepio de um capitão era naquele tempo uma ninharia. Leocadia resolveu trabalhar. Não fora por pernosticismo que estudara na Escola Normal e agora a sua rebeldia de menina lhe ia ser sumamente útil. Foi ser professora de música e de francês e quando rareavam as alunas ela era a costureira do bairro, os olhos presos à agulha nas noites mal iluminadas da casa pobre. Suas mãos souberam ganhar o pão e aprenderam as durezas do trabalho. Nem assim, nessa dura prova, sonhou sonhos de ambiciosa riqueza para o filho e para as filhas. Sonhou apenas como fazer deles pessoas dignas, a honra acima de tudo, a humanidade acima de todos.

Seu sonho para o filho era um sonho de bondade. Imaginava-o médico um dia, mas não perdido na comodidade de um consultório luxuoso, atendendo ao nervosismo de grã-finas inventando moléstias como passatempo. Não. Pensava-o numa cidade pequena do interior, perdida no mato, a gente pobre enchendo o pobre consultório, o jovem médico distribuindo saúde. Assim o imaginava, amiga, em função da humanidade.

E assim ele havia de ser, negra, em função da humanidade. Mas não médico. As dificuldades financeiras da família impediram o sonho lindo e modesto de Leocadia. Como pensar nas despesas de uma educação tão pesada, como a de médico, quando o dinheiro mal dava para a comida? Não havia muitas alunas, pouca gente podia no bairro pobre aprender francês e música. Tampouco sobravam os vestidos a costurar e os que vinham eram vestidos de modestas fazendas, de feitio barato. Não. Luís Carlos não poderia ser médico.

O menino crescia vendo a mãe trabalhando como um homem mas ainda assim alegre e carinhosa. Viu que dona Leocadia fazia questão de honra nos seus pagamentos mesmo os mais insignificantes. Em meio a todas as dificuldades, aquela era uma casa sem contas atrasadas, de boa fama entre os comerciantes da vizinhança. O próprio Luís Carlos, apesar dos seus onze anos ainda não cumpridos, tinha crédito nos armazéns porque, como dizia o vendeiro português da esquina, "fiar aos Prestes era igual a ter dinheiro em caixa". A palavra do filho de dona Leocadia valia como a palavra de um homem-feito. Isso ensinou o menino a adquirir um senso de responsabilidade e um escrúpulo no cumprimento das suas obrigações que iriam ser, depois, marcantes na sua vida. A vizinhança seguia atenta a luta da família Prestes. Aprendia com aquela viúva e com aquelas crianças uma lição de coragem.

Apenas, amiga, Luís Carlos não poderia ser médico. A única profissão que lhe seria possível, porque era uma profissão barata, era a militar. Militar como seu pai, ali também se podia servir à humanidade. Aos onze anos, após vencer uma série de obstáculos, Luís Carlos entrou para o Colégio Militar. Começou a sua gloriosa carreira.

Nenhum aluno, amiga, honrou até hoje, no Brasil, os bancos escolares como o jovem Prestes. Sua permanência no Colégio Militar é uma série ininterrupta de triunfos e de injustiças. Era o primeiro nos estudos, o primeiro como educação, caráter e inteligência. Tinha, segundo as regras que regiam a vida estudantil no Colégio Militar, direito ao posto mais alto entre os alunos: o de comandante-aluno. Não lhe deram o cargo. Outro colega, também de notas distintas, mas evidentemente sem a mesma marca genial de Prestes, era o comandante.[17] A Luís Carlos deram apenas o lugar de major-fiscal. Era um menino pobre, amiga. Terminou o curso com distinção em todas as matérias. Três medalhas lhe eram por isso devidas, os prêmios mais altos do colégio. O aluno Luís Carlos nunca recebeu essas medalhas. Era um menino pobre, amiga.

Esse jovem de menos de dezoito anos soube ser de uma absoluta serenidade diante das injustiças. Sempre de cabeça altiva diante dos que arrotavam sua riqueza ou a posição eminente dos pais. Sempre afetuoso e bom diante dos pobres como ele. Nunca se queixou das injustiças quando eram praticadas com ele, sempre se levantou contra as injustiças praticadas com os outros. O colégio deu-lhe outra lição de vida: mostrou-lhe como o dinheiro, venha de onde vier, substitui a inteligência e o caráter. Viu e sentiu em carne própria quanto a pobreza desmerece o homem, mesmo perante aqueles que são encarregados de distribuir justiça. Diante de um mundo errado o menino Luís Carlos era vítima desses erros. Não protestava de imediato, mas já começava a compreender que era necessário mudar a face deste mundo. Muitos anos depois, já tendo tentado essa mudança e não tendo conseguido realizá-la, ele pôde ver e compreender o problema na sua inteireza. E pôde então partir para a sua batalha.

Mas, amiga, começou a afiar a sua arma nesses dias injustos de colégio. Viu riqueza e pobreza frente a frente. O sangue artesão que tinha nas veias era agora o sangue predominante nele, pobre como o avô calafate. Filho de professora e costureira, órfão, sem fortuna e sem posição. O menino pobre que era Luís Carlos Prestes aprendeu a pensar.

Nos dias de saída planteava perante Leocadia os problemas que o colégio lhe apresentava. Era o primeiro, mas não o tratavam como o primeiro, esse lugar era ocupado por outro. Via os bons alunos pobres valerem menos que os ricos. Por quê?

Um dia, negra, era a lua cheia sobre a caatinga sertaneja. Estava o negro Zé Baiano, suas mãos haviam tirado a vida de muita gente. Eram mãos de camponês, feitas para lavrar a terra, para tanger bois para o curral, para domar cavalos bravos. Um dia tomaram a sua terra, mandaram-no embora sem dar explicação. Zé Baiano era um menino ainda, tomou sua repetição, matou o ladrão da sua terra. O rico compra a justiça com seu dinheiro de ouro, amiga. Zé Baiano de graça só encontrou a vingança. Depois virou bandido no grupo de Lampião.

O menino Luís Carlos Prestes aprendeu dos lábios de Leocadia que a sua revolta individual seria apenas vingança despeitada. Tinha que sofrer a injustiça e aprender com ela. Um dia encontraria seu caminho. Leocadia não pensou tampouco em consolar o menino com histórias de recompensas celestes e com fábulas de virtuosa moralidade e de frágil realidade. Disse-lhe apenas e isso ela o sabia com o exemplo do marido:

— Há meninos ricos e meninos pobres, filho. Há homens ricos e homens pobres. Os ricos tomam sempre o lugar que compete aos pobres. Sempre foi assim...

Um dia no sertão uma negra camponesa disse o mesmo a Zé Baiano. Apenas acrescentou numa resignação à desgraça:

— ...e sempre há de ser assim... nunca há de mudar...

Por isso Zé Baiano pegou sua repetição, partiu para a vingança. Leocadia continuou:

— Sempre foi assim, mas eu creio que um dia não será assim. Estuda, meu filho, não desanimes com as injustiças, talvez um dia tu encontres nos livros e no meio dos pobres como tu uma solução para esse problema.

Foi assim que Luís Carlos Prestes partiu por outro caminho e foi por isso que Zé Baiano e os outros do grupo de Lampião em vez de um dia, no futuro, marcharem ao seu lado, marcharam contra ele, desorientados e explorados mesmo na sua rebelde condição de cangaceiros temíveis.

Negra, a sombra imensa dessa magnífica criatura, espantosamente forte na sua fragilidade feminina, se debruça orientadora sobre a infância do menino pobre. É o seu exemplo que lhe dá ânimo. Dela, de Leocadia Prestes, ele parte para a compreensão da seriedade da vida, para a decisão diante dos problemas, para a sua marcha sempre para a frente, sem recuos.

Rolava naquela noite essa mesma lua do cais do exílio sobre as terras bravias da caatinga natal. Eu falava, amiga, para Zé Baiano e os camponeses que o rodeavam. Contei do que Leocadia Prestes fez em terras da Europa para salvar a neta dos assassinos de crianças. Quando acabei, Zé

Baiano ficou um minuto calado, os camponeses olhavam a lua e uma mulher saiu para chorar. Zé Baiano me disse:

— Livrou a menina, hein! Velha danada...

Ficou procurando outro adjetivo, não encontrou. Sua língua era curta, ele nunca tivera escola onde aprender muitas palavras. Ficou procurando, a mulher já não chorava, sorria feliz. Zé Baiano coçou a carapinha suja, espiou a lua cheia.

— Eu gosto dessa velha... Até Lampião havia de gostar dela...

Há um homem que está preso, amiga, têm demasiado medo dele. Sabem que no seu peito reside a liberdade e é a ela que têm encarcerada desde que o prenderam. Antes ele se levantara vezes seguidas na frente do povo, na frente dos pobres, aprendera os segredos da má divisão do mundo. Atravessou, numa epopeia imortal, o pampa, a selva e a caatinga. Cruzou rios, escalou montanhas, rasgou estradas. Na sua frente ia a liberdade, em torno dele era a esperança.

Mas sobre ele, amiga, sobre os seus soldados, sobre o povo se levantando, como um símbolo do próprio povo, da própria pátria escravizada, traída, mas rebentando as cadeias da escravidão, como a mãe do povo, aquela que concebeu, alimentou e formou o Herói, sobre todos nós, paira a sombra de Leocadia Prestes.

E também hoje, amiga, nos dias de desgraça que são os dias de mais forte esperança. Como amanhã no dia em que o povo partir de novo. Sua sombra, marcada de marcas dolorosas de dor, mas altiva e serena, implacável, justa e todo-poderosa. É o próprio povo, amiga. Vê, é a pátria. Nunca mais então, negra, os camponeses se transformarão em bandidos. Suas mãos feitas para o arado não mais utilizadas na repetição. E amanhã veremos, amiga, essa anciã de rosto vincado pelos sofrimentos ficar sorridente e feliz, descansada e igual às outras velhas do mundo, tranquila e bela. Porque nesse dia, companheira, o povo e a pátria estarão sorridentes e felizes, tranquilos no trabalho, belos na felicidade de todos. Ela é a imagem do povo e da pátria, sua melhor imagem. Suas marcas de sofrimento são as marcas do sofrimento da pátria. Sua alegria de amanhã será a alegria do povo.

6

ERA A PRIMEIRA SABATINA DO ANO E OS CALOUROS DA ESCOLA MILITAR do Realengo estavam nervosos.

Não só era o seu primeiro contato com a Escola de onde sairiam oficiais do Exército como também o coronel Pio Borges, professor de analítica, tinha a terrível fama de homem exigente, ranzinza, avarento nas boas notas e absolutamente incorruptível. Não havia para ele outro empenho que não fosse o saber perfeitamente a matéria. Os calouros esperavam a leitura das notas daquela primeira sabatina e tremiam na expectativa ansiosa de quem espera o pior.

O bedel iniciou a leitura. As notas eram de um a dez mas o professor coronel Pio Borges parecia não saber disso, já que utilizava quase que exclusivamente do zero ao cinco, principalmente o zero. Caíam as notas baixas sobre a turma aniquilada dos calouros. De repente o próprio bedel parou a leitura, a boca semiaberta, um ar espantado de quem tinha enxergado algo inconcebível. Espiou alarmado para o professor. Mas como este não se movesse continuou a leitura:

— Número 244, grau nove.

Agora a surpresa era geral, a classe toda atônita com aquela nota ótima dada por um professor da exigência do coronel Pio Borges. Pistolão não podia ser, o coronel estava acima de pedidos e amizades. Então teria que ser forçosamente algum rapaz de uma capacidade antes desconhecida na Escola Militar. Quem seria? Essa pergunta correu a classe, ciciada de boca em boca, a curiosidade extravasando dos alunos para o bedel e deste para o próprio professor que queria aproveitar o momento para identificar o autor daquela prova de sabatina tão perfeita que o deixara espantado ao corrigi-la e ao não encontrar o que corrigir.

Também o aluno 244 estava surpreso e algo espantado. Ele sabia que fizera uma prova boa, o que escrevera estava certo, ele o estudara conscienciosamente. Mas estava espantado da nota grau nove porque se acostumara a ver as boas notas, os graus máximos, serem dados aos alunos ricos. Desta vez alguém fizera justiça. Os rapazes ricos que no Colégio Militar arrebatavam-lhe com a força do dinheiro os graus mais altos sucumbiam sob as justíssimas notas baixas. Luís Carlos Prestes encontrara um homem justo e refez-se da surpresa para se alegrar. Esse rapaz, amiga, estimava os homens e acreditava neles. Aquele professor o ajudava na sua fé.

Os alunos olhavam um pouco incrédulos para o rapaz franzino, ligeiramente corcovado, dono de um nascente bigodinho, a quem aquele nove não enchia de vaidade. Luís Carlos tinha dezoito anos mas eram dezoito anos de vida pobre e difícil, dezoito anos observando como o mundo dos pobres lutava para não parecer, e não seria um simples nove, como não seria mais uma injustiça, que iria afetar a sua tranquila meditação sobre a vida.

Meditação sobre a vida, sim, negra. A tranquilidade daquele rapaz franzino não era a tranquilidade dos céticos que se desiludiram da vida e dos homens diante das primeiras tristezas. Não. Sob esta tranquilidade havia um espírito vivo e curioso que observava e estudava, procurava causas, efeitos e soluções. Que se atracava aos livros porque nos livros estava uma parcela de experiência, eram resultantes da vida. Era necessário saber, saber muito, penetrar o mais profundo das coisas, ir até a raiz dos mistérios. A vida e a cultura. Tinha em casa, no colégio, nas ruas, os ensinamentos da vida. Nos pequenos fatos diários, como nos grandes. No aluno rico ganhando boas notas, em dona Leocadia curvada sobre as costuras, procurando desesperadamente um emprego de professora, nos obreiros do bairro, subalimentados e queimando os olhos em velas de cera para ler brochuras clandestinas. Vinha de toda parte a grande lição da vida. E dos livros vinha a explicação daqueles fatos. Esse rapaz vivia dentro da vida e sobre os livros. Eis por que, amiga, aquela nota nove, espantosa para os outros, não o afetou.

Aliás, amiga, já se desprendia desse rapaz uma força moral que dominava os colegas. Desde o primeiro dia de curso ela se fez notar. São célebres os trotes anuais aos novatos, tradição de cada faculdade brasileira mais arraigada ainda na Escola Militar. Porém de Luís Carlos Prestes já se desprendia tal energia de caráter que a ele não trotearam. Não foi uma vitória da força física, um atleta escapando do trote pela força dos seus músculos. Esse era um rapaz delgado e baixo, mas tinha uma tal seriedade no seu riso despretensioso, deixava uma tal sensação de “homem” completo e formado que os outros abriam caminho à sua passagem[18] e mesmo os mais velhos procuravam a sua companhia, impressionados com a inteligência e os conhecimentos daquele jovem.

Considerado o primeiro aluno da Escola Militar desde a sua fundação, foi o ídolo dos colegas, o chefe, o juiz, o líder inconteste da mocidade que com ele estudou. Os jovens, amiga, têm uma estranha capacidade de adivinhar os homens. Já te contei em outra noite que os jovens da Faculdade de Direito do Recife souberam ver num menino de dezesseis anos que fazia versos atacando as retrógradas ideias que dominavam a cidade, o seu líder, souberam colocá-lo em frente a um homem já feito como Tobias Barreto e em frente à reação, aos preconceitos, à escravidão e à monarquia. Assim como os estudantes do Recife souberam adivinhar Castro Alves, souberam compreender a marca que ele já trazia, aquela marca de gênio popular, assim também os estudantes da Escola Militar do Realengo adivinharam nos dezoito anos de Luís Carlos Prestes a estatura do líder, souberam enxergar a marca de herói popular, de chefe do povo, que ele trazia nos olhos penetrantes, no sorriso que explicava tanta coisa.

Olhavam-no como algo poderoso e diferente, mas ainda assim próximo deles. Esse rapaz austero para consigo mesmo, ordenado e disciplinado, que fazia de sua vida escolar uma vida de trabalhos árduos e de estudos sem descanso, mas que era de uma enorme indulgência para com os outros, que nunca se envaidecia mas que também nunca se humilhava, que não desviava a atenção dos estudos nem para as mulheres que se encantavam com as flamantes fardas dos cadetes, que tinha plena consciência do sacrifício que sua mãe fazia para educá-lo e que queria ser digno desse sacrifício, esse rapaz não dominou, com a força do seu sorriso e com a força maior do seu exemplo, tão somente os seus colegas de ano. Dominou também os mais adiantados e em torno dele se formou toda uma geração. Ainda estudante ele realizou aquilo que Benjamin Constant realizou quando professor, educou nos princípios de honra e de dignidade humana toda uma geração de militares brasileiros.

Aluno dos primeiros anos, era professor dos colegas de anos superiores.[19] Não estudava apenas as matérias pelas quais tinha de responder. Estudava também as matérias dos anos seguintes para poder lecioná-las aos estudantes que lhe pediam explicações e aulas.

O segundanista Luís Carlos Prestes ensinava a alunos de terceiro ano. Esse era um rapaz sem egoísmos. Na sala de estudos não estudava sozinho, numa ânsia de vencer competidores. Estudava em voz alta, diante do quadro-negro, rodeado pelos colegas, estudando para si e para todos, preparando em conjunto, resolvendo diante dos outros os problemas escolares do dia seguinte.[20] Ganhou a confiança e a admiração dos colegas. Esse rapaz que em breve seria o mais amado dos brasileiros, herói de todo um povo, a esperança de uma pátria, já tinha então esse dom de irresistível simpatia. Acompanhavam-no, certos de que ele sabia melhor que ninguém os caminhos e de que nenhuma ambição mesquinha o conduzia. Que seu coração era limpo e clara a sua inteligência. Não sabiam ainda que ele era o retrato do povo, filho do povo. Mas sabiam já que distantes dele estavam os cálculos dos demais, a ânsia de subir na vida, de escalar na vida, de escalar degraus rapidamente, fosse de que maneira fosse. Nenhuma preocupação de fazer carreira. Estudar para saber e ensinar. Aprender para poder resolver os problemas. Esse rapaz lhes mostrava todos os dias que ninguém pode viver somente para si existindo os homens lá fora, estrangulados pela fome de pão, de liberdade e de cultura.[21] Aprendia para que todos aprendessem. Com Luís Carlos Prestes, amiga, toda uma geração de cadetes estudou em função do povo.

Por isso o defendiam quando uma injustiça o afetava, como quando naquela vez na aula de desenho linear, tendo ele feito, como de hábito, não só o seu trabalho como o de vários colegas, e tendo o descuidado professor dado a um destes a tarefa de aplicar as notas, o rapaz concedeu grau dez a si mesmo e grau sete ao autor do seu desenho.[22] Ao serem lidas as notas, a turma escutou a injustiça:

— Luís Carlos Prestes, grau sete.

Grau dez tivera o outro e os alunos gritaram:

— Mas se foi Prestes quem fez os dois desenhos!

Luís Carlos sorria, as injustiças não o abalavam.[23] Na sua frente havia um largo caminho, essas injustiças escolares serviam para abrir os seus olhos para as injustiças do mundo para com os homens sem dinheiro. Por isso ele via o abanil, o pescador e o soldado. Por isso via o marinheiro e o sapateiro, o negro trabalhando nas docas, o camponês sem terra regando a terra alheia com o seu sangue. A pobreza era uma escola.

Os colegas o queriam e o defendiam. Viam nele um chefe, alguém que sabia mais e que via mais claro, alguém que não ficava nos livros, lia na vida e começava a falar do futuro como as profetisas que leem nas linhas das mãos. Linhas da vida que eram as ruas pobres do bairro onde dona Leocadia cuidava das crianças, economizando níqueis para poder comprar os livros para o filho, onde os obreiros escalavam as ladeiras árduas do morro em que viviam, ruas cheias das famílias dos soldados, cheias de angústias diárias e diários problemas de dinheiro.

Gerações de rapazes se perdiam em refinadas discussões intelectuais sobre os problemas do infinito misterioso, do após-vida, de Deus existindo ou não. Luís Carlos notava que esses eram os ricos, os que tinham tempo vago e vida fácil. Os outros, os rapazes da sua rua, os soldados jovens e os jovens operários não tinham tempo para esses metafísicos problemas. Outros problemas mais chãos e mil vezes mais terríveis os torturavam. Era a comida do dia seguinte, era a doença em casa, era o senhorio cobrando o aluguel.

Esse rapaz sabia dessas verdades ocultadas com tanto carinho. E salvou da metafísica e dos devaneios toda uma geração e a trouxe para perto dos problemas do Brasil, para perto dos problemas do povo. Os homens que fizeram as revoluções de 22, 24, 30 e 35 foram educados por Prestes, tiveram nele o seu professor e isso quando ele era ainda aluno da Escola Militar. Dessa geração saíram os tenentes, os outubristas e os nacional-libertadores. Dessa geração saíram os dezoito do Forte de Copacabana, os homens da Coluna Prestes e os homens do 3º Regimento e da Escola de Aviação.

É que em meio a essa geração estava um menino pobre de olhos abertos para a vida, de alma debruçada sobre os livros, sentindo no seu coração o sofrimento do povo. Este enxergou o povo desde cedo e por isso, negra, os outros viram nele o chefe, aquele que tinha o que ensinar.

As injustiças, os triunfos, a confiança, e a admiração dos colegas e professores, a sua nomeação indiscutida e aplaudida pelos demais para instrutor-técnico de todos os grupos de engenharia e artilharia, a perseguição do professor de Arte Militar que não suportava os comentários inovadores do cadete e que jamais lhe deu uma nota superior a sete, incapaz de prever no seu agarramento aos detalhes consagrados que, com aquelas inovações, o seu aluno iria derrotar, poucos anos depois, a dezoito generais com fama de estrategistas durante a epopeia da Coluna, nada disso o afastava dos demais, nada disso o punha acima de todos, de peito inchado de vaidade e de sorriso superior. Ao contrário, amiga, era o mais humano dos jovens, amando a existência comovidamente, os dias de saída sendo dias de felicidade familiar. Durante toda a sua gloriosa carreira esse genial condutor do povo, esse chefe, líder indiscutido, obedecido e amado, em nenhum momento deixou de ser o mais humano e simples dos homens. Gênio militar e gênio matemático, o primeiro do seu povo, coração de aço, condutor e guia, o primeiro dos operários, o primeiro dos camponeses, o primeiro dos soldados e marinheiros, o primeiro também das outras camadas pobres da população, dos progressistas e dos patriotas sinceros, foi sempre, em todos os momentos, o mais doce, o mais bondoso, o mais amigo de todos os homens. Coração de aço como o coração do povo. Mas coração humano e compreensivo e bom como o coração do povo.

Os dias de saída eram dias de festa. Na casa pobre e limpa, dona Leocadia sorria contente. Luís Carlos a rodeava de carinhos, alegre e travesso, preocupado com a saúde dela, enchendo-a de felicidade. E havia as irmãs. Luís Carlos era desentoado como um bom militar. Mas as irmãs pequenas queriam canções com que chamar o sono na noite suburbana. E o aspirante a oficial que era o primeiro da sua escola, que era o chefe dos seus colegas, o mais brilhante dos alunos e o mais querido dos companheiros, entoava com sua voz desafinada as ternas cantigas de ninar para adormecer as irmãzinhas. Sua voz enchia de carinho o quarto:

Bicho tutu, sai de cima do telhado...

Bicho tutu sobre o telhado da casa pobre. Sobre todos os telhados de todas as casas pobres do Brasil. O bicho tutu da exploração do homem pelo homem, da pátria sacrificada às ambições desmedidas dos governantes, do povo sofrendo, da gente sem o que comer e sem o que beber. Luís Carlos Prestes, nas suas noites familiares da juventude, enquanto cantava para as irmãs, pensava no Brasil que o rodeava. No povo do Brasil. Os problemas imensos enchiam sua cabeça jovem. Mas a irmã reclamava contra a paralisação de canto desafinado e ele sorria e se voltava para ela e sentia o seu coração estremecer de amor.

Essa a lição que nos ensina hoje, amiga. Ninguém por mais alto que suba, por mais que seja admirado e querido, pode deixar de ser humano, de sentir, com todos, todas as alegrias e todos os sofrimentos, mesmo os menores, os mais ínfimos, os quase imperceptíveis que duram apenas um momento, sem que deixe a sua altura e sem que perca o amor aos demais. Aço e amor, eis de que é feito o coração dos heróis. Assim o de Luís Carlos Prestes, negra.

7

LÁ ESTÁ, EM REALENGO, AMIGA, A ESCOLA MILITAR. De gloriosa tradição, surgindo a cada passo na história do Brasil, do Império à República, era a Escola Militar da Praia Vermelha. Nela ressoou a voz de Benjamin Constant, dela saíram o positivismo e a República, os chefes do Exército que se negaram a combater os negros de Cubatão, dela saiu Floriano Peixoto.

De gloriosa tradição, amiga, é esta Escola do Realengo que sucedeu à da Praia Vermelha. Vê, negra, esta é uma escola ilustre. No futuro, quando os dias forem melhores, quando a vida for uma permanente festa de trabalho e alegria, os homens pararão diante dela comovidos. As mulheres trarão flores nos braços agradecidas e os pais narrarão para os filhos a história desta escola. As crianças olharão os pátios e as salas de aula com os vivos olhos brilhando. Ninguém passará diante dela sem que certa emoção não baile no seu peito. Essa é uma escola ilustre, amiga.

Porque aqui estudou e formou seu caráter Luís Carlos Prestes. Nos pátios desta escola ele passeou, delgado rapaz, interessado na vida, os companheiros em torno: Juarez Távora, Siqueira Campos, Carlos da Costa Leite, Eduardo Gomes, Cordeiro de Farias, Newton Prado. Ele falava, os outros ouviam, lá fora era o Brasil imenso, seus campos, suas montanhas, suas cidades, seus rios, o São Francisco, o Paraná e o Amazonas. De toda parte vinha um lamento, um clamor de desgraça, um pedido de socorro. A República deturpada, a democracia esmagada, a pátria traída.

Em muitas outras escolas, amiga, universidades, faculdades e colégios superiores, não ressoou esse grito da pátria ferida, do povo esfomeado. Os alunos viviam no brilho da inteligência, perdidos em frases de espírito, em fórmulas literárias novas e inúteis, em filosofias céticas ou reacionárias, tentando abafar numa gargalhada de gozo ou desconhecer num sorriso de menosprezo, o clamor que ia lá fora, no Brasil imenso. As faculdades de direito, de medicina, de letras, de agronomia, de veterinária, de química e de engenharia viraram centros de literatura. De um soneto ou de um poema, partiam para mundos imaginários e distantes, para a fuga mais desoladora da vida, de um meio ambiente gritando por socorro. Na Faculdade de Direito do Rio Ronald de Carvalho pesquisava ritmos novos, na Faculdade de Medicina da Bahia os futuros médicos discutiam gramática sob a batuta dos professores mais preocupados com o português clássico que com os micróbios, na Faculdade de Medicina do Rio o professor Aloísio de Castro escrevia sonetos efeminados e ditava aulas na mais pura e afetada língua de Coimbra, fugiam todos da vida para o modernismo, para o neotomismo, se preparavam para o fascismo quando o seu momento fosse chegado. As faculdades desconheciam Marx, a guerra se transformava em literatura, o Brasil em um deserto de que fugir, a sombra nova que se debruçava sobre essas escolas era a pequena sombra de Marinetti.

E eis, amiga, que, em meio a toda essa tristeza, a Escola Militar do Realengo forma uma geração de homens, forma uma geração de brasileiros. Para esta escola existia o Brasil, existia a guerra, existiam os homens, não estava sobre ela uma sombra de poeta medíocre. Uma vida gravitava nela, fazia-a vibrar, fazia com que ela escutasse o rumor subterrâneo que vinha do país, que não o temesse, que não cerrasse os ouvidos para ele, que não o abafasse com uma gargalhada, não o menosprezasse com um cético sorriso. Nesta escola Luís Carlos Prestes, debruçado sobre os livros, os olhos abertos para a vida, o coração aberto ao rumor que vem lá de fora, conduz com a presença do seu exemplo uma geração até o Brasil.

Como antes na Praia Vermelha, agora em Realengo chegavam, numa cavalgada de gritos e clamores, os problemas do país. Para estes moços a pátria existia, a farda do Exército era uma responsabilidade perante o país, perante o povo. O cadete Luís Carlos Prestes, o menino pobre Luís Carlos Prestes, lhes ensinava a responsabilidade do Exército. Um velho bedel que viera dos dias da Praia Vermelha recordava no jovem de hoje a figura austera e magnífica de Benjamin Constant. Mas recordava também o se consumir pelos destinos da pátria que era a marca de Floriano Peixoto. Nesta Escola do Realengo, amiga, passeou seus passos preocupados pelo Brasil o aluno Luís Carlos Prestes. Em torno dele iam outros jovens: muito em breve o Brasil todo saberia desses homens, e em casas pobres no interior, nas cidades na fímbria do mar, nas palhoças sobre os morros miseráveis, na beira dos grandes rios, haveria retratos de homens moços saídos desta escola. Siqueira Campos, Juarez, Costa Leite, Eduardo Gomes, João Alberto, tantos outros que vão com Luís Carlos Prestes nos pátios de Realengo. Nas outras escolas, amiga, vai uma agitação literária de falso brilho e de ridículos problemas. Aqui vai uma fervura de combate, um sonhar dos destinos do país, uma seriedade de grandes e graves problemas. No coração desses moços bate o clamor que vem do Brasil.

Um dia, amiga, iremos de braço dado, iguais a namorados recentes, num passeio até os pátios dessa Escola do Realengo. Ouviremos os toques de cornetas, ouviremos os comandos marciais, os alunos marchando, sentiremos de perto a evocação desses dias de ontem, quando um rapaz de olhos acesos, de rosto sério e profundo, de largo sorriso afetuoso, pregava dignidade, nobreza, coragem e patriotismo para os seus colegas. Através destes pátios, no silêncio destas salas de aula, veremos destacar-se a sombra inesquecível dos jovens cadetes de 1920. Suas figuras gigantescas. Morrerão em 22 na praia elegante de Copacabana. Morrerão em 24 nas ruas ricas de São Paulo, nos pampas do Rio Grande, morrerão até 27 nos sertões do Brasil, desde o Sul até o Nordeste, morrerão em 30 com o povo a seu lado, morrerão em 35 na frente do povo. E viverão hoje, e viverão amanhã, com eles o povo que não morre, que se levanta mil vezes, "a liberdade não morre", nos ensinou o Poeta, negra. Uns já se foram, outros ainda lutam, esse jovem Prestes está encarcerado com seu povo. Desta escola, amiga, ele partiu para os caminhos da vida, dos gritos que chegaram até aqui e que ele soube sentir e desvendar para os outros, ele partiu para conhecer todos os mistérios de uma luta que se aproxima do seu fim. Partiu para se colocar à frente do povo. Dos pátios desta escola, das salas de aula, dos ensinamentos, dos colegas ávidos da pátria. Aqui o seu gênio recebeu os primeiros esclarecimentos e aqui ele temperou o aço da sua espada e do seu coração. Nesta Escola do Realengo, amiga.

Vê, negra, é uma escola ilustre esta escola. Aqui foi o princípio de Luís Carlos Prestes. É como se eu te dissesse: aqui começou a história moderna no Brasil.

8

A CASA SUBURBANA FICAVA PERTO DE UM MORRO, NUMA VILA de vinte casas iguais, no fim da rua Magalhães Couto, no Méier. Rua sem calçamento, enlameada, esburacada e pouco edificada, um capinzal e terrenos baldios a limitavam, seu horizonte mais próximo era o morro de lavadeiras e operários. O negro estivador, marido de Julieta, a lavadeira, por vezes descia o morro para dar uma prosa com o "seu tenente", porém, outras vezes, era o jovem tenente Prestes quem escalava as ladeiras ensolaradas para ouvir da boca do estivador o relato da dura vida do cais. A rua pobre, o morro miserável eram um mundo para o tenente de 21 anos.

Saíra da Escola Militar em 1920. Tenente de engenharia, foi mandado servir no Batalhão Ferroviário, que construía ramais da Estrada de Ferro Central do Brasil, no subúrbio de Deodoro. Aplicou-se ao trabalho com o ardor que lhe era próprio, com o mesmo afã com que se aplicara aos estudos. Agora queria pagar à família os sacrifícios que fizera por sua causa. Porém nesse jovem tenente, amiga, não havia lugar para egoísmo, nem mesmo para um nobre egoísmo. Nunca pôde isolar-se dos demais, viver para ele só, ou mesmo para ele e para a família. Sentia por muito mais gente, seu interesse pelos demais vinha de dentro de si. E seus soldados compreenderam logo que aquele tenente era diferente dos demais, que não se contentava com dar ordens, com fiscalizar o trabalho. Ia para o meio deles, dirigia pessoalmente, consertava com um sorriso o que não estava bem-feito, demonstrava praticamente o que se devia fazer, trabalhava tanto como um deles. E mais que isso, sempre aparecia disposto a lutar pelos soldados quando os interesses deles eram pisoteados por oficiais ciosos dos seus galões, despóticos do seu posto. Não permitia injustiças, os soldados notavam com estranheza que para esse tenente Prestes eles eram feitos da mesma carne e do mesmo sangue que os oficiais, por mais alta que fosse a sua hierarquia. Então, como antes os alunos da Escola Militar, os soldados cercaram Luís Carlos Prestes e se fizeram seus soldados. Uma vez um deles explicou aos outros:

— O pai do tenente foi soldado como a gente. Ele sabe...

E o avô, amiga, fora calafate e a mãe era adjunta de professora noturna, saindo todas as noites para a escola distante onde lecionava para ajudar a vida pobre da casa. E a irmã mais velha, Eloísa, trabalhava numa casa comercial para que as menores pudessem estudar. Ele vinha diretamente do trabalho a soldo, da vida difícil e pobre, dos sacrifícios para viver. Se sentia mais próximo dos sofrimentos dos soldados que dos envaidecedores galões dos oficiais.

Trabalhar para a família... Ajudar a que Leocadia e as irmãs tivessem uma vida melhor, mais calma, mais descansada. Muito haviam lutado para fazer dele um oficial. Se recordava de quando quisera deixar os estudos e entrar para o comércio, assim poderia ajudar com algum dinheiro a família. Leocadia lhe dissera então que o melhor que ele podia fazer era estudar e alcançar o oficialato, ajudando-as muito mais no futuro. Chegara esse momento. Agora cabia a ele sustentar essa casa, dar repouso a Leocadia, descansar Eloísa, dar um pouco mais de conforto às irmãs pequenas.

Todas as noites ia levar e buscar Leocadia no bonde que a conduzia à escola. Para ele era um dever e uma alegria. Esse filho e essa mãe continuavam os mais afetuosos companheiros. A gente os via passar, as mulheres comentavam num sorriso simpático:

— Lá vai seu tenente com a mãezinha... Um homem bom...

Ele passava com Leocadia, os cumprimentos se sucediam. As moças sorriam, os homens o estimavam. "Um homem direito", diziam.

Em casa era um sem-fim de quefazeres. Tomava as lições das irmãzinhas, era o seu professor. Voltava a sair logo depois, quando chegava a hora de Leocadia regressar da escola. E quando a família já dormia, ele se encerrava no seu quarto e começava a estudar. Nascera matemático, mais que nenhuma ciência essa o interessava. Não deixou um só dia de estudar, de estar em companhia dos seus livros, como não deixou um só dia de viver intensamente a vida. E até alta madrugada brilhava a luz no seu quarto, servindo de comentários aos operários do morro:

— Seu tenente está estudando... Um homem de saber...

No outro dia estava novamente com as irmãs menores, antes de partir para o trabalho. As duas crianças da casa enchiam uma parte da sua vida. Sempre amou enternecidamente as crianças e para estas ele fora o verdadeiro pai, mais que irmão. Brincava com elas e lhes ensinava as lições. Sua chegada aos sábados era uma festa porque elas sabiam que ele nunca vinha de mãos vazias, trazia sempre um livro ou um brinquedo. Rodeavam-lhe o pescoço e, levando as duas pequenas como um colar, ele entrava em casa entre risos e beijos.

Seu interesse ia até aos animais domésticos. Os passarinhos que gorjeavam nas gaiolas, a cachorrinha Milonguita e a grande e sedosa gata preta, a Frou-Frou tão ciosa da sua ninhada de gatinhos vivazes.

Dona Leocadia, nos seus momentos livres, plantava o jardim, cuidava de flores e pássaros. Prestes era o seu ajudante como era o carpinteiro da casa, manejando a enxada ou o martelo com a mesma mestria e a mesma alegria sã com que manejava seus instrumentos de engenharia.

Nas noites de domingo fazia música. Sentava-se à cítara e suas mãos calosas arrancavam os sons melodiosos que enchiam de poesia a casa suburbana. Não era alheio à arte, amando a beleza, o canto, a música e a poesia. Os vizinhos chegavam, gente modesta da rua, gente ainda mais pobre do morro. Por vezes dançavam, o tenente era desajeitado para dançar, ficava conversando com os homens. As moças de grandes laçarotes nos cabelos, de vestidos domingueiros muito engomados, olhavam-no entre suspiros mas para ele ainda não chegara o dia do amor, e o tenente Prestes não compreendia os suspiros e os sorrisos. Seu coração estava todo para a sua família e para os problemas do seu país. Dançavam, cantavam, jogavam jogos de prendas, o tenente ia para a berlinda, as moças diziam que ele estava lá porque era sério demais, não gostava de namoro.

Outras noites ficava a família em torno da mesa da sala rememorando, na intimidade, fatos e lembranças, fazendo planos para o futuro.[24] Apesar de tudo, Leocadia ainda pensava ver o filho médico um dia, curando enfermos numa cidade pequena do interior. Falavam do capitão Antônio Pereira Prestes, o positivista, o que morrera pobre para não se dobrar aos donos do poder. Conversavam tranquilos assuntos da vida diária, os filhos da gata negra, as travessuras e graças das irmãs pequenas, faziam conjeturas sobre o crescimento da madressilva que se enroscava no caramanchão ou sobre quando floriria a roseira de rosas vermelhas como sangue. Prestes se interessava por tudo, intervinha nos mais diversos assuntos. Só não falava dele mesmo. Era de uma modéstia além dos limites. Nunca dizia dos seus sucessos nos trabalhos, dos elogios recebidos. Modesto no viver, modesto nas roupas, querendo que os familiares tivessem tudo, não fazendo questão de nada para ele.

Decorria doce, tranquila e feliz a vida da família. Trabalhava-se, conversava-se, vivia-se numa paz terna e quente, cheia de afeto e de compreensão. Assim foram esses anos de 20 a 22.

Nem mesmo a gente da rua Magalhães Couto, no subúrbio do Méier da cidade do Rio de Janeiro, poderia imaginar que, em meio àquela felicidade, o tenente Prestes levasse no peito infinitas preocupações. Que se preparava para uma revolução.

Sim, amiga, porque para esse homem não existia vida feliz que o fizesse esquecer do Brasil, a vida desgraçada dos homens seus patrícios. No trabalho, com soldados e os oficiais, no subúrbio com os pequenos comerciantes, com os vizinhos, com a gente do morro, ele sentira a necessidade da revolução. Em casa faziam planos para o futuro, no quartel ele conspirava. Toda aquela paz seria quebrada sem dúvida, toda a esperança de um futuro mais feliz seria deixada de lado, mas, que importava? A pátria e o povo reclamavam o jovem capitão. Capitão, sim, amiga, que rapidamente ascendera de grau, seus enormes conhecimentos dando-lhe um prestígio excepcional no Exército. Se não pensasse naquele clamor do povo que começara a ouvir nos bancos da Escola Militar, poderia fazer uma carreira rápida e fácil. Tinha o saber, a inteligência e a cultura. Dominava a sua profissão como ninguém. Mas, mais que nenhum outro, ele ouvia os gritos desesperados que vinham dos quatro cantos do Brasil.

Sua geração conspirava, os homens que ele havia formado na Escola Militar conspiravam para derrubar um governo divorciado do povo. Ele conspirou também.

Na doce paz do lar, Leocadia vivia feliz. Luís Carlos Prestes chega um dia até ela, conta-lhe sua atitude. Bem sabe ele que Leocadia concordará e será a primeira a desistir de qualquer sonho e de qualquer interesse para vê-lo lutando pelo seu povo. Para ela o Brasil estava antes de todos os outros interesses.

Doce vida familiar, tranquila existência de paz. Mas não era uma doce vida a vida do Brasil, amiga. Era triste e terrível. Um povo pedia pão, cultura e liberdade. Muitos não quiseram ouvir esses gritos, tinham uma doce vida de família, projetos e sonhos. Que importava a pátria, que importava o povo?

Na noite conspirativa das reuniões clandestinas, Luís Carlos Prestes deixa a terna quentura familiar pelo ambiente exaltado dos revolucionários. Em breves dias será o 5 de julho de 1922. Prestes se prepara para ele. Em casa as irmãs dormem, ronca Frou-Frou junto aos seus gatinhos, descansa Milonguita das traquinadas do dia, não cantam os canários, só Leocadia vela. No meio da noite o filho chegará. Virá do traçamento de planos, do acordar revoluções, virá de sonhos também. Ela compreende. Pensava-o sonhando sonhos para a família. Era demasiado pouco para ele: Luís Carlos Prestes sonhava sonhos para o Brasil.

9

VINHA DESDE O MAIS LONGÍNQUO E DESDE O MAIS PRÓXIMO RECANTO DO BRASIL, amiga, de todas as partes vinha esse grito que os oficiais e os soldados do Exército escutavam. Soluços, clamores, ais que se transformavam num grito, um sonho que nascia de uma desgraça repetida cotidianamente. Vinha desde os dias em que os senhores de escravos, ex-donos da monarquia, se apossaram da República e a vilipendiaram e transformaram numa escrava sua.

Esse povo do Brasil, negra, é um povo heroico.[25] Eu queria ser dono dos adjetivos do mundo para te falar sobre ele. Queria saber as palavras mais doces, as mais ternas e as mais humanas e as mais heroicas para te dizer da coragem e da confiança que latejam no coração da gente brasileira. Pisado e acorrentado, ignorado e desprezado, de mãos atadas, de boca cerrada, comendo o indispensável para não morrer, traído e insultado, o povo do Brasil não desespera e não se tranca numa indiferença suicida. Luta, clama, grita, brada e cria do seu sangue os seus líderes e os seus heróis. Heroico povo esse, resistente e digno, esperança sem fim nas suas canções, esperança nos seus gritos, esperança nos dias de desgraça que nada mais são que a véspera do dia da liberdade. Tremem os donos do dinheiro e do poder porque nunca serão donos da vontade desse povo, nunca conquistarão seu libertário coração rebelde. Nunca esse povo se desesperou nem nos momentos mais angustiosos. Clamou sempre, numa luta de todos os minutos para rebentar as cadeias que prendem os seus pulsos. Gritou com Tiradentes e com os poetas mineiros na aurora da liberdade, nos dias da Inconfidência. Na voz de Alvarenga e Gonzaga, no martírio e na nobreza do alferes esquartejado. Gritou nos dias da Independência, a voz enorme de José Bonifácio. Gritou com Zumbi, nas selvas dos Palmares, gritou com os negros nas selvas do Cubatão, gritou na Bahia na revolta do alufá Licutã na frente dos negros malês. Gritou nas ruas do Recife, gritou pela boca de frei Caneca sorridente diante do pelotão de fuzilamento. Pela boca dos gaúchos nas revoltas do Sul. Com Benjamin nos dias da República. Com a maior das suas vozes, clamor de beleza na voz de Castro Alves, construindo liberdade. Gritou com a serena força de Floriano Peixoto consolidando a República e defendendo a integridade da pátria. E seu clamor continuava, subterrâneo, insistente, cada vez mais poderoso. Heroico povo esse, amiga! No seu sofrimento gerava dolorosa mas tenazmente o seu Herói, sua voz e sua espada. Humanização desses gritos, o povo concebia Luís Carlos Prestes. Nascido do sangue de Tiradentes e da voz de Castro Alves. Do coração do povo. Sua voz e sua espada.

Era no princípio da República, amiga. Floriano tomara o governo. Esse tabaréu das Alagoas, desengonçado e pouco amigo de sorrir, via os ideais da República perecerem. Os senhores da monarquia, os ex-donos de escravos, os novos donos dos escravos dos moinhos e das fábricas estrangeiras que se estabeleciam, das fazendas em crescimento, queriam novamente se apossar do poder. Governar contra o povo e contra a pátria, a favor apenas dos seus interesses. Em torno de Floriano, os "tenentes" da época, os discípulos de Benjamin Constant, o romancista Raul Pompeia se consumindo no amor às turbas populares, o teatrólogo Artur Azevedo, uns quantos jornalistas, a imensa massa humana. Contra ele a gente que tinha as terras, que tinha as fábricas, os títulos de nobreza, os empregos bem pagos. Rui Barbosa, advogado dos ingleses, os senhores das fazendas de São Paulo e Minas, o monarquista Silveira Martins, os almirantes saudosos da proteção da corte. Queriam se apossar da República. Fizeram a revolta, Floriano a aplacou com mão de ferro. Os interesses ingleses, que os revoltosos defendiam, tentam proteger e ajudar cinicamente os reacionários em armas. O ministro da Inglaterra vai a Palácio perguntar a Floriano como ele receberia um desembarque de tropas inglesas para "proteger os interesses dos súditos britânicos". O tabaréu das Alagoas não alterou a voz para responder:

— Recebo à bala...

Esse era o momento do povo no poder, amiga, a República a serviço do Brasil, dos seus interesses, do seu progresso e da sua independência política e econômica. Mas Floriano era um patriota, não era um político. Realizou eleições honestas. Os limites que a Constituição impunha ao povo no direito de voto faziam com que apenas uma parcela mínima da massa popular pudesse exercer as funções de eleitor. Num país de analfabetos, com uma enorme proporção de escravos recém-libertados, só as pessoas que sabiam ler e escrever podiam votar. Demais a máquina eleitoral montada na monarquia não fora destruída, era a que funcionava na República. E como Floriano era incapaz de fraudar uma eleição e como não compreendera que a Constituição devia ser alterada nos itens referentes ao direito de voto, os senhores de escravos ganharam a República. O povo, logo depois, diria pela voz dos seus tribunos:

— Essa não é a República dos meus sonhos...

Não era a República dos positivistas, dos cadetes do Exército, dos homens da abolição, do poeta Castro Alves, dos tribunos Silva Jardim e Lopes Trovão. Era, igual à monarquia, o governo de alguns contra a imensa maioria do povo.

O governo de alguns que venderia as mudas dos seringais aos capitalistas estrangeiros e destruiria a economia da borracha. No princípio do mundo da Amazônia, amiga, nas terras e nas águas do grande rio onde nascem as febres e as assombrações, nesse mundo se gerando ainda, ilhas arrastadas pelas águas, terra parindo terra e parindo vida, o começo de tudo, os grandes animais da água, as grandes árvores da terra, as aves aos milhares, o homem assombrado chegando cedo demais para uma terra em começo, chegando do Nordeste das secas com aquela rude valentia que é maior que qualquer coragem, nesse mundo crescia selvagemente uma espantosa riqueza do povo do Brasil. Na selva impenetrada e impossível de penetrar cresciam os seringais, seios de que brotavam os rios da borracha, riqueza de um povo. Ela surgiu um dia como uma esperança de vida melhor. Não era branca e leitosa para os olhos ávidos dos homens. Era metálica e amarela, dessa cor de ouro que têm todas as coisas que produzem dinheiro. Mas tinha ligada a si igualmente essa tragédia de tudo que, com o dinheiro, traz ambição do homem contra os outros homens, seus irmãos. Nasceram as cidades, o sonho da Amazônia era uma realidade espetacular. Empurrados pelo chicote das secas, do sol queimando o pasto verde, matando o gado e os homens, bebendo na sua infinita sede a água das cacimbas, os cearenses rumaram para a Amazônia. Antes era o país das lendas, das mulheres guerreiras, do boto, da Cobra Grande, de Ci, os índios soltos vagando pelas selvas. Os cearenses chegaram e foi o país da Amazônia, foi a cidade de Manaus nascendo no meio do rio e da floresta, entre a água barrenta do Amazonas e a escura água do rio Negro. Foi de repente a civilização: os palácios, os cabarés, os navios, os caminhos de ferro, a ampliação das fronteiras da pátria, os homens viajando desde Manaus e Belém para a Europa, Paris, Viena, Lisboa e Londres, castanholas em Madri, amantes em Montparnasse, bancos na City, queijadinhas na estrada de Sintra. Os portugueses chegaram com seus estabelecimentos comerciais, comprando a borracha que descia dos seringais, sangue das árvores e sangue dos homens misturados. Os portugueses enriqueciam e iam construir teatros, hospitais e escolas nas aldeias das províncias natais do outro lado do mar. Chegaram os sírios, aventureiros do século XX, a mala de mascate na primeira subida do rio, na primeira descida do rio a grande casa elegante de modas nas ruas de Belém, nas ruas de Manaus. Dentro da selva, lutando contra a terra na infância, se gerando, lutando contra a água mais poderosa que o sol no dilúvio diariamente repetido do rio como um mar, lutando contra a febre, a cocaína do impaludismo, o veneno do tifo, a desgraça da lepra, lutando contra os animais, penetrando a selva impenetrável, rasgando os caminhos de um mundo, caçando a sua comida todos os dias, sem mulher para as suas noites de assombrações, dentro da selva o nordestino, também o amazonense filho de branco e índio, construía a riqueza. O português a comprava, o sírio a negociava por berliques e berloques, os ricos do país nos seus sobrados de Manaus, nas suas casas coloniais de Belém, nos *rendez-vous* elegantes do Rio, na Glória ou no Catete, na casa de prostitutas refinadas ou nos palácios governamentais, usufruíam desse trabalho, desse morrer a cada momento, desse vencer a morte sob todas as formas a cada momento, na mais trágica e emocionante epopeia moderna que é a aventura do cearense na Amazônia nos dias da borracha. Na selva, comido pela febre, coberto pelos mosquitos, lençol da Amazônia, estrangulado pelo rio violado no seu mistério, odiado pelo índio dono da terra e expulso da terra, o trabalhador do Nordeste segue sempre. Sua canoa corta as águas do rio, uma perna para o crocodilo, um olho para a seta do índio, o sangue para o impaludismo, que restará para as grandes cobras que imitam as curvas dos igarapés? Mas segue sempre. Pôs os trilhos da Madeira-Mamoré, a estrada de ferro mais cara do mundo, comendo dinheiro, comendo gente. Repara bem, amiga, e então verás que esses dormentes sobre os quais assentam os trilhos não são de madeira, se bem haja demasiada madeira nessa selva. Esses dormentes são feitos de corpos de homens que morreram na construção dessa estrada. Sobre esses corpos estão os trilhos, sobre eles correm os trens na selva de espantos. Essa é uma história que só o rio Madeira sabe, só ele te poderia contá-la detalhe por detalhe, e tão terrível ela é, amiga, que tuas lágrimas de dor formariam outro rio junto aos rios da Amazônia. Rios de sangue na água branca dos igarapés. Dentro da selva o cearense segue, seu coração é de bronze, forjado na forja do Ceará com o fogo do sol, temperado nas secas, a família morrendo, o cavalo caindo, o gado agonizando, antes fora verde pasto nessas campinas hoje é deserto só. Aí ele aprendeu sua valentia indômita e com ela partiu para a Amazônia, contra a selva, o rio e as febres. Essa riqueza, essa imensa e incomensurável riqueza que desce o rio, em navios, em canoas, batelões, milhares e milhões de quilos de borracha, é trabalho dele, é a sua vida, o seu sangue, sua esperança.

Nas cidades o português espera, o sírio espera, espera o brasileiro, o milionário e político feito pelo milionário, nos quilos de borracha chegados do fundo da selva vêm o progresso, a civilização, a alegria de viver. Terra rica e fecunda que ele nunca viu mas que é sua. Porque, amiga, essa terra não é do cearense que a conquista. Ela tem dono, tem senhor que a possui e a goza como se goza a mulher. O cearense que a conquista é seu escravo apenas. São assim as histórias da Amazônia, amiga.

Nas ruas asfaltadas de Nova York, Chicago, Los Angeles, Londres, Paris, Berlim, todas as cidades do mundo, rolam os automóveis sobre o sangue cearense. Eis, amiga, que o tzar de todas as Rússias não assassina apenas os operários e os camponeses do grande país do norte. Quando ele sai no seu automóvel seus pés de pneus são feitos com sangue cearense derramado nos seringais da Amazônia. Ford se nutre desse sangue, dele se nutrem Wall Street e a City. Por detrás dos brasileiros ricos, dos políticos da capital ou dos estados, por detrás do sírio aventureiro, do português comerciante, está o capital estrangeiro. São os dois extremos, amiga, do drama da Amazônia, na sua esperança e no seu esplendor. Embaixo, com seus músculos de gigante, o cearense sustenta como a base de uma pirâmide, os comerciantes de Manaus e Belém, os milionários do Brasil, a cobiça dos capitalistas dos países estrangeiros. Estes estão no cume dourado da pirâmide. A eles não custa nenhum trabalho. Com um pouco de dinheiro compram a riqueza de um povo.

Os ingleses acharam que não havia por que comprar a borracha ao Brasil quando lhes sobravam terras onde plantar os seringais. Mas, como conseguir a árvore da borracha, quando só nascia, crescia e vicejava na Amazônia? Não foi difícil solucionar o problema, amiga.

O cearense sabia do crocodilo, da cobra, do índio, da febre que o mosquito trazia, das noites masturbadas no sonho impossível de deitar com uma mulher, das feras soltas, da comida conquistada e sem tempero, sabia da floresta inimiga, do rio inimigo, sabia dramaticamente do patrão presente no chicotear do capataz, na espingarda assassina nas tentativas de fuga, mas nada sabia de alguém sobre o rio, a febre, a selva, o capataz, o patrão, a escravidão e a riqueza. Não sabia do imperialismo se debruçando sobre todos os mistérios da Amazônia, cobiçando todas as suas riquezas, a borracha extraída, as mudas de seringal que criariam outras florestas no mundo e transformariam a desgraça e a fortuna do homem na Amazônia numa tragédia inglória e sem beleza. Que podia saber um trabalhador cearense impaludado dos mistérios econômicos do mundo? Para ele já sobravam os mistérios do rio.

Um dia, amiga, um governante, cínico, desavergonhado, inimigo da pátria e do povo, vendeu, para com isso aumentar seu cabedal, as mudas dos seringais ao governo inglês.[26] Que importam a esses governantes, negra, o povo e a pátria? São palavras sem sentido para eles. Para eles existe a sua pança que deseja manjares finos, seus olhos desejam espetáculos belos, seu corpo que deseja mulheres jovens, lindas, ternas e carinhosas. Existe seu corpo de lama, seu coração ávido de fortuna, dinheiro nas mãos trementes de avareza. Que importam o povo e a pátria? Que importam o progresso e a felicidade do Brasil? O capitalista estrangeiro comprou barato as mudas de borracha. Enriqueceu mais o governante, o país da Amazônia empobreceu.

Nunca mais, amiga, os portugueses de Manaus e de Belém construíram teatros em Lisboa,[27] nunca mais queijadinhas em Sintra, os sírios voltaram a carregar as malas de mascates nas subidas e nas descidas do rio agora pobre. Agora nas ilhas da Oceania, sobre outros desgraçados destinos orientais, caía o chicote dos capatazes ingleses, em plantações simétricas, ordenadas e aptas para um máximo rendimento. Agonizava a borracha do Brasil. Os ricos de Belém não acabaram a sua igreja de mármore e ouro a Nossa Senhora de Nazaré para agradecer tanto dinheiro que agora era tanta pobreza. Nunca mais Paris, desvios sexuais das mulheres francesas. Um pedaço da Amazônia foi dado a Ford. O inglês tinha levado as mudas de borracha, tinha terra onde plantá-las. O americano quis as mudas e as terras. Sobre o solo brasileiro, no mistério dos rios, sobre o boto e o pajé-grande, tremula em terras da pátria do Brasil a bandeira ianque das 48 estrelas. Sobre o cearense, escravo ontem do rico brasileiro, do português, do sírio, escravo hoje de Ford. Nunca mais, amiga, os ricos de Manaus foram a Nova York olhar os arranha-céus, tomar uísque falso, ver as estrelas de cinema em carne e osso. Os ricos de Manaus ficaram os pobres de Manaus, bebendo cachaça nacional nos bares da cidade, olhando com tristeza o seu enorme teatro dos tempos da borracha alta. E, como era pouco, deram outro pedaço aos japoneses, o mais novo imperialismo queria também sua dentada de Brasil. Nunca mais, negra, os ricos da Amazônia puderam gritar nos palácios governamentais do Rio para trêmulos governantes. Seu chicote de mando era feito com dinheiro da borracha e isso foi um dia. Na borracha, agora, só há mesmo o sangue do cearense, cada vez ganhando menos para que o patrão possa ganhar para seus vícios adquiridos na alta. Mais febre, mais falta de tudo, de medicamentos e de mulher, nem mesmo para os ricos há um sonho de esperança. Sobre a Amazônia, no topo dos navios, a bandeira inglesa conduzindo mudas e mudas. Sobre a Amazônia, a bandeira americana na Fordlândia. Sobre a Amazônia, a bandeira japonesa nas colônias à margem do rio. E sob a Amazônia, como um rio mais largo e mais volumoso que todos os rios reunidos da gleba imensa, o sangue cearense corre, corre, é um soluço, é um ai dolorido, é uma voz pedindo socorro, um brado, um grito, um clamor. Junto deles gritam ex-ricos de Manaus e Belém, os brasileiros, os portugueses, os sírios. Gritam os escritores, romance de Ferreira de Castro, contos de Peregrino Júnior. Um grito, amiga. Vem da Amazônia vendida e empobrecida, ressoa no coração dos tenentes, vibra no coração de Luís Carlos Prestes.

Na Academia Brasileira de Letras, amiga, um homem do país dos rios falava da Grécia. Coelho Neto era de um dos três estados amazônicos, Amazonas, Pará, Maranhão, seus destinos ligados ao grande rio.

Havia o cearense, o português, o sírio, o índio, o homem rico e o homem pobre, não havia mulheres, havia a selva, a tragédia, o drama, o inferno em vida. A Amazônia era milhares de romances, de artigos, de poemas. Coelho Neto era o símbolo e o chefe de toda uma literatura. Dos homens que haviam substituído na prosa à geração de Aluísio Azevedo, de Raul Pompeia, de Machado de Assis, de Euclides da Cunha e na poesia a geração de Castro Alves. Coelho Neto, "príncipe dos escritores brasileiros", considerado o maior de todos os que escreviam no país naquele momento, a literatura dando-lhe um lugar na Câmara, outro lugar na direção de um clube de futebol, dando-lhe empregos. Publicou duzentos livros. Sua letra bonita encheu milhares de folhas de papel, frases, adjetivos, verbos, substantivos, imagens trabalhadas, períodos estudados, os problemas da língua portuguesa de Lisboa caprichosamente analisados. Nem uma linha nesses milhões de linhas sobre os homens lutando na Amazônia, nem uma linha, nem um desaforo, nem um xingamento, contra os que vendiam a Amazônia. Coelho Neto não sabia palavras feias, nem palavras duras. A literatura de toda essa geração sem fibra, sem nervos, toda uma geração vendida por migalhas, é a mais sórdida, inútil e falsa literatura do mundo. Mulatos do Nordeste e do Norte, mestiços do Sul, imigrantes de São Paulo, falando todos eles na Grécia. São Luís do Maranhão não é uma cidade do Norte do Brasil: é a "Atenas brasileira", se orgulhando de falar português puro.

A política vendia o país, contraía empréstimos, girava em torno de um produto, ora a borracha, ora o café, ora o açúcar, os literatos ignoravam o país. O povo ignorava os literatos e estes vendiam seus livros em Portugal, quando os vendiam. Para essa geração de sensibilidade de moça-de-cidade-pequena o Brasil não existiu. A literatura era a escada para empregos, o livro e o artigo matéria para brilho social. Foi essa geração, amiga, quem pariu num aborto cretino a célebre frase: "a literatura é um sorriso da sociedade". A sociedade bailava nos salões pagando com ouro estrangeiro a orquestra, pagando com dólar, com libra, com marco, com franco, os vestidos, os sapatos, os sorrisos das mulheres, os sorrisos dos literatos. A tradição de luta e de brasileirismo da literatura nacional se perdia nesses desfibrados, maus escritores além de tudo, reles imitadores de quanta porcaria se publicava na Europa. Comprados por míseros empregos, respondendo à sensibilidade de uma burguesia que não a possuía, preocupados com ridículas questiúnculas gramaticais, trancados numa torre que não era de cristal porque era de um vidro fosco e opaco, esses mulatos pernósticos do Maranhão, de Pernambuco e da Bahia, esses filhos de imigrantes de São Paulo, Santa Catarina e Rio Grande do Sul, que falavam em Grécia e em Paris, traíam a sua missão de escritor, desconheciam seu povo, empregavam sua voz apenas em cantar ditirambos aos vendedores da pátria. Resultavam da classe que enriquecia à base da entrega do Brasil aos imperialismos. Por isso mesmo tinham de ser "neutros", "apolíticos" e medíocres.

O fenômeno Coelho Neto, como símbolo da literatura nacional da época, subproduto da má literatura europeia de então, mostra o divórcio entre o povo e os homens que governavam. Os escritores novos surgiam para a vida diante da angústia de ter que se trancar nos gabinetes, burilar um soneto alexandrino bem medido e de rimas ricas, para poder subir na carreira das letras. Terminavam falando em Grécia, falsificando os sertanejos do Brasil em maus romances, apresentando uma sociedade que não existia.

Esse fenômeno literário que iria tentar se repetir nos dias do Estado Novo, essa literatura desconhecendo o povo, fugindo para distantes paragens, sendo apenas escada de empregos, escada para carreira política, recebia, ela também, ordens desde Wall Street e da City por intermédio dos seus caixeiros brasileiros. Nos jornais brasileiros do imperialismo europeu e americano, Coelho Neto e outros cuspiam sua pequena literatura de pastiches. Tinham um sagrado horror pelo povo, o povo não tomava conhecimento do escritor como um homem útil e digno. A literatura era um balcão onde se vendiam sonetos, frases e consciências.

A história do Brasil nesses anos, que vão de 1900 a 1922, é a história do café. Vem de antes a interferência da economia cafeeira na política nacional. A abolição levou o café a apoiar os republicanos. O café luta contra Floriano, domina o país com Prudente de Morais para não mais abandoná-lo até o ciclo das revoluções. Assentada sobre este produto a vida econômica nacional, em torno dele girou a política. Os dois estados de maior produção, São Paulo e Minas, se revezavam na presidência da República. Através do café vinham os interesses ingleses e americanos em luta, mais os alemães e os japoneses penetrando. Era a Docas de Santos, as estradas de ferro, as minas de ouro, o contrato da Itabira Iron, os ingleses levando vantagens, os americanos querendo fazer um presidente seu. Os alemães acumulavam gente no Paraná, em Santa Catarina, amanhã seria o dia do nazismo e com ele o integralismo e a política dos marcos compensados.

O parque industrial de São Paulo se desenvolvia, mas o governo continuava a responder às ordens da oligarquia fazendeira, dos donos dos pés de café. Os presidentes que se sucediam não traziam nenhum caráter progressista, vinham quase que diretamente das fazendas de café de São Paulo e Minas, a preocupação desse produto, a preocupação dos empréstimos para pagar empréstimos anteriores, a derrocada dos dinheiros públicos, a indiferença absoluta pelos problemas do povo. A servilidade de menino medroso diante do professor sendo a sua atitude perante as nações poderosas que lançavam seus capitais no Brasil, donas da luz, do gás, do ouro, do ferro, dos bondes, dos trilhos, de grandes extensões de terra. Prudente de Morais e Campos Sales iniciaram essa política. Estavam longe, se bem próximos na medida do tempo, os dias em que Floriano respondia com uma frase de homem ao embaixador agressivo. Hoje os governantes eram só humildade diante dos embaixadores. Frases doces e mansas. Até esses ouvidos não chegou nunca o clamor que vinha do Brasil. Os positivistas que haviam feito a preparação ideológica da República olhavam espantados para o espetáculo governamental. Do poder central, o café e o imperialismo se lançavam sobre os estados fazendo os governadores, as câmaras, os senados. Os imperialismos se aliavam aqui, lutavam mais adiante, se pegavam nas eleições, faziam governo e oposição.[28] Era o tempo, negra, em que o contrário do burguês era o boêmio.[29] Quando ainda não se falava em proletariado e se tratava o povo com um desprezo olímpico.

Nas fazendas de São Paulo e Minas os camponeses do Nordeste, os matutos paulistas, eram acusados de indolentes pelos senhores da terra. O imigrante italiano ou português se confundia com eles, sol a sol nas fazendas, trabalhando para um grupo pequeno de grandes fazendeiros.[30]

Nas lutas eleitorais as promessas se sucediam nos discursos e banquetes. O povo não se comovia. Perdera a capacidade de crer nesses homens e gritava para o futuro na esperança de que, dos seus gritos, nascesse algo novo. Esses gritos é que abalavam as paredes da Escola Militar do Realengo. O café estava próximo, o governo também, a vida miserável das fazendas. Esses problemas, menos distantes que os da Amazônia, repercutiam nas conversas do Rio de Janeiro, nas noites nas casas de família, nos sindicatos que se formavam, nos bares, nas pensões de estudantes. E mais que tudo entre os jovens cadetes.

O café de São Paulo dava um presidente, o café de Minas dava outro. Mesmo as demais culturas do campo brasileiro desapareciam diante do café-rei.[31] Os homens do Rio Grande, os homens de Pernambuco, os homens do cacau da Bahia, se alarmavam. Tinham eles também os seus interesses. E o café, soberano e único, os desconhecia no seu governo, como desconhecia o povo sofrendo nas cidades e nos campos.

Em alguns oficiais da Marinha, amiga, naqueles que vinham dos salões do Paço para os dias mais democráticos da República, ficara um travo da rançosa fidalguia. Para eles os negros continuavam a ser escravos, os marinheiros não deviam ser tratados como seres humanos. A chibata era a boca com que esses oficiais davam ordens aos marinheiros.

Um dia um negro marinheiro revoltou a Armada. Um grupo de oficiais pensava também que não havia motivo para tratar os marinheiros como escravos. Talvez fossem até maioria, mas o ar soberbo dos oficiais reacionários fazia com que estes não se definissem. Os marinheiros se levantaram, com eles os oficiais de máquinas. O negro João Cândido dominou a Marinha, fez manobras, deu tiros, igual que um almirante no seu navio. O marinheiro era alguma coisa, não era só um animal para a chibata.

Nesse dia sobre a Guanabara correu o mais doce dos ventos. Sacudiu a bandeira dos navios, o coração dos marinheiros. Doce brisa do mar, ajudando os revoltosos nas manobras. Havia quem apostasse que os marinheiros sozinhos não saberiam mover os grandes navios. Eles os conduziram com a maestria de rudes homens do mar. Prometeram-lhes tudo, enganaram-nos com anistia e promessas. A chibata voltou a rolar sobre as costas do negro João Cândido, mas nesse dia, amiga, os marinheiros haviam descoberto que não era tão difícil conduzir eles próprios os navios através das ondas e dos ventos.

Grito de marinheiros que ficou rolando sobre a baía de Guanabara. Rolando sobre a cidade e sobre o mar.

Nas eleições presidenciais de fraudes, promessas e compras de votos, alguns dos problemas surgiam à tona num grito mais angustioso. O povo saía à rua, dele vinha esse grito, esse erguer de punhos, esse arfar de peitos. Até quando?

E veio a guerra, o Brasil mandou marinheiros, ganhou uns navios e a gripe de 1918. Grandes médicos saneavam o Rio, saneavam São Paulo, as cidades do litoral onde o estrangeiro morava. O medo que o europeu, senhor do dinheiro, tinha à febre amarela levava o governo a cuidar desses problemas. Mas o interior continuava abandonado, epidemia de tifo e de varíola,[32] impaludismo, febres de todo tipo. Mas no interior não morava o inglês, nem o alemão, nem o ianque, todos esses que tinham dinheiro para emprestar ao governo, nem o brasileiro rico, o paulista e o mineiro do café. Esses residiam nas grandes cidades do litoral ou nas capitais europeias. No interior moravam pobres-diabos cuja vida bem pouco importava. Para que sanear então esse imenso interior?

E veio a Revolução Russa, um vento de renovação correu no Leste da Europa. O mundo começava a mudar a sua face.

Os literatos tipo Coelho Neto morreram anos depois sem saber sequer que numa sexta parte do mundo se criava uma civilização diferente, nova e bela. Eles pensavam estar na Grécia de Alcibíades e estavam apenas no Brasil de Venceslau Braz. Mas, amiga, nessa época havia no Rio um mulato, bêbedo e sujo, ínfimo empregado do Ministério da Guerra, que escrevia romances. Não davam importância aos seus romances, sabotavam-no, riam dele. Menos importância ainda davam aos seus artigos, aqueles em que ele se dizia maximalista, e onde fazia, sozinho no Brasil, o elogio da revolução soviética russa.[33] O mulato Lima Barreto, o genial e enternecido romancista da cidade do Rio de Janeiro, seus subúrbios, seus mulatos, suas ruas pobres, seus crioléus, o jornalismo e o funcionalismo, esse mulato de gênio, só uma vez transpôs as portas da Academia. Ia assistir a um ato, vaiou, fez um escândalo pavoroso, escândalo que deixou cobertas de vergonha as faces carminadas de quantos Aloísio de Castro descansavam as nádegas aristocráticas nos fofos coxins acadêmicos. Nesse momento podre do Brasil, a voz de Lima Barreto, isolada, sabotada, porém temida e poderosa, é a melhor prova de que o grito que vem do povo começa a ter a força de uma revolução, porque já transformava em arte o seu lamento e, do coração do escritor, esse lamento saía feito revolta. Nenhum vulto da literatura brasileira do passado, além de Castro Alves e Euclides da Cunha, tem a força popular desse mulato carioca. Ele é povo, sempre povo gritando, cuspindo violentamente no rosto dos donos do poder e do dinheiro. Denunciando em romances, em artigos, em pasquinadas, os inimigos do povo. Não fazendo em nenhum momento questão de carreira literária. Abandonando os grandes jornais pelos pequenos semanários obreiros. Em meio à efeminada literatura brasileira da época, contra ela e sobre ela, surge como um espantoso milagre esse vulto de gigante, tantos anos enterrado no olvido, já que era impossível negá-lo, sua obra crescendo com o tempo. Um milagre do povo, amiga, o romancista Lima Barreto.

Um milagre do povo, vindo das greves de 1917, as primeiras grandes greves operárias do Brasil, vindo da revolução de outubro na Rússia. Lima Barreto resultava de tudo isso e da miséria em que vivia o povo brasileiro, como Coelho Neto resultava da vida pacata, cômoda, das camadas governantes, dos fazendeiros de café não querendo saber como vivia a gente do país.

Em 1917 os operários, amiga, iniciam o seu ciclo de greves, começam a pesar na vida política do país. Aí já não é mais uma súplica, um pedido de socorro. É um protesto, agitação, os operários ameaçando os oligarcas, conquistando direitos, mostrando a sua imensa força.

A mobilização obreira que as greves desse ano iniciam é começo de outra etapa política para o Brasil. Outro poder se levanta, o poder que irá liderar a revolução popular do futuro, o que lançará as sementes de 22, 24, 30 e 35.

No Nordeste os cangaceiros cortavam o sertão de cinco estados, eram a resultante da injustiça nos campos, nasciam dos senhores feudais, um protesto anárquico e violento, Lampião, como antes Antônio Conselheiro, Antônio Silvino, Lucas da Feira e Besouro, como depois Corisco, é o camponês jogado para o banditismo pelo coronel das fazendas tomando a terra, dispondo do direito de vida e morte nos seus domínios sem fim.

No mesmo momento em que a classe obreira surge e mostra a sua disposição para a luta, a reação desembainha novas armas. O proletariado em greve no Rio dava Lima Barreto na literatura. A reação, sentindo que o tempo da bonança se acabava, produz esse monstro literário que é Jackson Figueiredo. Esse sergipano sem lirismo, doente de ódio, de ambição pequena, atacado de bajulação delirante, nascido para lamber pés de donos, será em breve o homem que vai ensinar censura aos policiais, precursor de toda a polícia política do país, avô do DIP, beato de alma sádica, medroso e avaro. Sendo um dos mais insossos escritores do Brasil, incapaz de armar uma frase e desconhecendo o segredo da beleza e da força do estilo, soube, no entanto, que era passado o momento dos escritores "sorrisos da sociedade", que a reação, a oligarquia, os senhores da terra e do poder, necessitavam do escritor-policial. E inaugurou no Brasil essa era. Dele nasceria diretamente o integralismo do psicopata Plínio Salgado. Amarelo, dessa cor de barro dos biliosos, homem triste, sem alegria, desconhecendo toda a beleza da vida, Jackson de Figueiredo é o que de mais reacionário produziu a literatura brasileira.

Por outro lado, amiga, a fortuna cafeeira iria poucos anos depois explodir no modernismo. Aos ricaços de São Paulo, a quem os adormecedores romances de Coelho Neto não interessavam, e que não conseguiam digerir a literatura policial de Jackson de Figueiredo, se bem a utilizassem, a esses homens que haviam corrido os cabarés da Europa, as igrejas e os museus, que haviam bebido com os chefes dos diversos "ismos" literários, viciados em Cocteau, em Marinetti, em Blaise Cendrars, só interessaria uma literatura mais refinada, mais difícil e quase esotérica. A sensibilidade gasta desses novos-ricos cria o modernismo. É a revolução total da forma, conservando o mais reacionário dos conteúdos. *Clowns* de uma alta burguesia enriquecida de repente, os modernistas têm a tarefa de fazer os seus patrões rirem. Inventam uma língua, não queriam escrever na língua acadêmica de Portugal, desconheciam a língua do povo do Brasil.

Dona Olívia Penteado manda modernistas à Amazônia para que eles, na volta, lhe contem as lendas de lá. Oswald de Andrade se salva indo de casaca vermelha às festas de Júlio Prestes. Se salva porque, como Álvaro Moreira e Aníbal Machado, se encontra com o proletariado. Porque, para ele a vida era para ser vivida totalmente. Os outros se afundam nas saias abundantes das senhoras de alta sociedade, nas cartolas finas dos fazendeiros. Comem migalhas da mesa milionária do café, escrevem poemas cantando os seus patrões e os seus delicados sentimentos íntimos. Serão anos depois sabujos mais completos do Estado Novo. Tristão de Athayde é o crítico do movimento modernista.[34]

Os modernistas em geral procuram casamentos vantajosos na aristocracia cafeeira. Uns conseguem, outros se mantêm virgens, em empregos menos rendosos.

Literariamente, amiga, era sujeira que resulta da economia e da política de então no Brasil. Tudo pequeno, vendido e vil.

Epitácio Pessoa, nordestino, é igual a qualquer paulista ou mineiro fazendeiro de café. Apenas é mais ambicioso de dinheiro, as fazendas do Norte dão menor renda que as do Sul. Eleito presidente da República, visita a Inglaterra e América do Norte, chega ao Brasil num navio de guerra ianque, os americanos riem felizes. Chegou a vez deles. Epitácio, amiga, não se contenta com os cofres da nação, abarrotados de dinheiro tomado de empréstimo aos estrangeiros. Sua fazenda não tinha no Nordeste o luxo das fazendas de café do Sul. Ele leva as colheres de prata do Palácio.

No momento, amiga, em que a falta de patriotismo, de caráter, de moralidade administrativa, o desprezo ao povo, a crapulice política e literária atingia o seu máximo, como o máximo atingia o clamor do povo, o seu grito de revolta, nesse mesmo momento, como uma resposta a tudo isso, ao desprezo e ao clamor, em 1922, é fundado, no Rio de Janeiro, o Partido Comunista do Brasil.

SEGUNDA PARTE

MARCHA DA COLUNA PRESTES

Luego te vieron ir siempre delante
de prodigiosos hombres animados
por tu tranquilo gesto impresionante
y tu esperanza de lo inesperado.
Raúl González Tuñón

A coluna marcha
Na frente dos cavalos, das cidades, dos sertões
Na frente das ondas, do fogo, das promessas.
Murilo Mendes

10

DA SUA CAMA DE DOENTE, IMPOSSIBILITADO DE TOMAR PARTE NA LUTA, Luís Carlos Prestes ouvia, amiga, as notícias do levante de 5 de julho de 1922.[35] O governo Epitácio Pessoa nos seus dias finais estava pronto para entregar a presidência da República a Artur Bernardes, ex-aluno do Colégio do Caraça onde aprendera, segundo se escreveu na época, "hipocrisia, simulação, o sentido de hierarquia dos jesuítas e o ódio do povo". Nessa madrugada de 5 de julho levantara-se a Escola Militar, cadetes sobre os quais ainda vagava a lembrança próxima do cadete Luís Carlos Prestes, levantaram-se os fortes do Leme e de Copacabana, jovens oficiais formados no seu caráter e na sua maneira de pensar por aquele outro jovem oficial que fora seu colega de curso. Numa cama de enfermo, Luís Carlos Prestes segue as notícias, as más notícias da revolta. Porque o governo a abafara, amiga, unidades comprometidas não se haviam revoltado, uma cilada hábil e indigna fizera o comandante do forte prisioneiro do governo,[36] as tropas legalistas ameaçando os revolucionários. O que restava da revolta naquele momento era o Forte de Copacabana[37] e nesse forte o tenentismo[38] iria marcar de uma maneira dramática e épica a sua primeira aparição perante o povo do Brasil. Dezoito homens iriam escrever com sangue os seus nomes nas areias de Copacabana.

Frágil lápide para a imortalidade são as areias, amiga, banhadas pelo mar que lava a cada instante o que nelas resta de temporal e passageiro. O mar é imortal, poderoso como nada, e nas areias que domina só fica através dos tempos, como marca definitiva, o rastro da sua constante passagem sobre elas. As ondas arrastam para o mais profundo dos oceanos tudo que a mão do homem e o coração do homem deixam gravado sobre a lápide branca dos areais. Nomes de amadas, frases de desejo, castelos medievais construídos pelas mãos sonhadoras das crianças, esculturas de artistas populares, a recordação do corpo alvo e nu das mulheres, o cadáver espantoso dos afogados. Nada resta sobre as areias momentos depois porque o mar é cioso do seu domínio e da sua imortalidade e passa sobre as recordações dos homens a cadência cotidiana do seu rolar em ondas de espuma sobre a areia branca. Os homens que imaginam deixar gravados seus nomes através dos tempos, que não procurem deixá-los sobre as areias porque muito mais poderoso que a vontade humana é o mar, dono dos destinos, da lua, das embarcações e dos pescadores. Dono das areias também. Sobre elas, imperecível e única, só a lembrança do mar, seu senhor e seu amante. Qualquer pescador sabe disso, amiga, qualquer marinheiro, qualquer vagabundo do cais.

Mas, ah! amiga, mais poderoso que o próprio mar é o povo. Quando é ele quem grava um gesto para a eternidade não importa onde o grave. Mesmo a frágil, ondulosa e momentânea areia será indestrutível mármore se sobre ela o povo deixar a sua marca. Ficará através dos tempos, a passagem diária do mar só fará aprofundar cada vez mais a marca daquele gesto. E quando ela é feita com sangue, então, amiga, sobre a brancura da areia e sob o azul do mar, surge num brilho de amor a vermelha marca do povo. Vermelha como uma bandeira de luta, como o sangue de que foi feita, como a dor, o ódio, as mais belas flores, vermelha como a esperança. Mais poderoso que o mar é o povo, amiga.

Fora uma noite dramática a de 5 para 6 de julho no Forte de Copacabana. O comandante preso pelo governo mandara pedir aos revolucionários que não bombardeassem a cidade inocente e indefesa. A revolução era contra o governo oligárquico e não contra o povo. Era impossível bombardear o Palácio do Governo,[39] um morro entre ele e o forte impedia que os tiros de canhão atingissem o seu alvo. No Forte de Copacabana o tenente Siqueira Campos, que assumira o seu comando, convoca os oficiais para uma reunião. Algo têm que fazer. As tropas governistas se aproximam pela praia, são milhares de homens, bem armados, bem municiados. Cercarão o forte e este terá que se render pela fome. Os homens que estavam aí, amiga, eram desses que não se rendem. Estão em torno de Siqueira Campos. Uma pergunta: que fazer?

Newton Prado, Mário Carpenter, Eduardo Gomes, Siqueira discutem. Podem fazer voar o Forte.[40] Voarão com ele, pois assim o governo não o tomará jamais. Siqueira Campos chega a pegar de um facho aceso e toma a direção do paiol de pólvora. Mas ali estão centenas de soldados e demais aquele forte não é deles, é do povo, eles podem dispor das suas vidas mas não podem dispor dos bens do povo. Se fosse como um detalhe numa luta com possibilidades de vitória, eles o poderiam fazer, mas era apenas o último gesto heroico de uma revolução fracassada.[41] Siqueira solta o facho incandescente, a discussão recomeça. Decidem explicar a situação aos soldados, mandá-los para as suas casas. Assim o fazem. Restam agora dezessete homens no interior do forte revoltado. Em frente a eles nas areias da praia de Copacabana, avançam as colunas governistas.[42] Centenas e centenas de homens, fuzis e metralhadoras. Os revolucionários descem a bandeira do Brasil do mastro do Forte, dividem-na em dezessete pedaços, um sobre cada coração. E, deixando o Forte, partem os dezessete homens a oferecer combate aos milhares de soldados. O dólmã aberto, sob ele um roto pedaço de bandeira do Brasil. Um dia, há muitos anos, no momento vil da escravidão, Castro Alves gritara por um homem que arrancasse do topo do mastro dos navios negreiros a bandeira escarnecida. Hoje, novamente escarnecida e insultada pelos donos do poder, ela é arrancada de um mastro e posta sobre o coração dos homens que defendiam sua dignidade e sua honra. Sobre o coração, no peito que as balas varariam. Assim eles partem, seus passos sobre a branca areia da praia, seus olhos para a frente, um sorriso nos lábios.

São jovens todos, amiga. Têm diante deles a vida bela, cheia de sol, para eles só há a estação da primavera, distante está o inverno. Além da praia, na cidade do Rio de Janeiro, noutras cidades do Brasil, nos campos, estarão velhas mulheres que pensam na sorte desses filhos, estarão noivas saudosas, esposas com filhos amanhã órfãos, está a vida que os chama, que quer travar seus pés e deixar um traço de amargura nos seus corações. Mas não, amiga. Sobre esses corações está um trapo de bandeira, despedaçado, é um símbolo de todo um povo desesperado de sofrimento, pedindo justiça, vingança, o que comer, morrendo de sede nas secas, pedindo a vida dos homens em sua defesa. Mais que a beleza da vida, que os desejos da vida, fala a desgraça do povo, falam os desejos do povo. Na frente vai Siqueira, vão Newton Prado, Eduardo Gomes, oficiais, soldados, vai um civil também.

Siqueira escrevera no trapo do pavilhão roto um recado para a noiva. Lembrança que lhe deixava. No seu, Carpenter deixara uma frase para seus pais. O civil estava na praia, nada tinha com aquilo. Era Otávio Correia, um gaúcho passeando no Rio. Os dezessete homens marcham, ele lhes pergunta:

— Aonde vão?

— Vamos para a morte.

— E por quê?

— Para ajudar a salvar o Brasil.

— Então também vou.

Dão-lhe um fuzil, ele marcha também. Agora são dezoito. Não, amiga, agora são milhares, são milhões, porque agora a massa de povo se uniu nesse civil aos soldados. Esse civil são os gaúchos do Rio Grande, a gente dos pinheirais e dos ervais de Paraná, Santa Catarina e Mato Grosso. Os homens curvados nos cafezais, nos cacauais, dobrados na Amazônia vendida, esfomeados nas cidades, explorados nos campos. Nesse civil vai o povo, milhares e milhões.

Estão próximos os soldados. Sobre as areias de Copacabana as marcas dos passos. Nessa praia elegante, de mulheres sorridentes nas manhãs de verão, despidas em maiôs graciosos, de homens ricos descansando sua ociosidade diária, de festas, de esportes, do superficial e do chique, na praia mais rica, mais elegante e mais linda da América do Sul, o povo do Brasil vai gravar um gesto seu, de heroísmo e de beleza, vai marcar o seu protesto contra os seus inimigos. Não importa que amanhã os corpos dos donos do poder se enrolem na fofa areia, desconhecendo ainda o povo. Não importa, porque sob esses corpos flácidos está o sangue do povo derramado e dele nascem diariamente novos lutadores. E amanhã, essa praia cumprirá também seu destino humano. As crianças virão brincar sobre ela, os trabalhadores descansarão nela do seu trabalho, os pobres gozarão da sua beleza. Os inimigos do povo não mais estarão. Copacabana não será a mais elegante das praias, mas será cada vez mais bela, uma praia do povo. Só então, amiga, o mar poderá lavar a marca de sangue que os dezoito do Forte deixaram sobre ela. Nesse dia 5 de julho começou uma caminhada do povo, amiga.

Eles vão, são dezoito, dezessete soldados e um civil. Um povo inteiro marcha ao lado do mar. Os soldados inimigos fazem pontaria. No coração, sobre o trapo de bandeira.[43]

E então o mar compreende e fica parado, sem ondas, sem movimentos, a areia é dos homens. O mar assiste, vai-se passar algo eterno e imortal como ele próprio.

Os homens marcham, vão sorrindo. Partem os tiros, os primeiros, milhares depois, a metralhadora e o fuzil. O sangue rola, uma palavra na praia de Copacabana, gravada com sangue: liberdade. Para sempre, amiga.

11

Trema o vale, o rochedo escarpado,
Trema o céu de trovões carregado.
Ao passar da rajada de heróis.
Castro Alves

AMIGA, CONVIDA A GENTE TODA DESSE CAIS DISTANTE. OS MARINHEIROS, os estivadores, os que estão no botequim, os que estão nos guindastes ainda trabalhando, os que carregam e os que descarregam navios, o piloto do avião e o remador no seu barco rápido, as mulheres que passam, as ricas e as pobres, as elegantes e as feias, as que vivem num lar feliz e as que vivem na desgraça, os operários, os camponeses que vêm para a feira, com seus produtos, os choferes dos ônibus, o revolucionário que faz um comício, os marinheiros soviéticos que estão no seu navio, impedidos de desembarcar, que chegam da outra pátria distante de esmagar assassinos vis. Convida a todos, amiga, com tua voz de melodia, porque agora vou-te falar da cruzada de heróis pelo Brasil. Pelos pampas, pelos sertões, pelos desertos, através das montanhas, dos rios e das cidades. Vou te falar da Coluna Prestes. É o maior feito militar de um povo, a maior epopeia da América moderna, a mais pujante, dramática e densa de vida. Um moço de gênio, general de 26 anos, traça no mapa os novos caminhos de uma raça e marca, com passos profundos dos seus soldados, as estradas da libertação do Brasil.

Nessa marcha, amiga, 26 mil quilômetros cruzados de 29 de outubro de 1924 a 3 de fevereiro de 1927, há, não só um rasgar de selvas, um abrir de estradas na caatinga e nos desertos, há também um abrir de caminhos no pensamento brasileiro. Do Rio Grande do Sul ao estado amazônico do Maranhão. Do Paraná ao Tocantins. Da Bahia a Mato Grosso, de Minas a Goiás. Por onde a Coluna passou, através de todo o Brasil emocionado, trouxe à tona problemas esquecidos, dramas que pareciam sem solução, desgraças seculares que se abalaram ao passo dos soldados do povo. Vinha o povo, amiga, nas cidades, nas vilas, nas fazendas, e trazia, junto com as oferendas de pão e frutas para os soldados, trazia também a oferenda dos seus sofrimentos. Esses homens que se haviam levantado no Rio de Janeiro em 22, em São Paulo e no Rio Grande em 24, só mesmo agora, atravessando o Brasil por dentro, tomavam contato com a realidade do país e viam quão era mais extensa e profunda e dolorosa a miséria, a infinita miséria do povo. Nessa marcha, amiga, prodigiosa de heroísmo, traçada e conduzida pelo gênio de Prestes, o povo aprendeu dos soldados a lição da revolta. E os soldados, e os chefes, e Luís Carlos Prestes, aprenderam do povo os problemas do Brasil. O marxista Luís Carlos Prestes de hoje resulta diretamente da marcha da Coluna. Rasgando sertões e rasgando documentos de tomada ilegal de terra pelos grandes coronéis aos pequenos camponeses. Tirando presos inocentes das cadeias tétricas. Cruzando com os cangaceiros, lutando com eles, vendo a sua verdadeira fisionomia. De cada combate uma lição, uma lição em cada quilômetro andado, o povo aprendendo da Coluna, a Coluna aprendendo do povo.[44]

Ainda hoje pelos agrestes sertões, nas margens do São Francisco, nos campos do Piauí, no mistério do Planalto Central, vivem as lendas inúmeras da Coluna, alentando os sertanejos. Muitas vezes ouvi de camponeses, choferes e jagunços, histórias em que os heróis de lenda, Pedro Malasartes e Besouro, eram misturados com os heróis da Coluna, Siqueira, Dutra e Trifino. Nas noites longas de estrelas sobre os rios, a água parada, os homens lembram, para os meninos sertanejos condutores de cegos e guias de cangaceiros, o tropel numeroso e épico da Coluna. Vinham mil homens, 1500, por vezes eram só oitocentos, vinha a liberdade com eles. Antes eram as tropas do governo, o ódio ao povo, os desatinos contra o povo. Depois, quando longe estivesse a Coluna redentora, seriam de novo a injustiça e a opressão do governo. Mas, no rastro da Coluna, ficava a esperança. Um dia ela voltará para sempre e com ela a liberdade. E com ela a justiça e o amor e a alegria.

Os túmulos da Coluna, pobres túmulos cavados entre dois combates, entre uma parada rápida e a apressada partida para diante, estão espalhados de extremo a extremo do Brasil. Existem os monumentos nas praças das cidades grandes. Aos verdadeiros heróis e aos falsos heróis. Os homens das cidades param diante desses mármores e desses bronzes, se recordam dos feitos, enchem o coração de confiança.

Não há outros monumentos no sertão, amiga, que não sejam os túmulos dos soldados da Coluna Prestes. A erva cresceu sobre eles. As cruzes estão carcomidas e em muitos já não existem. Não se podem ler mais os nomes, é apenas um soldado do povo que repousa da sua luta.

Talvez nem fosse mesmo nesse lugar exato que o soldado foi enterrado, uma bala no peito como uma medalha, talvez fosse até bem distante daqui. Não importa, amiga. Corre a lenda que aqui dorme seu sono de morte um soldado da Coluna. Então, vêm os sertanejos. Esse pouco de terra alteada é o seu monumento de glória, sua meta de esperança. Porque um dia, ele está certo desta verdade, a Coluna voltará, os rios e as montanhas e os homens ouvirão o tropel dos cavalos e o silvar das balas de fuzil. E com ela voltarão a liberdade e o amor, a justiça e a alegria. Porque na sua frente voltará o Cavaleiro da Esperança.

Os camponeses largaram as foices e os machados, os bois e os arados quando ele passou, sua épica figura. Era capitão quando levantou seus soldados. Foi coronel, mais tarde general, conduziu seus homens de batalha em batalha, de vitória em vitória, os planos geniais, a coragem espantosa, numa mão a justiça, na outra a liberdade. Mas foi principalmente o Cavaleiro da Esperança. O povo desesperado do sertão, o povo de repente na festa da revolta, encontrou esse nome para ele. Esse povo revoltado do sertão, amiga, deu-lhe o presente desse nome como um verso de amor.

Vinha esse povo do desespero de Antônio Conselheiro, vivia a esperança triste do padre Cícero, a justiça vingativa de Lampião. Euclides da Cunha, espectador de um momento do drama do sertão, gritara seu grito de protesto há anos, mas nada mudara na face das coisas.[45] O desespero do sertão se agravava. As populações desgraçadas criavam cangaceiros e beatos e profetas numa ânsia de libertação. Os cegos, nas feiras nordestinas, cantavam os ABCs dos jagunços valentes, dos bandidos sem lei. Os profetas, enlouquecidos de miséria e fome, clamavam nos sertões, de fazenda em fazenda, de povoado em povoado,[46] anunciando o fim do mundo em castigo dos pecados dos homens. Os sertanejos criavam demônios e criavam santos, nos seus corações nem uma sombra de confiança no futuro. Esses rios, amiga, tão volumosos de água, tão largos e encachoeirados, são mantidos pelas lágrimas do sertão infeliz. Lágrimas e sangue nas terras da caatinga, nos rios sertanejos. Nem um sonho de futuro, apenas a desgraça desse presente sem solução.

Mas, de repente, o sertanejo larga sua foice, seu machado, suas cadeias de escravidão. Sua foice é um fuzil agora, uma metralhadora é seu arado, na frente da Coluna vem o Cavaleiro da Esperança. Ele atravessa o sertão como um vento de tempestade que muda a face das águas e traz à tona do mar os detritos escondidos no fundo dos oceanos. O sertão, virado pelo avesso, aberto em chagas de problemas a solucionar, se descobre a si mesmo nesse homem, e ele, Luís Carlos Prestes, encontra o Brasil na sua nudez. Desde então mudaram a vida do sertão e a visão da vida que tinha Prestes.

A Coluna é o maior momento de um Brasil em busca de si mesmo. Com os problemas diante de si sem saber solucioná-los. Com os homens se revoltando nos quartéis e pedindo apenas a mudança de um presidente. Sem saber ainda como solucionar os problemas. Dos sertanejos se fazendo cangaceiros em vez de se fazerem revolucionários. A Coluna, com sua epopeia imortal, é o momento de transformação. Os sertanejos deixam de se transformar em jagunços para se fazerem soldados da liberdade. Os homens, oficiais, soldados e civis, que vinham das cidades, na Coluna se depararam com os problemas do Brasil em carne viva e viram que tinham que procurar solução para eles. Sem a Coluna não seria possível a Aliança Nacional Libertadora em 35. Sem a Coluna possivelmente Prestes teria feito a revolução de 30 e talvez fosse hoje apenas um general do Exército. A Coluna dá-lhe a visão exata do drama do Brasil. A ele, a seus soldados e ao Brasil todo. Com a força dos acontecimentos homéricos a Coluna rasga caminhos para a revolução brasileira.

Vem do Rio Grande, amiga. O desconhecido capitão de engenharia é de súbito o general que realiza uma estupenda proeza desaconselhada até pelos chefes revolucionários. No Paraná as forças de Prestes e de Miguel Costa se juntam e iniciam a grande marcha. Em frente a eles está o Brasil. Por dentro dele vão conduzir a revolução. Esses homens, nesse momento inicial, não sabem ainda bem o que querem. Se lhes fosse perguntado o que fariam no caso de vencer, eles responderiam com três ou quatro frases retóricas e com algumas diretivas que não estavam à altura do feito realizado. Mas, ao terminar a marcha, eles sabiam, sim, o que desejavam. Já em 30, a Aliança Liberal apresenta reivindicações concretas ao país, resultantes da experiência da Coluna. E já em 30, muito adiante da Aliança Liberal, o chefe da Coluna, Prestes, lança para o Brasil os seus manifestos. Mais que os outros, esse viu não só os problemas como os verdadeiros meios de solucioná-los. Ninguém ensinou mais na marcha da Coluna que ele. Ninguém aprendeu mais na marcha da Coluna que ele.

Através dos pampas, dos sertões, dos desertos, das selvas, a Coluna marcha, amiga. Vão os homens barbudos, de longas cabeleiras, vestidos de couro como os vaqueiros, calçados de alpargatas como os sertanejos, parecem cangaceiros, parecem profetas, estão iguais a este povo do interior do Brasil. Mas são profetas de um novo tipo: no fuzil e no revólver, no punhal e no facão, não trazem a morte numa vingança desesperada. Trazem a liberdade, o sonho de um Brasil melhor, mais belo, mais justo.

Na frente dos desejos, das esperanças, dos sonhos, dos problemas do Brasil marcha a Coluna Prestes. Milhões de homens se alimentam dela, nela toda a sua esperança. As tropas vinte vezes maiores que a perseguem, as tropas bem municiadas, bem equipadas e bem pagas, que a perseguem, são derrotadas uma, duas, dez, cem, mil vezes. Cada dia é uma luta, cada dia é uma vitória. Luís Carlos Prestes tem o gênio dos grandes soldados. O professor que não entendia suas provas de estratégia militar e que, por isso, lhe dava notas baixas, tinha razão. Com a estratégia do professor dezoito generais são batidos. O cadete de então revolucionava nos sertões do Brasil a ciência da estratégia. Como hoje os jovens generais soviéticos. O povo, amiga, é essencialmente revolucionário e os líderes são feitos para transformarem a ciência do mundo e a vida do mundo. Na frente dos seus mil homens o herói do povo assombra mesmo os velhos generais mais cultos com a sua capacidade guerreira.[47]

Não é apenas a coragem nos combates, o arriscar a vida a cada momento. É também, e principalmente, o conceber os planos vitoriosos, a percepção do momento perigoso e de como sair dele. É a arte da guerra que um rapaz de 26 anos conhece como o mais experimentado dos generais. Nem o mais empedernido jogador, nem o mais sábio dos generais, apostaria um tostão em que a Coluna seria capaz de realizar sequer uma marcha de cem quilômetros. Forças infinitamente maiores contra ela. E a natureza bravia, a fome, as doenças, os animais da selva, os rios intransitáveis, as montanhas jamais escaladas, a mata, a caatinga, nenhuma estrada. Prestes marchou com a sua coluna 26 mil quilômetros.

Venceu os soldados do governo, dezoito generais, tropas vinte vezes maiores. Venceu a fome, as doenças inúmeras, as febres desconhecidas. Venceu as montanhas, os rios, as selvas, a caatinga intransponível. Venceu o desespero do sertão. Seu nome como um alento para os que descriam. Seus planos geniais como uma certeza para os que se iam bater. Sua tranquila coragem como um exemplo para os que iam morrer. Sua vontade de aprender como uma esperança para amanhã.

Em torno da Coluna, a cada dia e cada quilômetro vencidos, se juntavam cada vez mais a esperança e a confiança do Brasil. Agora aqueles homens desesperados de ontem viam o dia de amanhã. Coluna de fogo, do fogo da esperança. Coluna de aço, do aço da coragem. Coluna de justiça, da liberdade também. Na frente vai Prestes. Os sertanejos disseram, negra, que na frente ia o Cavaleiro da Esperança. Vão cansados, sujos e esfomeados. Levam doentes e feridos. Mas não pensam em parar. Também a liberdade, amiga, por vezes nos parece subjugada e presa. Nem assim ela sustém a sua marcha. Sempre para diante, a noite de hoje é tão somente véspera da manhã radiosa. Essa a mensagem da Coluna.

Ainda hoje eles marcham no céu do Brasil, sobre os sertões. Na boca dos sertanejos, seus olhos em direção a Prestes. No murmurar dos rios, no ruído das cachoeiras. Um dia eles atravessaram o Brasil. Levaram consigo a esperança e a deixaram com os homens desgraçados. Um dia voltarão e desta vez deixarão a liberdade com os homens redimidos. Num dia próximo, amiga.

12

QUANDO SE LEVANTOU DA SUA CAMA DE ENFERMO, LUÍS CARLOS PRESTES se encontrou, amiga, diante do fracasso da revolta de 1922. O presidente da República, Epitácio Pessoa, se preparava para entregar o poder ao presidente eleito, Artur Bernardes. Homem que não sabia rir, Jackson de Figueiredo iria ser seu braço direito, alguns assassinos de execranda memória seriam as mãos desse braço: as "milícias" do Cravo Vermelho, primeira organização de molde fascista do Brasil. A campanha eleitoral de Bernardes fora feita por estes homens, ladrões, assassinos, malandros, que levavam na lapela do paletó um cravo vermelho. A alma católica de Jackson de Figueiredo, leitor de são Tomás e discípulo de santo Inácio, era a mentora espiritual desse bando. Nessa época o povo vai definir com apelidos os defensores de Bernardes. É o momento do marechal Escuridão, do major Metralha, do general Rapa-Coco. A campanha Bernardes, feita à base da fraude eleitoral, da ameaça aos adversários, da compra de todos os indecisos, lança a mocidade do Exército à revolução de 22. O caso de uma pretensa (e inegavelmente falsa) carta de Bernardes ao seu líder na Câmara ordenando que ele comprasse todo o Exército, todos os generais, porque todos — dizia ele — se vendem, provoca uma agitação enorme no país, em meio às classes armadas. O Clube Militar, zelando pelas tradições e pela dignidade do Exército, faz o processo da carta, cuja autoria Bernardes negou. Os peritos concluem por declarar que a carta era realmente do candidato à presidência da República. Esse é o fato imediatamente ligado à revolta de 22, ao dramático, espetacular e emocionante episódio dos Dezoito do Forte.

Prestes, ao se restabelecer do ataque de tifo, resolve não assistir à transmissão de poderes. Cada oficial digno sente muito próximo o insulto de Bernardes ao Exército e sente o sangue derramado dos tenentes e dos soldados de Copacabana. Prestes consegue uma licença e logo depois sua transferência para a guarnição do Rio Grande do Sul. Vai trabalhar como fiscal da construção de quartéis no interior do estado. A construção desses quartéis era uma das negociatas mais escandalosas de então. As verbas votadas eram desviadas pelos políticos, os materiais empregados eram de qualidade inferior aos que constavam como comprados. Havia uma comilança geral, que envolvia políticos, fiscais e engenheiros. O engenheiro fiscal Luís Carlos Prestes denuncia uma, duas, três vezes, o vergonhoso desvio de dinheiro, de material, as trapaças inúmeras a que a construção dos quartéis, agora sob sua fiscalização, dava margem. Não levaram em conta os seus relatórios. Ele telegrafa. Não respondem. Ele solicita vir ao Rio fazer um relatório verbal, provar os fatos. Não consentem, ele vem assim mesmo. E os senhores das verbas e das negociatas têm, como solução, que afastar o jovem capitão de engenheiros do seu posto. Prestes é mandado dirigir a construção de um trecho da estrada de ferro que ligaria, no Rio Grande do Sul, a vila de Santo Ângelo a Comandaí.

Prestes chegava do contato com toda a sujeira administrativa, de ver a dilapidação dos dinheiros públicos, o roubo como norma de governo, as denúncias patrióticas que fizera esquecidas nas repartições competentes, os responsáveis fazendo ouvidos moucos. Vinha de viver um momento de luta contra os que governavam em benefício próprio. Agora na estrada de ferro, eram ele e trezentos soldados. Nenhum outro oficial para ajudá-lo. Era o trabalho sol a sol, doze horas por dia no leito da estrada, responsável por tudo, concebendo os planos, instruindo os soldados, engenheiro e trabalhador. Como muitos anos antes seu pai, o tenente Antônio Pereira Prestes, agora o filho tinha um contato direto com a vida dos soldados. Era igual a um deles no meio do pampa, trabalhando na construção da estrada. Os problemas dos soldados saltavam-lhe à vista. Dos trezentos homens apenas uma porcentagem mínima sabia ler. A grande maioria analfabeta não tinha ideia do mundo, abafada pela sua própria situação miserável. Saindo das doze horas de trabalho no leito da estrada, sob o sol de verão, Prestes não vai descansar. Funda sozinho, sozinho dirige, uma escola para os seus soldados. É o diretor, o professor e o bedel. Os soldados, então, amiga, o chamaram de pai e assim começou a sua intimidade, que aumentaria a cada dia, com os soldados do Brasil, povo do Brasil. Em menos de três meses, noventa por cento dos seus soldados sabiam ler e escrever. Agora podiam entender aquele estranho capitão de engenheiros, que não possuía nenhum dos pernosticismos que, por vezes, os galões costumam dar, que mais pareceria um soldado como eles, se não fosse o seu saber extraordinário. Humano e sábio, Prestes é o pai dos seus soldados. Chefe, pai e companheiro. Os homens do batalhão, quando falam nele têm lágrimas nos olhos. Para eles não há ninguém melhor, mais sábio e mais justo e mais amigo.

Mas nesse momento, amiga, novamente se agitam as forças revolucionárias do país. O governo Bernardes, em um ano de poder, reafirmava todas as irregularidades administrativas. Os erros governamentais se agravavam e agora um regime policial se montava no país. Os revolucionários voltam a conspirar. Essa conspiração envolve enormes forças políticas do Brasil. A gestação da nova revolução começa febrilmente. Como antes, Prestes se encontra em meio aos revolucionários. E agora, mais do que nunca, quando ele viveu os escândalos administrativos e a vida difícil dos soldados.

Um estranho capitão, esse Luís Carlos Prestes, amiga. Acreditou que não se devia revoltar como oficial do Exército. Havia um juramento de fidelidade aos poderes constituídos e ele, para estar bem consigo mesmo, completamente, solicita uma licença e gestiona a sua demissão do Exército. Enquanto espera que lhe deem a demissão pedida, trabalha de engenheiro civil. Instala luz elétrica em algumas cidades gaúchas: Santo Ângelo e Santiago do Boqueirão, entre outras. Vários problemas de engenharia lhe são apresentados e por ele resolvidos, quando da instalação de luz nessas cidades. Foi necessário trazer a corrente de alta-tensão desde muito longe. Ele realiza todo o trabalho com a maestria, a competência e a celeridade que lhe são próprias. Em 25 de setembro essas cidades inauguram o novo melhoramento. Assim era que Luís Carlos Prestes entendia administração.

Os revolucionários se levantavam em São Paulo, no novo 5 de julho. Isidoro Dias Lopes e Miguel Costa chefiam a revolução. Prestes reitera seu pedido de demissão do Exército. A resposta não chega, ele não pode esperar mais. O movimento se alastra pelo país, o mal-estar aumenta. A 29 de outubro de 1924 Prestes levanta o Batalhão de Ferroviários de Santo Ângelo, aquele batalhão a quem ele ensinara a ler. Nesse dia o engenheiro, o professor, o teórico, deixa os seus instrumentos técnicos para tomar a farda de general e mostrar ao país e ao mundo o seu gênio militar e a coragem do seu povo.

No segundo aniversário da revolta de 1922 o general Isidoro Dias Lopes se colocou à frente das tropas, em São Paulo. Acompanhava-o um grupo de oficiais do Exército e da polícia militar daquele estado e de Mato Grosso, entre eles Miguel Costa, os dois irmãos Távora, Joaquim e Juarez, Padilha, Mesquita, Mendes Teixeira, Eduardo Gomes, um dos sobreviventes do Forte de Copacabana, Cabanas, velhos caudilhos como João Francisco. Dominaram a cidade do dia 5 ao dia 27 de julho. Joaquim Távora fora a alma do movimento, querido dos soldados, bravo e combatente. A sua morte, resultante de um ferimento recebido no ataque que as forças revoltosas fizeram contra o quinto batalhão de polícia, foi o começo da queda do movimento em São Paulo.[48] A incompreensão de Isidoro acerca do apoio que lhe poderia trazer a massa operária paulista, o seu receio de entregar armas ao povo, vieram impedir que os contingentes revolucionários crescessem.[49] Nesse momento, na cidade de São Paulo, Isidoro tinha cerca de 6 mil homens sob as suas ordens e um número três vezes maior, aproximadamente 18 mil soldados governistas cercavam a cidade ao norte e a leste. Além disso mais de 10 mil homens marchavam ou se reuniam para completar o cerco da cidade. Colunas desciam de Minas Gerais para a zona noroeste. De Mato Grosso, pelo sudoeste, marchava a guarnição militar. O destacamento Azevedo Costa era organizado em Itapetininga, para atacar a cidade pelo sul. Entre tropas já dispostas para o combate e tropas em marcha ou em organização, o governo Bernardes tinha nas proximidades de São Paulo perto de 30 mil homens para jogar contra os 6 mil revoltosos de Isidoro. Os chefes revolucionários resolvem abandonar a cidade e descer com a tropa para pontos de onde pudessem continuar a revolução. Na noite de 27 para 28 de julho as forças que se haviam levantado deixam São Paulo e, pela estrada de ferro Paulista, atingem a cidade de Bauru.

A Revolta da Armada fracassara também. Somente o *São Paulo* içara a bandeira vermelha dos revolucionários, sob as ordens dos comandantes Hercolino[50] Cascardo e Amaral Peixoto. Os demais navios não aderiram e o *São Paulo*, após uma troca de tiros com uma das fortalezas da barra do Rio de Janeiro, navegava em direção ao sul, tendo a sua tripulação ido deixar o barco de guerra no porto de Montevidéu, entregue às autoridades uruguaias.

Isidoro chega pela Paulista a Bauru. Dessa cidade as tropas revolucionárias resolvem atingir a foz do Iguaçu de onde poderiam ameaçar três estados: Paraná, Santa Catarina e Rio Grande do Sul, estado este onde a revolução era esperada a cada momento. De Bauru Isidoro parte com a sua tropa para o porto Joaquim Távora, na margem esquerda do rio Paraná. Utiliza a Estrada de Ferro Sorocabana. A retirada não se faz, no entanto, calmamente. Os soldados sob o comando do major Juarez Távora, que formavam o flanco-guarda das forças revolucionárias, sustentam uma série de combates em Vitória, Araquá e Botucatu, enquanto que a retaguarda, chefiada pelo general Miguel Costa, luta em Salto Grande, Paraguaçu, Água Clara, Indiana, Santo Anastácio, Coatá e Caiua.

Ao chegarem os revolucionários em Joaquim Távora são obrigados a enfrentar as forças governistas do coronel Germano Fachnes, aquarteladas na margem direita do Paraná, no lugar chamado Foz do Pardo, no estado de Mato Grosso. Isidoro desaloja essas tropas e intenta apoderar-se de Mato Grosso, atacando a cidade de Três Lagoas, de onde partia a Estrada Noroeste do Brasil. Mas a resistência encontrada faz com que o general reinicie a sua marcha para o Iguaçu. Desce o rio Paraná e vai estabelecer os seus quartéis na margem esquerda, na região que vai de Guaíra a Foz do Iguaçu.

Sucedem-se os combates. As tropas do governo que ocupavam os portos de Jacaré e D. Carlos, sob o comando do coronel Péricles de Albuquerque, são batidas, como batidas são as tropas de Guaíra, mandadas por Dilermando de Assis, o assassino de Euclides da Cunha. Chefiou o ataque dos revolucionários a Guaíra o capitão Garcia Feijó. Levava consigo apenas uma pequena tropa de vanguarda, armada exclusivamente com facões e revólveres, nem um fuzil, nem uma peça de artilharia.

No momento em que se estabelece na zona do Iguaçu, disposta a iniciar a campanha do Paraná, a revolução conta com 3 mil homens em armas. Metade dos efetivos com que saíra de São Paulo. Mortes em combate, mortes na marcha, deserções, fugas, doenças, tinham reduzido de cinquenta por cento as forças de Isidoro. Esses 3 mil homens se estendem numa vasta extensão que vai do rio Piquiri, ao norte, ao rio

Iguaçu, ao sul, do rio Paraná, a oeste, à serra de Medeiros, a leste. São 3 mil homens mal armados, esgotados pela marcha e pelos combates realizados. Em frente a eles, com efetivos quatro vezes maiores, descansadas, bem municiadas com artilharia pesada, artilharia de campanha e de montanha, armas automáticas, centenas de milhares de tiros, estão as tropas do governo. Três generais, considerados os mais aptos do país, dirigem esses 12 mil homens: Cândido Rondon, aureolado pelo seu trabalho de catequese dos índios, conhecendo bem aquela região, tendo viajado todo o interior do Brasil, o homem indicado para a luta naquele terreno, e mais Sezefredo e Coitinho. A frente de batalha se estende por cem léguas. Durante sete meses os combates se travam, sem que os governistas consigam aniquilar as pequenas forças revolucionárias. Batem-se em Guarapuava, batem-se na serra do Medeiros, numa batalha de quarenta dias e quarenta noites, nos Campos do Mourão. Os 12 mil homens do governo são insuficientes contra os 3 mil revolucionários. O governo Bernardes imagina ganhar tempo. Um seu deputado, que é amigo do general Isidoro, convida o chefe da revolução para uma entrevista em Libres, em terras estrangeiras. Estabelecido esse quase armistício enquanto durasse a conferência, o governo reforça as suas tropas. Como era evidente, Isidoro e o deputado não chegam a um acordo. Mas estava realizado o plano do governo. Tivera tempo de reforçar os seus efetivos. Ele tentava esmagar as tropas de Isidoro antes que a Coluna de Prestes, que já marchava do Rio Grande, estabelecesse contato com as forças paulistas. E a 27 de março de 1925, os governistas conseguem a vitória de Catanduvas, tomando a cidade, deixando o Exército de Isidoro numa posição das mais difíceis. Posição da qual iria ser salvo pelas forças de Luís Carlos Prestes.

A revolução no Rio Grande explodiu entre os dias 28 e 29 de outubro, em diversos pontos do estado. Oficiais do Exército e caudilhos se levantaram na frente de soldados e de civis. Na região da serra se levantou Lionel Rocha. No sul (onde haviam recentemente chegado, para ajudar o movimento, o major Juarez Távora, Olinto de Mesquita Vasconcelos e o legendário João Francisco) pegaram em armas Honório de Lemos, Zeca Neto e Júlio Bárrios. No mesmo instante em que Prestes levantava os soldados do Batalhão de Ferroviários na zona das Missões.

Após uma série de combates, as colunas de Honório de Lemos e Zeca Neto, que se haviam reunido, internam-se no Uruguai. Logo depois, em dezembro, Júlio Bárrios toma o mesmo caminho. Só as tropas de Prestes se mantiveram, combatendo em Itaqui e em Tupaceretã. Dois meses leva Prestes combatendo na região das Missões. Sabia que no sul e na serra havia outros revolucionários em armas. Mas a derrota de Honório Lemos e de Zeca Neto, com a sua consequente internação no Uruguai, deixa Prestes e os seus 2 mil homens (tais eram os efetivos da sua coluna) ante 10,5 mil soldados do governo. Prestes resolve subir para Santa Catarina, procurando junção com as forças de Isidoro. Na colônia militar do rio Uruguai os 10 mil governistas o cercam. Numa manobra genial ele rompe o cerco, bate-se em Conceição, em Ramada, em Campos Novos, derrota o general Lúcio Esteves, segue o rio Uruguai até Porto Feliz. Entra na zona do Contestado.

A Campanha do Contestado dura outros dois meses. Prestes marcha sobre Barracão, combate em Pato Bravo, faz a retirada estupenda do rio São Francisco, onde derrota o general Paim, faz a defesa de Maria Preta, onde Cordeiro de Farias tem um papel glorioso, opondo-se com setenta homens do Batalhão de Ferroviários aos 2 mil homens chefiados por Claudino Nunes. Outra figura que inicia nessa marcha a sua carreira com um grande brilho é João Alberto, que chefia a retaguarda da Coluna.

Espremido entre as forças do general Paim e as de Claudino Nunes, Prestes não só abandona Maria Preta em completa ordem, como consegue enganar os dois adversários e lançá-los um contra o outro, enquanto sai pela mata considerada intransponível. Paim e Claudino combatem uma noite toda, numa batalha terrivelmente sangrenta, certos um e outro de que estavam combatendo as forças de Prestes. Só pela manhã dão conta do engano mortal em que caíram quando já a tropa de Prestes se encontrava longe. O coronel de 26 anos inicia a revolução da estratégia.

Tendo unido suas tropas às do coronel Fidêncio de Melo, Prestes abre uma picada no terreno sem estradas e parte para a região do Iguaçu, onde está o exército de Isidoro e Miguel Costa. A Coluna, com a sucessão de combates e de deserções, se encontrava reduzida a oitocentos homens. Homens que não tinham o que comer, nem o que vestir, barbados, de longas cabeleiras caindo sobre os ombros, com poucas armas e quase sem montarias. Prestes segue com a ideia de atacar a retaguarda das forças do general Rondon, colocando-o entre as suas tropas e as de Isidoro. Mas a vitória que Rondon obtém em Catanduvas, contra Isidoro, impede esse movimento de Prestes. As tropas paulistas, nesse momento, recuavam, acossadas pelos efetivos várias vezes maiores dos governistas. Prestes, chegando à região do Iguaçu, parte para conferenciar com Isidoro e os demais chefes militares, sobre a marcha da revolução. Em Foz do Iguaçu o esperam como a um salvador.

A Missão Francesa, amiga, que preparava os jovens oficiais brasileiros, sempre pregara a guerra de trincheiras. Essa guerra que iria dar a linha Maginot e a rápida derrota dos exércitos franceses em 1940, ante as forças alemãs. Aquele professor de Prestes que lhe dava notas baixas em estratégia não podia compreender a guerra de movimentos do seu aluno, como não a poderia compreender Gamelin, chefe da Missão Francesa no Rio. Agora, em plena revolução, em plena batalha, Prestes vai aplicar os seus novos princípios. Já do Rio Grande ele escrevera a Isidoro: "Para nós revolucionários o movimento é a vitória. A guerra, no Brasil, qualquer que seja o terreno, é a guerra de movimento". Isidoro se entrincheirara na região do Iguaçu e começava a pagar caro a sua fidelidade a esse tipo de guerra de posições. Não vira, como Prestes, que essa era a guerra que mais convinha ao governo, "que tem fábricas de munições, fábricas de dinheiro e bastantes analfabetos para jogar contra as nossas metralhadoras".

Viajando para a Foz do Iguaçu, Prestes leva a ideia de convencer os chefes revolucionários da necessidade de fazer uma guerra de movimento, de abandonar no Paraná as tropas do governo e partir através do Brasil. Assim poderão manter a revolução e esperar novos levantes de regimentos e batalhões. A melhor prova das vantagens da guerra de movimentos era a própria marcha que ele acabara de fazer. Viera do cerco de São Luís e trouxera os seus homens, 2 mil a princípio, oitocentos no fim, até Iguaçu, batendo 10,5 mil adversários, andando 1500 quilômetros, desmoralizando as forças inimigas.

Na Foz do Iguaçu realiza-se a conferência dos chefes revolucionários. É 12 de abril de 1925. Reúnem-se Isidoro, Miguel Costa, Padilha, Mendes Teixeira, Gwayer, Álvaro Dutra e Delmont.

Esse, amiga, era o momento mais difícil da revolução. Uma grande desmoralização se estende pela tropa e pela oficialidade. Desertar é a palavra que mais se ouve. João Gay e Filinto Müller são expulsos da Coluna, como contrarrevolucionários que aliciavam gente para fugir, atravessar a fronteira para o estrangeiro, que criavam um clima de derrotismo.[51] Vários outros oficiais emigraram, muitos soldados desertam. A revolução parece perdida. A derrota das tropas de Isidoro em Catanduvas abala o espírito da soldadesca. A chegada do sul dos oitocentos homens de Prestes, com Siqueira Campos, Cordeiro de Farias e João Alberto, não aumenta o moral da tropa paulista composta de 1300 homens literalmente sem ter o que comer. O terreno onde há sete meses demoravam estava demasiado batido, nada mais restava de alimentação. Os traidores espalhavam notícias terríveis. A expulsão de Filinto e Gay, feita por Prestes, melhora de início o ambiente. Faz com que daí em diante os que querem fugir já não se preocupem com aliciar gente que os acompanhe, enfraquecendo a Coluna, indo da fuga à traição. Fogem apenas. Mas ainda fogem muitos, oficiais e soldados, levam munições e dinheiro. E a verdade é que havia poucos soldados, poucos oficiais, pouca munição e pouco dinheiro.

Na conferência dos chefes revolucionários parece, inicialmente, que esse espírito de liquidação da revolução vai predominar. Mas o general de 26 anos que chegara do Sul, que passara um aniversário em combate, em Ramada, toma a palavra e inicia o seu informe dizendo que ele e os seus soldados não emigrariam mesmo que emigrassem todos os outros, mesmo que todos dessem por terminada e perdida a revolução.[52] Ele com os seus homens, continuaria a luta. Continuaria com a Coluna através do Brasil, entraria em Mato Grosso, tomaria depois para leste, ameaçaria a capital do país. Os chefes revolucionários se galvanizam com as suas palavras. E votam a marcha da Coluna através do interior, a vida da revolução.

Sobre os generais, os coronéis, os velhos mestres do Exército, a figura do capitão de ontem, general de hoje, 26 anos geniais, cinco meses de luta e de vitórias, exerce uma fascinação que lhes dá alento e esperança. Vota pela marcha Isidoro, que deve partir para a Argentina para defender os interesses da revolução, entrega a Prestes e a Miguel Costa o comando dos homens. Também Bernardo Padilha, o outro general, não pode continuar no seu posto, sua saúde não resiste. O major Miguel Costa é agora o general-comandante. O capitão Luís Carlos Prestes é o coronel-chefe do Estado-Maior.

Os soldados são avisados do que se passa. Vão se internar, restabelecer necessariamente, porém no país e não como soldados de uma revolução vencida. Mas como soldados de uma revolução lutando pela vitória. Vão iniciar a Grande Marcha, amiga.

13

A PRIMEIRA LUTA, AMIGA, COMO SEMPRE, TEVE QUE SER CONTRA OS COVARDES, os traidores, os descrentes, aqueles que por medo, por erro de visão ou por má-fé, se opunham à marcha da Coluna, declarando a revolução perdida. Ainda não se iniciara a Grande Marcha, reunidas as forças do Rio Grande do Sul e São Paulo, de Prestes e Miguel Costa, quando os seus efetivos começaram a diminuir assustadoramente. A proximidade da derrota sofrida em Catanduvas, o cerco em que estavam as tropas revolucionárias "metidas numa garrafa arrolhada", na frase de Rondon, general das forças governistas, a abatida moral dos oficiais e soldados esfomeados vivendo há meses uma vida quase de animais da selva, as pragas imundas, tudo era um convite à fuga para o estrangeiro. Ali, ao lado, estavam as fronteiras de terras onde encontrariam fartura e liberdade, conforto e saúde. Do outro lado era o mistério do Brasil indevassado, estradas que não existiam, um inimigo mil vezes mais poderoso, e mais a fome, e mais as moléstias endêmicas do interior do país, os rios desconhecidos, as montanhas perdidas no oeste. Para muitos a ideia do jovem oficial Prestes era uma ideia absurda: como atravessar o Brasil sem fim? "Terras do sem-fim" escreveu um dia um poeta, amiga, falando dessa terra do Brasil. Misteriosa de lendas, prenhe de assombrações, as moléstias, impaludismo, tifo, lepra, febre amarela, febres de todas as cores, como uma trágica cavalgata sobre ela. Um sonho trágico. Os oficiais e os soldados amedrontados não viam diante da marcha apenas um drama, viam uma tragédia nunca igualada antes. Havia os que se recordavam da retirada da Laguna, na Guerra do Paraguai. Pouca coisa era ela comparada com o sonho absurdo de Prestes. Assim raciocinavam os covardes, os traidores, os que não possuíam visão para compreender que na Marcha estava a salvação do movimento revolucionário, que não viam que o capitão de ontem era um gênio militar nascido em terras da América, herdeiro de Bolívar e San Martín, que seu plano não era louco e absurdo, era produto dos estudos de noites e noites e de uma intuição quase milagrosa. Esses não souberam enxergar o gênio na manhã indecisa do Paraná.

O medo da mata, da selva, do mundo desconhecido, da natureza perigosa. Muitos desertaram, oficiais, soldados e civis, muitos temiam a morte. Não eram suicidas, diziam. Muitos ficaram, esses tiveram confiança, a marcha que Prestes acabara de fazer desde o Rio Grande os convencera de que estavam diante de um general capaz de grandes feitos. Que importava a natureza agreste, que importavam as doenças, as dificuldades, o encontrar-se com a morte a cada instante? A morte é uma mulher bela e cada cavalheiro deve saber ser galante com ela. Conquistá-la como a uma linda amada. Conquistá-la com heroísmo, com uma vida ardente.

Trancados dentro de uma garrafa, dissera Rondon com seu malicioso sorriso, aprendido dos índios guerrilheiros. Entre os rios que dividiam o Brasil dos países irmãos, como uma rolha adiante as forças governistas. Se ninguém sabe a solução dos problemas, se muitos fogem para o estrangeiro com medo de morrer nessa garrafa arrolhada, Prestes já o solucionou. Diante da surpresa do adversário ele "faz saltar o fundo da garrafa".[53] Resolve atravessar as fronteiras do Paraguai, passar por este país as suas forças, e entrar assim em Mato Grosso, ante o inimigo burlado.

As forças revolucionárias iniciaram a retirada. Prestes abre uma picada, construtor de estradas do Brasil, de Santa Helena onde está o grosso da tropa até Porto Mendes, onde deverão transpor o rio e entrar no Paraguai. De uma extensão que passava pelas frentes de Catanduvas, Floresta, Centenário, Encruzilhada, Piquiri e Guaíra, as colunas do Rio Grande e de São Paulo começam no dia 30 de março a caminhada heroica. As forças se encontram reduzidas a 1500 homens. A Coluna que descera de São Paulo, com as deserções, as fugas e as mortes em combate, tem apenas setecentos soldados. A Coluna que subira do Rio Grande, sob as ordens de Prestes, conservava os seus oitocentos homens com que chegara. Aí haviam sido bastante menores as deserções. Não só a expulsão violenta e desmoralizante dos traidores como Filinto mostrara a energia do chefe, como a tropa que fizera, sob seu comando, a primeira marcha de 250 léguas, acreditava nele e no seu plano. Para os soldados, Prestes era um deus da vitória, um deus do combate, e era também um amigo. Não o abandonariam.

Na marcha em direção a Porto Mendes a Coluna se bate várias vezes: na ponte do rio São Francisco, perto de Guaíra, nas proximidades de Porto Artaza, na estrada de São Francisco a Cascavel, impedindo que o inimigo a persiga e a destrua. Em plena ordem é feita esta retirada para Porto Mendes. A picada aberta por Prestes leva as tropas até as margens do Paraná. Na Foz do Iguaçu, com intuito de enganar o inimigo, lutava o esquadrão comandado por Deusdedit Loyola.

Estão diante do rio Paraná, rio de três países, do Brasil, do Paraguai, da Argentina, fronteira de três pátrias. Largo de quinhentos metros, profundo de trezentos, nesse ponto em que as forças da revolução pensam em atravessá-lo. Aí estão eles, amiga, os soldados de Prestes. Nesse momento eles vão fazer saltar o fundo da garrafa. Os soldados fitam a corrente rápida, se abrindo em redemoinhos, a morte roncando nas corredeiras do rio. Travessia difícil, 1500 homens possuindo apenas um pequeno navio de máquinas escangalhadas, o *Assis Brasil*, e uma canoa. Estão homens, oficiais e soldados, estão mulheres também, as célebres vivandeiras que acompanharam a Coluna, amor no rastro dos homens, amor maior que todas as dificuldades, estão 1500 animais, cavalhada da tropa. Do outro lado é um país estrangeiro, cujas fronteiras vão ser violadas, cujo governo é amigo do governo que esses homens combatem. Como serão recebidos? Se se salvarem da morte no rio, não irão encontrar a morte no país do Paraguai? Nesse último momento de indecisão alguns oficiais e soldados ainda desertam. Cada vez lhes parece mais aventuroso o plano de Prestes. Mas os seus soldados ficam. Para eles só existe aquela imensa e comovente confiança no seu chefe. Diante do rio Paraná eles se encontram na noite de 26 de abril. O seu problema mais grave é o de transportes para cruzar o rio. Evidentemente o *Assis Brasil*, com as máquinas rebentadas, e a canoa, não eram suficientes para a travessia. Havia o perigo de passar uma parte da tropa e outra ficar exposta à fuzilaria inimiga na margem brasileira. Mas, na manhã de 27, encosta em Porto Adela o vapor *Bell*, de bandeira paraguaia. Prestes encarrega João Alberto de tomá-lo e esse oficial que vinha desde o Rio Grande se revelando um soldado de magníficas qualidades, domina o navio após rápida luta. Agora têm dois navios em que fazerem a travessia. João Alberto, na canoa, atravessa o rio, desembarca em terras paraguaias, onde entrega ao comandante da guarnição a carta em que os revolucionários explicam o seu gesto e pedem licença para atravessar o território do país irmão, comprometendo-se a fazê-lo em perfeita ordem.[54]

No dia 28 de abril as tropas revolucionárias atravessam o rio Paraná e penetram no Paraguai. A 29 as primeiras patrulhas inimigas atingem Porto Artaza e Porto Mendes, onde estavam antes as forças de Prestes. Rondon estava certo de que Prestes com seus soldados se encontravam comprimidos contra o rio Paraná, fundo da sua célebre garrafa. Encontrou que para Prestes a garrafa não havia existido.

Tinham que atravessar 125 quilômetros por território paraguaio para atingir as fronteiras de Mato Grosso. A vanguarda, chefiada por João Alberto, parte no dia 28, o grosso da Coluna com o QG, na tarde de 29. Na retaguarda vai a artilharia, defendida pelo esquadrão comandado pelo capitão Ari Salgado Freire. A marcha da artilharia é penosa, através atoleiros, riachos, pântanos. Os canhões têm muitas vezes que ser arrastados sobre os rios, com dificuldades incontáveis. Prestes pouco depois resolve abandonar a artilharia que de quase nada lhe ia servir na marcha.

A tropa revolucionária apresenta um quadro de espetacular miséria. Os homens sujos, barbados, cabeludos, vestidos literalmente de farrapos, calçados com sobras de sapatos, magros e tresnoitados. Toda esta marcha de 125 quilômetros Prestes a faz a pé, para que um soldado mais cansado, talvez ferido, possa utilizar seu cavalo. Isso o fez muitas vezes. Quando vê um soldado incapaz já de poder continuar a caminhada, suas forças esgotadas, a vontade de continuar já não podendo com o peso do corpo exausto, Prestes desmonta, dá-lhe o seu cavalo e vai ele, o general, o comandante, o vitorioso de tantos combates, a pé como o mais humilde praça. Por isso a tropa o leva dentro do coração e se faz forte para todos os cansaços, para todas as dificuldades. Ninguém quer se mostrar fraco e tímido diante do grande chefe.

A vanguarda atinge Mato Grosso a 30 de abril, e a Coluna no dia 3 de maio atravessa a fronteira, penetrando novamente no Brasil. A travessia do território paraguaio fora feita em completa ordem como o prometeram Prestes e Miguel Costa.

Na entrada de Mato Grosso, a Coluna volta a sustentar combates contra as forças governistas destacadas nesse estado e contra as forças de "voluntários" arregimentadas pelos chefes políticos prepotentes. Um dia e uma noite o batalhão sob a chefia de Cordeiro de Farias, luta contra o inimigo e o vence. Se dirige depois para o Patrimônio de Dourados de onde desaloja as forças governistas. Porto Felício, nas margens do Amambaí, é ocupado por um batalhão da Coluna, o batalhão de Virgílio dos Santos. Daí ele marcha para Campanário, sede do imenso latifúndio da Mate Laranjeira, país dentro de país do Brasil, país da escravidão e da mais terrível exploração do homem pelo homem. João Alberto com seu regimento derrota o 17º BC em Panchita. O inimigo foge, deixando armas, caminhões e homens mortos, em direção ao rio Panuí, onde mais uma vez vai ser vencido, dias depois, pelo mesmo João Alberto que atravessa esse rio sob o fogo da fuzilaria inimiga, ataca e domina Patrimônio da União.

João Alberto, vanguarda da Coluna, se dirige daí para a ponte do rio Amambaí, onde se travara antes o combate do regimento Cordeiro de Farias contra as tropas do governo. Encontra a ponte destruída pelos "voluntários" de um político estadual. Consertada a ponte, os regimentos João Alberto e Siqueira Campos se reúnem e penetram na cidade de Ponta Porã, antes defendida por um regimento de cavalaria, um batalhão de 3º RI, e "voluntários" agarrados a laço. São oitocentos homens que abandonam a cidade ao saberem da aproximação das forças revolucionárias. Prestes e Miguel Costa, saindo de Zaicarô, onde se haviam demorado, liquidando a artilharia impossível de conduzir, atravessam Marcolino-Cuê, Panchita, o rio Panuí, em direção a Patrimônio da União. Nesse momento já se encontrava na chefia geral das tropas que combatiam os revolucionários em Mato Grosso, o major Bertholdo Klinger. Este uniu suas tropas com as do coronel Péricles de Albuquerque, que se havia retirado de Ponta Porã e esperam os revolucionários nas cabeceiras do rio Apa. João Alberto os ataca nesse ponto, trezentos homens contra mais de 2 mil. Depois, novamente reunido a Siqueira Campos, partem para a serra do Amambaí, penetrando até Retiro Misael, onde esperam a chegada do grosso da Coluna. Esta marcha em direção da estação de Rio Pardo, na Estrada de Ferro Noroeste do Brasil, a duas léguas de Retiro Misael. Na margem esquerda do rio Dourado, dispersa uma tropa de "voluntários". Na margem desse rio Prestes faz construir balsas sobre barris para a travessia da Coluna. Em Patrimônio de Dourados o batalhão de Cordeiro de Farias se reúne ao grosso da tropa. A 1º de junho a Coluna atinge Retiro Misael, após atravessar uma série de rios e de marchar uma quantidade de quilômetros. Ao cair da tarde do dia seguinte, um crepúsculo chuvoso, a Coluna atinge o leito da estrada de ferro.[55] No dia 4 chega a Patrimônio de Jaraguari, onde as brigadas São Paulo e Rio Grande se separam para marcharem por diversos caminhos, indo voltar a reunir-se no dia 10 nas cabeceiras do rio Camapuã.

Nesse momento é feita a reorganização do comando da Coluna. As ciumadas entre os soldados paulistas e os gaúchos, dando lugar às vezes a lutas e conflitos, fazem com que os chefes resolvam fundir as duas brigadas, misturando os soldados e os oficiais. Havia também, por vezes, ligeiras divergências entre Miguel Costa e Prestes sobre a estratégia a seguir. No momento da entrada em Mato Grosso, amiga, os dois companheiros tinham pensamentos diversos. Miguel Costa pensava em dar combate, numa batalha definitiva, às forças do governo. Prestes discordava, vendo que a vitória seria impossível, que essa batalha iria liquidar não só a Coluna como também a revolução, já que esta só poderia voltar a se processar no país se a Coluna a mantivesse viva no interior. Miguel Costa era, sob inúmeros aspectos, um admirável soldado e uma admirável figura humana. Comandante em chefe da Coluna, jamais passou pelo seu coração a menor sombra de inveja ao ver destacar-se sobre todos o nome de Prestes, o idealizador e condutor da Grande Marcha. A Coluna tomou o nome do chefe do Estado-Maior pela vontade dos soldados e do povo do Brasil, contra a vontade de Prestes. Nunca Miguel Costa abriu a boca senão para realçar a justiça dessa designação, senão para fazer o elogio do seu companheiro e camarada. Comandante da Coluna, ele foi o homem que mais apoiou e sustentou os planos de Prestes. As pequenas divergências que entre eles haviam surgido em matéria militar logo desapareceram com a remodelação do comando, quando Prestes ficou virtualmente responsável por todo o lado estratégico e tático da marcha. Nunca houve entre os dois o menor atrito, Prestes dando todo prestígio a Miguel Costa, Miguel Costa deslumbrado perante o gênio militar de Prestes. Unidos, esses dois homens representam a grandeza moral da revolução de 24. Miguel Costa é o revolucionário que não abriga o menor vislumbre de vaidade ferida. Diante do fato concreto do gênio militar de Luís Carlos Prestes ele se curva como o mais consciente dos revolucionários. Ele o prestigia com a força do seu nome, é o primeiro a reconhecer que diante de Prestes estão diante de um fenômeno de exceção. A figura de Miguel Costa, amiga, do general de tantas vitórias, ídolo dos soldados paulistas, homem de caráter reto, de extrema popularidade, nunca cresce e sobe tanto como ao reconhecer e apoiar o gênio de Prestes. Esse momento de Miguel Costa, de profunda força revolucionária, basta para marcar nesse homem os caminhos do futuro. Mais uma vez, em 1935, vamos encontrá-lo, valente, digno e consequente, ao lado de Prestes na Aliança Nacional Libertadora, seu presidente em São Paulo.[56]

A Coluna marcha em direção à cidade de Baús, onde se aquartelava o major Klinger. Antes partira, como vanguarda, um destacamento, sob o comando de Djalma Dutra, que vence a 17 uma força mineira e a 18 uma outra no povoado Paraíso, no qual entrou, cortando as comunicações entre Baús e a estrada de ferro. Nesse mesmo dia o grosso da Coluna atravessa o rio Baús, as forças de Cordeiro de Farias e de Siqueira Campos travando combates com os inimigos. O major Klinger está cercado, mas Prestes levanta o cerco pois a posição ocupada por Klinger é de defesa fácil. No ataque a Coluna iria perder grande parte de seus homens e munições e a derrota de Klinger não valia esse desgaste. A Coluna reinicia a marcha em busca da fronteira de Goiás onde vai penetrar a 3 de junho, após ter atravessado o planalto mato-grossense desde as fronteiras do Paraguai até a serra de Santa Marta.

Na travessia de Mato Grosso a Coluna se vestiu e se alimentou. Na fartura do estado, tão abandonado pelas autoridades administrativas, Prestes encontrou comida e roupa para os seus homens. A Coluna já não parecia aquela turba de mendigos esfarrapados que penetrara no Paraguai ante os olhos atônitos do general Rondon.

É também em Mato Grosso que Prestes vai conseguir boas montarias para a Coluna. Em Mato Grosso as patrulhas encarregadas das potreadas têm os seus momentos mais heroicos. Oito, dez, quinze homens que são enviados em busca de cavalos para montar a Coluna, de gado para a Coluna comer. São como afluentes do grande rio da Coluna. Abrem picadas, exploram os terrenos, são eles que, junto com os bois e os cavalos, trazem notícias do inimigo, da sua localização. Em torno à Coluna, com seus satélites, os potreadores, amiga, desorientam as forças adversárias, num raio de muitas léguas em redor. Se se afastavam em busca de animais para o leste, para o sul, para o norte, a notícia era que a Coluna marchava para o sul, para o norte, para o leste, os potreadores tomados como a vanguarda dela. Esses homens, amiga, em número tão diminuto, praticaram proezas guerreiras que jamais foram esquecidas e que hoje, vestidas com roupagens de lendas poéticas pelos cantadores do sertão, são folclore no interior do Brasil. Muitas potreadas não voltaram jamais, esmagadas pelo inimigo. Outras se perderam num rumo distante da Coluna e emigraram para o estrangeiro. A grande maioria voltou sempre, desfalcada de um, dois, três homens, arrastando atrás de si a cavalhada conquistada, trazendo notícias frescas e certas da direção e dos planos dos governistas. Potreadas que percorreram vinte, cinquenta e cem léguas, antes de se juntarem novamente à Coluna.[57] Potreadas que lutaram contra exércitos, que tomaram cidades e vilas, que se batiam diariamente, arrastando para longe dos caminhos que a Coluna abria, e pelos quais marchava, os batalhões de Bernardes. Exploradores e guerrilheiros da Coluna Prestes, os potreadores ajudam a Coluna a construir e ampliar os caminhos do Brasil. Heroísmos individuais repetidos a cada dia, a cada instante, a cada momento.

Na marcha da Coluna Prestes, amiga, a epopeia resulta da soma incomensurável dos heroísmos, dos feitos individuais. O gênio de Prestes chefia uma legião de heróis. Nesse exército revolucionário o indivíduo tem um valor incalculável. Em nenhuma página da história militar do Brasil a iniciativa individual, o heroísmo individual, se entrosam tão perfeitamente dentro do pensamento coletivo, do mando do chefe. O gênio de Prestes e o heroísmo de Prestes, a sua rapidez de iniciativa, a sua capacidade de resolver imediatamente as situações, se reproduzem em cada oficial, em cada soldado. Em cada regimento, em cada batalhão, em cada potreada. Aí não há apenas o chefe. Há ele, o maior soldado da sua pátria, e há cada soldado como valor humano. Assim era a Coluna, amiga.

14

TE DIREI ALGUNS NOMES, AMIGA: UMA SE CHAMAVA "AI! JESUS!", mulata espevitada. A que dançava maxixe nas noites da selva e da caatinga, nos rios de assombros, era a "Onça". "Cara de Macaca" ia vestida de couro, ninguém a distinguiria de um vaqueiro dos gerais de Mato Grosso, dos campos do Nordeste. Santa Rosa teve um filho a quem chamaram de "José, o Filho da Revolução". Hermínia, a corajosa e dedicada Hermínia, austríaca que se fez heroína nos campos do Brasil, a loira Hermínia que encontrou a felicidade no amor do negro Firmino. "Isabel Pisca-Pisca" se fazendo passar por Isabel, a Redentora, ante os sertanejos mais incultos. A linda Alzira com seus dezoito anos e a sua boca suja. Tia Maria, a velha Maria que os governistas temiam, acusada por eles de ser feiticeira, assassinada por eles de uma maneira tão bárbara. A gorda Chininha, andarilha sem rival, marchando mais rápida que qualquer soldado num desafio às suas banhas. E a mais formosa de todas, Albertina, a bela Albertina, cuja cabeça de mártir caiu no seu momento de bondade e de heroísmo.

Ferido no combate de Piancó, o tenente Agenor Pereira de Souza, das forças revolucionárias, fazia a marcha numa padiola, carregado pelos soldados. Seu estado se agravava dia a dia. Quando a Coluna chegou a Minas do Rio de Contas, cidade da Bahia, a gente se condoeu da sorte do tenente. Com a ferida viera a tísica nas dificuldades da marcha e o tenente morria sem nenhum conforto. Ele fora um dos melhores combatentes da Coluna, vinha desde o Rio Grande, e os comandantes e os soldados viviam a tragédia do companheiro morrendo, sem remédios, sem pouso, sem descanso. Na cidade de Minas do Rio de Contas pessoas caritativas ofereceram-lhe pousada. Ele aceitou e com ele resolveram ficar seu irmão Alibe, menino ainda, de dezessete anos, se fazendo homem nas lutas da Coluna, e Albertina, a mais formosa das vivandeiras, flor do Rio Grande, tanta bondade no seu coração quanta beleza no seu corpo. Resolveu ficar para cuidar do tenente, para suavizar os seus dias derradeiros.

A Coluna partiu deixando os companheiros e deixando a vivandeira. Ela ficou agitando seu lenço vermelho de revolucionária, uma lágrima nos olhos, um sorriso amigo nos lábios finos. Depois voltou-se para o tenente. Eram os remédios, o carinho de irmã, a dedicação de enfermeira. Talvez até o tenente Agenor melhorasse e pudesse ser transportado para a Bahia, onde havia bons médicos e bons hospitais. Assim pensava Albertina, pensando que se isso acontecesse ela voltaria a cruzar os sertões em busca da Coluna e que continuaria com ela a Grande Marcha.

Mas, amiga, os soldados de Bernardes entraram em Minas do Rio de Contas. A cidade sofreu seus desmandos, cada qual tomou a sua parte, um tenente escolheu como seu butim a vivandeira da Coluna. O seu desejo refreado naqueles sertões, os seus instintos de repente soltos, se açularam diante da beleza de Albertina. O lenço vermelho de revolucionária emoldurava seu rosto branco. Era como uma flor, era como um sonho maravilhoso. O tenente não viu o homem doente, morrendo. Não viu o menino que aprendera dignidade e heroísmo na Coluna. Só viu a mulher linda, nem viu mesmo que uma vivandeira da Coluna Prestes tinha a coragem de um homem. Se atirou a ela como um animal solto nos pastos. Mas Albertina não o queria, só tinha nojo. O menino foi em sua defesa. Rolaram as duas cabeças, a do menino e a da mulher, o tísico morria na cama ante o espetáculo de tão vil degradação humana. O sangue dos degolados empapou as mãos do tenente, satisfez os desejos do seu sexo, o monstro ria mostrando aos soldados, não tão miseráveis, a cabeça de Albertina, sem corpo, envolta no lenço vermelho da revolução.

Um soldado estrangulou um sorriso, o tísico tossiu seu protesto sem força. Uma mulher soluçou, um homem riu histérico. Os soldados estremeceram, o próprio tenente empalideceu. A cabeça sem corpo, vermelha de sangue, vermelho lenço arrebanhando os cabelos, sorria ainda seu sorriso de nojo diante dos homens como feras, as mãos vendidas ao governo, o coração vendido também. Sorria a cabeça de Albertina.

Vivandeiras da Coluna, mulheres do povo que seguiram seus homens, que seguirão a revolução. Somente elas tiveram forças para vencer Prestes. Aquelas que vinham desde o Rio Grande do Sul, tiveram do chefe ordem de abandonar a Coluna na travessia do rio Uruguai. Fizeram que sim com a cabeça. Prestes infundia-lhes um infinito respeito. Tratava-as como um amigo, nunca lhes dirigira uma graçola, nunca lhes dissera um insulto. Apenas lhes explicou que aquilo não era um passeio para mulheres, era uma difícil marcha para homens fortes. Elas deviam ficar. As vivandeiras fizeram que sim com a cabeça, amiga. No outro dia quando terminavam a travessia do rio, antes mesmo de ver os soldados, Prestes viu as vivandeiras que tinham atravessado. Firmes para marchar. Uma levava o fuzil do seu homem, outra atendia a um enfermo, uma terceira sorria e com seu sorriso afastava a fadiga dos soldados. Prestes sorriu também. E elas seguiram.[58]

Bem mereceram essa condescendência de Prestes, bem mereceram seguir. Atravessaram rios e escalaram montanhas. Lutaram como homens, morreram muitas como heróis. Meninos nasceram na travessia, o amor iluminou as noites da Coluna. À margem dos rios, nos desertos do Nordeste, na caatinga agreste, na selva misteriosa, nas montanhas conquistadas, antes dos combates onde a morte espreitava os homens, após os combates onde os homens arriscavam a vida, nas noites de estrelas e lua, de violas e modinhas, nas noites sem estrelas, sem lua, só os fantasmas e as assombrações, em toda a marcha da Coluna, os ais de amor se elevaram aos céus, coração de mulheres valentes que se encontravam.

Te direi, amiga, do idílio da loira Hermínia e do negro Firmino. Ela viera da Áustria, de Viena das valsas e da alegria. Era loira, seu cabelo de trigo, seu rosto de farinha. Era dedicada e boa, valente e decidida. Foi enfermeira da Coluna, mãe dos soldados feridos, irmã dos oficiais doentes. Fez toda a marcha até à internação final na Bolívia. Nos combates ela ficava próxima às linhas de fogo e ia até elas em busca dos soldados e dos oficiais feridos. Quando do cerco de Teresina ela fez várias vezes o caminho entre as linhas revolucionárias e as inimigas, conduzindo para o posto médico da Coluna os soldados caídos. Não descansou um minuto, não teve um instante de medo. Suas brancas mãos molhadas de sangue. Seu olhar nos que eram derrubados, partia para eles, os conduzia sob as balas. Faziam pontaria nela, naquela loira valente. Um dia ela fora jovem nas ruas de Viena, as músicas melodiosas saindo de cada café, de cada boca. Crescera em São Paulo, tranquila e pacata. Fora com a revolução, ela a trazia no coração. Marchava tranquilamente entre as balas, nos braços o homem ferido. A enfermeira Hermínia, do país da Áustria, a enfermeira Hermínia, do país do Brasil. Um dia, quando um combatente parecia perdido, ela foi o voluntário corajoso que partiu em busca das seções de metralhadora pesada que marchavam longe, no centro da Coluna. Foi no combate de Anápolis e a esse seu gesto a revolução deve essa vitória.

Seu coração envolto em música tremeu diante da figura negra do tenente Firmino. Este era um bravo, com aquela risonha coragem dos negros, descendente dos heróis de Palmares, dono de uma gargalhada sadia. Nas noites de viola e tiranas, quando a Coluna gemia saudades dos povoados natais, quando falava de amores distantes e impossíveis, na voz dos cantores sertanejos, quando a lua descia para admirar os heróis, quando as estrelas ficavam mais vermelhas no céu, a loira Hermínia e o escuro Firmino trocavam palavras de amor. Os rios as ouviram, as montanhas as guardaram no seu coração de granito. Sussurradas nas caatingas, gemidas nas margens do São Francisco e do Tocantins. As águas levaram nas suas corredeiras a música dessas palavras do negro brasileiro e da branca austríaca. Em La Gaiba, amiga, em terras da Bolívia, com a Coluna internada, um dia iriam nascer mulatos brasileiros filhos desse amor. Um dia, os filhos de Hermínia e de Firmino pisarão novamente o solo da pátria. E repetirão os feitos do pai e os feitos da mãe, novos soldados da revolução. Nos rostos mulatos a farinha branca do rosto de Hermínia, o negro mel de cana do rosto de Firmino. Mulatos do Brasil.

Nas noites de parada, quando a Coluna se estendia pelas pradarias, como um rio de homens, atrás a picada recém-aberta, na frente a mata por conquistar, de um lado o inimigo tão superior em forças, de outro lado as doenças, a falta de comida, a saudade dos que ficaram nas terras e nos campos deixados um dia pela revolução, nessas noites, sensual e lânguida, a mulata Onça se rebolava no maxixe dengoso. Dançava para os soldados a dança mais nacional e mais tentadora e mais lasciva. Nos olhos de cada um que acompanhava o quebrar, o partir, o se juntar de novo do corpo felino de Onça, boiava uma lembrança de um dia perdido no passado. Uma dança, uma mulher que passara na rua, uma palavra atirada ao acaso, uma festa, uma lembrança de amor.

Do corpo de Onça onde as ancas tinham vida própria no ritmo do maxixe, vinham as recordações de uma vida que ficara para trás. Seu baile na selva era espantoso e lúbrico. Vinham as assombrações, o lobisomem, a mula de padre, o caipora que só tem um lado, vinham os animais da selva, a anta, a onça e o macaco, vinham os pássaros e vinham os peixes, e ficavam todos, junto aos homens, presos ao corpo de Onça se desfazendo e se juntando no ar, as nádegas como uma popa de navio no meio das ondas agitadas. No recesso mais misterioso da selva, amiga, a mulata dança, seu corpo nas árvores, um braço no rio, a mão perdida no céu, nos olhos dos homens as nádegas redondas. No recesso da selva, amiga, Onça se estraçalha no maxixe.

Nem sempre dança. Por vezes carrega rifles, outras vezes salva homens. Seu corpo não é só um corpo de perdição, não serve somente para os suspiros de amor. Certa vez a tropa de um destacamento foi atacada por forças vinte vezes maiores. Os homens estavam perdidos, como nas noites lúbricas de maxixe. Onça partiu por entre as balas, estabeleceu ligação com o grosso da Coluna, salvou os homens da morte. Passou entre as balas, os inimigos só viram seu corpo dengoso se rebolando no caminhar maneiro de mulata sensual. Voltou com as forças, nessa noite dançou seu maxixe como uma dança de vitória. Essa era a Onça, amiga.

Pelo sertão, entre os soldados governistas, entre as populações supersticiosas corriam as lendas sobre a Coluna. Eram inúmeras, cheias de estranha beleza, cantadas pelos cegos nas feiras como uma festa do Nordeste, a figura de Prestes como a de um herói de legenda, como um novo deus sob os céus do Brasil. Falavam essas lendas das qualidades da Coluna. Uma dizia da rapidez dos movimentos. E explicava que os homens só comiam as partes dianteiras dos animais para assim adquirirem rapidez no seu andar. Muitas destas lendas nasciam da presença das vivandeiras nos batalhões revolucionários. Santa Rosa teve um filho, aquele a quem chamariam de "José, o Filho da Revolução" e vinte minutos depois já estava no lombo do seu cavalo, marchando. Os sertanejos imaginaram então que as mulheres que viajavam com a Coluna pariam mesmo em cima das selas e os meninos já nasciam andando e aos poucos meses pegavam no rifle.[59]

Porém a que era aureolada de mistério, cujo nome circulava de boca em boca entre os soldados do governo era a Tia Maria, preta velha, seca e de olhos brilhantes, que morreu dramaticamente, entre torturas. Contavam dela que era a feiticeira da Coluna. Que nas vésperas das batalhas, enquanto o flautim de Favorino substituía os atabaques, ela, nua diante das metralhadoras revolucionárias, invocava os deuses negros das macumbas, Oxóssi que é deus da guerra, Xangô, o deus do raio e do trovão, Ogum e Oxolufã. E assim fechava às balas inimigas o corpo dos soldados da Coluna. A lenda corria de boca em boca, todos os soldados do governo sabiam do nome de Tia Maria, e odiavam esse nome como o de uma inimiga terrível, a que manejava as forças infernais, as forças dos deuses negros que haviam vindo nos tempos da escravidão das florestas da África, das terras de Aiocá, para as florestas do Brasil, para as Terras do Sem-Fim.

No combate de Piancó, Tia Maria caiu prisioneira. Os governistas olhavam-na com mais ódio que aos sargentos e soldados presos. Como eles ela foi torturada. Como eles foi mandada cavar a sua própria cova, o túmulo onde seria deixado o seu corpo após o fuzilamento. Como eles, como os soldados da Coluna, a vivandeira Maria, a velha negra seca, se recusou. Como eles foi espaldeirada, injuriando como eles os miseráveis que a torturavam. Como eles, ela foi retalhada à faca, devagarinho, numa morte lenta, um suplício além de toda imaginação. Em nenhum momento sua voz enfraqueceu. Enquanto a torturavam e matavam clamou pelos seus deuses, convidando-os a perseguirem os inimigos seus e da pátria. Morreu com uma última praga na boca sem dentes de negra velha. Essa era a Tia Maria, amiga.

Vivandeiras da Coluna, mulheres do Brasil. Seu sangue sobre o solo da pátria. Seu sorriso sobre os rios, seus ais de amor sobre os campos. Nasceram meninos, as vivandeiras nos seus cavalos, ajudando os homens, curando as feridas, o fuzil do amado nos seus ombros para que ele pudesse descansar. Derramaram seu sangue, deram suas vidas. Foram dignas de Prestes na epopeia da Coluna. Hoje seus nomes e seus apelidos enchem os cantos dos cegos no Nordeste, os ABCS mais heroicos. Junto às espadas, aos fuzis, às metralhadoras, elas seguem, bravias flores do Brasil. Vermelho lenço no cabelo, amiga, uma rosa atrás da orelha.

15

NO DIA 23 DE JUNHO A COLUNA PENETROU EM GOIÁS. VIERA DO PARANÁ, após a junção das forças de Prestes com as de Miguel Costa, atravessara território paraguaio, atravessara Mato Grosso. Tomava agora para leste, marchando para o Planalto Central do Brasil. Muito longe estava o mar, a Coluna começava a marcha em sua direção. Prestes levava a revolução ao centro mesmo do país, amiga, ao mais profundo do seu coração, ao misterioso país do ouro, do mate como floresta, das pedras verdes que alucinaram os bandeirantes.

Esse país inexplorado de Mato Grosso e Goiás, terras que nunca acabam, fazendas como nações, tudo primário, bárbaro e desconhecido. Até aqui não chegaram as leis, amiga, nem mesmo essas leis já agora tão deficientes para as capitais e os estados mais civilizados do litoral. Aqui, os senhores feudais criaram as suas leis próprias, as mais bárbaras, as mais brutais. Nessas terras a abolição nunca se deu, a gente continua escrava de uns poucos homens donos da terra. Em cada uma destas fazendas, negra, poderias pôr uma nação da Europa e sobraria terra.

Aqui são os tempos ainda da Colônia, amiga. Esses latifúndios da Mate Laranjeira, esses latifúndios dos senhores feudais, os homens como os mais miseráveis escravos, sem nenhum direito, sem uma lei que os proteja, são uma visão dantesca.

No momento em que termina de atravessar Mato Grosso, quando penetra em Goiás e inicia sua marcha para o norte, Luís Carlos Prestes, o que se levantara contra a falta de liberdade nas grandes cidades, ao começar a cruzar o interior, no início apenas da sua marcha, já se dera conta de que o Brasil necessitava de uma revolução muito mais profunda. Diante dele aquele mundo insuspeitado de problemas vitais, se apresentando não na leitura amável de um livro, de um relatório, não num discurso elegante na Câmara ouvido de confortável poltrona, mas vivido em carne própria. Diante dessa visão espantosa Luís Carlos Prestes sente como eram ainda indecisos os chamamentos dos revolucionários. Que viam eles, que pediam eles? Viam os problemas infinitamente menores que borbulhavam nas cidades do litoral. Pediam pequenas reformas administrativas, a profundidade da revolução era quase nenhuma. Por isso mesmo, o povo escravizado do interior não a sentira, não se abalara com ela. Diante da sua escravidão, que era o voto secreto?

Sim, amiga, um dia esse jovem militar, quando ainda estudante, quando iniciava sua vida de oficial, ouvira, junto aos seus colegas, junto a Juarez, a Costa Leite, a Siqueira Campos e a Eduardo Gomes, o rumor de um grito que subia da carne sofrida da terra brasileira. Escutaram-no, seus corações estremeceram com ele, procuraram atendê-lo, sua espada a seu serviço. Mas não tinham chegado ao âmago da desgraça que provocava esse soluço imenso. Tinham visto apenas a primeira capa de problemas, os mais profundos haviam escapado às suas consignas revolucionárias. Disso, amiga, Luís Carlos Prestes se deu conta logo ao atravessar Mato Grosso. Não importava mais marchar contra o Rio de Janeiro e derrubar Artur Bernardes, pôr no seu lugar um político quase igual a ele, que daria algumas leis mais e fecharia os olhos e os ouvidos para esses problemas que o próprio Luís Carlos Prestes só agora via, sentia e sofria. Certa vez, depois da Coluna, amiga, no exílio, ele disse com sua clara voz de mestre:

— Quando resolvemos empreender a marcha para o Norte do país, já os objetivos militares da Coluna, mesmo tecnicamente falando, haviam passado para um segundo plano.

E acrescentou seus propósitos:

— O que tínhamos em vista, principalmente, era despertar as populações do interior, sacudindo-as da apatia em que viviam mergulhadas, indiferentes à sorte do país, desesperançadas de qualquer remédio para os seus males e sofrimentos. Obra sobretudo de caráter político e social... Ora, tudo faz crer que esses resultados foram obtidos, o mais satisfatoriamente que era possível.[60]

Foram obtidos, sim, amiga. Para essa gente desesperançada, o pescoço dobrado à canga da escravidão, restou um ânimo novo após a passagem da Coluna. E por isso, negra, chamaram ao moço que a conduzia de "Cavaleiro da Esperança". Na sela do seu cavalo, na ponta da sua espada, como uma flor vermelha na sua boca, vai a esperança para os desgraçados. Para os milhões de desgraçados, esse povo do Brasil. Atravessando Mato Grosso, seu mistério de rios, a tragédia sanguinolenta e brutal da Mate Laranjeira, dos latifúndios sem fim, Luís Carlos Prestes transforma a revolta militar de São Paulo e Rio Grande no início de uma revolução social. Prolongou o levante seu e de Miguel Costa pelos tempos afora, até os dias de hoje. Já não interessava derrubar com um golpe um governo e substituí-lo por uma oposição resultante das mesmas forças econômicas que haviam elegido o outro presidente. Era preciso levantar o povo em defesa dos seus direitos, dar ao povo a visão dos seus problemas, criar líderes ligados a esses problemas, não apenas os homens travando no Congresso e nos jornais debates sobre assuntos de política local. Esse é um grande momento de Prestes, amiga, momento que marca a sua altura intelectual e a sua altura de condutor. Ele expusera ao marechal Isidoro, nos dias do Paraná, o seu plano de derrubar o governo, fazendo a Coluna marchar contra o Rio de Janeiro. Pouco tempo havia passado depois disso. Mas esse pouco tempo era muito tempo, eram séculos quando vivido numa marcha através o interior do Brasil, através do Paraná e Mato Grosso, sobre problemas, sobre dramas, sobre uma tragédia sem comparação. Não eram, primordialmente, motivos de ordem militar que faziam Luís Carlos Prestes abandonar seus planos de marcha sobre o Rio de Janeiro.[61] Que, com seu gênio militar, tantas vezes comprovado, ele poderia tentar essa marcha, ninguém o pode duvidar. Mas ele encontrou que o importante era levar a revolução ao povo, era dar a esses desesperançados consciência do seu drama, perspectivas de solução. Levar a revolução ao povo.

Já te disse, amiga, que antes de ler nos livros as soluções de Marx e Lênin, Prestes as leu na Grande Marcha. Cada dia era mais que um livro. Aprendeu *O capital* nas terras de esmeraldas de Mato Grosso e Goiás. Quando, no exílio, ele se encontra com o marxismo, sua alegria não tem limites. Eis aí a solução de todos os problemas. Eu te diria, amiga, que a Coluna se internou em 27 e não marchou à frente de todo o povo em direção ao Rio de Janeiro, porque, sentindo, vivendo e sofrendo os problemas, Prestes não havia encontrado ainda a solução para eles. Não tinha a sua base ideológica, mesmo ele não sabia ainda onde devia levar o povo, que bandeira desfraldar. E esse homem, em que a honestidade de princípios e de ações era e é a norma de vida, não queria enganar o povo. Ele mesmo tinha que buscar primeiro a solução. Viria então com ela até o povo, como viera até ao povo trazendo a esperança nas mãos amigas. Um dia ele voltaria trazendo a Revolução nas suas mãos mais experientes ainda. Na Grande Marcha ele, como Euclides da Cunha ante a luta do sertão nos anos de Antônio Conselheiro, como Castro Alves diante da escravidão dos negros nos tempos do Império, foi marxista sem ainda ter lido marxismo. Esse general tinha a visão genial e profética dos poetas. Poeta ele também, de versos escritos com soldados, com a espada, a metralhadora, as vivandeiras, com sua coragem, com sua dignidade. Construiu e constrói os poemas mais formosos da América. Seu nome é um título maravilhoso de poema. Seu poema da Marcha, poema da Esperança, Cavaleiro Luís Carlos Prestes na frente da sua Coluna.

Deram aos soldados do povo todos os nomes: Coluna da Morte, Coluna Fênix, Coluna Invicta, Coluna Prestes. E dizendo Coluna Prestes o povo dizia Coluna da Esperança. Na sua frente o Cavaleiro da Esperança, Luís Carlos Prestes, suas barbas crescidas, seus olhos ardentes, sua face tranquila, seu sorriso triste[62] mas confiante. Cavaleiro do povo.

Desde os dias de Mato Grosso, desde os dias de Goiás, entre o espetáculo maravilhoso da terra verde, rica de imedível riqueza, úbere farto que daria para alimentar o mundo, e o espetáculo da terra pobre, pobre de infinita pobreza, pobre de justiça social, miseravelmente pobre, os homens morrendo de fome na terra mais rica do mundo,[63] Prestes começa a sua distribuição de justiça. Bem sabia ele, amiga, que com o rasgar de livros de impostos extorsivos lançados contra as populações pobres, que com o soltar presos inocentes, vítimas da sanha dos senhores da terra, que com o queimar de processos monstruosos, que com o destruir dos troncos, das palmatórias e das gargalheiras, bem sabia ele que não resolvia o problema total e imenso. Que este pedia soluções que ele ainda buscava. Mas sabia também que cada livro de imposto rasgado, cada preso inocente que era solto, cada morte de homem que evitava, cada boca satisfeita na sua fome, cada processo queimado, cada juiz destituído, eram maravilhosas lições para o povo, lições de esperança e de revolução. Quando ele mandava que esse tão simpático e tão pitoresco dr. Lourenço Moreira Lima, na Coluna o capitão Moreira Lima, o "bacharel feroz", examinasse um processo e lhe dissesse que crime de senhores feudais estava encapuzado na acusação do pobre homem que lutara pela defesa de seu pequeno pedaço de terra, centenas e milhares de camponeses aprendiam que a luta pela terra era justa. Quando ele mandava rasgar diante do povo os livros, onde eram consignados os exorbitantes impostos que enriqueciam os latifundiários donos do poder, ensinava ao povo que devia se levantar contra os impostos, os decretos, as leis escravizadoras, que matavam o povo de fome. Essas populações subalimentadas, mortas de fome no meio da mais incrível fartura, nunca haviam pensado em conquistar sua comida. Prestes lhes ensinava essa lição, diariamente, na sua distribuição de justiça pelo Brasil. Desde o Rio Grande, desde Santa Catarina e Paraná, através Mato Grosso e Goiás, através Nordeste de cinco estados, nas margens do Tocantins, nas margens dramáticas do São Francisco.

Levava a revolução na sua frente. Não sabia ainda bem qual revolução. Foi quando, amiga, ele começou a ler nas caminhadas. Entre combate e combate, quando passava os dias montado atravessando as estradas que acabava de abrir na mata, ia lendo, procurando nos livros as soluções para os problemas diante dele. Mas eram raros os livros no caminho da Coluna. Só depois, no seu exílio de La Gaiba, ele iria receber dos seus admiradores o presente de uma biblioteca marxista completa.[64] Presente de aniversário. Mas já na Coluna ele procurava, desesperadamente, nos livros que lhe vinham à mão, um caminho, um caminho pelo qual a sua Coluna pudesse conduzir o povo do Brasil.

Encontrava tempo para ler no pouco tempo dos dias cheios da Coluna. Eram os planos de combate, o trabalho de comandante, de chefe do Estado-Maior, eram os trabalhos de embarcações para a travessia dos rios largos, no levantamento de mapas e croqui. Prestes traça a corografia do Brasil na marcha da Coluna. Rios e montanhas tomaram seu lugar na carta geográfica do país. General, engenheiro, geógrafo, médico, o que ele não é nessa marcha? Que detalhe do conhecimento humano escapa ao seu gênio prodigioso?

Agora estão em terras de Goiás. Aqui passaram antes os bandeirantes caçando os índios, buscando as esmeraldas na água também verde desses rios de encantamento, abrindo caminhos, construindo fazendas. Vieram de Mato Grosso, um mistério sobre o mundo, tentando aventureiros e sábios. Mato Grosso dos índios selvagens, dos caçadores de feras, dos cientistas desaparecidos para sempre. Goiás é uma continuação do mistério da selva mato-grossense. O Planalto Central traz à imaginação lembranças de indecifráveis mistérios. Sua flora, sua fauna, as pedras preciosas, os rios verdes de esmeraldas e amarelos de ouro. Terras da morte nos garimpos, nas flechas dos índios, na garrucha ambiciosa dos brancos. A Coluna penetra em Goiás.

A 23 de junho a Coluna entra em Buracão, no sopé da serra de Santa Marta. E aí festeja a noite de São João. A noite do Batista, o pasquineiro da Palestina,[65] seus discursos para o povo nas margens do Jordão, seus discursos contra o tetrarca, sua prisão no cárcere imundo, sua palavra ainda jorrando dali como uma maldição contra os maus governantes, sua romântica cabeça revolucionária rolando na bandeja de prata de Salomé, sua boca rebelde beijada pela boca sensual da dançarina num beijo de vingança, sua língua, que sabia clamar, parada agora. A noite do santo panfletário é a mais popular noite de festa do interior. Na frente das casas se elevam fogueiras, estouram os foguetes no céu, essa é também a festa do milho, canjicas, manuês, pamonhas, cuscuz, mungunzá, as espigas crepitando nas fogueiras. Nessa noite de junho de 1925, o santo das águas do Jordão, o que clamava a sua revolução na beira de um rio, foi festejado na beira dos rios, entre os chapadões, pelos revolucionários. As fogueiras se estendiam no planalto imenso, estrelas da terra brilhando tanto quanto as estrelas do céu. Os soldados dançavam e cantavam, orquestras improvisadas com harmônicas e violões, as vivandeiras dançavam, dançava Onça,as melodias lembravam outras noites de São João nos povoados natais. A festa dos soldados no mistério do planalto, entre as águas esmeraldinas dos rios goianos, tinha tons fantasmagóricos, homens e mulheres pulando a fogueira, se fazendo compadres e comadres, o céu de estrelas, a terra por conquistar em torno. Naquela hora lírica e saudosa, festejando o santo, recordando as festas tranquilas e doces das cidades natais, os homens se haviam esquecido dos combates, da caminhada sem descanso, do marchar sempre para a frente, entre balas, febres e dificuldades. Dançavam apenas, entregues totalmente ao ritmo das harmônicas e dos violões, os olhos perdidos nas lembranças. Assim foi a noite até que pela manhã a corneta tocou seu toque de marcha.

A Coluna transpõe a serra do Rio Bonito, atravessa os afluentes do rio Paraná, uma quantidade deles: o Correntes, o Verdinho, o rio dos Bois, o Claro, o Verde Grande, o Corumbá, o Meia-Ponte. A direção da marcha é o Planalto Central, verde mar de morros ondulados. E ali chegam, atravessam os rios Maranhão, o Descoberto e o Paranã. Escalam a serra de Paranã, elevada e abrupta, penetram então em Minas Gerais, tendo cortado Goiás de oeste para leste. Em Minas a Coluna marcha sobre os chapadões limitados pelos rios Preto, Urucuia, Claro, Pardo, Pandeiro, Peruaçu, Carinhanha. Entram no estado da Bahia, numa zona deserta, fazendo uma ligeira curva para voltar a penetrar em Goiás, escalando a serra de São Domingos, entrando na vila do mesmo nome. Continuam atravessando rios, cruzando chapadões. Agora são os afluentes do Tocantins e é o próprio Tocantins, rio amazônico: o Tocantinzinho, o Paranã, o Palma, o Manoel Alves, o Manoel Alves Pequeno e o Manoel Alves Grande, o rio das Balsas e o rio do Sono, nesse traçar da carta geográfica do Brasil.

A Coluna marcha no rumo do Tocantins, que atingirá na cidade de Porto Nacional, seguindo daí pela sua margem até o rio Manoel Alves, divisa de Goiás com o estado do Maranhão.

Toda essa marcha foi feita sob combates. No dia 26 a vanguarda, que João Alberto chefia, penetra na cidade de Mineiros. No dia 27, às quatro horas da tarde, a retaguarda, Cordeiro de Farias no comando, trava combate com as forças governistas de Klinger. Cordeiro, após duas horas de fogo cerrado, domina a situação e continua a marcha, impedindo que Klinger possa perseguir a Coluna, atinge no dia 29 a Invernada Zeca Lopes onde, por proposta de Juarez Távora, espera a chegada das tropas batidas de Klinger para destroçá-las num combate final. Klinger porém marchou rapidamente, atacando a retaguarda, agora comandada por Djalma Dutra, intimando a Coluna a se render. Os destacamentos de João Alberto e Siqueira Campos marcharam em ajuda a Dutra, obrigaram Klinger a entrincheirar-se numa posição difícil, lugar onde faltava água e comida. A ofensiva de Klinger, a ofensiva acompanhada de proposta de rendição, se transformara numa retirada. No dia 30 continua o combate terrível, o inimigo muito melhor armado, melhor municiado, com um efetivo maior. Mas o entusiasmo dos soldados da Coluna não tem comparação. Caem os homens mortos de parte a parte. Klinger luta como um homem que defende sua única possibilidade de não ser aniquilado. Os homens da Coluna lutam como sabem lutar os soldados da Revolução. Lutam como lutou nesse dia o tenente Modesto Lafayette Cruz, que aí deixou sua vida. Ele tomara a iniciativa de conquistar num assalto os caminhões inimigos nos quais estavam as metralhadoras que varriam as linhas da Coluna. Modesto reúne seus homens e avançam todos sobre os caminhões, de peito aberto, as metralhadoras abrindo claros entre eles. Marcham contra elas, uma faca, um revólver, um punhal. Modesto vai na frente, a metralhadora canta no seu peito, ele cai, mas o pelotão continua, sua última ordem fora uma ordem de avançar. O pelotão conquista dois caminhões contra os quais tem que se dirigir agora o fogo das metralhadoras inimigas.

Às oito horas da noite, ainda sob o fogo, a Coluna, onde as balas inimigas haviam aberto claros de oficiais e soldados e que havia dizimado as tropas inimigas, parte ante a perspectiva de Klinger receber reforço pela estrada que ia da Invernada à cidade de Mineiros. A Coluna atravessa fazendas, rios, penedos, os maravilhosos penedos das "Torres do Rio Bonito", destrói pontes, constrói balsas, entra na cidade de Rio Bonito no dia 5 de julho, primeiro aniversário da revolução de São Paulo, terceiro aniversário da revolução do Forte de Copacabana. Juarez, Pinheiro Machado e Pedro Palma discursam, um padre reza uma missa. E outro padre, seguindo a tradição do clero pobre e revolucionário do Brasil, se une às forças da Coluna: o padre Manoel de Macedo. Nesse ano de marcha a Revolução andara muito. Não apenas cortando o interior do Brasil, mas aprofundando os seus problemas, instigando e esperançando o povo. Nesse ano o nome antes desconhecido do capitão de engenheiros Luís Carlos Prestes era o nome nacional do general Luís Carlos Prestes, chefe da Coluna, levando a revolução pelo Brasil. Siqueira Campos que vinha da manhã épica dos Dezoito do Forte, do levante como um Putsch para derrubar o governo numa manobra violenta, constatava agora que uma revolução sem a massa era apenas mudar um homem por outro. A lição de Prestes, lição que ele aprendera na marcha, era lida pelos oficiais e pelos soldados. Agora, o povo já se acercava da Coluna, os governistas tinham muito mais dificuldade em caçar gente para os seus batalhões de voluntários. Agora a gente vinha do interior mais distante ver o general Luís Carlos Prestes, que destruía os troncos, fazia fogueiras com as palmatórias, com os livros de impostos, com os processos iníquos. Vinha ver os seus oficiais, João Alberto, Cordeiro de Farias, Djalma Dutra, Trifino, Ari, Siqueira Campos, a quem um sírio emocionado beija a ponta da barba nazarena num gesto oriental e cômico de carinho. Os homens escrevem cartas a Prestes, dizendo-lhe que dão seu nome bem-amado aos filhos recém-nascidos, que dão seu nome aos jardins pobres das suas casas já que não o podem dar às praças públicas.[66] As populações já se dirigem aos chefes revolucionários fazendo-lhes pedidos, confiando neles.

Assim a população da cidade de Anápolis, distante três léguas da qual se encontrava, no dia 23, a Coluna continuando a marcha. Os habitantes vêm pedir que a Coluna não penetre na cidade para evitar um possível combate com forças inimigas a chegar. É um pedido e um aviso, a vida da Coluna já interessava às populações. Prestes acede e a Coluna parte, rumando para o norte.

Mal iniciara a marcha, o destacamento de Cordeiro de Farias, que acabava, como vanguarda, de atravessar uma mata onde a Coluna marchava agora, se encontra com as forças inimigas de Klinger. Essa é a manhã do combate decisivo contra as forças governistas em Goiás. Klinger estava com suas tropas na estrada de rodagem, ante um morro junto ao qual ficava a cidade de Anápolis, que seria o campo de batalha se Prestes não fosse avisado pela população. São dez horas da manhã quando Cordeiro de Farias inicia o combate com Klinger. João Alberto ocupa uma curva da estrada, para cortar a retirada ao inimigo. A luta se prolonga até as quatro horas da tarde. Apenas um automóvel com o médico das forças governistas consegue escapar. Os caminhões de Klinger, os caminhões por cuja posse o tenente Modesto e tantos soldados deram a vida no combate da Invernada Zeca Lopes, são conquistados agora, quando a Coluna obtém uma espetacular vitória contra as forças de Klinger, obrigando-as a se internarem na mata à sua retaguarda deixando caminhões, armas, munições, muitos prisioneiros, homens mortos na estrada.

Vendo arder a fogueira imensa dos caminhões inimigos, a Coluna parte após o combate. No dia 28 João Alberto, novamente fazendo a vanguarda da Coluna, bate uma força da polícia do Rio Grande, na ponte do rio Descoberto, ao lado da cidade de Santa Luzia, apoderando-se de munições. No dia 6 de agosto Siqueira Campos bate a polícia goiana ao lado do rio Arraial Velho, no Planalto Central. A Coluna, no dia 11, cruza a serra do Paranã, invade o estado de Minas, em São João do Pinduca. Prestes, nesse momento, estuda as possibilidades de invadir o território da Bahia. Ele e Miguel Costa confiavam em que nesse estado as forças da Coluna podiam ser ampliadas de muito e seguiriam para o Nordeste com grandes efetivos. Mas, ao mesmo tempo, Prestes receia se colocar entre o mar e o rio São Francisco. João Alberto é destacado com noventa homens para marchar até o rio São Francisco, estudar *in loco* a situação. No dia 19 ele chega à vila de São Romão, margem esquerda do São Francisco. Encontra-se aí com um navio e duas chatas que conduziam de Pirapora um batalhão da polícia baiana, antes sob o comando geral de Rondon no Paraná. João Alberto ataca a força na vila mas é obrigado a retirar-se e vai esperar na boca do Urucuia o navio e as chatas. Deixa aí duas metralhadoras e acampa uma légua adiante. No dia 21, numa curva do rio, aparecem as embarcações. As metralhadoras do destacamento da Coluna abrem fogo, infundindo pânico entre as forças do governo. Soldados se atiram n'água, o coronel Alberto Costa, que chefia essas forças, não sabe o que fazer. O navio desgoverna e fica a salvo das metralhadoras, o que permite aos governistas volverem ao navio e seguirem viagem antes que João Alberto chegasse com os seus homens. No dia 24 Djalma Dutra à frente de alguns homens faz um reconhecimento na cidade de São Francisco, na margem direita do rio, tiroteando com o inimigo. João Alberto regressa e Prestes resolve não invadir a Bahia, voltando a Goiás, caminho do Maranhão. Marcham por uma zona deserta da Bahia, entram novamente em Goiás em 7 de setembro, Dia da Pátria. Da vila de São Domingos marcham para o Maranhão, passando por Posse, Riachão e Conceição. Vão quase sem munições, os últimos combates haviam feito gastar muitos dos poucos tiros que a Coluna possuía. Não há, amiga, uma só bala para as metralhadoras. E a Coluna só tem um único fornecedor de munição: o governo inimigo, através das suas tropas batidas. Entre chuvas torrenciais e queimadas que os soldados faziam nos campos antes secos, a Coluna se adiantava para o norte. Agora os habitantes se reúnem em torno dela, se dependuram nela, como disse o poeta, negra, nas regiões hoje miseráveis que foram antes as regiões do ouro, aventureiros chegando de toda a parte na febre do dinheiro. Padres velhos e negros rezam missas pelo sucesso da Grande Marcha. Juarez fala explicando ao povo a revolução. Os homens beijam a mão de Miguel Costa, o comandante. Se emocionam ante Prestes, o grande general. A esperança já marcha na frente da Coluna, na voz dos seus feitos, onde ela chega já encontra as lendas que nasceram dela, a confiança que dela decorre, a esperança, a esperança, amiga. De toda parte vem gente para ver o Cavaleiro da Esperança, a Coluna Invicta, para assistir às fogueiras dos livros de impostos, aos discursos de explicação na voz de Juarez, de Pinheiro Machado, do padre Manoel de Macedo, a batina substituída pelo fuzil, do "bacharel feroz", o capitão Moreira Lima, hoje advogado único da gente pobre do interior, o que decidia das infâmias dos processos e libertava os presos com suas sentenças revolucionárias. Um major tenta levantar uma parte da Coluna contra os chefes. Esse desejava não uma revolução em marcha, indo ao povo e levantando o povo. Queria, amiga, a tomada imediata do poder para usufruir das vantagens dele. Convida para o levante o padre Macedo e o tenente Agrícola Batista. Seu plano era simples: apoderar-se da caixa da Coluna, 2500 contos que nela havia, apoderar-se das armas, fazer da Coluna um grupo de saqueio de vilas e cidades, marchar para o sul levando o que encontrasse de valioso pelo caminho, se internando milionário na Bolívia. Esse major é o anti-Prestes. Para ele não existia a justiça, os fins da Coluna não eram os seus fins. O padre Macedo e o tenente Agrícola se horrorizam com o plano. Esses pensavam como Prestes, se haviam levantado porque conheciam a desgraça da vida da gente pobre. Denunciam a traição do major, Miguel Costa o expulsa da Coluna junto com os oficiais que conspiraram com ele.

A Coluna continua sua marcha para o Maranhão. Siqueira Campos derrota a polícia goiana que perseguia a Coluna, esta chega a Chuva de Manga, no rio Palma. Atravessa esse rio, chega à cidade de Natividade, marcha sobre Porto Nacional. Aí é publicado um número de *O Libertador*, o jornal da Coluna. De Porto Nacional a Coluna segue para a fronteira maranhense. As tribos indígenas, sofredoras dos maiores sofrimentos, perseguidas por todos, procuram a proteção da Coluna. São xavantes e javaés que encontram Prestes na serra do Piabanha. Dizem-lhe das suas necessidades e das suas desgraças, acompanham a Coluna durante dias. Em Pedro Afonso cruzam o rio do Sono, marchando a vanguarda da Coluna para o Maranhão, através de Jalapão. O grosso das tropas segue pelas margens do Tocantins, para alcançar no dia 11 o rio Manoel Alves Grande, penetrando no estado do Maranhão. Prestes concluíra, amiga, a campanha de Goiás, derrotara as tropas de Klinger, levantara o povo do estado.

No seu rastro ficou o desejo de revolta, o gosto bom da justiça entrevista pelas populações durante a sua passagem. Ficou a certeza de que havia uma vida melhor, que era necessário conquistá-la. Ficou nesses campos, planaltos e rios de Goiás entre a gente escravizada, o germe da revolução.

O coração de Prestes, amiga, se confrangera diante dos troncos da época da escravidão ainda levantados no país de Mato Grosso e Goiás. Nos ervais ele vira a escravidão nas suas formas mais sórdidas.[67] Vira os senhores dos latifúndios, os patrões e os capatazes, chicote numa mão, revólver na outra, na sede da fazenda o tronco, a palmatória, os instrumentos de tortura, o armazém fornecedor, instrumentos de escravidão. Seus olhos humanos se empaparam nessas visões. Seu sorriso ficou mais triste, seu rosto tranquilo ficou mais fechado de revolta. Nas noites de estrelas e pirilampos ele vira os papudos como uma legião miserável. Os doentes da moléstia de Chagas, trágico espetáculo de Goiás. Essa era a terra verde das esmeraldas, mais pirilampos na terra que estrelas no céu, terra rica e bela; essa era, amiga, a terra mais pobre do mundo para o homem que a habitava. A mais trágica também. Como uma desgraça maior que todas, a praga da doença de Chagas matava homens no país abandonado pelos médicos, pelo governo, pelo ministério e pela secretaria de Saúde Pública, o ministro pensando um discurso bonito, o secretário tratando de fraudar uma eleição, que lhes importava a doença de Chagas? Que lhes importavam os papudos no interior, morrendo às dezenas? Ao entrar em São João do Pinduca, um povoado na fronteira de Minas e Goiás, Prestes constatou que toda a população estava atacada da moléstia de Chagas. Eram negros abandonados do mundo, uma raça desaparecendo, uma cidade que morria. Longe de toda a civilização, dos remédios, dos médicos, do conforto, da higiene. Era uma visão de morte coletiva, aos poucos, durante meses e anos, os negros papudos sem nenhuma esperança. Iam acabando devagarinho, o silêncio cada vez se fazendo mais o dono da cidade. O rosto sereno de Prestes se fechou ainda mais. Mais triste o seu sorriso ainda, amiga. Cada vez ele mais se sentia distante dos chefes políticos da revolução nas cidades grandes, iguais aos chefes governistas. Cada vez mais perto do povo. Distribuindo justiça, estudando, vivendo, começando a pensar no dia da grande revolução.

Nas margens do rio, ele viu, amiga, chegarem os índios, os xavantes e os javaés, despojados de tudo, caçados como feras, perseguidos como criminosos. Vinham lhe pedir, a ele, general da revolução, proteção e enxadas para cuidar da terra.[68] Viu em Porto Nacional o preto João Francisco amarrado há quatro anos numa corrente. Antes, amiga, passara sete anos de martírio no tronco, como um escravo. Estava condenado a trinta anos de prisão porque o juiz que o julgara estava bêbedo na hora de lavrar a sentença, apesar de o júri o haver absolvido. O advogado não se interessou em apelar, aquele cliente não pagava. Há onze anos o negro velho João Francisco, que não tinha crime, que fora absolvido, pagava, sete anos de tronco, quatro de correntes nos pés e nas mãos, a bebedeira do juiz. Assim era e é, amiga, a justiça no interior do Brasil. Viu os livros de cobranças de impostos, impostos para os pobres que os ricos eram donos da terra, nada pagavam, apenas cobravam. Viu com que alegria as populações assistiam à fogueira feita com esses livros. Viu a gente que controlava, tremendo, na angústia de que não queimassem os recibos lavrados contra eles.[69] Seus olhos tristes ante tanta injustiça, tanta miséria, tanto sofrimento e tanta desgraça! Seu coração revoltado, suas mãos de vingança, suas mãos de justiça, não mais a serviço de um pensamento indeciso e informe ainda. Agora a serviço do povo. Marchando com sua tranquila coragem, com sua magnífica esperança no dia da justiça.

No rastro da Coluna, amiga, em Mato Grosso e Goiás, como antes no Rio Grande do Sul, em Santa Catarina e no Paraná, ficava a esperança na recordação do seu Cavaleiro que passara, Luís Carlos Prestes na frente da Coluna.

Nas casas pobres, amiga, nas casas dos sem justiça, dos sem pão e sem liberdade, como o retrato de um santo, ao lado da oleografia de são Roque, de são Benedito e da Virgem, recortado de um jornal, estava o retrato do jovem oficial barbado e sério, um pouco triste, de olhos ardentes, seu olhar no futuro. Como um santo, duas velas ardendo embaixo, a gente rezando para ele. Como aquele em quem se devia esperar. Em cada casa pobre, em cada choça, em cada cabana, em cada mocambo, em toda parte onde se desejava a liberdade, como um marco de esperança pendia o retrato de Luís Carlos Prestes, amiga. Embaixo duas velas, em torno a esperança.

Agora a Coluna ia iniciar a campanha do Maranhão e Piauí, de onde desceria para o Nordeste, atravessando Ceará, Rio Grande do Norte, Paraíba, Pernambuco, Bahia. Ia vencer combates, lutar, marchar incessantemente. Mas, já agora, das fazendas, dos povoados e das cidades, viriam as famílias, numa alegria de dia de festa, assistir à passagem dos soldados de Prestes. Levavam café, leite, doces de milho, remédios para os feridos. Essas são cenas que de agora em diante se repetem a cada dia. Já sabem o que é a Coluna, os motivos por que ela marcha, por que combate. Já sabem quem é Prestes, o que ele quer, o que ele faz. Seu nome já é o mais popular de todos os nomes do país. Sua cabeça posta a prêmio no Rio, os sertanejos, os nortistas, trazendo flores e comida para ele e para seus soldados. Assim, sob essa emocionante solidariedade do povo, foi feita a campanha do Piauí e do Maranhão, amiga.

O destacamento João Alberto atravessou para o Maranhão, pelo Passo Cordeiro. Logo depois atravessou o grosso da Coluna e, no dia 13, o destacamento Cordeiro de Farias, com o qual ia Juarez Távora, adiantou-se para a cidade de Carolina, ao norte. Outra parte da Coluna toma o rumo de Santo Antônio das Balsas, marchando daí para São Raimundo das Mangabeiras, onde penetra a 28. João Alberto, com seu destacamento, já partira para Grajaú com a missão de libertar o tenente-coronel Paulo Kruger, que fora enviado por Miguel Costa e Prestes aos chefes oposicionistas do Maranhão com uma missão política. Kruger caiu prisioneiro dos governistas e foi transportado para a capital do estado antes que João Alberto chegasse com a sua força. A Coluna, no dia 2 de dezembro, ocupa Loreto, vila na fronteira piauiense. Em Riachão o destacamento Cordeiro se reunira a ela. Djalma Dutra domina a vila de São Félix, travando pequeno combate, e a Coluna chega a Mirador a 7. A Coluna vai-se adiantando pelo estado do Maranhão, para o norte, com a ideia de ameaçar a capital do Piauí, a cidade de Teresina, situada nos limites com o Maranhão.

O plano de uma revolta que entregasse o estado às forças da Coluna fracassara com a prisão de Kruger. Prestes, de acordo com Miguel Costa e Juarez, resolve então a invasão do Ceará. Mas como este estado se encontra fortemente defendido pelas forças de Bernardes, Prestes imagina chamá-las em sua perseguição através de uma campanha rápida pelo Maranhão e Piauí. Se ele se demorasse nesses estados, ameaçando cidades, marchando de um lado para outro, as forças governistas acorreriam e o Ceará ficaria em condições de ser invadido. Prestes realiza admiravelmente seu plano. As tropas da Coluna nos começos de dezembro estão acampadas em Loreto, a treze léguas do rio das Balsas. Somente o destacamento João Alberto avançava de Grajaú em direção a Mirador.

As forças governistas, num total de 1500 homens, um batalhão do Exército, o 23º BC, forças da polícia cearense e forças de cangaceiros que o governo contratara, se aquartelavam em Benedito Leite e Uruçuí, cidades do Piauí, nas margens do rio das Balsas. Daí foi que a Coluna avançou para Mirador. O destacamento de Djalma Dutra enganara o inimigo, marchando paralelamente ao grosso da tropa, chamando para si a atenção dos bernardistas. Trava diariamente tiroteios até que o inimigo abandona Benedito Leite e Uruçuí, partindo então a Coluna para a cidade piauiense de Floriano. Ao mesmo tempo o destacamento João Alberto chega de Grajaú e Prestes o envia para as margens do Parnaíba.

Djalma Dutra, um dos mais bravos oficiais da Coluna, havia obtido no combate de Uruçuí uma vitória marcante. Da tarde de 7 até a madrugada de 8, parte das suas forças tiroteia com o inimigo na altura de Benedito Leite. Enquanto isso informam-no de que os governistas descem reforços pelo Parnaíba em navios e balsas. Avança para a vila Nova Iorque onde ataca um dos vapores que conduzia a tropa de Bernardes. João Alberto se aproxima também e o inimigo abandona precipitadamente todas as suas posições em Benedito Leite e Uruçuí, tomado de pânico.

Nos mesmos dias desse combate, Siqueira Campos, em cujo destacamento ia o subchefe do Estado-Maior, o tenente-coronel Juarez Távora, ocupou Picos, vila maranhense, tendo os civis que a defendiam fugido para Almeida, onde Siqueira os desbaratou. No dia 10 o destacamento entra em Passagem Franca, no Parnaíba.

Prestes planeja tomar a cidade de Floriano, mas o inimigo foge desta cidade e da de Amarante já agora ameaçada pelo destacamento de Siqueira. No dia 20, Juarez que vinha com esse destacamento penetra em Amarante onde Prestes já chegara horas antes. O QG se estabelece em Floriano ao mesmo tempo em que Dutra e João Alberto, ao mando de Juarez marcham em direção a Teresina pela margem direita do Parnaíba, enquanto pela margem esquerda marcham Cordeiro de Farias e Siqueira Campos, sob o comando geral de Prestes que vai com esses destacamentos. Miguel Costa, com parte da Coluna, guarda as posições de Floriano. É o ataque, amiga, à capital do Piauí.

Távora a 23 chega a São Pedro, no dia de Natal se avista com Prestes em Riacho Seco, toma contato com o inimigo a 28, dia em que Prestes chega a Flores. Três mil homens defendiam Flores e Teresina, sob o comando do coronel Gustavo Bentemuller. O general João Gomes era o chefe supremo das forças governistas nos dois estados. Mandava 7 mil homens do seu QG em São Luís do Maranhão. As forças que marchavam contra os 3 mil governistas eram oitocentos homens, quatrocentos com Prestes, quatrocentos com Juarez. Miguel Costa com o QG, deixa Floriano e marcha com trezentos homens na retaguarda das forças de Juarez. Do lado inimigo a coluna do coronel Almada buscava ligação, vindo do sul, com as forças de Bentemuller. Os tiroteios sucediam-se desde 23, os governistas gastando munição.

Prestes ataca a cidade de Flores, cortando as comunicações ferroviárias entre ela e Caxias, enquanto Juarez ataca Teresina. O plano de Prestes está no seu momento supremo. O governo, alarmado com a possibilidade da capital do Piauí cair nas mãos da Coluna, envia para este estado quanta força dispõe no Ceará. O Ceará fica virtualmente desguarnecido. Prestes ordena a retirada do cerco de Teresina e Flores, ante os governistas assombrados, e marcha para o Ceará. O inimigo se prestara perfeitamente ao plano do general revolucionário.

No cerco de Teresina, amiga, a Coluna perdeu a colaboração de Juarez Távora. Fora feito prisioneiro das tropas do governo quando de um reconhecimento. Juarez que fizera o levante em São Paulo, digno substituto de seu irmão Joaquim, que fora enviado ao Rio Grande para levantar esse estado, era o subchefe do Estado-Maior e a ele muito ficara a Coluna devendo no decorrer da marcha até ali. Sua competência de militar, sua honestidade pessoal e profissional, sua retidão de caráter, haviam sido elementos marcantes no êxito da marcha. Ele era o orador que expunha os fins da Marcha e se, anos depois, iria se separar de Prestes, suas soluções para o problema brasileiro baseadas em outras teorias filosóficas e sociais, ele é, sem dúvida, uma das expressões mais puras do tenentismo. Iria ser o soldado mais popular da revolução de 30 no Norte, iria depois se afastar da política quando as forças mais retrógradas se apossaram do Brasil. Não acompanhou Prestes na Aliança Nacional Libertadora, tampouco quis ficar com o regime fascistizante de 1937. Seu afastamento da política é uma prova de que os tenentes honestos de 22 e 24, mesmo os ideologicamente longe de Prestes, não estão com a mesquinha traição da pátria praticada pelos fascistas e quintas-colunas.

Preso, Juarez escreve a Prestes uma carta que atesta seu caráter e sua nobreza.[70] A Coluna marcha para o Ceará. Marcha lutando. Siqueira bate-se com a polícia pernambucana, sob o comando do coronel João Nunes, em Valença. Mendes Morais, capitão da Coluna, ocupa a cidade de Picos. Cordeiro de Farias é atacado por Almada.

No dia 20, sob as aclamações dos soldados, Luís Carlos Prestes é promovido a general por Miguel Costa. João Alberto e Siqueira têm agora o posto de coronéis. Através a caatinga que começa e os bosques de carnaubeiras, tendo escalado a serra Grande, a Coluna chega à vila de Pio x, na fronteira do Ceará. No dia 22 penetra nesse estado, indo sestear numa fazenda, marchando em seguida para Arneirós, no rio Jaguaribe, que é transposto no mesmo dia 25. João Alberto com seu destacamento entrara mais ao norte, pela cidade de Ipu, dominando parte da Estrada de Ferro de Sobral, ameaçando esta cidade e a capital do estado. Reunidas as forças da Coluna, esta continua sua marcha pelo Ceará, na direção do Rio Grande do Norte. A 29 passa pela Estrada de Ferro de Baturité, ocupa a estação de Suçuarana, a 31 toma contato com o inimigo. No dia 2 de fevereiro chega a Boa Vista. A Coluna visa o estado de Pernambuco, onde se espera a revolução de Cleto Campelo. Esse oficial do Exército conseguira estabelecer ligação com Prestes e mandara lhe narrar do seu plano de levantar Pernambuco e Paraíba. Prestes encaminha sua marcha para aquele estado a fim de apoiar o movimento. No dia 4 de fevereiro, cruza os limites do Ceará com o estado do Rio Grande do Norte, pela ladeira dos Miuns. Essa subida numa serra abrupta, por uma picada infernal, sob o fogo do inimigo alojado no alto da serra é um dos feitos mais heroicos da Coluna. As pedras que ladeiam a picada rasgam os corpos dos homens que têm que marchar um a um, as padiolas sendo um problema terrível, as metralhadoras dando trabalho. Do alto da serra dos Miuns o inimigo metralha a Coluna. Mas esses soldados de Prestes, amiga, não desanimam com facilidade. Desalojam o inimigo, conquistam o cimo da ladeira, penetram no Rio Grande do Norte.

Desde que saíra de Goiás, a Coluna atravessara três estados: Maranhão, Piauí, Ceará. Prestes vira passar mais um seu aniversário no calor do combate, na febre dos planos traçados durante as marchas. Fora promovido a general, perdera a colaboração de Juarez, dominara com sua força moral a insubordinação de Benício dos Santos. Esse era um civil gaúcho que acompanhava a Coluna desde o Rio Grande do Sul com uma tropa de amigos. A disciplina militar, dura e severa, pesava sobre esse homem acostumado à vida solta dos pampas. Na noite de 3 de dezembro, quando comemoravam o aniversário de Miguel Costa, Prestes repreende um sargento que pratica desordens. O sargento o desrespeita e é preso, com mais alguns soldados. Esclarecido que os homens haviam agido por ordem de Benício, Prestes impede que Miguel Costa os castigue, reenvia-os para o seu destacamento e, acompanhado tão somente de Landucci, seu ajudante de ordens, vai até os homens de Benício. Chama-o, se põe à frente dele e do seu batalhão e, com os que o haviam tentado matar na véspera, faz uma marcha de 24 horas. Na frente vão ele e Landucci, logo atrás Benício e o sargento que, por ordem daquele, havia sacado seu revólver contra Prestes. Atravessam matas, cruzam rios, marcham e marcham, Benício e o sargento e os soldados agora só têm remorso no coração, mais uma vez Prestes os conquistou. Assim era ele, amiga, impávido e reto, assim conquistava a estima, o respeito e a admiração dos seus homens.

Nessa campanha de três estados, Prestes se encontrou com o impaludismo. Antes fora a praga das sarnas que batera sobre a Coluna, os homens barbados e peludos parecendo imenso bando de macacos que se coçavam. Mas, na travessia do rio Piauí, quando das grandes chuvas, o impaludismo derrubou quatrocentos homens da Coluna. Prestes marchava com febre, quase nenhum oficial escapou. Mas, esses homens não sentiam a febre, a maleita não os jogava no chão. Alimentavam-se dessa mesma febre do impaludismo para os atos mais heroicos. Aquela marcha alucinante já não podia ser rota por uma epidemia de maleita. Os homens tremiam no frio do impaludismo, faltos de quinino, de qualquer outra medicação, mas ainda assim marchavam e combatiam. As horas do delírio que o impaludismo traz todos os dias com uma constância infatigável não eram novidades para aqueles soldados, para aqueles oficiais, para aquele chefe. Um sonho febril já era a própria marcha da Coluna, sonho que tanta gente considerava impossível e que eles estavam realizando ante o assombro dos mais sábios estados-maiores dos exércitos do mundo. Que era o impaludismo para esses homens? No Piauí a maleita se segurou na Coluna e foi sua companheira até a Bolívia. Não deixaram mais de ter febre, mas se acostumaram com ela, não a contavam mais como doença.

No terreno seco do Ceará, onde o sol era o inimigo maior, o impaludismo diminuiu. Haviam morrido muito poucos homens, seis para quatrocentos doentes. Depois das chuvas de dilúvio do Piauí, o Ceará apresentava uma paisagem desolada de seca. As areias onde o sol brilhava como sobre um espelho, eram levantadas pela ventania ardente. Era o deserto. Era como atravessar sobre fogo, os pés queimando, o sol apertando a garganta seca dos homens. Depois do mistério das selvas de Mato Grosso, dos gerais e do planalto de Goiás, das chuvas palustres do

Piauí, era a fogueira do Ceará que queimava gerações nordestinas nas secas periódicas. A Coluna vai sob o sol terrível, vencendo o sol, a areia e o vento causticante, como vencera o impaludismo. Como estava vencendo os cangaceiros.

Lampião se havia oferecido a Prestes, o general recusara sua adesão. Lampião foi dono desses estados do Nordeste durante muitos anos. Partira da injustiça dos donos da terra, das leis bárbaras contra os pobres, para a vingança do cangaço. A revolta virando banditismo, saque, estupro e morte. O governo contrata Lampião para combater a Coluna. Ele é feito capitão num insulto ao Exército, mais um insulto da tirania da época. E como ele, o governo arrebanhou quanto cangaceiro existia no Nordeste, para lançar contra Prestes. Foram os homens do padre Cícero, taumaturgo do Ceará. Na esperança dos seus milagres, da sua intimidade com a Virgem, se dependuravam as populações nordestinas. Viajavam léguas e léguas para tomarem a bênção ao padre Cícero. Juazeiro do Ceará, sua cidade e sua fortaleza, era o reduto onde os cangaceiros se homiziavam. Padrinho de Lampião, prometendo a toda a gente desgraçada um milagre caído do céu, do manto estrelado da Virgem que um dia melhorasse as suas vidas. O padre Cícero não aceitou tomar parte na luta contra Prestes. Talvez que, na sua loucura religiosa, na sua bondade atrapalhada, querendo ajudar os sertanejos, não tendo para lhes dar senão os milagres, desconhecendo os caminhos que poderiam levar os homens a uma vida melhor, talvez ele tenha sentido que com Prestes vinha a palavra verdadeira de libertação para os seus sertanejos infelizes. Não aceitou luta contra ele mas todos os Floros Bartolomeus, que exploravam o seu prestígio de santo supersticioso junto aos nordestinos, aceitaram de bom grado o dinheiro e os postos militares, armaram os cangaceiros e saquearam cidades e vilas, povoados e fazendas, já que não conseguiam vencer a Coluna.

É que, amiga, se tornava cada vez mais difícil ao governo formar os "batalhões de voluntários". Esses voluntários eram caçados a laço pelos senhores feudais, os donos dos latifúndios de Mato Grosso e Goiás. Os seus escravos que eram lançados contra a Coluna, aparecendo nos jornais de Bernardes, sob a censura carola de Jackson de Figueiredo, como patriotas que se alistavam para defender a "boa causa". Os feitos da Coluna, os militares e os sociais, a distribuição de justiça, impossibilitaram, no Nordeste, a caça desses "voluntários" pelos chefetes políticos. As populações desertavam para não formarem contra Prestes. O governo teve de recorrer aos cangaceiros, bandidos de profissão, terror dos sertões, para formar tropas contra a Coluna. Foi assim, amiga, que Virgulino, o que foi decapitado anos depois nas margens do São Francisco, foi feito capitão. O capitão Virgulino Ferreira Lampião, homem de Bernardes contra Prestes. Rezavam os governistas por Lampião, o que deflorava virgens, matava inocentes, capava gente, roubava ricos e pobres. Por ele o padre-nosso e a ave-maria.[71]

Luís Carlos Prestes vencera o impaludismo, o sol, as florestas e os rios. Vencia os cangaceiros também. Seu nome, como uma chicotada na face dos inimigos do povo, ressoava sob os céus do país. Nos lares pobres, nas choças, nos mocambos, nas senzalas do país, as mulheres de faces cavadas, as crianças doentes, os homens escravizados imploravam aos céus, aos seus deuses misturados, brancos, índios, negros, deuses mesclados de religiões e superstições, imploravam pela vitória do Cavaleiro da Esperança. Também da caatinga ardente sobem preces para os céus, amiga.

16

A COLUNA, AMIGA, ENTRAVA AGORA EM PLENA CAMPANHA DO NORDESTE, tomando o caminho do rio São Francisco. Mais três estados vão ser atravessados pelos soldados de Prestes: Rio Grande do Norte, Paraíba e Pernambuco. Nessa travessia vai haver o sangrento combate de Piancó, onde Cordeiro de Farias e seus soldados vão se cobrir de glória, onde os bernardistas vão se superar nas torturas aos revolucionários que caíram prisioneiros. É também nessa travessia que o gênio de Prestes realiza uma das suas mais audaciosas manobras militares: quando três colunas governistas procuram cercar a Coluna acampada na fazenda Buenos Aires, num contraforte da serra Negra. O governador de Pernambuco já comunicara ao Rio de Janeiro, numa antecipação da vitória, que as forças revolucionárias estavam cercadas e perdidas, nada mais lhes restando, senão morrerem ao tentar escalar a serra. Quinze mil homens se preparavam para acabar com a Coluna Prestes, liquidar a revolução em marcha no país. Prestes se demorava ali à espera de notícias da revolta de Cleto Campelo que devia estalar em Recife. O fracasso dessa revolta, ainda não conhecido por Prestes, ativara os governistas. O cerco da Coluna foi revelado na tarde de 22. Prestes então faz uma volta sobre si mesmo, de 23 léguas, marchando em marchas forçadas através da caatinga, abrindo picadas, em lugares onde nem mesmo os cangaceiros haviam nunca penetrado, sob uma chuva infernal, cruzando atoleiros, andando dia e noite, numa média de treze léguas diárias, enquanto as colunas governistas continuavam cercando a fazenda Buenos Aires tentando espremer entre elas e a serra Negra os soldados de Prestes. Este, tendo descrito um arco, saía no rio São Francisco, atravessando para a Bahia. As tropas governistas não encontraram na fazenda Buenos Aires nem rastro da Coluna Prestes. Essa foi uma das grandes manobras que o general de 27 anos realizou na marcha através do Brasil. Os caminhos intransponíveis, a caatinga inconquistada, os atoleiros jamais varados, os soldados enterrados na lama até a barriga, as padiolas com os doentes e os feridos sendo levados através de todas as dificuldades, os cangaceiros bordeando a caatinga onde não se haviam atrevido jamais a entrar, esperando o aparecimento dos homens da Coluna para liquidá-los, os cavalos morrendo nos atoleiros, uma marcha fantasmagórica, dia e noite.

Os soldados num mar de lama. Aqueles atoleiros pareciam não ter fim. Na noite imensa de horas compridas, eles seguiam, o chefe na frente, lama até quase seus ombros. Os espinhos da caatinga rasgavam as carnes. Os animais noturnos piavam ao longe, corujões espantados. Uma rã gritava na boca de uma cobra, os soldados seguiam, o atoleiro nunca terminava. Os doentes prendiam gemidos nos balanços das padiolas. A noite sem lua, o céu sem estrelas. Um soluço de dor na boca dos homens, um estrangulamento de medo nos seus corações. Voltar era impossível: os 15 mil governistas cercavam a fazenda de onde eles haviam vindo. Por detrás, a serra Negra e nela a morte. Na caatinga de atoleiros e espinhos, o medo morava. Os soldados olhavam o céu escuro, nem uma estrela para guiá-los. Gritos de rãs assassinadas, gritos agoureiros das corujas. Nem uma estrela, os homens perdidos na lama. Olhavam para a frente. Existia uma estrela, amiga. Olhavam para ela, o chefe que marchava rasgando os caminhos, Luís Carlos Prestes andando na lama. Uma estrela. Os doentes prendiam os soluços de dor, os soldados expulsavam o medo do coração. Dois dias depois chegavam às margens do rio São Francisco. Haviam atravessado o caminho do inferno, onde Lampião nunca entrara, nem mesmo ele, que nascera e morava na caatinga. Por esse caminho Prestes entrou e por ele salvou seus homens da morte, salvou a Coluna da destruição.

Essa foi, amiga, a manobra final da campanha dos três estados. Haviam vindo do escalar sob o fogo inimigo a ladeira dos Miuns. Na entrada do Rio Grande do Norte os destacamentos de Ari e de João Alberto liquidam, na vila de São Miguel, as forças "patrióticas" dos cangaceiros a serviço do governo. A 5 de fevereiro a Coluna escala a serra Luís Gomes, entra na vila deste nome, na fronteira com a Paraíba. Penetra nesse estado, onde João Alberto é encarregado de procurar ligação com os tenentes Seroa da Mota e Souza Dantas que deviam tentar um levante na capital paraibana, em combinação com o levante de Cleto em Pernambuco. O levante havia fracassado após heroica resistência de onze revolucionários atacados por quatrocentos homens. Seroa e Souza Dantas foram presos. Na Paraíba, a Coluna atravessa as serras de Boa Vista, da Pedra Cerrada e das Pitombeiras, cruzando vários rios: Piranhas, Piancó, Santana, Pedra Lascada e Pajeú. No dia 8 o destacamento Ari está em Boqueirão de Curema, batendo o inimigo, e a 9 a Coluna marcha em direção a Piancó. Cordeiro de Farias, com seu destacamento, faz a vanguarda. Ao se aproximar da vila, Cordeiro é recebido sob cerrado fogo dos soldados da polícia paraibana e de cangaceiros. Comandava as forças do governo o padre Aristides Ferreira da Cruz, deputado estadual. Cordeiro descia a ladeira que conduz à cidade de Piancó, com os seus homens, quando foi atacado. O combate se prolongou por três horas, prenhe de atos heroicos, caindo feridos e mortos vários oficiais e praças da Coluna, os capitães Pires e Batista assaltando a cadeia pública onde se haviam entrincheirado grandes contingentes inimigos. Temerário assalto esse, amiga! Pires foi ferido três vezes, já antes tinha onze outros ferimentos. Três vezes caiu, três vezes se levantou e marchou adiante. De súbito, quando ia mais intenso o combate, o inimigo içou a bandeira branca numa casa. Cordeiro mandou parar o fogo e os soldados penetraram na cidade. Mas era apenas um ardil do inimigo e foram recebidos sob uma rajada de balas que partia da casa do padre Aristides. Djalma Dutra manda que os seus homens atirem sobre a casa uma lata de gasolina com o fim de incendiá-la. E, sob balas, penetram na casa do padre, dominando aquele último foco reacionário. Piancó caíra em mãos de Cordeiro de Farias.

A Coluna sai de Piancó a 10, atravessa a vila de Santana dos Garrotes, acampa em Pitombeiras, ocupa no dia seguinte Belém e Tavares, cruza o Pajeú e as serras de Boa Vista e Pedra Cerrada. A vanguarda penetra em Pernambuco. A 11 a Coluna se encontra toda neste estado, entrando entre Flores e Ingazeira dos Afogados, tendo acabado de cruzar a Paraíba.

João Alberto, que fora tentar contato com Seroa da Mota e Souza

Dantas, se reúne à Coluna, tendo antes atacado forças inimigas na vila de Malta, conquistando grande butim de munições e armas. A Coluna se interna por Pernambuco adentro. A 14, Dutra e João Alberto destroçam uma força da polícia pernambucana, comandada pelo coronel João Nunes. Essa força foge em debandada, deixando automóveis, caminhões, armas e munições. A Coluna continua em direção à fazenda São Boaventura. Prestes espera a cada momento receber notícias do levante de Cleto Campelo. No dia 15, a Coluna entra em São Caetano, enquanto Siqueira, com o seu destacamento, ocupa Betânia, expulsando daí a polícia de Pernambuco. O destacamento de Ari é mandado em busca de ligação com Cleto Campelo. Siqueira luta em Mulungu, João Alberto luta em Campo Alegre. A Coluna marcha por caminhos difíceis, as chuvas, que não param, transformando as picadas em atoleiros. Em Tabuleiro Comprido a Coluna descansa à espera de notícias de Cleto. Daí parte a 21 para a fazenda Martinho. A 22 chega à fazenda Cipó. Na hora mesma da chegada é atacada pelo inimigo: tropas do Exército, da polícia e cangaceiros. Cordeiro de Farias, na vanguarda da Coluna, aguenta o inimigo enquanto o grosso da tropa transpõe a fazenda. A travessia é feita sob fogo, combatendo especialmente os destacamentos de Siqueira Campos e Djalma Dutra. Em determinado momento os soldados de Siqueira são tomados de pânico, ao ver que o inimigo se aproxima cada vez mais. Amedrontados iniciam a debandada. Siqueira, reunindo um pequeno grupo que ficara firme, avança para o inimigo. Os soldados que já fugiam, ao ver aquela decisão valente do seu comandante, voltam às fileiras, derrotando os adversários. Cordeiro acompanhou a Coluna que partia da fazenda Cipó, combatendo o inimigo, evitando que ele avançasse contra o grosso da tropa. Horas depois da Coluna partir, o destacamento de Ari chega à fazenda onde se encontra com as tropas governistas. Bateu-se e conseguiu retirar-se indo reunir-se à Coluna na fazenda Buenos Aires. Desta fazenda Prestes inicia, quando da aproximação dos 15 mil homens do governo, a manobra através da caatinga. São aquelas 23 léguas em arco, saindo através da fazenda Cipó onde haviam combatido antes, chegando a 25 à fazenda Brejinho, distante três léguas do São Francisco. Daí o destacamento de Siqueira Campos parte como vanguarda atacando a 25 e mantendo sob assédio até 26 a vila de Jatobá, no São Francisco, onde estavam as forças governistas. Enquanto isso a Coluna atravessava o rio, passando para o estado da Bahia. A travessia foi feita pelo povoado de Várzea Redonda, a uma légua e meia de

Jatobá, onde Siqueira encurralara o inimigo. O tenente Brasil, numa canoa, se transportou com alguns soldados para a margem baiana do rio, onde se apossou de duas embarcações à vela nas quais a Coluna cruza o São Francisco. Era madrugada alta quando as barcaças velejaram pelo rio levando os homens da Coluna Prestes. Agora a lua brilhava sobre eles, a grande lua amarela da Bahia, navegavam já em águas que eram de Iemanjá, dona de todos os mares, todos os lagos, todas as cachoeiras e todos os rios do estado negro.

Nessa noite, amiga, ela não estava na sua pedra do Dique, no cais da Bahia, olhando a lua cheia, tentando com sua verde cabeleira os marinheiros apaixonados. Não. Nessa noite ela navegara num raio de luar e viera para as suas águas do rio São Francisco ver o general Luís Carlos Prestes que ia na popa de uma barcaça, a barba ao vento, os olhos penetrando a noite, o coração batendo por todos os negros e mulatos desse rio de drama. Iemanjá soprou a brisa mais fresca, estendeu seus cabelos sobre as águas para que elas ficassem mansas e doces, conduziu com suas mãos de bússola as embarcações que levavam a Coluna. Seus olhos verdes fitos em Prestes, o que sabia os caminhos das terras da felicidade. Pai dos soldados e dos sertanejos, pai dos marinheiros também, amiga.

17

AS LENDAS FICAVAM NA RABADA DA COLUNA, AMIGA, marchavam também na sua frente. Nessa terra de superstições e história, de bandoleiros e profetas, nessa terra agreste do sertão, as lendas surgem a cada instante acerca de cada coisa. Os fantasmas habitam todo o interior do Brasil, milhares de assombrações morando nas matas, a poesia como em ondas na boca dos cegos violeiros, dos pretos narradores, das negras velhas que embalaram o sono das crianças brancas e mulatas. Nessas terras, amiga, os poetas são transformados em heróis de aventuras, nunca ninguém soube onde ficam os limites da realidade e da imaginação.[72] Lendas dos negros, lendas que vieram da África para as costas da Bahia e Pernambuco. Lendas dos índios nas selvas de Goiás e Mato Grosso. Por entre elas atravessava a Coluna Prestes. E dela, desse punhado de soldados destemidos, nasciam igualmente as lendas. A Coluna conduzia o heroísmo e a justiça, conduzia a poesia também, amiga. No seu rastro as lendas, as lendas na sua frente.

Já te disse que, na voz dos sertanejos, os soldados da Coluna só comiam as partes dianteiras dos animais, para assim adquirirem aquela espantosa rapidez de movimentos que caracterizou a Grande Marcha. As patas dianteiras arrastam para frente, as patas de trás são as que querem ficar. Nas patas dianteiras está o segredo das marchas velozes. Assim o contam os sertanejos, amiga, assombrados ante a ligeireza dos movimentos da Coluna.

Nasciam as lendas das potreadas audaciosas, nasciam das vivandeiras valentes, nasciam do heroísmo dos oficiais, do gênio de Prestes. Para o interior a Coluna era o inédito, o nunca visto e o nunca esperado. As populações estavam acostumadas com os cangaceiros roubando, queimando, destruindo, violando propriedades e mulheres, com a polícia que perseguia os cangaceiros e que em nada se diferenciava deles.[73] Um grupo de homens armados representava sempre para o camponês do interior uma ameaça à sua vida, à sua família, aos seus parcos bens. Era sempre um aumento das suas desgraças, no bando vinham novas leis ainda mais terríveis que as escravizadoras leis dominantes. A lei do cangaço, a lei da polícia que perseguia o cangaço. Junto com as enchentes, os rios transbordando, levando as plantações e o gado, junto com as secas, o sol comendo as safras, sugando o sangue dos animais até matá-los, os cangaceiros e a polícia eram o tráfico cotidiano do sertão. No seu folclore tão sofrido, conduzido através do país nas violas dos cegos esmoladores, essas eram as personagens das lendas, dos cânticos, das histórias e dos ABCS.

A Coluna era diferente. Aqueles homens armados, lutando todos os dias, barbados, cabeludos, sujos e esfarrapados, vestidos de couro como os cangaceiros, como os vaqueiros tocadores de gado, ardendo em febre nas caminhadas, a maleita agarrada neles, não traziam a morte, o roubo, o crime, a violação no lombo dos seus cavalos, no rastro dos seus pés andarilhos. Traziam algo que o sertão desconhecia, algo que nunca estivera presente nos júris, nas administrações, nos impostos, nas contas com que os coronéis liquidavam com os trabalhadores: a Coluna trazia a justiça, amiga, era impossível de crer!

Mas quando os sertanejos comprovaram que era verdade, que aquele rapaz magro tudo o que queria era melhorar a vida deles, então tomaram das suas violas, das suas harmônicas, e compuseram as lendas da Coluna. Aí não se fala de desgraças como nos ABCS dos cangaceiros, como nas histórias da polícia. É um canto terno de louvor, as qualidades heroicas da Coluna, o incrível dos seus feitos, a figura do chefe, ele não era mais um homem, era um deus das selvas, de corpo fechado às balas, andando sobre os rios, adivinhando o pensamento de todos.

Contavam, amiga, que o fogo crescia lado a lado nos caminhos que a Coluna abria na mata e na caatinga, à força de facão, para proteger os soldados da aproximação dos inimigos.[74] As demoradas queimadas que resultavam ou do sol ardente, fazendo os gravetos secos se incendiarem, ou de um cigarro atirado ao acaso, se transformavam numa proteção dos céus ao Cavaleiro da Esperança. Uma vez, amiga, numa feira distante, um cego cantava sua recordação de Luís Carlos Prestes:

Deixando os soldados frios.
Passava a pé pelos rios,
as águas se endurecia.
Junto do fogo seguia,
o fogo lhe protegia
a brasa já se esfriava
quando seu pé lhe pisava.

Para os sertanejos assim era ele. Capaz de todos os milagres. A água dos rios se endurecendo, virando terra batida quando seus pés se punham sobre ela na continuação da marcha. O fogo a protegê-lo, as brasas se esfriando ao seu passar. Assim imaginavam o Herói, o homem que, como um mágico, os fazia ver as coisas das quais o sertão já havia perdido a lembrança, coisas distantes como a justiça, amiga.

Uma vez, negra, Cordeiro de Farias encontrou dois velhos, pai e filho, um com 85 anos, o outro com sessenta. Cordeiro pediu-lhes que eles lhe mostrassem as canoas com as quais poderia atravessar o rio, na margem do qual estavam. Os velhos se benzeram, admirados da pergunta. Para que canoas, se a verdade é que a Coluna conduzia um "apareio de mangaba" que colocava sobre os rios e sobre o qual passava? E falaram a Cordeiro também de uma "rede" para apanhar gente, que a Coluna transportava e da qual nem por milagre os soldados governistas escapavam.

Essas populações se acostumaram a respeitar os padres, houve um tempo em que o clero pobre defendeu os seus interesses. Depois uma grande parte dos padres ficou com os ricos, seus instrumentos de escravidão. Mas a lembrança dos padres bons restara no pensamento do sertão. E quando a Coluna chegava, os camponeses beijavam, por vezes, a mão de Miguel Costa e o tratavam de bispo, como quem lhe dava um nome bom. Como confundiam uma vivandeira com a princesa Isabel, a que ficara na memória dos pobres porque assinara o decreto de libertação dos negros. Mas Prestes era um mistério maior: nos seus olhos ardentes os sertanejos viram o dom de adivinhar. Adivinhava o pensamento de todos, ninguém podia lhe esconder nada. Para ele não havia segredos, nem os homens, nem os animais, nem a natureza bravia podiam com ele. Era maior que todos, era um "adivinho".

Os homens da Coluna marchavam com a cabeça a prêmio. Nos jornais do Rio de Janeiro, num alarde de cinismo, o governo oferecia fabulosa quantia pela cabeça de Luís Carlos Prestes. Era inútil, os sertanejos bem o sabiam. Não haveria homem, não haveria soldado, não haveria polícia, nem mesmo cangaceiro, capaz de vencê-lo. Como vencê-lo se ele não era um homem igual aos outros, era um dos deuses da selva, adivinho e milagroso? Os sertanejos sorriam ao saber que sua cabeça estava a prêmio. Ainda hoje, amiga, tantos anos passados sobre a Grande Marcha, os cegos nas feiras do Nordeste cantam o ABC de Luís Carlos Prestes:

Seus olhos adivinhava
o pensamento da gente.
Quando espiava para frente
seus olhos tudo enxergava.

Fazem seu retrato, dizem dos seus feitos. Ficou no coração dos sertanejos, nas cordas das suas violas, na esperança que deixou:

Andou por todo o sertão,
Abriu estrada a facão,
Por onde ele passasse
as coisas se indireitava,
quem era bom que ficasse,
quem era ruim se acabava.

Na boca dos cegos cantadores, na boca das populações desgraçadas do sertão com as quais ele deixou a esperança, o gosto doce da justiça, o sonho da sua volta, realidade de amanhã:

De propósito vai se acabar,
no dia que ele voltar.

Se acaba seca, os bandido,
os criminosos de morte.
Vai se acabar a má sorte
do sertão já redimido
No dia que ele voltar.

No dia que ele voltar, amiga.

18

DESCANSARAM EM SACO, LUGAREJO NA MARGEM BAIANA DO SÃO FRANCISCO. A Coluna iniciava mais uma etapa, a etapa do grande rio, onde o gênio militar de Prestes iria atingir sua plenitude, amiga. Vai arrastar atrás dele, numa corrida doida, os soldados governistas totalmente desorientados. A campanha do São Francisco é plena de grandes feitos militares. Nesse momento da entrada na Bahia, a Coluna contava com um total de 1200 homens. A cerca de 30 mil homens subia o número das tropas governistas espalhadas entre Bahia, Pernambuco e Minas. Três ou quatro vezes maior ainda[75] era o total dos soldados que o governo aliciara por todo o país para perseguir os mil homens de Prestes. Dezoito generais, vários coronéis são derrotados durante a Grande Marcha. O governo empregou todos os seus recursos militares na tentativa de derrotar a Coluna. Sem resultado. Prestes brincou com essas forças contrarrevolucionárias, fez delas o que quis, fê-las andar para a frente e para trás, se juntarem num estado quando ele queria entrar noutro, lutarem entre si, fugirem inúmeras vezes, se desorientarem sempre. Na sua visão genial, o adivinho dos sertanejos previa com um acerto absoluto os movimentos do inimigo, não lhe dava tempo a surpresas. Oferecia-lhe combate quando o achava necessário, enganava os bernardistas todas as vezes que desejava.

Agora vai atravessar o Desertus Austral, nome que Martius deu a essa região arenosa, de pedras e seixos cobrindo o chão. Vai logo depois cruzar toda a chapada Diamantina, lutando com os cangaceiros de Horácio de Matos. Vai descer a Minas e voltar à Bahia numa manobra espetacular, o seu célebre "laço húngaro". Vai subir ao norte novamente, antes de tomar o rumo do oeste, de voltar a Goiás. Palmilhará todo o estado da Bahia, de norte a sul, de leste a oeste, ficará conhecendo o São Francisco como ninguém. O São Francisco, amiga, é como a veia arterial do Brasil. Seus problemas, suas riquezas, seus dramas são o cerne dos problemas, das riquezas e dos dramas do Brasil. Existe toda uma literatura sobre esta região. Fortunas se edificaram aqui, aqui a escravidão é um drama banal. Prestes vai estudar esses problemas, como estudou os demais problemas do Brasil, em carne viva. Marchando através deles, vivendo-os.

Ora viajando sobre areias escaldantes e pedras que rasgavam os pés, ora marchando entre flores de todas as cores, azuis, vermelhas, amarelas, roxas e brancas, entre grandes troncos abraçados por trepadeiras gentis ele vai de olhos abertos para a vida das gentes, para a riqueza das terras. Aprende, amanhã ensinará. Esse devorador de livros não aprendeu o que sabe apenas nos volumes das bibliotecas. Aprendeu na vida vivida intensamente, corajosa e heroicamente.

Em dezoito dias a Coluna atravessara o Desertus Austral. Varando dias e dias regiões sem água, atravessando noutros dias zonas de caatinga, mandacarus, quixabas, croás, favelas, palmatórias, culumbis, toda uma vegetação espinhenta, onde os caminhos eram uma utopia. Às três horas da tarde de 26, a Coluna parte de Saco em direção ao rio do Inferno, limite sul do deserto. Atravessa as serras do Queimado e de Santa Rosa, cruza os rios Vazabarris, o Salitre, o Inferno e o Ema. Os homens vão a pé, os cavalos ficaram na margem esquerda do São Francisco, demasiado cansados, o seu transporte não pagando a pena. A cavalo vão apenas os doentes, os feridos e os velhos. Prestes marcha a pé, ele gostava dessas largas caminhadas, podia pensar durante elas. No dia 3 entra em Várzea da Ema, povoado que recebeu à bala a vanguarda da Coluna, feita pelo capitão Benício dos Santos. Este dominou rapidamente a situação. A Coluna, nesse momento, deixa de andar a pé para viajar no lombo de jumentos. Diante dos sertanejos de boca aberta, os heróis da Coluna Invicta passavam no lombo dos tardios jumentos, as esporas tocando o chão, num cômico desengonço. No dia 6 escalam a serra do Queimado, no dia 8 estão acampados a cinco léguas de Uauá, cidade onde seiscentos soldados da polícia saqueavam a população. O tenente Hermínio, que era baiano, ao saber dos crimes que os policiais cometiam contra os seus patrícios, junta seis soldados e mais a vivandeira Alzira e marcha com eles para Uauá, disposto a pregar um susto aos seiscentos novos donos da cidade. E o prega. Sustenta um largo tiroteio com eles, perde apenas Alzira, que é aprisionada na volta. A 11 a Coluna está próxima de Santa Rosa, pequeno povoado, onde Ari apreende um comboio de munições e alimentos que o governo mandava para a polícia estacionada em Uauá. Durante a noite houve tiroteios com o inimigo. A caminhada é vagarosa daí em diante, os destacamentos próximos uns dos outros. Assim atravessam os trilhos da Estrada de Ferro Leste Brasileiro, no ramal que une a cidade da Bahia a Juazeiro. Acampam na fazenda Cipó e no dia seguinte é reiniciada a marcha. Aí Prestes tem notícias do fracasso da revolta de Cleto Campelo em Pernambuco. No dia 15 chegam às margens do Salitre, a 16 atingem o rio do Inferno, saindo do Desertus Austral após percorrê-lo numa extensão de 558 quilômetros.

Estão diante da chapada Diamantina, nos seus limites ao norte. Essa é a região dos diamantes, das pedras tentando os homens, dos garimpos aventurosos, fortaleza do cangaço organizado com fins políticos, onde durante tantos anos dominou, como senhor e amo indiscutido, a figura curiosa de Horácio de Matos.

Feita a travessia do rio do Inferno, a Coluna chega a Alagoinhas a 18, após cruzar a serra de São Francisco e o rio Preto. Daí os homens marcham através de fazendas, escalam um desfiladeiro na serra de Cachoeira, vadeiam o rio do Brejo. Entram em povoados: Monte Alto, Caraíbas, Gabriel Lapão, Tiririca do Açuruá, Rochedo. Em Caraíbas são procurados por homens de Horácio de Matos, nada tendo resultado do entendimento. E a 27, após vencerem cinco léguas de lama como um rio pegajoso, são recebidos em Tiririca do Açuruá sob tiroteio dos homens de Horácio. Estes são batidos e fogem, deixando os mortos na estrada. No dia 28, o destacamento Dutra volta a bater-se com os jagunços de Horácio em Barra de Mendes, terminando por ocupar esse povoado. A Coluna continuava a marchar pela lama que enchia o caminho. Os homens tinham um aspecto de terrível sujeira, os pés negros de barro, as pernas sujas, lama até a barriga. A 29 na povoação de Barro Alto, Dutra se reúne à Coluna. No rio Jacaré lavam-se da lama, para seguir depois marchando nos atoleiros, logo após atravessá-lo. Agora a chuva vem aumentar o barro e aprofundar os atoleiros. As marchas são de pouco rendimento, avançam poucas léguas cada dia. A 30 se encontram em Água de Rega. Combatem em todo o caminho os cangaceiros de Horácio de Matos. É quando Siqueira Campos põe fora de combate, ferido, um dos chefes das forças de Horácio: Zeca Bento. Galgam a serra de Campestre e a 1º de abril entram em Aracuã. De todas as partes se movimentam forças governistas para combater a Coluna. Além dos soldados regulares do Exército e das polícias estaduais estavam os homens de Horácio de Matos, do coronel Franklin de Albuquerque e de Abílio Volney, todas elas bem municiadas. A Coluna, nessa travessia, está com quase absoluta falta de munições e Prestes a conduz com extrema habilidade entre as forças inimigas, evitando os combates que resultem em perda de munição, em aumento do número de feridos que dificultavam a marcha naquela região de atoleiros. Siqueira liquida adiante de Aracuã dois chefes horacistas que fugiam, Prestes envia o capitão Benício com ordem de prender uma tia de Horácio de Matos, dona Casimira, cuja fama de chefe de jagunços enchia o sertão e chegara até a Coluna. Esta se dirige para o rio Coxó, passando pela vila Sumidouro, chegando em Guarani, a 3, a Bom Jesus do Rio de Contas a 4. No dia 5 estão nos limites sul da chapada Diamantina, após transpor a serra das Grotas, numa subida de setecentos metros. Seiscentos e oitenta e quatro quilômetros havia a Coluna marchado pela região dos diamantes, combatendo os jagunços de Horácio, o senhor daquela zona, feudal e valente. Prestes ocupara dezesseis povoados e vilas, conduzira a Coluna entre forças imensamente superiores, gastando um mínimo de munição e um mínimo de homens.

A Coluna entra na cidade de Minas do Rio de Contas, onde o padre Macedo a deixa, desgostado porque, num incidente que tivera com um soldado, Prestes dera razão a este. Aí Prestes se inteira também de que Geraldo Rocha oferece aos chefes latifundiários sertanejos, em nome do governo, um prêmio de quinhentos contos de réis para aquele que "liquidar" a Coluna.[76] Já antes o acadêmico e literato Félix Pacheco fizera, no Piauí, semelhante oferecimento: cem contos pela cabeça de cada um dos chefes da Coluna.

De Minas do Rio de Contas a Coluna marcha para a cidade de Condeúba, ocupando povoados, cruzando rios. Vila Velha do Livramento, Vila Nova do Brumado, São Sebastião do Cisco, Caculé são povoados cortados nessa etapa. Os rios Brumado, São João, Antônio, Gavião são deixados para trás. A 17 a Coluna sai de Condeúba entrando no estado de Minas Gerais a 19. Duzentas e sessenta e seis léguas, 1356 quilômetros haviam sido vencidos na Bahia em 52 dias.

Ao entrar em Minas Gerais, amiga, Prestes obedecia a um plano pacientemente traçado. Queria arrastar para este estado as forças governistas convencidas de que ele marcharia para o sul, talvez em direção ao Rio de Janeiro, enquanto ele realmente pensava em voltar para o norte, atravessando mais uma vez a Bahia. Como sempre, as tropas governistas foram enganadas pela manobra estratégica de Prestes, começaram a persegui-lo em Minas, evacuando a Bahia de soldados. O Estado-Maior governista transportou rapidamente suas forças para as margens mineiras do São Francisco, na preocupação de defender antes de tudo a Estrada de Ferro Leopoldina. Por outro lado as tropas do general Tourinho, os homens de Franklin de Albuquerque, de Horácio de Matos e de Volney penetraram em Minas à procura do rastro da Coluna, rastro que Prestes mandara limpar à proporção que avançava. O general Mariante, que não conseguira, como desejava, acabar com a Coluna na chapada Diamantina, pensava derrotá-la agora no norte de Minas Gerais.

Prestes engana o inimigo, iniciando uma marcha para o oeste, como quem ia se colocar no rio São Francisco, bem onde os governistas o esperavam, torcendo a direção em seguida e entrando novamente no estado da Bahia, fazendo novamente um círculo, marchando em linha paralela ao inimigo para o norte, enquanto esse descia para o sul à sua procura. É o "laço húngaro" da marcha pela Bahia, manobra que desorienta por completo as tropas inimigas. A Coluna sobe entre as forças bernardistas que descem. As patrulhas assistiam à passagem do inimigo que procurava a batida da Coluna. Tendo feito quase 102 léguas em Minas Gerais, se esgueirando entre o inimigo que a buscava para o sul, no dia 30 de abril a Coluna Prestes volta a penetrar no estado da Bahia. Prestes havia realizado uma das suas mais celebradas manobras militares, com a qual tinha conseguido fazer com que a região que ia percorrer ficasse limpa de soldados.

Como num jogo de picula de crianças travessas, os bernardistas procuram Prestes que sumiu em Minas Gerais. Os soldados, amiga, olham uns para os outros, murmuram entre si frases de assombro. Não é mesmo um homem aquele general, é um feiticeiro, aquela Coluna é mesmo mal-assombrada, aparece e desaparece, onde ela está que ninguém sabe? Os soldados do governo nessas perseguições sem resultados, no mar de notícias contraditórias que arrancavam das populações sertanejas, afogados em lendas sobre a Coluna e o seu chefe, terminam tomados de terror diante do sobrenatural que para eles era a Coluna Prestes. Se nem os próprios generais do Exército sabiam e podiam explicar os movimentos audaciosos, os súbitos desaparecimentos, os aparecimentos ainda mais súbitos, as vitórias consecutivas da Coluna, como não haveriam os soldados supersticiosos de imaginar mil coisas, de tremer todas as vezes que tinham que se lançar no rastro da Coluna? E onde está ele, esse rastro invisível que ninguém consegue encontrar nas estradas de Minas Gerais, nas margens do São Francisco? O general Mariante está tonto, como um menino que não consegue dar com o esconderijo de outro muito mais travesso. Nem mesmo os sertanejos, os cangaceiros acostumados a acompanhar rastros de animais matreiros da caatinga, os homens de Horácio, de Franklin, de Volney, nem mesmo esses, com seus olhos conhecedores dos segredos da terra, conseguem dar com o rumo da Coluna. Como um bando de formigas que perderam a direção do formigueiro, eles se estendem por Minas Gerais, os olhos presos no chão das picadas, atrás do rastro da Coluna. Os soldados se creem ante algo sobrenatural, ante forças dos deuses negros ou dos deuses índios da floresta. Prestes marchava entre essas mesmas tropas que o rastreavam para o sul, enquanto ele subia para o norte abandonado de soldados. Para os sertanejos era uma assombração, a maior das assombrações, a Coluna que sumia e aparecia, um fantasma novo na mata. Se benziam, chamavam pelo nome santificado do padre Cícero, olhavam com descrença para os seus chefes. Nem Horácio, nem Franklin, nem Volney, muito menos os generais e os coronéis, Mariante com suas armas modernas, poderiam jamais vencer a Coluna. Como vencer o sobrenatural? A desmoralização penetrava nas forças governistas. A manobra do "laço húngaro" apressou de muito esse processo de terror entre o inimigo. Os generais tontos, os chefes sertanejos já acreditando em todas as lendas, os soldados com o terror nos olhos arregalados. Prestes subia com a Coluna novamente para a Bahia. Em Minas Gerais, amiga, Mariante apalpava as estradas, cheirava as picadas procurando o seu rastro.

Prestes reingressa em território baiano pelo município de Condeúba, onde havia passado na descida. Era uma noite de lua cheia, a água prateada dos rios, da mata vinham sons de violas chorosas, quando a Coluna marchava por terras do estado negro.

Prestes se interessava em demorar na Bahia porque aí devia, como fora combinado, receber munições e armas, enviadas por Isidoro e pelos chefes civis da revolução. Essas armas e essas munições não vão chegar nunca, as pessoas encarregadas por Isidoro de providenciá-las nada haviam feito. No dia 1º de maio a Coluna atravessa o rio Gavião. Penetra nas Lavras Diamantinas, região de Horácio de Matos. Cruza o rio de Contas, entra na cidade de Ituaçu, atinge Catingueiro, galga a serra do Sincorá.

É uma altíssima ladeira, o caminho repleto de seixos que rolam. Os homens sobem a pé, levando os animais pelas rédeas, as padiolas nos ombros dos mais fortes. A marcha é iluminada com grandes velas de cera de carnaúba e os sertanejos das suas choças no sopé da montanha olhavam aquela subida fantasmagórica. Pareciam menos soldados que romeiros pagando uma promessa: escalando uma ladeira difícil na noite sem lua, as luzes das velas como as estrelas novas no céu escuro. As populações de muitas léguas em redor viam a estranha fileira de luzes que brilhava no céu naquela noite. Noite sem lua, sem estrelas, só aquelas vermelhas estrelas, próximas uma da outra, constelação desconhecida que brilhava agora nas Lavras Diamantinas. Um rastro de luz no céu do sertão: era a Coluna Prestes, amiga, que marchava.

Agora os soldados revoltosos cavalgam pelos gerais, campos verdes da Bahia. Entram em Barra da Estiva, em Cocos, uma potreada tiroteia com o inimigo em Bom Jesus. Prestes envia o destacamento de Djalma Dutra à cidade do Mucugê, onde poderia conseguir armas e munições, de que a Coluna está falta. Dutra devia se reunir ao grosso da tropa em Guiné de Cima, para onde a Coluna se dirigia. O destacamento Dutra vai sustentar em Mucugê um combate desigual com as forças de Doca Medrado aí estacionadas. Esse chefe de cangaceiros, numa traição difícil de superar, havia mandado seu próprio filho ao encontro de Prestes, com oferecimentos de amizade. Assim Dutra é atacado inteiramente desprevenido. Ainda atravessava ele a garganta que as serras fazem ao lado do rio Paraguaçu, para entrar na cidade, quando a sua vanguarda, chefiada por Ari, é tiroteada pelo inimigo emboscado nos altos da serra e nas primeiras casas de Mucugê. Quatrocentos homens, soldados de polícia e cangaceiros de Doca Medrado, guarnecem a cidade. Dutra chefia duzentos soldados da Coluna. Ari se bate heroicamente, desde as nove horas da manhã até a noite, quando Dutra chega com o grosso do destacamento. A posição do inimigo era inexpugnável. Atirava ele dos altos da serra sobre a garganta onde os homens da Coluna se encontravam. Dutra envia o tenente Celestino Ferreira a um dos altos das serras para daí desalojar os governistas. Celestino cumpre, com êxito, sua missão, galgando a serra debaixo de fogo. Dominado esse alto, pode desviar para ele a atenção do fogo inimigo que partia do alto em frente, permitindo a retirada dos homens que desde a manhã estavam lutando encurralados na garganta das serras. Dutra se retira combatendo e vai encontrar a Coluna em Guiné de Cima.

Daí a Coluna segue marginando o rio Coxó, ocupando povoados, lutando contra os jagunços. Siqueira, Dutra, João Alberto, sustentam várias vezes combates contra forças inimigas. Lutam em Várzea, em Furtado, em Barro Alto, em Olho d'Água, num combate violento entre Dutra e a jagunçada. Siqueira apoia o destacamento de Dutra e o herói do dia é o tenente Brasil Gonçalves que desaloja o inimigo de uma serra onde este se entrincheirara. A violência desse combate foi das mais sérias dessa etapa da marcha, as balas dos jagunços atingindo o próprio Estado-Maior, arrancando a comida do prato de Miguel Costa. Ao ver a galinha assada voar levada por uma bala, o general comandante apenas sorri, comenta alegremente o fato, com sua característica bravura, e continua seu almoço sob o tiroteio.

Avançam por Roça de Dentro, lutando aí e lutando em Maxixe, chegando finalmente a Santa Emília, em plena caatinga.

De Santa Emília em diante começou uma marcha espantosa, pela caatinga, sem vaqueano que os guiasse, sem estradas por onde marchar, o inimigo cercando a mata onde eles estavam. Esse foi, sem dúvida, um dos trechos mais difíceis da Grande Marcha, numa extensão de muitas léguas desde Santa Emília a Sento Sé. Os jagunços, os soldados da polícia e do Exército, cercavam a caatinga, absolutamente certos de que jamais a Coluna a transporia. Não havia sequer uma picada. Prestes e João Alberto iniciam a construção de uma, trabalhando noite e dia, procurando atingir a estrada real da chapada Diamantina, o que conseguem realizar no dia 17. Não havia água, não havia comida. Em certo dia somente um boi foi abatido para os mil homens da Coluna. A água estava distante, um único poço existindo longe, sendo necessárias diversas viagens diárias dos cargueiros para abastecer os soldados. As tropas inimigas agora estavam certas da vitória. Aquele trecho de caatinga jamais fora penetrado. Os espinhos, a sede, a fome liquidariam sem dúvida uma grande parte da Coluna. A outra eles liquidariam, para isso cercavam a caatinga. Mas a audácia, a confiança e a resistência dos homens que Prestes chefiava não podiam ser medidas por uma medida comum aos demais homens. Quando os soldados de Bernardes, amiga, fecharam o cerco e atacaram a caatinga, já a Coluna se escoara pela picada recém-aberta e saíra na estrada real. Os sertanejos arregalaram mais uma vez os olhos grávidos de assombro. Era coisa de feitiçaria, era coisa impossível de combater e vencer. Como lutar contra homens que não respeitavam sequer a força indomável da caatinga? Que não respeitavam nem a fome nem a sede? Assim eram os homens da Coluna, amiga.

Saíram desse dia e noite de inferno, a morte cercando-os do lado de fora da mata, a morte com eles na falta de água e na falta de comida dentro da mata, os pés sangrentos dos espinhos, as mãos rasgadas, saíram daí para o inferno ainda maior de uma cheia do São Francisco. Passaram por Almas, Bom-Gosto e Pedrinhas, povoados onde sesteiam, descansando da aventura recente. Daí em diante é a marcha indescritível de indômita coragem e de resistência espantosa, pela Estrada Cruel. Cruel foi um nome bem dado, amiga, pelos camponeses dessa zona a esta terra pobre de comida, coberta pela água do São Francisco que levara tudo na sua maior enchente daqueles anos próximos. No dia 19 a Coluna penetra na Estrada Cruel, em torno os mandacarus, os xiquexiques, as unhas-de-gato, as coroas-de-frade, toda a vegetação inimiga, espinhenta, da caatinga violada. Árvore amiga do homem só a umburana, guardando no seu tronco a água abençoada para o viajador sedento. E a beleza irrompendo em cores das trepadeiras que escondiam os espinhos da caatinga sob suas flores azuis e vermelhas, rubras de sangue, anil como o céu. Debaixo delas, sob o seu abraço, a flora opressiva dos mandacarus e das macambiras. A Estrada Cruel era uma picada de uma estreiteza angustiosa, os espinhos se entrecruzando sobre ela. Espinhos e flores, de longe em longe a visão confortadora de uma umburana. Na frente dos homens, Prestes marchava, amiga, seu passo rápido, seu corpo ardendo de febre, sua vontade inquebrantável. Para a frente.

Assim haviam de marchar duzentas léguas por terrenos como este. A flora inimiga, a fauna inimiga também, negra. Nessas terras do sem-fim, não resistem outros animais que as cobras e os lagartos, os répteis mais imundos, mais traiçoeiros e mais venenosos. Aparecem na margem da picada, o seu silvo aterrador, o seu beijo de morte. As folhas secas estalam sob a passagem das cobras, dos lagartos ficados do princípio do mundo, animais de outras eras distantes que ainda viviam naquelas terras, terras que pareciam elas também de um passado remoto. De entre as coroas-de-frade e as unhas-de-gato, a cascavel e a jaracuçu, as grandes cobras da mata, espiam a marcha da Coluna Prestes. Os homens vão com sede, vão com fome. Silvam as cobras, a "cabeça-de-platona", a "pico-de-jaca". Estremecem os homens no horror do animal venenoso, mas seguem. Na frente vai Prestes, quem pode ter medo quando o acompanha?

Passam por Brejo em Brasa, por Junco, Gavião, Algodão, na madrugada de 25 estão em Tabuleiro Alto. Estes não são sequer povoados, amiga. São simples arruados de choças onde vive uma população miserável. As águas do São Francisco, tendo pulado sobre as suas margens se estenderam por esses campos, engolindo as plantações e o gado. A Coluna não encontra o que comer.[77] Em Tabuleiro Alto é impossível atravessar o São Francisco. Não existem embarcações, o rio, com a enchente, se abre numa largura de cinco léguas. Jiboia imensa que sesteava após haver comido as safras e as plantações. A gente que morava nas margens fugira diante da cheia. Prestes resolve então marchar em direção a Sento Sé, no sertão mais fértil. É verdade que ali estava o inimigo, nessas 45 léguas que vão de Tabuleiro Alto a Sento Sé. Ali os governistas esperavam que a Coluna morresse de fome na caatinga alagada pelo São Francisco. A falta de condução, a patrulha de navios que guardava o rio, a miséria que reinava na sua margem esquerda, impediam que a Coluna o cruzasse, colocando-o entre ela e o inimigo. Tentar transpor o rio era um suicídio igual ao de ficar parado naquele inferno alagado, em companhia apenas das cobras. Prestes resolve marchar por entre o inimigo. Este guardava a garganta da serra do Encaibro, na entrada da cidade de Sento Sé. Prestes toma esse rumo. Marcham através a cheia do rio. Ora são verdadeiros lagos, a água até a cintura, até os ombros dos homens. Ora são atoleiros imensos, a lama retardando a caminhada. Não havia quase comida. Nem farinha, nem açúcar, nem café, nem sal. Um pouco de carne apenas, sendo abatidos os últimos bois magros que a Coluna conduzia. Não havia fumo, não restavam rapaduras. E a marcha tem que ser rápida, tão rápida como nunca fora. A morte marcha nos seus calcanhares, os soldados têm que ganhar essa corrida com ela. A Coluna bate nessa travessia todos os recordes das marchas de infantaria, os seus homens estabelecem um recorde maior que qualquer da Grande Guerra de 14, para dias depois superar esse mesmo recorde.[78] Os sertanejos da região, acostumados a todos os segredos daquela terra, calculavam que ninguém seria capaz de marchar mais de quatro léguas sobre ela na jornada de um dia. A Coluna fez até nove léguas por dia, em marchas de onze horas. Os sertanejos já não se espantavam de nada. Olhavam com um respeito infinito o rapaz magro que chefiava essa tropa. Balançavam a cabeça no seu gesto secular de admiração. A Coluna entra em arruados e povoações abandonadas: Curralinho, Tombador, Pascoal, Areal, Vara, Currais, Lagoa Preta. Aí o destacamento Dutra, no momento fazendo a retaguarda, é atacado pelas forças inimigas, um número grande de soldados. Dutra aceita o combate e repele o ataque. Essa coluna inimiga, formada de soldados da polícia e de homens de Franklin e Volney, continua na rabada da Coluna Prestes, perseguindo-a. Enquanto isso, em Brejinhos, para onde Prestes marchava, grandes forças governistas o esperavam. Era um plano de pô-lo entre dois fogos. Prestes abre uma picada através da caatinga, abandona a estrada, e vai sair na retaguarda do inimigo, perto do povoado de Seriema, a pouca distância de Sento Sé. As forças governistas que vinham na sua batida continuaram pela estrada na qual pensavam que ele marchava. E assim seguiram até se encontrar com as outras forças da polícia que aguardavam em Brejinhos a chegada da Coluna. Mais uma vez se deu o engano fatal: as duas forças de Bernardes lutam entre si, certas, tanto uma como outra, que estavam destruindo a Coluna Prestes. No dia 2 de junho Prestes havia terminado a terrível caminhada de Tabuleiro Alto a Sento Sé, caminhada considerada impossível pelos sertanejos, vencendo a mais bravia das naturezas, andando sobre as águas do São Francisco, num milagre que as lendas sertanejas celebram nas feiras do Nordeste. Milagre do gênio, amiga, milagre do povo que criara os soldados e o chefe da Coluna.

Estão novamente nas margens do São Francisco, nos limites com Pernambuco. A Coluna aparece diante das forças concentradas nesse estado e quando elas se lançam em sua perseguição, Prestes ordena a marcha para o sul, em direção à cidade baiana de Monte Alegre. Mais uma vez ele vai limpar um estado de tropas inimigas, antes de invadi-lo. Mais uma vez as forças governistas são enganadas por uma manobra militar do grande chefe. A Coluna traça, nesta sua marcha, um arco de Seriema a Monte Alegre. Daí ela marchará em linha reta para Serrinha, tomará depois para o norte, rapidamente, passando próximo da cidade de Geremoabo, indo atravessar a fronteira em Rodelas, penetrando em Pernambuco desguarnecido de forças inimigas. Essa enorme curva de 1470 quilômetros é feita em 32 dias, marchando a Coluna por vezes treze léguas por dia.

A primeira etapa, de Seriema a Monte Alegre, é vencida no dia 18. A vanguarda penetrara nessa cidade a 17. A população festejou a Coluna na alegria daquele encontro com os soldados da Liberdade. Desde Seriema haviam atravessado rios, povoados, a retaguarda repelindo sempre o inimigo. Haviam encontrado rapadura, que substituía o açúcar, haviam encontrado novamente os campos dos gerais. Em Monte Alegre, pela primeira vez, oficiais vão repousar em camas de verdade. E tão desacostumados estavam que não conciliam o sono. Na véspera da chegada em Monte Alegre, tendo conseguido não montar a maior parte da Coluna, Prestes acede em aceitar um cavalo que lhe traz um soldado. Marchara a pé, nesses últimos meses, mais de duzentas léguas. Enquanto a Coluna descansava e era festejada em Monte Alegre, no seu bem merecido dia de descanso, Prestes partiu para a vanguarda. No dia 19 a Coluna segue no rastro do seu chefe e condutor. Vai em direção ao mar, seu fito é a cidade de Serrinha. Na cidade de Riachão são avisados de que em Serrinha haviam chegado oitocentos homens da polícia baiana. Essa força sai em perseguição da Coluna mas ela já partira de Riachão, atravessando a 22 a Estrada de Ferro Leste Brasileiro, entre Serrinha e Salgado. Daí segue para a vila de Pombal, cruzando o Itapicuru, derrotando num combate a força da polícia pouco antes de entrar na povoação. Novamente são os festejos, agora a Coluna, distribuidora de justiça, amiga do povo, é a esperança dessas populações sertanejas. Trazem-lhe doces e roupas, água pura das fontes, remédios e mantimentos. De nada adiantava, amiga, a campanha de infâmias que a imprensa de Bernardes desatava no país contra a Coluna. Os sertanejos viam a verdade, viviam aquela epopeia, se nutriam nela de esperança. Por isso as bandas de música das cidades e das vilas, pobres bandas de música desafinadas, saíam pelas estradas a saudar os soldados do Cavaleiro da Esperança. Por isso vinham as moças com flores na mão, as mulheres com remédios e pão.

Entram em Bom Conselho, cruzam a serra de Itiúba, recolhem voluntários numa feira do povoado Guloso. Entram na região de Canudos, onde os sertanejos desesperados haviam tido anos antes um momento de trágica revolta. Ali as forças de Antônio Conselheiro, profeta do sertão, filho da fome, da exploração e da miséria, se haviam levantado clamando justiça. Ali haviam derrotado os soldados do governo. Ali foram esmagadas. Agora Luís Carlos Prestes atravessa essas históricas paragens, onde levantara uma revolta sem direção. Os homens, ignorando tudo exceto a miséria das suas vidas. Clamando para os céus, pegando em armas, nem sabiam mesmo gritar pelos seus direitos. Prestes se levantara também, sua revolta fora inicialmente sem direção. Mas agora ele já sabia por que devia lutar. Amanhã encontraria a solução desses problemas e com ela voltaria a se pôr à frente do povo.

Aqui lutaram os sertanejos, Antônio Conselheiro à sua frente. Anos depois lutaram de novo, era Prestes que os conduzia. E com eles volverão à luta uma, duas, mil vezes, se assim for necessário, amiga. Um dia essas terras serão somente de fartura, a desgraça terá fugido delas. Quando a Coluna voltar, negra.

A 30 estão em Várzea da Ema, atravessam o rio Cipó, entram por um trecho de caatinga. A 2 de julho, quando caía o crepúsculo triste do sertão, chegam à margem do São Francisco, a um quilômetro de Rodelas, na fronteira pernambucana. Agora podiam transpor o rio. As forças que guarneciam Pernambuco estavam espalhadas pela Bahia, nos pontos mais diversos, perseguindo a Coluna que ninguém sabia nunca onde estava.

Prestes terminava a sua campanha da Bahia, onde marchou 5022 quilômetros,[79] atravessou 33 rios, perseguido por 30 mil soldados, pela fome, pela sede, pela febre, pela agreste natureza, pelos répteis traiçoeiros. Duzentos homens da Coluna haviam ficado nos campos e nas caatingas da Bahia, feridos, desaparecidos ou mortos. O inimigo fora vencido várias vezes, e agora, após os últimos feitos militares de Prestes, nem mesmo os generais de Bernardes acreditavam possível derrotá-lo. Quando telegrafavam para o Rio de Janeiro dizendo que a Coluna estava cercada e desta vez seria fatalmente destruída, eles já o faziam por hábito, amiga, nem mesmo eles acreditavam nesses telegramas. Agora, negra, até os generais se haviam inoculado da superstição dos cangaceiros. Também eles pensavam que se tratava de algo sobrenatural: era-lhes impossível medir o gênio de Prestes. Para eles era o Demônio da guerra, dono de todos os caminhos daqueles infernos das caatingas. Para os sertanejos era uma estrela cortando a noite da Bahia.

Nessa madrugada de julho, na margem do São Francisco, mais uma vez Iemanjá vê o Herói. Ele vai partir para outras águas que não são as suas. Águas das iaras de Goiás e Mato Grosso. Sobre o rio São Francisco, Iemanjá estende os seus cabelos, sopra doce brisa sobre as águas, detém os ventos da tempestade, na noite tranquila e bela a Coluna embarca. Iemanjá ainda os vê se perderem na mata. Na frente vai Luís Carlos Prestes, amiga.

19

NA MADRUGADA DE 2 DE MAIO DE 1925, AMIGA, O CAPITÃO COSTA LEITE, acompanhado de Jansen de Melo, Décio Mendes da Fonseca, Luís Celso Uchoa, Mário Chaves Ferreira, Leopoldo Nery, Failace da Gama e de um sargento, tiroteia no 3º Regimento, na Praia Vermelha do Rio de Janeiro.

Nos anos que vão de 24 a 27, quando a Coluna se internou, se sucedem os levantes, as revoltas, as tentativas de revolução no país. O exemplo vivo da Coluna levando no calor do seu seio, na saga do seu derroteiro, a revolução como uma bandeira, punha em atividade os que não estavam conformes com o regime ditatorial que imperava no país. Nas prisões abarrotadas se conspirava. Se conspirava nas cidades, nos quartéis, nos consultórios médicos, oficiais, sargentos, soldados e civis, de olhos puxados para a epopeia da Coluna, esperando o momento de empunharem as suas armas e facilitarem o caminho de Prestes para o Rio de Janeiro.

Na prisão, Silo Meireles, cadete de 22, dos que se levantaram na Escola Militar, conseguia fazer ligações revolucionárias. Costa Leite é preso quando tenta se juntar aos revolucionários de 24, articulando um amplo movimento no Rio de Janeiro, movimento que devia explodir em novembro.

Essa revolta contava com a Escola Militar, escola que trazia a tradição de 22, toda uma turma expulsa por revolucionária, e mais a Vila Militar, com seus dois regimentos, a Aviação e a Escola de Sargentos. Eduardo Gomes, sobrevivente dos Dezoito do Forte de Copacabana, em junho de 1924, levanta voo no seu avião, levando consigo apenas um alemão — tantos alemães, amiga, dando seu sangue e sua vida pela liberdade do Brasil, o outro lado dos alemães nazis do Sul que irão, nos dias nefandos de Hitler, armar e custear o integralismo —, com o fim de bombardear o Palácio do Catete, não o fazendo porque falta a gasolina e o avião cai nas proximidades de Nova Iguaçu.

O movimento é denunciado e Costa Leite é preso num quarto coalhado de bombas, onde, minutos antes, os chefes do levante haviam tido uma reunião. Preso Costa, articulador e alma do movimento, esse fracassa antes mesmo de explodir. Na sua raiva de ver-se preso nas vésperas da revolução, Costa Leite, levado ao extremo da irritação pelos insultos que os policiais dirigiram ao Exército nas salas de interrogatório da central de polícia, arma aí um sarilho de proporções, lutando com delegados e tiras numa briga que ficaria lendária pelo Brasil afora.

Mandado para a ilha Grande, foge com Tasso Tinoco, Aristóteles Souza Dantas e Mário Sales Ferreira, outros oficiais presos. Atravessam a baía numa canoa, se internam no mato. A ordem na polícia é "trazê-los mortos ou vivos".

Costa Leite, como Prestes nas caatingas do Nordeste para os chefes de cangaceiros e para os generais que o perseguiam, vira um fantasma para a polícia política do país. Atravessa estações vestido de mulher, uma morena bastante razoável, queimada pelo sol das praias de banho, *mignon* e irrequieta, uma morena que, no dizer da polícia, conduzia sob as saias cortadas na última moda de Paris revólveres e cartucheiras de balas, e em lugar dos seios levava bombas capazes de fazer voar uma cidade. O jornal ilegal da revolução, o *5 de Julho*, dos irmãos Mota Lima e de Bernardo Canelas, o trata de "Prestes da cidade", numa comparação cheia de justeza. São Paulo, Paraná e Rio são seus campos de ação. Esse homem, amiga, de uma energia indomável, que seria depois o major Costa Leite dos *meetings* de 35, um dos grandes chefes da Aliança Nacional Libertadora, galvanizando com a sua presença, com a sua decisão, com a sua experiência — sendo ele próprio toda uma tradição revolucionária — as multidões famintas de liberdade e de pão, o major Costa Leite das fugas espetaculares, o major Costa Leite do Exército Republicano Espanhol, seus conhecimentos, sua coragem, sua flama revolucionária a serviço da humanidade, o major Costa Leite dos campos de concentração na França traída, esse homem era nos anos de 24 a 27 o pesadelo do sono alarmado dos policiais. Mal-assombração das cidades, se movimentando como só ele sabe se movimentar, parecendo ter o dom da ubiquidade, surgindo aqui, ali, acolá, nos lugares mais inesperados, levando com ele a conspiração, ameaçando o governo de onde estivesse.

Na noite de 2 de maio de 25, com os seus sete companheiros ele penetra no 3º RI. Chegaram em dois automóveis. Ligado ao assalto ao 3º está o possível levante da Fortaleza de São João e de um batalhão de polícia aquartelado em Botafogo. Os oficiais penetram, o sucesso coroa inicialmente esse intrépido plano de dominar o regimento. Mas um grupo de legalistas consegue tomar posição, quando já a tropa estava formada, à espera das armas, e tiroteia contra os soldados desarmados e os oficiais assaltantes. Esses respondem, Jansen de Melo cai ferido, para morrer instantes depois, na Casa de Saúde Pedro Ernesto, espécie de QG de todos os conspiradores e revoltosos de então. Os assaltantes são obrigados a abandonar o quartel, e o assalto ao 3º RI, com o levante que estava ligado a ele, fracassa. Fora um instante de intenso heroísmo: nove homens assaltando um regimento. Ficaria como uma página de louca coragem, de ardor revolucionário, cresceria lendária nas histórias sobre a revolução que circulavam de boca em boca no Brasil. Costa Leite volta a ser o fantasma dos investigadores de polícia, volta à ilegalidade de uma vida pela revolução, ora aqui, ora ali, fardado, à paisana, maquiado, a lenda em torno dele, o "Prestes da cidade".

Assim o chamara o *5 de Julho*. Onde estava essa oficina, amiga? Onde se imprimia esse jornal pequeno e violento, circulando clandestinamente de mão em mão, um exemplar lido por milhares de pessoas, fazendo mais opinião que toda a imprensa governista do país a cantar loas a Bernardes, a vomitar infâmias sobre a Coluna na prosa sem brilho de Jackson de Figueiredo e seus discípulos? Na magnífica carreira de jornalista de Pedro Mota Lima, organização de romancista que a revolução transformou num articulista ímpar no Brasil, há dois momentos de rara e emocionante beleza. Entre esses dois momentos ele foi secretário de jornais que simpatizavam com as revoluções tenentistas ou as apoiavam: *A Manhã*, na fase de Mário Rodrigues, *O Imparcial*, *A Gazeta*, o *Diário Carioca*, dirigiu *A Esquerda* e *A Batalha*. Mas naqueles dois momentos ele foi o jornalista da revolução. No momento do *5 de Julho* ele é a voz da revolução tenentista, é a voz da Coluna Prestes clamando desde os sertões sobre as cidades. Em 35, nos dias de *A Manhã*, aquele corajoso, honesto e digno diário de todos nós,[80] ele é a voz da Aliança Nacional Libertadora, a voz da revolução pela independência do Brasil, mais uma vez a voz de Prestes sobre a pátria. Vinte anos sua pena a serviço do povo. Sua família é grande, seus avós se chamam José do Patrocínio e Alcindo Guanabara, Libero Badaró e Raul Pompeia. Como este, ele é romancista e deixa o romance pelo jornal, quando constata que o artigo do momento é mais útil ao povo que o romance imortal. O *5 de Julho*, como *A Manhã* nas jornadas de 35, descende da remota tradição das "Cartas chilenas" os poetas fazendo da sua arte o instrumento de crítica social e política, concitando o povo à revolução.

É o *5 de Julho* quem agita a família tenentista, quem leva a sua palavra ao povo. Naqueles anos em que se conspirava diariamente era esse jornalzinho quem dava conta ao país inteiro da efervescência revolucionária. Quando a imprensa sob a censura nada podia noticiar, nem os horrores da Clevelândia, antecipação perfeita dos campos de concentração da Alemanha de hoje, criação de Bernardes nas margens mortíferas do Amazonas, sua única obra nessa região do Brasil, nem os levantes que se sucediam no país, era o *5 de Julho* quem levava alento e confiança à gente das cidades. Dizia da escravidão em que vivia o país e dizia do heroísmo dos que não queriam ser escravos.

O *5 de Julho* é o respiradouro daquele subterrâneo de conspirações se processando nas casas tenentistas dos Meireles, de um Viriato Schmaker — sua esposa, aquela intrépida Carolina guardando, de revólver em punho, as esquinas vigiadas enquanto Costa e Barcelos combinavam detalhes dos levantes —, de um Pedro Ernesto.

No *5 de Julho* são noticiados os levantes no país. Se Maynard Gomes por duas vezes, em 24 e em 26, se rebela contra o governo em Sergipe, arrastando toda a gente do estado atrás de si, é o jornal de Mota Lima quem vai informar das consignas, da profundidade e da repercussão desses movimentos.[81]

Nesses anos da Coluna percorrendo o interior, amiga, mantendo viva a revolução, de oficiais e civis conspirando, de sargentos e soldados à espera da hora de se levantarem, a polícia buscava afanosamente as oficinas e os redatores desse pequeno jornal que ressuma heroísmo e combatividade.

Os levantes se sucedem desde o Amazonas, negra, onde Ribeiro Júnior e Magalhães Barata dominam a cidade de Manaus e marcham pelo grande rio, plantando aí também a semente da revolução antes de serem vencidos. No Pará é Augusto Assis de Vasconcelos quem comanda os soldados num levante também dominado.

"Os inimigos da lei" é o nome que o governo dá aos onze revolucionários que, na Paraíba, quando denunciado por um traidor o movimento que aí devia estourar, em ligação com o de Cleto Campelo em Pernambuco, resistem à bala aos quatrocentos homens da polícia paraibana que os vieram prender. Aristóteles de Souza Dantas e Seroa da Mota são aí os chefes da revolução. Com eles estão nove homens, quatro dos quais eram ex-marinheiros do *São Paulo*, que voltavam do exílio em Montevidéu para se ligar à Coluna Prestes. Esses homens sustentam um violento combate contra quatrocentos soldados da força pública. Resistem enquanto podem. A esses, amiga, chamaram de "inimigos da lei". Inimigos da lei, sim, amiga, da lei dos donos do país, da lei da exploração do homem além de todos os limites, a lei contra o povo.[82]

Logo depois vai fracassar o levante de Cleto Campelo, em Pernambuco, do qual o da Paraíba era um afluente. Por intermédio de Josias Carneiro Leão, Cleto estabelecera contato com a Coluna e com ela concertara o plano da revolta. Se não conseguisse dominar Pernambuco marcharia ao encontro da Coluna, para engrossar as suas forças. Os elementos comunistas do estado apoiaram Cleto, tendo alguns deles, como José Caetano Machado, tomado parte na luta armada.[83] O levante se dá em Jaboatão de onde os revolucionários partem para Gravatá. Aí Cleto Campelo é assassinado à traição, tomando o comando dos revolucionários o capitão Waldemar de Paula Lima que, após as lutas de Tapada, os revoltosos na procura da Coluna para a ela se juntarem, é degolado pelos governistas.

Já em 24, em outubro, fracassara a Revolta da Armada, planejada pelo almirante Protógenes. Somente o *São Paulo* se levantara sob o comando de Hercolino Cascardo e Amaral Peixoto, rumando para o Uruguai quando se viu só, os demais navios de guerra de fogos apagados na baía de Guanabara.

Como fracassaria, amiga, a revolta do Rio Grande que Isidoro preparava. Toda essa efervescência revolucionária só iria se concretizar numa vitória em 30, quando a agitação do povo pôde ser feita, pôde ser aproveitado o imenso trabalho da Coluna.

No entanto, apesar de que esses levantes, essas tentativas revolucionárias, não resultaram numa revolução decisiva, eles provavam que o país estava sendo balançado do seu sono de desesperança, pela marcha dos soldados de Prestes no interior. Ao passar da Coluna os problemas se revolviam e vinham à tona. Bernardes não governava cidades calmas. Os comunicados do Ministério do Interior que anunciavam a cada manhã: "Reina calma em todo o país" não diziam a verdade. O povo bem o sabia. A verdade estava nas páginas clandestinas do *5 de Julho*, escrito desde o seu esconderijo por Mota Lima e Bernardo Canelas,[84] noticiando os levantes que desabrochavam em todo o Brasil, como as primeiras flores de após o inverno que murcham apenas nascem mas que são, amiga, anunciadoras da primavera que se aproxima.

20

AGORA, AMIGA, A COLUNA, FRACASSADOS OS MOVIMENTOS QUE A DEVIAM APOIAR, tendo que conquistar armas e munições nos combates com o inimigo, já que as prometidas por Isidoro nunca haviam chegado, tendo despertado o sentido de revolta em todo o interior do país, após atravessar catorze estados do Brasil, vinda de São Paulo e do Rio Grande até o Norte,[85] cruzando mais de uma vez quase sempre os estados por onde passou, tendo destruído injustiça e plantado esperança em todo o Brasil, tendo ensinado e tendo aprendido, agora a Coluna toma o rumo do oeste na sua volta. Fora como um vento de tempestade, furacão sobre as injustiças, a exploração e a desgraça. O mar calmo dos problemas se transformou no mar de tempestade do povo. Da Coluna iria nascer a literatura de novelas, a literatura de sociologia, que o povo comeria na sua fome de saber despertada pelos soldados e pelos feitos de Luís Carlos Prestes. Da Coluna iria nascer a agitação na Aliança Liberal, no ano de 30, o povo formando contra o governo, arrancando Washington Luís do poder. Da Coluna e do seu chefe iria nascer, em 35, a Aliança Nacional Libertadora, o povo traído pelos homens de 30, se reunindo ao chamado do Herói da Coluna. É ela quem abre as estradas da liberdade, da independência econômica da pátria. É ela quem vai, com sua caminhada de epopeia, rasgar os tumores dos problemas, espalhar o seu pus à vista de todos. Nunca será suficientemente louvada, seja pelo heroísmo desmedido da sua campanha militar, seja pela sua imensa ação social. A Coluna através do Brasil como o sangue novo da revolução.

No dia 3 a Coluna dá início à marcha através de Pernambuco. Vai atravessá-lo das margens do São Francisco, na altura de Rodelas, à serra de Dois Irmãos, fronteira com o Piauí, próximo à cidade de Ouricuri, que a Coluna atinge a 9. Oito dias dura a nova travessia de Pernambuco, de 3 a 11, dia em que os soldados acabaram de cruzar a serra e saem no Piauí nas cercanias da povoação de Campinas. Em Pernambuco festejam o segundo aniversário da revolução de 24. Miguel Costa, o herói de São Paulo, e Prestes, o herói do Rio Grande, são aclamados pelos soldados. Mas nesse mesmo dia sustentam um combate contra as forças de cangaceiros chefiados por Pedro Luz. Lutando festejaram o seu aniversário. Derrotando inimigos, negra.

No Piauí, Prestes marcha para noroeste, em direção à cidade de Picos, atingindo Jaicós na manhã de 13, e Picos no dia seguinte. Daí a Coluna segue para a cidade de Oeiras, rumo ao oeste. Marcha entre os rios Itaim e Canindé, num formoso vale. A 17 a Coluna entra em Oeiras. Todas essas cidades recebem, com a alegria que já se tornou costumeira, aos oficiais e aos soldados. Em Oeiras a Coluna descansa até 23, quando toma o rumo do sul, em direção à fronteira baiana. O destacamento Ari, durante a permanência da Coluna em Oeiras, ocupa Floriano na fronteira com o Maranhão. E o destacamento João Alberto guarnece a cidade de Amarante mais ao norte na mesma fronteira. Em Joronhenha esses destacamentos se reúnem à Coluna. A retaguarda, feita por Cordeiro de Farias, luta a 22 com o inimigo. A 27 é Siqueira Campos quem faz a retaguarda e a ele compete bater duas vezes os bernardistas que marchavam no encalço da Coluna. Nesse momento o governo, já desiludido da vitória militar, havia feito contratar assassinos para penetrarem na Coluna e matarem Prestes e Miguel Costa. Um desertor das forças revolucionárias fora escolhido para isso.

Marcham para a fronteira da Bahia, tiroteando com o inimigo quase todos os dias. Mendes de Morais luta a 28, a 31 o pelotão do tenente Nelson, quando cortava os fios telegráficos em Uruçuí, é atacado pelas forças de Volney. Começa a faltar novamente a comida, viajam dias inteiros entre queimadas, os campos das margens do Uruçuí se incendiando com a maior facilidade. Na subida de um chapadão têm que deixar a maior parte da cavalhada que, enfraquecida, não consegue galgar a ladeira difícil. É um chapadão sem água, onde a marcha é dificultada pela sede que tortura os homens. Vão sair depois numa região frutífera, laranjas, limas, mangas e cajus. Aí a Coluna mata a sede. Mas logo adiante, marchando para sudoeste, vão encontrar serras se desmoronando, nas margens do riacho Frio, zona de árvores nuas de folhas, uma floresta alucinante, morta, perdida naqueles ermos. Tinham visto já a terra nascendo. Viam agora, no sul do Piauí, a terra morrendo, sem forças para sustentar as árvores esqueléticas, sem forças para sustentar as serras ruindo, o sol torrando tudo, seu chicote de luz e de fogo.

A 16 a Coluna cruza o limite para a Bahia, através da serra de Tabatinga. Marcham dia e noite em direção a Goiás. A 18 o capitão Odilon Guimarães, que comandava a guarda avançada da Coluna, combate com forças de Horácio de Matos na margem esquerda do Sapão. A Coluna passa ao lado dessas forças, pela margem direita do rio Sapão, tendo do outro lado a serra de Tabatinga. Não há combate com forças de Horácio de Matos na margem esquerda do rio, fundo e cheio de corredeiras. Apenas o destacamento Dutra tiroteia com elas durante uns quinze minutos, tiroteio que Horácio comunica a seus chefes como sendo uma grande batalha.[86] Marcham os soldados pelas margens do rio Sapão que atravessam a 19, entrando no dia seguinte no estado de Goiás, por entre os rios verdes e os rebanhos de gado que viriam matar a fome da Coluna, que fizera as últimas travessias sob um regime de racionamento. Agora, amiga, penetram pela chapada das Mangabeiras.

Em Goiás, amiga, a primavera é a única estação. Nessa planície sem fim não há os frios terríveis do inverno, nem os calores insuportáveis do verão. Não há outono levando as folhas das árvores, amarelando tristemente a paisagem. Aqui é o verde perene, terras que se beneficiam de muitos rios. Sobre esta primavera de doze meses influem o Tocantins, o Araguaia, o Paranã e os afluentes do São Francisco. Essas águas que cruzam o estado, fazem a riqueza do seu solo, a beleza dos seus dias, numa maravilhosa rede de irrigação, águas verdes de Goiás. Através desses dias de sonho a Coluna marchava, amiga, descendo Goiás. Sua direção é no rumo de Porto Nacional seguindo daí para o sul. Parte da margem do rio Estiva, cruza o Morro, o Pedra de Amolar, o Matéria, o Rola, acampa no rio Escuro, no Faveira, escala a serra Jalapão para chegar a 22 à margem direita do rio Sono. Os mantimentos faltam, não há café, nem açúcar, nem farinha, no dia 25 não há carne para o jantar. Não há cavalos também. A 27 se encontram Prestes e a Coluna perto da cidade de São José do Duro, na fazenda Alto Alegre. Aí Prestes resolve fazer o inimigo, que o perseguia há dias, cair numa emboscada. Manda o tenente Acilino até a fazenda Piau, onde estão os bernardistas para atraí-los, enquanto os destacamentos de Siqueira Campos, Cordeiro de Farias e João Alberto tomam posição para o combate. Os governistas perseguem Acilino na suposição que se tratava de uma potreada perdida. E vão cair na emboscada, encontrando-se com o flanco esquerdo do destacamento de Siqueira. O combate foi rápido mas sangrento. Os bernardistas são batidos e entre os seus mortos fica Newton Milhormes, um dos homens que estavam incumbidos de assassinar Prestes e Miguel Costa. Miguel é gravemente ferido nesta ação, tendo sido arrancado das linhas de fogo quando já baleado, pelo tenente Sadi Machado.

A 28 a Coluna atravessa o rio das Balsas, a 29 encontra gado e cavalos. No dia 1º de setembro Prestes cruza com seus homens a primeira linha de defesa dos bernardistas, estendida de São José do Duro a Porto Nacional. Essas tropas do governo tinham feito uma inútil tentativa de cerco da Coluna. Em verdade, não lhe pudera dar sequer combate, Prestes atravessando entre elas sem que elas o percebessem.

Bernardes tinha tido o sonho de esmagar em Goiás as forças revolucionárias. Para isso enviou a polícia paulista para esse estado, 4 mil homens ao mando do coronel Pedro Dias de Campos, transportando o que mais havia de moderno em armas, metralhadoras e fuzis-metralhadoras bem equipados, levando até aviões.

Contam, amiga, que o coronel Pedro Dias de Campos dispôs sobre um mapa na calma de uma repartição pública paulista, para alegria dos chefes bernardistas, o seu infalível plano de campanha: fortificaria duas linhas de mais de cem léguas cada uma, ao comprido de Goiás, com os seus 4 mil homens e os dois regimentos de cavalaria que o governo pusera sob suas ordens. A primeira linha era a que se estendia de São José do Duro a Porto Nacional, e que a Coluna acabava de cruzar. A segunda estava disposta no vale do Paranã, da cidade de Formosa à vila de Cavalcanti. Prestes, sem nenhuma dificuldade, acabava de deixar para trás a primeira dessas linhas. Continua a marcha para o sul. A 9 a Coluna atravessa o Paranã, a 13 se encontra ao sul da vila de Cavalcanti nas proximidades da segunda linha do coronel Pedro Dias. No dia 15 a retaguarda da Coluna bate-se com essas forças governistas. A 18 é iniciada a travessia da chapada dos Veadeiros. No dia seguinte o pelotão que faz o flanco esquerdo da Coluna, comandado pelo capitão Eufrides Beltrão, é atacado e repele tropas inimigas chegadas de Cavalcanti. Nesse mesmo dia a Coluna atravessa o Tocantinzinho, cruzando a segunda linha do coronel Pedro Dias, deixando-o só com o infalível plano de vitória, cercando apenas montanhas e rios. A 22 a Coluna entra no Planalto Central. As potreadas e os destacamentos de vanguarda sustentam na continuação da marcha sucessivos tiroteios, apreendendo munições e armas do inimigo. A 29 avistam a cidade de Anápolis, a três léguas da qual irão passar. No dia 30 estão a uma légua da cidade de Barro Preto. Chegaram ao sul de Goiás, no dia 1º de outubro Prestes ordena a João Alberto que marche para leste, sobre o Triângulo Mineiro, pondo em perigo a cidade de Santa Rita do Paraíba, desviando para aí a atenção das tropas do governo. Enquanto isso a Coluna marcharia para o oeste, em busca de Mato Grosso. João Alberto realiza o seu *raid*, com inteiro sucesso, indo se reunir à Coluna em Mato Grosso, após ter percorrido 1350 quilômetros.

No mesmo dia 1º Prestes, sabendo que duas forças governistas, um batalhão da polícia paulista comandado pelo major Artur Almeida e uma tropa de jagunços de Horácio de Matos, marchavam contra a Coluna por diversas direções, resolve atirá-las uma sobre a outra. Com esse fim parte à meia-noite do acampamento da Fazenda João Batista, deixando apenas alguns homens, encarregados de chamarem para aquele ponto a atenção das forças de Artur Almeida e de Horácio. Mais uma vez o inimigo atende aos planos de Prestes. A polícia e os jagunços, os dois grupos bernardistas, irrompem sobre a fazenda, um de cada lado, e lutam entre si até às oito horas da manhã, quando se reconheceram. Quando se reconheceram, amiga, mais de duzentos homens estavam mortos no campo de batalha! O major Artur Almeida suicida-se ao dar conta do seu erro.

A Coluna marcha para Mato Grosso. No dia 6 Dutra bate-se com a polícia paulista, no dia 9 um pelotão do destacamento Siqueira tiroteia com a mesma polícia na cidade de Rio Bonito. A 10 a retaguarda é atacada num combate que dura cinco horas, tendo o inimigo se retirado finalmente sob o fogo de Dutra e dos seus homens. A 11 o tenente Nicácio, no flanco esquerdo, combate contra jagunços. A 13 é Siqueira Campos quem põe os bernardista sem fuga. A 15 a Coluna entra no estado de Mato Grosso. Goiás fora atravessado mais uma vez, de norte a sul, de leste a oeste.

Nesse momento, em Mato Grosso, quando a 22 o destacamento de João Alberto se reúne ao grosso da tropa, a Coluna contava com um efetivo de oitocentos homens, dos quais duzentos não estavam em condições de lutar, ou feridos ou desarmados ou esgotados.

Havia velhos, meninos e mulheres. E os seiscentos homens capazes não tinham mais munição, estavam armados de uns quantos fuzis velhos, de alguns revólveres. Vinham de uma marcha através de todo o Brasil. A Coluna levantara o ânimo de todo o povo e inutilmente esperara que algum dos vários movimentos revolucionários prometidos por Assis Brasil, Batista Luzardo e Isidoro, chefes civis e militares da revolução, se processasse e permitisse o alastramento da revolta no país. Inutilmente esperara também as armas prometidas por Isidoro. Prestes resolve então enviar Djalma Dutra e Moreira Lima a Libres, para que se entrevistem com Isidoro e Assis Brasil, e com eles concertem o destino da Coluna — se continuaria no país à espera de uma revolução próxima, se emigraria — para que mandassem também notícias definitivas sobre a anunciada revolução no Rio Grande.

Dutra e Moreira Lima partem escoltados pelo destacamento Siqueira Campos que não consegue, na volta, reencontrar a Coluna e que realiza um audacioso *raid*, marchando por cerca de 9 mil quilômetros, através de Goiás e Minas até a república do Paraguai onde se interna.

Em Mato Grosso, Prestes se movimenta com a Coluna à espera dos enviados. Se aproxima, amiga, o momento da internação na Bolívia. A Coluna vive seus últimos meses de epopeia. Reduzida à metade, queimada de febre, o impaludismo voltando de quando em vez a atacar os homens, marchando através das selvas de Mato Grosso, é o próprio coração do Brasil pulsando pela liberdade.

21

COMO UM ASTRO DESCREVENDO UMA ÓRBITA ALUCINADA, numa rapidez de assombração, assim, amiga, Siqueira Campos, com o seu destacamento, cortou Goiás, Minas e Mato Grosso, na vertigem de uma marcha de 9 mil quilômetros, em cinco meses. Tendo deixado a Coluna no município de Coxim, ele acompanha Moreira Lima e Djalma Dutra durante dois dias. Após haver atravessado a serra de Camapuã, entrega os emissários a um piquete que deve levá-los até Libres, piquete sob a chefia de Emídio de Miranda. E Siqueira, conforme o combinado, volta para se reunir à Coluna. Mas não consegue encontrá-la e, então, leva cinco meses a procurá-la de um lado a outro, cortando os três estados numa corrida vertiginosa, marchando por vezes da meia-noite de um dia até às duas da manhã do outro, 26 horas a pé ou a cavalo, fazendo vinte léguas diárias, arrastando atrás de si oitenta homens. Foram mais ou menos oitenta até o fim, amiga. Apenas não eram os mesmos oitenta. Quarenta dos que saíram com ele, acompanhando Moreira Lima e Dutra, ficaram pelo caminho, mortos, feridos, cansados. Outros foram recrutados e se incorporaram, enchendo o lugar dos que não resistiam ao ímpeto desta marcha. Oitenta homens, com o seu magnífico comandante, tomaram dezenas de cidades, atravessaram por entre o inimigo, combateram, passaram perto, mais de uma vez, do QG legalista, era como um furacão desconhecido rolando sobre Goiás, Mato Grosso e Minas.[87]

Siqueira Campos, o herói do primeiro 5 de julho! Era ele, amiga, quem conduzia esses homens com o seu ar de mosqueteiro, jogando a vida a cada passo, um riso na boca jovem, uma ironia cortante para o inimigo, uma pilhéria no momento de mais intenso perigo, os seus homens presos aos seus gestos, o mais querido dos companheiros de Prestes. Sua marcha de 9 mil quilômetros, não andados mas voados, os cavalos galopando todo o tempo, um galope de cinco meses, por vezes sem os cavalos sobre os quais galopar. Seria inacreditável se não fora realizada no fim da Grande Marcha, tendo Siqueira um acervo de experiência enorme. Só assim se pode explicar essa trajetória de meteoro.

Quando deixou os emissários em caminho de Libres ele traçou, em busca da Coluna, uma grande circunferência em torno de Cuiabá, partindo daí para Goiás, penetrando depois no Triângulo Mineiro, em Minas, de onde, ao saber da internação da Coluna na Bolívia, marchou para Bela Vista, no Paraguai.

Pela primeira vez os desconhecidos e inexplorados pantanais de Taquari, em Mato Grosso, são atravessados, lado a lado, pelo homem. São os homens de Siqueira que realizam essa façanha antes considerada impossível. Durante semanas marcham sobre pântanos sem fim e marcham velozmente. Vencem aquela terrível região com uma energia inconcebível. Ao lado de Siqueira vai Trifino, uma criança quase, um grande soldado já.

Em determinados dias chega a marcha a 102 quilômetros.

Não há, nesses cinco meses, um momento de repouso, um momento de descanso. Largam os cavalos cansados para os inimigos que vêm no seu rastro. Tomam de cavalos novos e partem. O tempo de descanso se resume aos minutos que os homens levam em transportar do lombo do animal cansado para o novo cavalo requisitado a sela gasta. Entram por areais, após saírem dos pântanos. Montanhas e rios, o Jauru, o Taquari, o Piqueri, quantos mais, são cruzados por essa nova assombração. Atravessam entre cidades mas isso não basta ao mosqueteiro da Coluna. Ele, com seu penacho, entra nas cidades, nas maiores que encontra no seu caminho: Rio Verde, Santana do Paranaíba, Palmeiras, Pouso, Santa Cruz, Paracatu, Jataí, onde os habitantes se assombram da sua chegada por entre as tropas inimigas. As vilas ocupadas são inúmeras. Como as cidades, elas são de três estados: de Goiás, de Mato Grosso e de Minas Gerais.

Aproxima-se duas vezes do QG inimigo, chegando próximo à cidade de Campo Grande, se comprazendo em assustar o general Mariante. Toma a cavalhada dos legalistas, à noite, de surpresa. Se aproxima de Corumbá e corta as linhas telegráficas desta capital. Cruza estradas de ferro, marcha por elas, marcha pelas estradas de rodagem. Toma estações ferroviárias: estação Visconde de Taunay, a de Ligação, a estação Pires do Rio, cujo nome muda para estação Luís Carlos Prestes, homenagem ao chefe que Siqueira adorava.

Seu penacho de mosqueteiro moderno o leva a audácias alucinantes: quando marchava entre as cidades de Jataí e Rio Verde, para encurtar caminho, atravessa, à meia-noite, por dentro do acampamento inimigo que dormia. Os seus oitenta homens, num galope desenfreado, cortam o acampamento governista, acordando soldados e chefes. Quando quiseram persegui-lo já ele estava longe, quem podia ter a ilusão de alcançá-lo no seu galope de astro?

Foi assim, de surpresa em surpresa, hoje aqui, amanhã no lugar onde o inimigo menos o podia esperar, sem respeitar distâncias nem dificuldades, que ele subiu, desceu, cortou de lado a lado várias vezes esses sertões desconhecidos. Procurava a Coluna e sem dúvida passaria muito mais tempo nesse galope desenfreado se não lhe chegasse a notícia da internação de Prestes na Bolívia. Tinha andado 9 mil quilômetros, pelos mais difíceis caminhos, com a maior rapidez possível, quando se internou no Paraguai.

Andou pelo leito de estradas de ferro, por estradas de rodagem, mas abriu também estradas novas pelos pantanais e pelos desertos. Explorou regiões, soldado feito geógrafo, denominando rios e montanhas. Um mapa do Brasil, amiga, depois da Grande Marcha em confronto com um traçado antes de Prestes ter atravessado o Brasil, te mostrará centenas e centenas de estradas novas, as estradas que a Coluna rasgou. Por elas hoje atravessam pacíficas boiadas, cavaleiros em viagem, carros e automóveis. Foram construídas por esses homens admiráveis. Por Prestes, por Siqueira também, rompedor dos mistérios dos pântanos de Mato Grosso.

Ora ele vai em cavalos de fina raça, garanhões requisitados em fazendas de ingleses criadores, ora anda a pé. Mas, seja bem montado, seja a pé, a sua velocidade, base da vida do seu destacamento, oitenta homens cercados por milhares de soldados inimigos, a sua velocidade não diminui, é uma coisa de pura imaginação num transbordamento de aventura.

Siqueira Campos... Seu nome respira heroísmo, bravura indiscutida, visão rápida, um astro traçando uma órbita desorientadora. Mosqueteiro de Prestes, mosqueteiro do povo do Brasil. Um sorriso alegre nos lábios finos, uma pilhéria em meio ao perigo, uma ordem precisa salvando a todos do perigo. Siqueira Campos, amiga.

Há pouco falando dele a alguém que perguntava onde estaria Siqueira hoje, se fosse vivo, Prestes respondeu, amiga, Prestes que tão bem o conhecia:

— Estaria aqui comigo, preso.[88]

Depois desse elogio, amiga, nenhum outro pode ser feito a Siqueira Campos. Nada diz tão eloquentemente da sua bravura, do seu coração, da sua inteligência e do seu caráter. Estaria, sim, com o seu povo e com o Herói do seu povo até o fim.

22

OS EMISSÁRIOS PARTIRAM, AMIGA, A COLUNA NÃO PODE ESPERAR na paz de um acampamento que eles voltem. Andar é o seu destino, marchar é a sua missão. Os seiscentos homens estão estafados, mas que importa? É preciso marchar, atravessar mais uma vez essas selvas de Mato Grosso e Goiás, evitar o quanto possível o inimigo que a munição rareia cada vez mais. Prestes conduz a Coluna pelo labirinto de rios de Mato Grosso e Goiás. Esquiva-se do inimigo quanto pode, vence-o todas as vezes que é obrigado a lhe dar combate.

A 26, a vanguarda feita por João Alberto, ao atingir a ponte do rio Jauru, enxerga o inimigo que a ocupa. São dez e meia da manhã, as tropas governistas que guarnecem a ponte são poderosas. João Alberto bate-se até às cinco da tarde quando desaloja o inimigo. Esse combate assume aspectos inéditos até mesmo para a marcha da Coluna: dez homens do destacamento despem-se, prendem um pente de bala nos dentes, o fuzil sobre as costas, atravessam o rio a nado, e nus vão atacar a retaguarda adversária. Nesse momento já Prestes, acompanhado de dois pelotões sob o comando de Ari, cruzava o rio para atacar o flanco e a retaguarda bernardistas. Cordeiro que fazia a retaguarda da Coluna é atacado pela cavalaria inimiga, tendo conseguido se retirar em ordem apesar de quase não poder contestar à fuzilaria por falta de munição. Os dez guerreiros nus levantam o pânico entre as forças que guarneciam a ponte e quando Prestes chega, com os pelotões de Ari, já os bernardistas batiam em retirada. A Coluna atravessa a ponte do rio Jauru e a incendeia em seguida. A 28 estão nas margens do Taguari, onde um piquete, mandado por Agrícola Batista, tiroteia com uma força do governo, composta de jagunços. Dois dias depois cruzam o rio Piquiri e a 31 chegam ao riacho Jordão em cujas margens acampam.

Continuam através dos rios e das selvas de Mato Grosso. A 6 de novembro Cordeiro de Farias, na retaguarda, perto do rio Itiquira, derrota as tropas de Franklin de Albuquerque que marchavam no rastro da Coluna. A 8 João Alberto, na vanguarda, faz o inimigo fugir na estrada entre Santa Rita do Araguaia e Lajeado. E no dia 10 volta-se a bater contra forças da polícia mato-grossense unidas a grupos de jagunços, que tentavam um assalto contra o seu destacamento. O inimigo foge deixando um fuzil-metralhadora, vários fuzis, 750 tiros de guerra, cavalos e feridos. No dia seguinte a polícia de Mato Grosso volta a deixar armas e munições nas mãos da Coluna ao ser novamente derrotada, desta vez pelo capitão Philó. A Coluna chega ao rio das Garças. Estão em plena região dos diamantes, onde habita uma população provisória, 30 mil homens que chegam em busca de fortuna e partem, meses depois, ou com pedras que lhes darão o dinheiro com que comprar os bens da vida, ou com a experiência de mais uma aventura inútil. Muitos ali deixarão a vida, bandeirantes de um novo tipo.

No dia 14 o tenente Hermínio, com um pelotão do destacamento Ari, debanda as forças de Franklin. A Coluna marcha em direção a Goiás. Se demorara em Mato Grosso à espera de que ali se reunisse a ela o destacamento Siqueira Campos. A notícia, porém, de que uma grande força revolucionária fora vista nas imediações da capital de Goiás, leva a Coluna para este estado, na esperança de que se tratasse de Siqueira e dos seus homens. A 17 atravessa o Araguaia e penetra em Goiás pela quarta vez. Antes, porém, a retaguarda, feita por Cordeiro de Farias, combate contra forças de Horácio de Matos.

A Coluna bate Goiás à procura de Siqueira. Entra em fazendas, atravessa riachos, ribeiros e rios, estradas e picadas. Luta a 22 na estrada do Rio Bonito, a 24 cruza o rio Caiapó, a 27 Cordeiro de Farias entra no povoado do Rio Claro, expulsando daí o inimigo, tropas de jagunços de Tibúrcio de Souza Morais. Mas a 28 Cordeiro enfrenta forças regulares do Exército, do 6º BC, vencendo-as também. A 29, já certos de que era falsa a notícia de Siqueira se encontrar por aquelas paragens, a Coluna toma o caminho de volta para Mato Grosso.

Novamente penetram no povoado de Rio Claro, a 1º de dezembro batem-se contra forças do 6º BC, abastecendo-se a Coluna de munições com o resultado dessa luta. No dia seguinte descansam nas margens do Caiapozinho, onde o tenente Nicácio consegue mais munições num combate contra tropas inimigas, formadas por jagunços. No dia 5 a Coluna sesteia na margem esquerda do rio Piranha, marchando daí para o rio Paraíso, atravessando o Araguaia a 7, enquanto o capitão Philó atacava as forças inimigas aquarteladas no garimpo Bom Jardim, com o fim de que a Coluna fizesse a travessia sem dificuldades. Estão mais uma vez em Mato Grosso e a 11 a Coluna toma a direção da fronteira da República da Bolívia, onde deve encontrar Djalma Dutra e Moreira Lima, com as ordens de Isidoro e Assis Brasil.

Prestes orienta essa última etapa da marcha no sentido de se afastar o mais possível dos povoados, das cidades e das vilas, onde mais facilmente poderão encontrar o inimigo. As munições e as armas da Coluna não permitem combates sucessivos e prolongados. Ainda assim ela lutará mais de uma vez antes de entrar em terras estrangeiras. No dia 18 estão os homens no rio das Garças que atravessam no dia seguinte, sustentando um duro combate com as numerosas forças da polícia mato-grossense. O inimigo é completamente derrotado, retirando-se às pressas, deixando mortos, feridos e prisioneiros, entre eles um tenente.

No dia 20 João Alberto, ao ocupar a Colônia dos Taxos, desaloja daí um contingente governista. Seguem para o rio Mortandade, donde parte o tenente Nicácio Costa para tomar a Colônia Sangradouro, o que realiza batendo uma tropa da polícia de Mato Grosso. No dia 24 essa mesma tropa, composta de quatrocentos homens, combate e é derrotada pelos destacamentos de Cordeiro, Ari e João Alberto. No campo de batalha fica um grande butim: 75 fuzis, 15 mil tiros de guerra, catorze cofres de munições para metralhadoras, sessenta carregadores, perfazendo 20 mil tiros, dois caminhões, um automóvel, cavalos, fardamento, além dos feridos, dos mortos e dos prisioneiros.

No dia 24 a Coluna toma o rumo do oeste, indo combater a 28, na ponte sobre o rio Mando, contra o 6º BC, o qual derrota, tomando-lhe munições. O Ano-Novo encontra a Coluna na Fazenda Rafael, de partida, sob chuva torrencial. Sob essa mesma chuva é comemorado entre os soldados o 29º aniversário de Prestes, o terceiro que ele passava marchando através do Brasil, o primeiro dos três que passava sem combater. Aos 26 anos era, amiga, um capitão de engenheiros que se havia distinguido na Escola, que não pudera permanecer no posto de engenheiro-fiscal porque sua honestidade o fizera protestar violentamente contra escandalosos desvios de verba. Um homem que parecia indicado para trabalhos de gabinete, um matemático antes de tudo, construtor de estradas, de usinas elétricas, longe estavam, aqueles que o conheciam, de imaginá-lo general, traçando planos de combates, de ataques e retiradas. Fora um aluno de estratégia militar em luta com seu professor, tirando notas discretas, dando palpites que pareciam inteiramente errados ao mestre. Agora, três anos depois, era o general mais celebrado da América Latina, tendo realizado o maior *raid* de cavalaria do mundo, tendo derrotado dezoito generais de renome, tendo percorrido 30 mil quilômetros, um gênio militar como antes não houvera notícias nessa parte do mundo. A marcha da sua Coluna era agora estudada com assombro não só pelos mestres que duvidaram antes das suas qualidades de estrategista, como pelos mais autorizados Estados-Maiores dos demais países da América e da Europa. Batera todos os recordes de marcha de infantaria na travessia de Tabuleiro Alto a Sento Sé. Com 1500 homens, que se haviam reduzido aos quinhentos que comandava agora, atravessara entre 100 mil inimigos bem armados, bem municiados, bem pagos. Lutara contra o Exército, contra as diversas polícias estaduais, contra os cangaceiros organizados em tropa de combate. Vencera todos, como vencera a natureza bravia, como vencera as febres e os animais da selva e da caatinga. Sua derrota fora anunciada, pelos generais governistas, vinte ou trinta vezes. Sua cabeça a prêmio, marchando e combatendo com 39 graus de febre. Sua Coluna cercada várias vezes. Rompeu os cercos, transformou as derrotas certas em vitórias conquistadas a rasgos de gênio. Nunca sentiu a febre, entrando pelos atoleiros, dando seu cavalo a um soldado ferido, a um soldado cansado. Levando por um imenso país desgraçado e angustiado a esperança de um futuro melhor. Levantando as gentes, negra, traçando os caminhos da liberdade no Brasil.

No dia 5 o capitão Philó morre lutando contra as forças de Franklin, aquelas forças que ele vencera tantas vezes. A 8 a Coluna atravessa o rio Paraguai, no dia 10 sesteia na estação Afonso, da linha telegráfica de Cuiabá a Santo Antônio do Madeira.

E, em direção à Bolívia, penetra nesse dia nos pântanos que se estendem até a fronteira. É o trecho mais assustador da marcha, se algo pode assustar esses homens de aço. Os animais já não existiam. Dos 1500 homens que haviam partido das margens do Paraná apenas quinhentos estão reunidos em torno de seu chefe, dois terços da Coluna ficaram pelo Brasil, corpos e sangue em catorze estados, esperança sobre toda uma pátria. São quinhentos e, desses quinhentos, muitos não podem combater. São feridos, são doentes, são mulheres, são velhos, são meninos.[89] Não há quase munições, não há quase armas, não há o que comer, não há cavalos sobre os quais viajar, vão montados nos poucos bois que levam, e essa montaria diminui a cada dia porque os bois são abatidos para comida. Além da carne magra desses raros bois cansados, tudo que resta é o palmito de quando em vez encontrado na estrada difícil. Todos marcham descalços, não há mais sapatos, não há roupa tampouco. Vestem farrapos, de cor indefinida, bordados de lama, da lama dos pantanais. Alguns levam apenas uma tanga sobre o sexo, feita com os restos de um cobertor. Outros vestem recordações do que fora antes calças ou cuecas. Os mosquitos, trazendo todas as febres nos seus ferrões aguçados, cobrem as noites da Coluna. Não resta nenhum tempero para cozinhar. A pouca carne é comida sem sal, chamuscada no fogo difícil de acender no lamaçal sem fim. Para descansar os homens têm que subir nos galhos mais altos das árvores, como um imenso bando de macacos.

Mas a sua energia não se quebra. Prestes diz: “Adiante”, e os homens marcham, atolados até os ombros, uns amparando os outros, Prestes sustentando um soldado que já não caminha, Cordeiro de Farias entregando a um outro mais cansado e com menos responsabilidade o boi em que viajava, João Alberto procurando um caminho mais transitável naquele oceano de lodo, Ari atendendo a um enfermo. As mulheres levam os fuzis quase inúteis dos homens durante horas para descansá-los, os meninos não se comportam como homens, se comportam como heróis. Na frente, como de costume, vai Prestes, qual é o homem que não o seguirá?

Entre o rio Sepotuba e Cabaçal não há caminhos. Prestes abre com seus soldados uma picada de 204 quilômetros, num trabalho de oito dias, trabalho estafante para homens sadios, descansados e alimentados, trabalho que esses homens estafados realizam alegremente.

No dia 14 a Coluna atinge Porto Belo na margem esquerda do Sepotuba, o transpõe no dia seguinte, e inicia a construção da picada.

No dia 25, já livres da mata que pela primeira vez fora penetrada pelo homem, o capitão Ítalo Landucci, ex-ajudante de ordens de Prestes, servindo agora no destacamento de João Alberto, derrota forças governistas, chefiadas pelo tenente Procópio. A 28 um pelotão do destacamento Cordeiro de Farias, que faz a retaguarda, bate-se com forças da polícia mato-grossense e jagunços. Esse foi o último combate da Coluna, sua última vitória. Nele ainda morrem oficiais e soldados da revolução, nele o inimigo deixa trinta mortos e é perseguido numa distância de dez quilômetros. Nele a Coluna ainda conquista munições. São os mesmos bravos, amiga, estão rotos, febris e esfomeados. Mas, ainda assim, são os melhores guerreiros da América.[90]

Nesse dia a Coluna cruza o rio Jauru, no porto de Jacutinga. No dia 3 de fevereiro de 1927 a Coluna Prestes se prepara para marchar. São cinco horas e trinta minutos, a madrugada rompe sobre Mato Grosso. Uma voz ordena:

— Marchar!

Eles olham: é a fronteira da Bolívia na frente. Os olhos se voltam para trás, ali ficava o Brasil. Esses soldados, amiga, não têm perfeita ideia do que realizaram. Sabem que acompanharam a Prestes, que lutavam pela liberdade e por uma vida melhor. Mas talvez nem saibam que plantaram nas terras do Brasil a revolução para todo o sempre.

Marcham devagar. Esses homens nunca choraram, amiga. Mas agora, quando a pátria fica para trás, os velhos soldados da Coluna, curtidos de mil combates, deixam que as lágrimas rolem sobre os farrapos, sobre as barbas crescidas, sobre os peitos nus. E, como o faziam sempre que algo os perturbava, procuram com os olhos o general Luís Carlos Prestes. Olham para a frente, ele sempre vai na frente. Não, desta vez, amiga, ele marcha na retaguarda, é o último a deixar as terras do Brasil. Seu rosto sereno, sua face tranquila, seu olhar ardente. Um soldado o fita e compreende. Grita para os outros, sua voz alegre como um toque de clarim:

— Um dia a gente volta...

Sua voz em direção do Brasil que fica, última mensagem de esperança da Coluna Prestes.

Agora é o exílio, amiga.

23

TE FALAREI, AMIGA, DOS GRANDES E DOS PEQUENOS, DOS OFICIAIS E DOS SOLDADOS, que o heroísmo foi comum a todos, era o clima cotidiano que a Coluna respirava. A voz altíssima de Romain Rolland, negra, anunciou que os séculos recordarão para sempre a epopeia dessa marcha.[91] Ele escreveu sobre a Coluna essa verdade: "A unidade das raças e das almas do Brasil se forjou através dela". Sim, amiga, durante três anos o Brasil viveu o clima de epopeia, de canto puro à liberdade, de amor à pátria e aos homens, que era a marcha da Coluna Prestes.

Te contarei dos grandes e dos pequenos. Dos que venceram as lutas, as febres, a infâmia, a natureza adversa, a fome e a sede, os rios e as montanhas.

Uma vez, era no Piauí. A Coluna passava em frente de um rancho de barro batido, coberto de palha. Nele vivia Joel, igual a milhares de sertanejos do Brasil. A Coluna passava, ele queria lhe presentear com algo, agradecer de alguma maneira aos soldados da liberdade o quinhão de esperança que lhe dera. Se adiantou até Luís Carlos Prestes, levava uma cuia de farinha na mão. Era tudo que havia de alimento no seu rancho. E disse:

— General, tá aqui essa farinha, é tudo que eu tenho para comer no meu rancho... Dê pros soldados...

Voltou ao rancho e achou que era pouco. Ele possuía também um burro, com o qual ganhava a farinha que comia. Tomou-o pelo cabresto, se adiantou novamente até Prestes:

— General, tá aqui esse burrinho que é tudo que eu tenho para viver... Monte nele, não vá mais de a pé...

Voltou ao rancho e achou que era pouco, amiga. Mas ele não tinha mais nada que dar, mais nada possuía no mundo. Sim, amiga, ainda possuía algo, possuía a sua vida que podia dar pela liberdade. Pela terceira vez se adiantou até Prestes. Nada conduziu nas mãos mulatas, mas ia sorrindo de alegria:

— General — disse —, agora leve a mim... Me dê um fuzil, já lhe dei tudo que tinha, agora me dê um lugar na sua Coluna...

Foi assim, amiga, que o soldado Joel entrou para a Coluna Prestes no alto sertão do Piauí.[92]

Assim chegavam os voluntários, os que enchiam os claros deixados pelos que caíam sob o fogo dos soldados do governo. Davam tudo que tinham, davam a vida também, era poderoso sobre os sertões, amiga, o chamado da Coluna. Os toques de corneta nas madrugadas bravias despertavam a liberdade sobre a selva, os gerais e as caatingas. Nesses anos em que o heroísmo foi o alimento diário do interior brasileiro.

Te falarei de Miguel Costa, amiga, o general comandante. Te falarei do Cordeiro de Farias, de Siqueira Campos, de João Alberto, de Djalma Dutra, de Moreira Lima, de Juarez Távora, de Trifino Correia, de Ari Freire, de Manuel Lira, de Paulo Kruger, de Alberto Costa e Ítalo Landucci, o italiano que era ajudante de ordens de Prestes, de Virgílio dos Santos, do tenente Hermínio, do tenente Souza. Seus nomes como um poema. Também dos que começaram soldados e sargentos e terminaram tenentes e capitães. Te falarei de Moreira Lima, o advogado, Fúrmanov escrevendo a crônica desses Tchapáievs da América, largando a pena de secretário da Coluna para tomar do fuzil de capitão da Coluna, largando o fuzil para estudar os autos dos processos montados pelos donos da terra contra os que trabalhavam na terra e para ordenar a sua destruição. Foi dos que ganharam um nome como uma condecoração na Grande Marcha. Chamaram-no de "bacharel feroz" porque era valente nos combates, o inimigo jamais pensaria que aquele capitão tão destemeroso, aguerrido e bravo era um homem de leis e não um militar de carreira.

Começo te falando dele, amiga, porque foi ele quem nos deixou a crônica detalhada e viva da marcha da Coluna Prestes. Ele foi o intelectual dentro da Coluna, a arma ao ombro, seu sangue pelo povo. Se extasiando como um poeta diante das paisagens, descompondo virulentamente os adversários, narrando singelamente os comoventes episódios da epopeia, errando várias vezes quando queria aprofundar fatos sociais, acertando sempre que falava da importância da Coluna. Soldado de Prestes, capitão da liberdade, novamente com Prestes na Aliança Nacional Libertadora em 1935, saindo da cadeia para morrer logo depois, nos dias de desgraça de hoje sobre o Brasil, seu coração não resistindo ao espetáculo do seu general preso e torturado nas masmorras do Rio. Era o homem da Coluna, da Marcha de combate em combate, de vitória em vitória. O clima de baixeza moral, de achincalhamento dos homens, que é o clima do Estado Novo, o matou de vergonha e de desgosto. Em 35 quando Prestes lhe escreveu sobre a Aliança e a Revolução ele lhe respondeu, amiga, era ainda o capitão da Coluna: "Estou certo de que se você entrar no Brasil, à frente de uma Coluna, esta camorra cairá com a maior facilidade!". É o mesmo homem que escreveu as páginas desparramadas mas cheias do calor de vida vivida de *Marchas e combates*.[93] Tendo evolucionado na sua revolução, como evolucionara Prestes e a Coluna. Tinha marchado para a esquerda, era a continuação da Grande Marcha. "Para a esquerda, é a frase que se ouve em todas as bocas", escreveu ele a Prestes, amiga, esse filho do povo nordestino, a pena e o fuzil, a beca e o dólmã. Lourenço Moreira Lima, advogado e capitão.

Outro que já morreu foi Siqueira Campos, amiga, o bravo dos bravos, sua vida um poema de bravura, sua morte nas águas, caindo de um avião. Viajava para a conspiração de 30, por ela estivera no Brasil, conspirando em São Paulo, escondido em casas de amigos,[94] a polícia aterrorizada só com o seu nome e a notícia da sua presença, animando a todos, levantando os temerosos, dando novo ânimo aos que não acreditavam na vitória. O avião em que ia do Prata a São Paulo caiu nas águas do rio. No rio da Prata seu corpo desapareceu num dia de luto para o Brasil. Nesse dia, mesmo as vivandeiras da Coluna, as que lhe punham apelidos porque ele não as queria no seu destacamento, mesmo elas choraram se lembrando do jovem comandante. Ele viera do Forte de Copacabana. Ia na frente dos homens que marchavam pela praia no primeiro 5 de julho, um trapo de bandeira sobre o coração. As balas não puderam com ele, seu corpo perfurado se levantou meses depois de uma cama de hospital. Quando a Coluna apareceu, ele estava com a Coluna. Vencedor de mil combates, homem da confiança de Prestes, caudilho que arrastava atrás de si a soldadesca embriagada de bravura, exemplo de coragem e de honestidade. Depois de Prestes, e com Miguel Costa, ele foi o mais amado pelo povo dentre os cavaleiros da Coluna. Era destemido até a loucura, tinha a rapidez das decisões, via sempre o caminho certo a seguir na mais confusa das situações.

É, nos dias da Coluna, um jovem comandante de 24 anos. Aos 22 se imortalizara na praia de Copacabana. Era a melhor imagem da coragem e da dignidade do Exército. Os olhos vivos, a boca enérgica, pilheriando com tudo, tendo o dom de fazer Prestes rir, alegre e no entanto o mais disciplinado e mais disciplinador dos oficiais da Coluna.

Na travessia de Pernambuco, no combate da fazenda Cipó, quando as tropas do Exército, da polícia e de cangaceiros, atacaram tão violentamente a Coluna, houve um momento em que o 5º Pelotão, do destacamento Siqueira Campos, atacado por forças infinitamente superiores, se tomou de pânico, os soldados numa debandada, na procura de onde se esconder para salvar a vida. Foi quando Siqueira gritou juntando os poucos que não fugiram. Se põe à sua frente, de peito aberto, seu sorriso de escárnio, avança contra o inimigo, fogo do seu revólver, fogo de seus olhos de brasa. Os soldados do 5º Pelotão, dos seguros esconderijos que haviam elegido, veem Siqueira que vai na frente, quase ao seu lado o tenente Sadi Machado, uns poucos homens a segui-los a caminho de uma morte ardente. Mais forte que o medo é essa visão, amiga. Vai Siqueira de peito aberto, as balas em torno dele, os adversários caindo adiante, ele vai, seu gesto é um chamado aos homens que se aterrorizaram, é uma lição aos homens que fugiram. E eles voltam, já não têm medo. Vão saindo um a um de detrás das árvores, se vão reunindo, em breves minutos todo o 5º Pelotão está na batalha, novamente bravo e destemeroso, novamente batendo os governistas com aquela férrea decisão de homens da Coluna. Mais forte que o medo, amiga, era a sugestão chegada do chefe de Copacabana, seu sorriso indiferente no meio das balas, seu destemor à morte.

Amiga, se eu te fosse contar episódio por episódio, fato por fato, todos os momentos de bravura da vida de Siqueira Campos, ficaríamos no cais até que essa lua cheia que veio do Brasil virasse a lua minguante dos dias tristes. Sua vida breve e intensa é como um poema guerreiro, um combate em cada verso, um feito em cada estrofe. Como o afluente de um grande rio, que dado o volume das suas águas e a força da sua correnteza e a vida que leva às terras que banha, é também ele um rio com força própria, assim o destacamento de Siqueira, nos dias finais de Mato Grosso e Goiás, deixa a Coluna para acompanhar Dutra e Moreira Lima a Libres. E, não reencontrando o grosso da tropa, o destacamento de Siqueira Campos marcha 9 mil quilômetros, afluente da Coluna como um rio, banhando de esperanças novas terras, fazendo nas suas marchas nascer, crescer e florir a revolução.[95] Siqueira Campos, amiga, quer dizer bravura.

Eis um belo homem e eis um grande homem, amiga: o general Miguel Costa. Anda por todo São Paulo, negra, cruza as ruas afanosas da capital no seu trabalho intenso, cruza as ruas de Santos despejando café sobre o mundo, entra pelas fazendas, cafezais, algodoais, mandiocais e milharais, e pergunta ao citadino, ao marítimo, ao camponês, ao soldado, ao comerciante, ao operário, ao pintor de tabuletas e ao pintor de óleos e guaches, ao sapateiro e ao boêmio da avenida São João, pergunta a qualquer desses homens qual a mais amada, a mais respeitada das pessoas e ouvirá o nome de Miguel Costa dito com uma emoção nas palavras de carinho, com um orgulho na voz cheia de admiração. Seu nome é uma bandeira, mas uma bandeira de combate, amiga, da cor do sangue que ele viu correr, da cor das misérias que ele viu o povo sofrer, da cor do seu coração sangrando pelo povo. Eis outro homem do povo, amiga. Outro filho das gentes sofredoras, outro líder que o povo criou nos seus momentos mais angustiosos, quando os seus problemas se agravavam até ao desespero. Quando Joaquim Távora, alma e coração da revolução de 24, desaparece, seu substituto na confiança do povo é Miguel Costa. Nunca traiu essa confiança.

Comandante em chefe da Coluna Prestes, é ele quem nos dias de Estado-Maior colabora com Prestes e com Juarez no traçamento dos planos de combate, seus conhecimentos militares sendo um dos capitais mais positivos da Coluna.

Sóbrio, seu cabelo grisalho, seu riso bom e humano, ferido quando se batia na primeira fila ao lado de um soldado qualquer. Seu bom humor inalterável em toda a marcha da Coluna. Jovial como o mais jovem dos tenentes, bravo como o mais bravo da Coluna. Sua presença bastava para dar, mesmo nos momentos mais dramáticos da marcha, quando os homens quase nus, sujos e esfomeados, mais pareciam animais da selva que soldados marchando, um aspecto perfeitamente militar à Coluna. Quando os homens passavam, cansados e feridos, ele estava imutável e com seu sorriso bom, conforto e alegria, e então até mesmo a natureza agreste compreendia que aqueles eram soldados, os mais valentes soldados do mundo. Soldados de Miguel Costa, o general comandante em chefe.

Nos dias da Aliança, no ano do povo do Brasil, no ano de 35, novamente ele vem nos braços do povo. Novamente ao lado de Prestes com aquela sua comovente admiração e confiança no outro general. Vai às prisões nos dias dos inimigos do povo, nos anos de 36 em diante. Hoje o povo o olha com o mesmo olhar de límpida esperança. Acredita e confia em Miguel Costa, amiga. Esse nasceu do ventre generoso do povo, a traição nunca há de morar no seu peito. Por isso ele é o mais amado dos homens de São Paulo.

Juarez é o símbolo do tenentismo de 22 a 30. Puro, honesto, por vezes ingênuo, seu coração de gigante bom não acreditando na maldade e na má-fé humanas, se deixando trair por políticos matreiros, aparecendo por vezes como responsável por erros que outros tinham cometido, abusando da sua boa-fé. Técnico militar de reconhecido valor, subchefe do Estado-Maior da Coluna, preso em Teresina, preferindo continuar prisioneiro a ver a gente da cidade sofrer um cerco e uma batalha, ele forma com Prestes e Miguel Costa o trio que organiza os planos de combate, que é responsável pelas vitórias da Coluna. Em 30 seu nome corre de novo através do país. Atrás dele descem as populações do Norte e do Nordeste sobre as quais a Coluna havia derramado o bálsamo da esperança. General da revolução de 30, vai sofrer todas as desilusões dos políticos tão inimigos do povo quanto aqueles que ele derrubara. Vai ver todos os seus esforços de governar limpamente impedidos pelos que queriam governar com a barriga. Juarez Távora, que trazia sobre seus homens e no fundo do seu coração, a responsabilidade da Coluna Prestes, diante da inesperada face mostrada por alguns dos seus novos aliados recuou, ele que nunca havia recuado diante dos combates. Recuou diante da sujeira de todos aqueles que haviam explorado seu nome e o nome da Coluna. Prestes não acreditava naqueles homens e não se quisera pôr na sua frente. Era como se pôr à frente de uma revolução já traída. Juarez tinha atravessado com a Coluna pântanos, rios de lodo, lama até os ombros. Esses homens asquerosos jogados dentro do grande movimento popular de 30 lhe pareceram pingos de lama num rio de águas claras. Se pôs à frente deles, foi com os seus tenentes, com o povo nascido da Coluna. Depois, Prestes era quem tinha razão. Juarez, a quem os políticos de sutil miséria moral quiseram responsabilizar pelas suas infâmias, entristeceu, seu coração ferido. Ele viera do contato com Prestes: toda a grandeza, toda a dignidade, a honra, a verdade, o amor ao povo. Viera dessa experiência humana, desse convívio com o mais puro e o mais honesto dos homens. E se deparou de súbito com a maldade, com o egoísmo mais vil, com o cinismo mais repelente. Sai de junto de Prestes para o lado de tais homens.

Seu coração de soldado da Coluna, os princípios de honra da Coluna, os sonhos da Coluna de um governo do povo e para o povo, seu coração chagado pela sordidez dos que mais uma vez vendiam a pátria, dos que banqueteavam com a comida que faltava ao povo. Juarez Távora deixou a política. O gigante puro e popular de 24 tinha sido ferido no mais fundo do coração, amiga.

João Alberto, Cordeiro de Farias, Djalma Dutra, Ari, comandaram outros destacamentos. Cordeiro bateu-se em cem combates, ainda hoje sustenta os combates contra os nazistas no seu governo no Rio Grande do Sul. A marcha da Coluna é profunda no coração dos homens, amiga. Como Juarez, Cordeiro de Farias fez a revolução de 30 e acompanhou os políticos que se aproveitavam dos feitos desses jovens comandantes. Anda com eles até hoje. Já viste, amiga, nos céus do Brasil, quando vai na frente de uma ninhada um urubu a quem por diversão ou por acaso, nos seus dias de choco, juntaram um ovo de condor aos seus ovos? Enquanto os pequenos urubus ciscam em quanta sujeira se lhes depara, o pequeno condor procura a água límpida das fontes e dos rios, o cimo das montanhas, longe dele a sujeira, sua vocação é a altura. Assim hoje Cordeiro de Farias entre homens que se rebolam no ódio ao povo, na traição ao povo. Ele, como o que traz a marca de uma raça diferente, procura a fonte boa do povo. Seu clima de governo é uma antítese do clima do Estado Novo. Quando este se entregava aos nazis, quando os traidores da Coluna levavam sob a camisa de seda a parda camisa dos vende-pátria, ele sozinho no seu estado, sustentado pelo povo e se apoiando nele, denunciou o perigo nazista no Brasil e combateu esse perigo. Seu governo feito contra os princípios do Estado Novo, contra os que são donos da pátria. A Coluna trazia tanta força aos seus homens que Cordeiro de Farias pôde realizar essa façanha incrível. Hoje, sobre seus ombros que são os ombros de um governo que o povo apoiou, o Estado Novo busca apressadamente as bases em que se segurar nesse momento do mundo em que tem de combater o fascismo.

Cordeiro de Farias... Seus dias da Coluna são um suceder de feitos, seu destacamento, lutando na vanguarda, lutando na retaguarda, ora num flanco, ora noutro, cem vezes ele se cobriu de glória.

De glória se cobriu João Alberto, se cobriu Djalma Dutra, se cobriu Ari Salgado Freire. A João Alberto chamaram de "homem providencial", aparecendo sempre nos momentos difíceis, sua coragem nunca superada, pernambucano com todas as características da sua raça. Homem sem nervos nos momentos de perigo. Abrindo picadas, atravessando entre balas, conseguindo soluções inesperadas para problemas imediatos. Era uma espécie de faz-tudo na marcha da Coluna. Comandante e engenheiro, médico e artilheiro, a cavalo ou a pé, nos dias de vitória, nos dias de fome.

Assim foram Dutra e Ari, amiga, assim foram Trifino, esse valente Trifino de ontem e de hoje, Landucci, Kruger, Moreira e Lira, os outros todos.

Vararam o desconhecido, a selva, a caatinga, os campos da terra do sem-fim. Para eles não existia o medo. Não combatiam apenas os soldados inimigos. Combatiam a febre, a natureza, a desesperança das populações infelicitadas.

Muitos desses homens morreram, amiga, vivem no coração do povo. Outros tomaram por caminhos que não são os nossos caminhos. Mas eu te direi, amiga, que daqueles que fizeram a Coluna Prestes nunca devemos desesperar. Nos seus corações ficou uma marca profunda. Da mesma maneira como a marca de traição e de miséria ficou no coração dos que traíram a Coluna no momento de 24 e desses nunca ninguém pode nada esperar, dos homens que a seguiram, mesmo daqueles que entraram nos anos de hoje por perigosos desvios, nunca devemos desesperar de todo. Por mais graves que possam nos parecer os seus erros de determinados momentos, devemos lembrar, amiga, que o povo foi uma bandeira para esses homens e que o chamado do povo é poderoso como nenhum chamado. Eles o ouviram uma vez. Quem sabe se não o ouvirão de novo nesses dias em que o sofrimento do povo atinge novamente os limites do indescritível?

Mas eu te falo deles, amiga, no seu momento de heroísmo, no seu momento revolucionário, quando, todos eles, os que continuam com o povo e os que o abandonaram, levantaram a bandeira da revolução sobre o Brasil e conduziram a esperança até o coração da pátria. Te falo deles nessa hora de epopeia. Quando eles são heróis do povo do Brasil.

Como heróis do povo do Brasil são esses 1500 homens da Coluna. Mais de oitenta por cento da tropa ferida, quase sempre mais de uma vez. Vinte e seis mil quilômetros atravessados em quase três anos de uma marcha cujo descanso maior foi de 48 horas. Seiscentos soldados que morreram, misturando seu sangue com o de setenta oficiais. Cem mil cavalos utilizados na maior marcha de cavalaria do mundo. Trinta mil bois abatidos nos dias em que havia bois a abater. Cinquenta e três combates de importância, milhares de tiroteios menores.

Ah!, amiga, as noites seriam curtas para eu te narrar os feitos heroicos dos soldados, para eu te falar de um por um. Não há soldado, não há cabo, não há sargento, não há subtenente da Coluna que não tenha tido seu momento de heroísmo. A Coluna, sob o comando de um chefe genial, é um feito coletivo, engrenagem de milhares de anônimos heroísmos, os chefes nunca subestimando os indivíduos, esses absolutamente conscientes do que se esperava deles.

Zé Viúvo foi ferido numa perna e fez um grande trecho da marcha numa padiola. Deitado, levado sobre os ombros dos outros, nos seus dias de doente, ele viu a falta que fazia cada homem, o trabalho que cada homem doente dava nos demais. Sabia também que a Coluna não deixava para trás os seus feridos, nem os que não mais podiam combater, levava-os consigo, livrando-os assim da morte certa sob as torturas dos bernardistas. Os doentes eram uma carga pesada nos ombros da Coluna. Mas ele sabia também que nenhum doente tinha forças para abandonar a Coluna, o lar que havia conquistado. Zé Viúvo ficou aleijado, quando deixou a padiola foi para o lombo de um cavalo. Não podia andar. Arranjou então umas muletas, se arrastava com elas, foi até Prestes e pediu-lhe que não o deixasse como um inútil, ele queria prestar serviços. Prestes conhecia os homens, os seus corações não tinham segredos para ele. Sorriu para Zé Viúvo, mandou que lhe dessem o fuzil de novo. E com a sua arma na mão, nos olhos a visão do riso bom de Prestes, Zé Viúvo ia, nas noites de acampamento, fazer sentinela. Sentava dentro do mato, aleijado que não se podia manter em pé, as muletas a um lado, o fuzil na mão. Não havia sentinela mais de confiança que Zé Viúvo. Ai do inimigo que aparecesse nas suas noites de vigia! Sentado, a arma sobre as pernas inúteis, Zé Viúvo nunca errou um tiro. Nunca a Coluna foi tomada de surpresa quando das suas vigias. Foi assim, amiga, que os soldados inutilizados conseguiram ser úteis à Coluna.

Pires foi ferido catorze vezes. Fez toda a Coluna até a Bolívia onde chegou capitão. Agrícola Batista recebeu três balas na mesma perna. Não se amedrontou, fazia pilhéria, falava em cortar aquela perna que trazia urucubaca. Assim eram eles, amiga, esses soldados da Coluna.

Homens como Luís Carreteiro que só não trouxe para a Coluna as mulheres da sua família. Veio com todos os homens, seu irmão Benício, seus três filhos. Morreram todos, feridos na Grande Marcha, nenhum chegou à Bolívia. Luís Carreteiro, seus três filhos, seu irmão. Foram caindo um por um, caiu ele por fim nas proximidades de Piancó. Era um velho, deu seu sangue e o sangue moço dos filhos.

Bacelar, o gigantesco tipógrafo de Piracicaba, que vinha desde São Paulo lutando bravamente. Só quis um prêmio, ingênua vaidade de tipógrafo: que seu aniversário fosse noticiado pelo *Libertador*, *o* jornal que a Coluna de quando em vez publicava ao entrar em alguma cidade que possuía oficinas gráficas. Fizeram-lhe a vontade, ele se sentiu perfeitamente pago das feridas causadas pelas balas. Assim eram esses homens, amiga.

Como o negro Balduíno, velho de carapinha branca, os anos incontáveis, que já fizera a guerra no ano distante de 93, acompanhando Pinheiro Machado, e que acompanhava agora o outro Pinheiro Machado que ia na Coluna. Este era seu patrão, era quase seu filho. Balduíno ralhava com ele, estava sempre a seu lado. Um dia o esquadrão de Pinheiro se empenhou num combate desigual, os inimigos cercaram o comandante. Balduíno se colocou ao seu lado, ordenou a Pinheiro, com sua autoridade de velho negro amigo, que se fosse para outro lado e, saltando do seu cavalo, se pôs na frente dos adversários, disparando seu revólver, gritando seu grito de guerra trazido das selvas da África. As balas terminaram, puxou da sua espada, velha espada da campanha de 93, penetrou com ela em meio ao inimigo, não a largou nem quando caiu morto, trespassado de balas, furado de baioneta. Esse negro Balduíno, amiga, que salvou Zezé Pinheiro nesse dia.

Favorino Pinto, que já não podia combater de tão velho, caudilho das passadas revoluções gaúchas, que seguia na Coluna para acompanhar os seus dois filhos, para aconselhá-los nas horas de combate. Bom Bico, mágico de feira, fazendo teatro para os soldados nos dias de parada, sendo o mais valente soldado nos dias de combate. O preto Castorino, forte e alto como uma árvore da selva, valente sem igual. Deixou um rastro de fama no sertão, foi sargento por bravura. Gostava de lutar sozinho contra centenas de inimigos. Quando a Coluna já partira de Picos, depois de Cordeiro de Farias ter se batido, ele voltou sozinho e sozinho enfrentou a cidade armada em guerra. De pé, no campo, negro gigante sorridente, atirava contra os soldados da cidade de Picos. A fuzilaria cortava o capim, silvavam as balas em torno dele.

Noutro combate assim, Castorino morreu na chapada Diamantina. Aguentando sozinho um bando de jagunços. Caiu por fim, levou muitos com ele, amiga.

Os meninos que eram feitos anspeçadas, como Jaguncinho, os que eram mortos entre torturas pelos legalistas como Aldo. Como aquele filho do capitão Hildebrando de Oliveira, que viu seu pai morrer quando marchava sobre uma trincheira inimiga. O menino o viu cair, não teve um grito de espanto, uma lágrima de desespero. Tinha dezessete anos mas os meses que levara na Coluna, em companhia de seu pai, valiam como anos de experiência. O capitão caiu, ele tomou das suas armas, continuou o seu combate, avançou para a trincheira, percorreu o resto do caminho que Hildebrando queria percorrer. Ao terminar o combate conta a Cordeiro de Farias que o pai morrera mas que ele tomava o seu lugar.

Assim eram eles, amiga, os homens da Coluna, os meninos que se faziam homens na Grande Marcha. Te disse de alguns, não te contei da maior parte. As histórias da Coluna, as dramáticas, as heroicas e as comoventes, se sucedem às dezenas e às centenas. Não passa um dia sem um feito grandioso. Não há um homem que não tenha uma história bela como uma lenda. Sobre seus corpos os inimigos tatuaram com balas as medalhas da Coluna. Amiga, era preciso que a noite se alongasse, que o luar nunca terminasse, para que eu pudesse te narrar uma ínfima parte dos feitos desses homens.

Vê, eles vão sorrindo, aquele não tem perna, deste a bala levou um braço, rasgou o rosto daquele outro, para trás ficaram os cadáveres de muitos. Feridos, aleijados, doentes. Soldados ainda assim, lutando com o que lhes resta do corpo, não cedendo nunca, avançando sempre, a certeza do futuro. São a imagem da revolução, amiga.

Cada negro, cada branco, cada mulato da Coluna Prestes tem a sua história. É sempre uma história heroica e bela. Dessas histórias, amiga, as gerações se alimentarão, pelo tempo afora, de heroísmo e de esperança. Esses heroísmos diários de cada homem, de cada menino, de cada vivandeira, fazem a epopeia coletiva da Coluna Prestes, estrela rasgando o céu do Brasil, a noite de escravidão do Brasil. "Rajada de heróis", disse o poeta, negra.

24

CONTAM, AMIGA, AS CRÔNICAS DA COLUNA, AS ESCRITAS E AS ORAIS, as que estão nos livros e nos artigos e as que são narradas nas feiras do Nordeste pelos cegos cantadores, a comovente repetição de um mesmo fato ao relatarem a morte dos soldados.

Dizem que, quando um soldado era ferido de morte e compreendia que poucos minutos lhe restavam de vida, ao lhe perguntarem os companheiros e os oficais qual seu último desejo para safisfazê-lo, ele, como todos os demais, repetia:

— Quero morrer com o general ao meu lado.

Por vezes o general estava trabalhando, a cabeça febril debruçada sobre um plano de combate, sobre o traçado de uma picada, o croqui de uma ponte a destruir ou a construir. Por vezes estava marchando a cavalo ou a pé, por vezes estava combatendo. Mas num canto da selva ou da caatinga, um soldado morria e na hora final, quando tudo se ia acabar para ele, enunciava como seu último desejo, como a coisa que poderia fazê-lo feliz na hora extrema da morte, aquela vontade de ter junto a si o general Luís Carlos Prestes.

Morrer fitando-o, assim não via mais as terras agrestes e abandonadas, não via mais as populações famintas de onde o soldado saíra. Não via mais a miséria do presente. Nos olhos ardentes de Prestes via o futuro livre, aquelas terras ricas e fecundas abertas na fartura de todos. Os homens libertados, felizes, trabalhando uma terra sua, com máquinas suas, a paz, o riso e o amor. Morrer fitando Luís Carlos Prestes, a mão moribunda entre as suas mãos amigas. Esse aperto de mão que afasta todo o medo. Alegria infinita de morrer ao lado do Herói, conversando com ele, imaginando com ele o futuro melhor de todos os humanos.

Por isso, amiga, quando o oficial chegava e, com a rude franqueza dos que não têm medo, perguntava ao soldado o que ele desejava antes de partir, se um recado para a noiva, se dinheiro para a família, se um cigarro ou se um trago de bebida, ele respondia sempre, resposta que se sucedeu durante toda a Grande Marcha:

— Quero morrer com o general ao meu lado.

E Prestes chegava, seu sorriso amigo, suas mãos companheiras, seus olhos ardentes, com ele o futuro. Sentava junto ao leito improvisado. Falavam, ele e o soldado, dos feitos passados, das lutas, das marchas e das vitórias. Falavam do futuro também, o futuro que nasceria do sangue dos soldados caídos. O soldado sabia que nem sua mãe nem sua amada deixariam de receber notícias e dinheiro. E sabia também que os homens amanhã seriam libertados da dor e da desgraça. Junto a ele a tranquila face, os olhos amigos, o sorriso quente de carinho de Luís Carlos Prestes.

O soldado ria, ria feliz, amiga, feliz morria nas selvas ou na caatinga. Feliz, fitando a face amada de Luís Carlos Prestes. Assim contam as crônicas, negra, pelas bocas dos cegos nas feiras do Nordeste.

25

NO ANO DE 24, AMIGA, QUANDO A COLUNA APARECEU COM A REVOLUÇÃO do Rio Grande e a revolução de São Paulo, os chefes civis e militares viam apenas alguns dos motivos por que o povo almejava a revolução, e se batiam apenas por umas poucas e superficiais mudanças.[96] A verdade é que a esses chefes havia chegado o eco do clamor imenso de desespero que vinha de todo o Brasil. Mas só se apercebiam dos problemas que estavam imediatamente diante deles. Os grandes e profundos problemas do Brasil eram-lhes desconhecidos. Os que habitavam o interior impenetrado, viviam à margem dos grandes rios, nos latifúndios, floresciam num regime de escravidão social que só poderia talvez encontrar semelhante na Rússia tzarista.

Os chefes da revolução, Prestes à frente de todos, iriam aprender sobre as reais necessidades do Brasil na Grande Marcha. A Coluna tem duas faces poderosas, amiga: aquela que levava esperança ao povo, a outra que levava experiência aos líderes do povo. Os homens que partiam do litoral civilizado, das grandes cidades, do Rio, de São Paulo, de Porto Alegre, iriam se defrontar com o inimaginável. Sua primeira constatação é que desconheciam completamente o Brasil. Se tinham ido a uma revolução pelos problemas políticos e sociais que as cidades lhes haviam apresentado, davam conta agora que essa revolução era absolutamente superficial para a profundidade dos problemas básicos do país.

Esse o motivo por que as revoluções de 22 e 24, como os levantes de 25 e 26, não tiveram uma base de massa, eram mais Putsche secos que mesmo revoluções. No entanto a marcha da Coluna vai pôr essa situação pelo avesso. A Coluna aprendeu e ensinou. Levou a revolução ao povo, no seu começo era uma tropa de soldados sobrados de um Putsch que havia fracassado. No fim da Grande Marcha o panorama era totalmente diverso: a Coluna era uma revolução marchando pelo país, levantando as populações, vivendo um programa. Só foi possível a revolução de 30, precedida e acompanhada do formidável movimento de massas daquele ano, porque a Coluna havia despertado o povo e ensinado aos seus líderes.[97] A Aliança Liberal vai utilizar, em 30, todos os ensinamentos da Coluna aos revolucionários e vai se aproveitar da semente de liberdade que a Coluna deixara no coração do povo. Os líderes da revolta de outubro de 30, que depois — como Prestes previra — irão, na sua maioria, trair o povo e se voltar contra ele, só conquistaram o poder porque já apresentavam um programa de reivindicações. Programa que será de muito superado no ano de 35, quando Prestes, indo ao encontro do povo traído por tantos dos chefes de 30, lança a Aliança Nacional Libertadora. A Aliança Liberal se balançava entre as reivindicações populares e os compromissos de seus chefes políticos com os imperialismos que a financiavam. Liberta desses compromissos estava a Aliança Nacional Libertadora, fruto totalmente dos interesses do povo.

Os limites desses dois movimentos servem para marcar, também, a capacidade de ir para diante de Prestes e dos que ficaram em 30 com a Aliança Liberal. Como Prestes, eles tinham visto os problemas, eles os haviam vivido, traziam no sangue a sua marca indelével. Mas se contentaram dentro dos limites que os políticos hábeis punham às reivindicações populares, no preparar da traição próxima. Prestes já havia ido adiante desse programa. Quando ele termina a marcha da Coluna só uma coisa o preocupa: encontrar o caminho verdadeiro para solucionar os problemas do Brasil. A revolução deixa de ser uma aventura a tentar cada vez que haja oportunidade. A revolução passa a ser uma resposta às necessidades do povo, uma resposta concreta e positiva, não apenas a mudança de um governo por outro, mas o apresentar soluções reais para os males do país.

"O que tínhamos em vista", disse Prestes se referindo à Coluna,[98] "principalmente, era despertar as populações do interior, sacudindo-as da apatia em que viviam mergulhadas, indiferentes à sorte do país, desesperançadas de qualquer remédio para os seus males e sofrimentos." Isso ele o havia conseguido realizar. Essa foi uma face da Coluna, um dos seus trabalhos.

Havia a outra face, os líderes do povo aprendendo dos sofrimentos do povo, vendo o superficial daquelas plataformas revolucionárias que haviam acompanhado os movimentos de 22 e 24. É o momento em que o pensamento tenentista começa a evoluir para um pensamento nacional-libertador. Em verdade, quando tudo parece indicar que em 30 o tenentismo tem seu momento culminante, o que acontece realmente é que em 30 é a parte do tenentismo que não evoluíra que pretende se firmar como doutrina. O tenentismo, aquele que representava progresso, já evoluíra até um pensamento mais amplo. Ao fazer o retrato da Coluna, vendo-a desde o exílio, Prestes[99] fala sobre essa sua outra face e marca a evolução rápida que estava tendo o tenentismo:

> Não há solução possível para os problemas brasileiros dentro dos quadros legais vigentes. A questão não é de homens, mas de fatos, isto é, de sistema e de regime. Nenhum governo, mesmo animado das melhores intenções desse mundo, poderá, nos limites da legalidade normal, resolver os problemas nacionais em equação. A solução tem de vir de uma transformação radical em tudo, não apenas na superfície política, é preciso reorganizar o país sobre bases novas. É preciso criar novas bases econômicas e sociais de relações entre os homens que habitam e trabalham nesta grande terra. É preciso quebrar, resolutamente, as cadeias que oprimem o Brasil e impedem seu desenvolvimento ulterior, sua expansão fecunda e gloriosa.[100]

Isso ele aprendera com a Coluna, durante a marcha. Não fora apenas a Coluna quem dera algo. Também o povo dera aos homens da Grande Marcha uma nova visão da vida e do Brasil. O povo acabara de criar o seu líder à sua feição, marcara-o com o fogo dos seus problemas. Nesse momento Prestes fala em "retalhar os latifúndios". Prestes se levanta, depois da Coluna, contra o imperialismo, sua voz clama para os países todos da América Latina no sentido de se unirem contra o inimigo comum: o imperialismo. O líder do povo do Brasil começa a sua carreira de grande líder de toda a América. Porque viveu no interior da sua pátria os problemas semelhantes de todos os países latino-americanos.

Vê, amiga, como cresceu essa revolução! Nos dias iniciais de 24 o seu programa não contém uma palavra sobre latifúndio, sobre a questão operária, sobre o imperialismo. Em 24 Isidoro tem medo de aceitar o apoio dos operários de São Paulo. Terminada a Grande Marcha outra é a voz de Prestes. Se ampliou ao contato com o povo, sai mesmo das fronteiras do Brasil, um pensamento americano, os problemas se repetindo em cada país da América Latina, só podendo existir para todos eles uma única solução. Agora, amiga, chegado da travessia genial, ele tem os problemas enfeixados na mão.

Está doente, a febre o consome, de todas as partes do Brasil, todos os partidos políticos, os mais diversos, o chamam, o convidam para seu chefe. Todos querem explorar o seu nome e o seu prestígio. Também os partidos dos outros países da América o procuram. Ele chegou cercado de lenda e de heroísmo. É a esperança do seu povo. Todos o querem utilizar em proveito próprio. Na sua mão ele tem os problemas. Porém, amiga, ele, indiferente aos chamados, indiferente aos oferecimentos, quer apenas encontrar a solução para esses problemas. Seu tempo de exílio, que vai começar, é todo ele dedicado a essa busca afanosa. Só volta ao Brasil quando tem algo de concreto para o seu povo.

Agora, amiga, que deixamos a Coluna internada em terras da Bolívia, terminada a Grande Marcha, quero te dizer que ela não levantou apenas o povo. Ela ensinou também a Luís Carlos Prestes. Não restam apenas o heroísmo, as vitórias militares revelando o gênio do general de 26 anos. A Coluna, linha do coração traçada na mão do Brasil, como disse o poeta,[101] amiga, revela o país a Luís Carlos Prestes, dá-lhe a responsabilidade de Herói de um povo. Nunca trairá a Coluna. Mesmo hoje, amiga, na prisão mais infecta, ele está continuando a Grande Marcha, os problemas na mão direita, na mão esquerda as soluções. Como naqueles distantes anos, o povo o espera. Mais que qualquer outra, sua voz vai concorrer para que terminem os dias de fome e de escravidão. Desta vez para sempre.

TERCEIRA PARTE

OS CAMINHOS DO EXÍLIO

Habita uma cabana miserável. Come pouco.
Cai enfermo de impaludismo, e este homem delgado, pálido, pobre,
é a esperança e a força do povo brasileiro!
Octávio Brandão

Sus viejos amigos no lo comprenden ya. Y es que por encima
de la apreciación divergente de lo actual, Prestes se
distingue porque tiene conciencia de que está en crisis su viejo
pensamiento. Busca otros caminos.
Rodolfo Ghioldi

26

PARA TRÁS FICOU O BRASIL. AGORA SÃO NOVOS CAMINHOS, AMIGA, os caminhos do exílio. Nessas três etapas do exílio de Prestes: La Gaiba, o Prata e a União Soviética, o seu pensamento vai andar um largo caminho, vai encontrar o seu porto de destino. Esse homem que penetrara os portões da imortalidade na frente da sua Coluna, não sabia dormir sobre louros conquistados. Não saíra da Grande Marcha para um descanso em meio à admiração daqueles que aplaudiam seus feitos. Saíra inquieto e ávido de encontrar soluções para as inúmeras perguntas que fazia a si mesmo. Viera de realizar uma revolução. Mas ele queria era encontrar a Revolução, aquela que fosse realmente capaz de solucionar os imensos problemas que ele vira e sentira. Saíra da vida desgraçada do interior do Brasil, procurava nos livros, agora, com uma insistência muito própria dele, as respostas às violentas perguntas que as populações famintas dos sertões brasileiros lhe haviam feito.

La Gaiba, amiga, ainda é a continuação imediata da Coluna. Quinhentos dos seus soldados ainda estão com ele, ainda são a sua preocupação de todos os dias. Eles tinham deixado terra e paz, lar e família, esposa, filhos, mãe e noiva, para o acompanharem naquela peregrinação imortal através do Brasil. Quando a maioria dos oficiais da Coluna desceram para outras terras mais civilizadas, em busca do conforto, dos remédios, da higiene e da tranquilidade, que não conheciam desde há três anos, Luís Carlos Prestes ficou em La Gaiba com os seus soldados. Se sentia responsável por eles, e o senso da responsabilidade é um meridiano em sua vida. Ele vai repatriá-los um por um, pondo-os não apenas no Brasil, mas enviando-os para a cidade, a vila, o povoado, a fazenda, onde eles haviam ingressado na Coluna. Mandando cada um não apenas para a pátria, mas mandando-os para as suas casas. Assim não só fazia pelo soldado o mais que podia como enviava para os quatro cantos do país mensageiros da revolução, homens que iam contar nas suas terras o que tinha sido a Coluna e quão necessária era a revolução para o Brasil.

Os soldados, os oficiais e Prestes haviam chegado em La Gaiba mais pobremente vestidos que mendigos.[102] As barbas de patriarca, os cabelos enormes, piolhentos, magros, as faces cavadas, os olhos fundos. A febre que estivera com eles durante os três anos da marcha e na qual muitas vezes eles foram buscar a força com que realizaram alguns dos mais audazes feitos da Coluna, agora, quando o cérebro não pede mais ao corpo todo o esforço de que é capaz, agora a febre abate os homens. Na margem dos rios palustres a maleita se agarrara na rabada da Coluna. Quando ela chegou, com suas alucinações de cocaína, quatrocentos homens adoeceram. Apenas seis morreram. Os demais seguiram com mais aquele peso sobre os ombros magros. Por vezes buscavam nessa mesma febre a energia para continuar. Os demais já não sentiram quando o impaludismo se apossou deles. Aquele clima de febre era o clima normal da Coluna. Prestes fez a maior parte da Grande Marcha com 39 ou quarenta graus de febre. Os homens iam tremendo de maleita e assim combatiam e derrotavam o inimigo. Não sentiam a febre, durante a travessia ela quase não foi um grande problema.

Mas em La Gaiba, no momento em que a Coluna terminava a sua caminhada, ela derrubou os homens. O impaludismo se fez sentir, seu enorme peso de febre e de delírio. Nas terras igualmente bravias do oriente boliviano, a maleita floresceu sobre a Coluna. Os homens esgotados se entregaram a ela. Deliravam vendo combates e marchas, os dias gloriosos de ontem. Esse foi o primeiro combate que Prestes travou no exílio: contra a maleita. É, com Djalma Dutra que ficara ao seu lado, médico e enfermeiro. Levanta o ânimo dos soldados mais que com suas palavras, com seu exemplo. Também ele tirita no frio enlouquecedor da febre palustre. Mas nem assim deixa de passar o dia na mais completa atividade, providenciando trabalho para todos, remédios, meios para que os soldados possam voltar ao Brasil.

O governo da Bolívia fizera grandes concessões de terras a uma companhia inglesa nessa zona do país. Era o mesmo caso da Ford na Amazônia, o governo entregando pedaços do país aos imperialismos poderosos. A Bolívia Concession tinha seus escritórios em Londres, apenas uns quantos ingleses discutiam em La Gaiba, entre uísques, como colonizar essas terras. Prestes se oferece para, com os seus homens, realizar trabalhos de colonização. Apesar da oposição dos engenheiros ingleses que aí se encontram, a companhia o contrata por ordem de Londres. Ele não aceita emprego. Quer contratos. E assim é encarregado de sanear essa parte do país, de derrubar florestas, de construir estradas. Apenas uns poucos homens da Coluna vão ser empregados sob as ordens diretas da companhia. Entre eles Landucci, o curioso ex-capitão de artilharia do Exército italiano que não suportara o clima fétido do fascismo e emigrara para o Brasil, se incorporando à revolução de 24 quando essa explodiu, sendo ajudante de ordens de Prestes durante quase toda a marcha da Coluna. Os demais trabalham com Prestes, sob contrato com a companhia. Empreitam grandes trabalhos. Prestes reúne, após a firma de cada contrato, os seus homens. Explica-lhes por quanto contratou o serviço, quanto vai pagar a cada um. Ele, o general, ganha o mesmo que o mais humilde trabalhador. Nem um tostão mais. Não há também capataz.[103] Para quê, se cada homem tem consciência da sua responsabilidade, se sabe quanto todos e cada um vão receber pelo trabalho? Ali não existe desconfianças entre o chefe e os trabalhadores. Não há patrão. Há operários e técnicos, um técnico genial. Prestes inicia o seu segundo grande trabalho coletivo. Mais uma vez, como na marcha da Coluna, aliam-se o gênio de Luís Carlos Prestes e a força dos trabalhadores. Os ex-soldados, atuais operários, sabem que Prestes não está à sua frente nem para enriquecer nem para explorá-los. Sabem que ele vive numa cabana tão pobre quanto a mais pobre de toda aquela terra, que veste farrapos como eles, que come a mesma comida que eles comem, que ganha exatamente o mesmo que cada um deles ganha e que, do pouco que lhe toca, ainda consegue tirar algo para ajudar os que já têm quase completo o dinheiro da repatriação. Sabem que ele não quis um tostão do dinheiro que chegou do Rio, da coleta em favor dos revolucionários. Esse dinheiro foi dividido entre todos, exceto Prestes. Os ex-soldados, operários de agora, sabem que Prestes é igual a eles em tudo, exceto que trabalha mais, muito mais que eles, que tem um número infinitamente maior de preocupações, que dirige tudo, que não dorme porque o tempo é pequeno, que não se cuida, não tem quase dentes, a febre o devora, não é um homem, é uma chama pura de amor pelos outros homens, amiga.

Dizer que o adoram é dizer pouco, negra. Para os operários da Bolivian's Company Limited, tanto para aqueles que vinham da Coluna, como para os bolivianos que viam o seu trabalho e a sua vida, ele era mais que o chefe, que o gênio, que o general, que o condutor. Era como um pai, um pai amigo, vivendo exclusivamente em função dos filhos. Nesses homens houve um sentimento que foi o amor levado ao seu extremo. Assim amavam a Luís Carlos Prestes.

Iniciou o trabalho saneando a imensa zona do oriente boliviano. Derrubou florestas inteiras e assim expulsou dali o impaludismo. Depois abriu estradas, demarcou terras, e perfurou poços. Seu prestígio junto à companhia, em Londres, subia a cada momento. Em compensação ele começou a sofrer a guerra surda de todos os que exploravam os operários. Os trabalhadores bolivianos abandonavam o trabalho direto com a companhia para virem servir às ordens do engenheiro Luís Carlos Prestes, o general Prestes de ontem.

Quando ele iniciou seus contratos em La Gaiba um operário ganhava um boliviano, 2$800, por dia. Ele elevou os salários, a três e a quatro bolivianos. Quadruplicou os salários e — numa contradição só possível num revolucionário do seu quilate — diminuiu o nível de vida. Antes os armazéns da companhia ou de gente protegida pela companhia exploravam preços absurdos, no clássico hábito de colocar o trabalhador sempre em dívida com o empregador. Esse é um processo de escravidão de toda a América, desde o Amazonas aos rios do Equador, desde os campos do sul do Chile aos cacauais da Bahia, desde os cafezais de São Paulo às plantações da Argentina. Prestes abriu armazéns. Mas não para escravizar ninguém. Para facilitar a vida dos seus operários. O comércio de Corumbá dá-lhe crédito. Ele vende, nos armazéns da Coluna, por preços quatro vezes mais baratos que os dos armazéns da companhia ou dos afiliados da companhia. Sua presença em La Gaiba transforma profundamente a vida da região. Também os bolivianos escravizados daí vislumbram a manhã de liberdade. Viram o que a honestidade e o interesse pelos demais pode fazer: salários quatro vezes mais altos, nível de vida quatro vezes mais baixo.

Sucedem-se os contratos com a Bolivian's Company. Trabalhos, que os engenheiros haviam calculado para dois anos, Prestes com os seus homens os realizam em três meses. Os ex-combatentes da Coluna estão espalhados numa faixa de terra que envolve La Gaiba, Puerto Suárez, San Carlos, Vitoria e Santo Corazón. Miguel Costa, com uns quatro companheiros, está em Libres. Prestes, chefe, contratista, engenheiro, fiscal, comerciante, operário, administrador, ainda tem tempo para realizar um amplo estudo sobre as precárias condições das fronteiras do Brasil nessa região, estudo profundo e, como tudo que ele realizava, de uma justeza absoluta. Envia o seu trabalho para o Ministério das Relações Exteriores. O revolucionário expatriado encontrava, no mundo de trabalhos que o envolviam, tempo para defender os interesses violados do Brasil.[104] E tem tempo para estudar. Os seus admiradores do Brasil lhe enviam uma biblioteca. Livros de ciência, de literatura e, principalmente, livros de sociologia. Livros que começarão a lhe dar as respostas que ele necessita para os problemas do Brasil.

Rasga de estradas o oriente boliviano. Estradas para pedestres, estradas para animais, estradas para veículos, estradas para automóveis. Os poços são perfurados, a terra é lavrada, a mata desbravada, agora as moléstias fugiram dali. É o colonizador da desconhecida e bárbara região de La Gaiba. O revolucionário que se revelara o maior general da América revela-se agora um grande administrador.[105] Com a sua presença a região floresce.

Sua preocupação dominante é a repatriação dos soldados da Coluna. Quase que diariamente um grupo se vai. Cada dia diminui o número de emigrados. Prestes resolveu que só sairá de La Gaiba quando o último dos seus homens estiver em terras do Brasil. A maioria dos oficiais já se encontra em Buenos Aires. Chamam-no com insistência. Ele se mantém junto aos seus soldados, administrando o seu trabalho, trabalhando com eles, embarcando-os para o Brasil. Em La Gaiba ficará todo o ano de 1927 e parte do ano de 28, até que todos os homens que fizeram a Coluna tenham regressado à pátria. Só então pensará em sua saúde, nas terríveis condições de miséria em que vive. Antes só toma para si uma parte da noite quando se debruça sobre os livros, no pensamento a visão do Brasil que ele percorreu, a terrível visão dos sertanejos famélicos. Busca nos livros respostas às perguntas que encontra na Grande Marcha. O único tempo que não dedica à vida dos seus soldados, ele o gasta para estudar, em estudar para o Brasil.

Que importam a febre e o desconforto para esse homem? Nele a grandeza moral, o sentido de responsabilidade, a ânsia de saber, são mais fortes que as moléstias, que a sujeira de uma cabana inabitável, que o desconforto, que a miséria em torno. Ele vive dessa força interior que faz os líderes, os santos e os heróis. Ante o assombro da América o legendário general da Coluna Prestes, num absoluto desprezo de toda vaidade exterior, terminada sua travessia imperecível, não vai para as grandes capitais receber os cumprimentos dos militares assombrados, as ovações das multidões emocionadas, os oferecimentos dos políticos necessitando dele. Fica ao lado dos seus homens, igual a eles, preocupado dos seus destinos. Ante essa cabana miserável desfilam os representantes dos partidos políticos do Brasil. Vêm os jornalistas, os admiradores. Encontram que Prestes não considera terminada sua tarefa de chefe da Coluna. La Gaiba ainda é um capítulo da imortal epopeia. A tarefa de Prestes só terminará quando o último homem partir em busca da sua terra natal, da alegria do seu lar. Assim ele o decidiu, amiga.

Emocionante era a despedida de um homem. O combatente da Coluna que acompanhara seu general através o mistério do Brasil, que lutara, fora ferido, marchara a pé, a cavalo, no lombo de tardios jumentos e de cansados bois, que sofrera a febre e que se curara da febre, que escapara de morrer mil vezes, que enfrentara todos os perigos sem uma vacilação no olhar, que nunca sentira o medo, esse homem agora treme, vacila e chora no momento de deixar os companheiros e de partir. No momento de despedir-se de Luís Carlos Prestes.

Vem andando devagar, a mochila no ombro, os olhos presos no chão. No fim da tarde de trabalho, os que ainda vão ficar esperam-no para as despedidas. Ah!, amiga, despedir-se da Coluna é como se despedir da amada, da mulher definitiva da vida de um homem! O que vai partir vem andando, na sua frente o povoado natal, a família saudosa, a mãe, a noiva. Mas deixar a Coluna, os homens que foram seus companheiros de três anos de heroísmo... E, mais que isso, ir para longe daquele que os conduzira, que os guiara, que os levara de vitória em vitória, que cuidara deles como um pai, que lhes ensinara tanto, que tanto lhes queria... Ah! amiga, nesse momento o soldado só tem um desejo: ficar.

Os abraços se sucedem. Os companheiros gritam, o nome do que vai reboa sobre a terra boliviana, sob o céu crepuscular. Relembram feitos:

— Aquele dia, te lembras?

Vai de abraço em abraço:

— Até outra, companheiro...

— Que seja feliz...

E vem a despedida final, o abraço do general, as palavras boas de Luís Carlos Prestes. O soldado que vai voltar à pátria, o bravo que nunca tremeu nas batalhas, que nunca sentiu o frio do medo nas travessias mais duras, que venceu a febre, os animais da selva, da caatinga e das águas, que vadeou os rios, que transpôs montanhas, que atravessou entre queimadas, entre a seca, entre as enchentes, aquele que nunca chorou nem mesmo ao ver os companheiros mortos ao seu lado, agora, ao se despedir de Luís Carlos Prestes, deixa que se desate aquele nó da garganta e que os soluços irrompam. Agora para este soldado que parte, só há um desejo, amiga, em toda a vida: voltar a ver o seu general. De longe, na curva mais distante do caminho, ainda se volta para mirá-lo com enternecido olhar, com imenso amor...

27

E UM DIA, AMIGA, O ÚLTIMO HOMEM PARTIU. QUISERA FICAR AO LADO do seu general, quisera acompanhá-lo para outras terras. Nem o chamado insistente da família no vilarejo esquecido o comovia. Mas Prestes manda que ele vá. É mais necessário em terras do Brasil. Então, quando todos já se haviam repatriado, Luís Carlos Prestes partiu também, a caminho da Argentina.

Os revolucionários do Brasil, os partidos políticos do Brasil, os revolucionários de toda a América Latina, os políticos de toda a América, esperam-no com ansiedade. Ele é nesse momento o mais perfeito símbolo da angústia dos povos latino-americanos se rebelando contra os desmandos do poder. Mas, amiga, ele já é mais que essa ansiedade sem perspectivas. Ele é um homem que busca caminhos para sair da encruzilhada trágica dos problemas que a sua classe não fora capaz de resolver. Todos esses revolucionários sul-americanos, que haviam tomado parte em golpes armados nos seus países, que haviam fracassado, não pensam noutra coisa senão em novos golpes. Prestes, não. Ele pensa em problemas para os quais é necessário encontrar solução. Ele pensa em encontrar a fórmula que possa solucionar aquela equação de novo tipo. Por que fracassam essas revoluções? Por que sendo tamanhos os problemas são tão reduzidos os programas e as consignas? Por que, se uma revolução é vitoriosa, meses depois nada distingue os revolucionários no poder dos políticos derrubados do poder? Que há por detrás disso tudo? Que filosofia de vida, que doutrina pode responder a todas essas perguntas? Qual poderá solucionar os problemas do povo?

Ele não era um homem em busca do poder. Era um homem em busca da felicidade do seu povo. Os revolucionários, os golpistas, os oposicionistas, os apristas do Peru, os aventureiros da Bolívia, os anarquistas do Paraguai, todos o procuram. Achavam que ele era o seu chefe natural, o homem indicado para impulsionar esses movimentos em toda a América.[106] Ele conversa, discute, explica, esclarece. Mas não aceita nenhuma proposta, não toma nenhum compromisso. Quando todos, amiga, o cercavam como ao seu chefe e general, como à maior figura das revoluções americanas, ele não se julga ainda preparado para a Revolução. Ainda não sabe, realmente, que dizer ao seu povo, aos povos americanos. Procura. Procura com afinco e com persistência. Um caminho devia existir. Onde estava ele?

Representantes de todos os partidos brasileiros o cercam. Os seus companheiros de revolução, que se encontram no exílio, não se afastam dele, ainda é ele quem trata das suas vidas, de arranjar trabalho para um, de indicar livros para outro. Os que estão no Brasil, que conspiram e que encontram o momento propício a um golpe, mandam consultá-lo em Buenos Aires.[107] O enviado traz um relatório, Prestes o lê e desaconselha o golpe. Ele já não acreditava nas revoluções em seco, no Putsch pelo poder. E tal é o seu prestígio, a sua superioridade moral sobre todos os conspiradores, que estes acatam a sua opinião sem discutir. Em torno dele, revolucionários de todos os matizes. Todos os partidos compreendem a importância da adesão de Prestes às suas ideias. Com ele viria uma força nova para qualquer dessas revoluções. Sobre os livros, ele estuda, indiferente aos chamados.

E trabalha. Ganha a vida, a sua e a dos seus companheiros de exílio. Grande engenheiro, técnico indiscutido na sua profissão, consegue contratos. Em 1928 estava ele em Santa Fé, no interior argentino, dirigindo a construção de uma avenida na capital da província. Até aí vão procurá-lo os revolucionários americanos. Daí data a sua amizade com Oscar Creydt, o paraguaio, naquele momento também em busca de um caminho.[108] Como todos, Creydt o procura na ânsia de encontrar o chefe da revolução latino-americana. Chegara de um Paraguai esmagado, faminto e sacudindo-se em levantes, golpes e tentativas de revoluções. Por lá ficara, desde a passagem da Coluna, o nome de Prestes. Esse nome que percorre a América, cercado de uma aura de heroísmo, vestido de lendas. Os revolucionários pequeno-burgueses americanos viam nele o grande caudilho pelo qual há tanto esperavam. Havia algo da busca de um messias nessa peregrinação até Prestes. E, Creydt como os demais, como o aventureiro Maroff, os apristas do Peru, ao se defrontarem com esse homem jovem, magro, parecendo mais um professor que um general, encontram que Prestes não quer ser messias, combate violentamente o "prestismo", achando que isso é uma palavra e não uma solução, procura nos livros que o cercam, no estudo dos problemas argentinos e dos partidos que ofereciam soluções a esses problemas, o caminho, o seu caminho, o caminho do seu povo e dos povos da América. Ele já saíra da fase messiânica da revolução, do golpe sem sentido dado ao acaso de uma possibilidade favorável. A sua revolução não se limitara aos quartéis de uma capital. Ele percorrera todo um país, o maior da América Latina, o percorrera de sul a norte, de oeste a leste, durante três anos comera e dormira com os seus problemas. Vira que a sua revolução, por mais bem-intencionada, não poderia vencer porque não poderia resolver os problemas que existiam. Não ocultou essa verdade a si mesmo, ao contrário a colocou diante de si como um médico que antes de mandar o doente para uma mesa de operação o passa nos raios X e o examina à procura de localizar e definir a moléstia, de encontrar o remédio justo. Assim ele. Não atribuiu a causas fáceis e momentâneas o fracasso das revoluções de 22 e 24. Não o atribuiu mesmo a fatores militares adversos. Algum motivo mais importante existia. Ele pôs o problema diante de si, iria resolvê-lo.

Era uma surpresa para esses revolucionários americanos. Alguns iriam evoluir também, iriam encontrar o caminho certo. Creydt entre eles. Para estes, o exemplo de Luís Carlos Prestes, o general glorioso, o chefe indiscutido, que confessava de início que ainda buscava o seu caminho, iria servir como nenhum outro. Iria ajudar a todos esses inquietos a se despirem das vaidades inúteis, a abrirem os olhos para os problemas e procurar as soluções.

Já nesse tempo Prestes lia, numa ânsia de descoberta, literatura marxista. Em La Gaiba haviam chegado os primeiros livros. Na Argentina ele se enterrava neles, um mundo novo se lhe descortinava. No entanto não quis correr, quis estudar madura e detidamente, quis ver se realmente encontraria solução para todos os problemas.

Ao voltar a Buenos Aires, um ano depois, ocorre o seu encontro com Rodolfo Ghioldi. Essa amizade vai ser de uma importância primordial na sua formação.

Te falarei de Rodolfo Ghioldi, amiga. Quem não o conhece, quem não ouviu seu nome dito com alegria nas fábricas e nos campos da América? Dito com aquela voz com que se diz um verso heroico e lírico? Mas, nós, os brasileiros, o conhecemos nos dias de prisão. Lutando conosco pelo bem da nossa pátria. Te direi apenas que ninguém foi mais amado nas prisões do Brasil que esse argentino de olhos puros e penetrantes e de voz mansa e amiga. Sobre as noites de torturas das prisões do Rio sua voz profunda e clara se elevava na certeza do futuro. Chamavam-no de "Índio", talvez para marcar essa sua ligação tão completa com a terra e os problemas da América. Para lhe darem um nome continental também, um nome comum a todas as pátrias americanas. É o saber aprendido nos livros e o saber aprendido na vida. Lutando desde menino, estudando desde menino. Os livros não lhe tiraram a força humana de compreensão. Ninguém mais humano que ele. Ninguém mais lido que ele. Com aquela capacidade de viver e compreender os grandes problemas e, no mesmo momento, viver e compreender todos os pequenos problemas particulares. Um poeta, amiga, falou de sua "atmosfera azul, de nuvem" apesar de ninguém estar "mais plantado na terra em que vive".[109] Os poetas sempre têm razão, amiga, e o que escreveu essas palavras é um grande poeta, voz do seu povo argentino. Atmosfera de nuvem nesse homem plantado na terra, com raízes na dor humana. Ninguém como ele estava apto para compreender e ser compreendido por Luís Carlos Prestes. Em torno deste era uma atmosfera de tempestade, ele buscava o porto da bonança. Ninguém melhor que Rodolfo Ghioldi para marchar junto dele, aprendendo da sua experiência, ensinando-lhe do seu saber.

As divergências de Prestes com os demais exilados brasileiros irão em breve começar e logo se agravar. Agora todos os sábados conversa com Ghioldi e outros comunistas, apresentando os seus problemas, os problemas do Brasil, discutindo e aprendendo. Lê muito. Lê avidamente. Quando chega do trabalho — porque continua a exercer a sua profissão de engenheiro e a administrar as rendas parcas dos exilados — se joga sobre os livros, esquecendo a comida, o descanso, as diversões, na febre de aprender. E, como é de seu hábito, quer que os outros leiam. Distribui livros, cita trechos, vai palmilhando o seu caminho com a mesma precisão que o fizera um grande general e um grande engenheiro.

O movimento operário argentino é outro campo em que muito aprende. Antigo movimento esse, amiga. Ainda nos tempos da Primeira Internacional, Engels se correspondia com os líderes proletários do Prata. Os partidos Radical, Socialista e Comunista são longamente observados por Prestes que se aprofunda no estudo da política argentina. Por outro lado estuda a experiência soviética. Dessas conversas, dessas análises, dessas aproximações, desses estudos, resulta que Prestes compreende a importância da classe operária na revolução, o seu papel de classe organicamente revolucionária. Vê que, com o proletariado está, naturalmente, a hegemonia da revolução. Que a pequena e a média burguesia, e mesmo a burguesia progressista, se querem salvar-se nesse momento do mundo, têm que cerrar fileiras ao lado da classe operária e acompanhá-la. Seu pensamento descortina novos horizontes, amiga.

Esses anos de 28 e 29 são anos de intensos estudos. Prestes se debruça sobre os problemas, sobre os acontecimentos, sobre os livros. Não tem um momento de descanso. Sabe que sobre seus ombros pesa uma responsabilidade enorme. Nele estão fitos os olhos do povo brasileiro, até ele chega o clamor do Brasil. É nele que confiam, herói aos trinta anos, esperança de seu povo.

No Brasil se processa então a agitação da Aliança Liberal. Provinha ela do trabalho realizado pela Coluna. O presidente da República, Washington Luís, representante dos interesses dos latifundiários de café ligados ao imperialismo inglês, escolhera para lhe suceder o governador de São Paulo, Júlio Prestes.

Os fazendeiros de gado de Minas e Rio Grande, os usineiros do Nordeste, e por detrás deles o imperialismo norte-americano, não se conformaram com essa candidatura. Nasce a de Getúlio Vargas, então governador do Rio Grande do Sul, posto para o qual tinha vindo de um ministério de Washington Luís: o Ministério da Fazenda. A massa inquieta e sofredora do país acompanha essa candidatura cuja propaganda foi feita pela Aliança Liberal. Conhecendo perfeitamente a máquina eleitoral montada, da qual tantas vezes se haviam aproveitado, Vargas e os políticos gaúchos, mineiros e paraibanos que o acompanhavam — um Antônio Carlos, um Artur Bernardes, os Melo Franco, Batista Luzardo, João Pessoa, Seabra — sabiam perfeitamente que nunca venceriam as eleições por mais repercussão que tivesse a campanha e a propaganda. Eleições no Brasil ganhava o governo. Assim, desde logo, foram se preparando para a revolução. Havia dinheiro, os oposicionistas no governo de três estados, havia soldados — as polícias militares desses estados —, havia o apoio de Wall Street. Só faltava mesmo o povo e esse foi chamado através de uma plataforma ampla, apresentando reivindicações concretas para a massa, inclusive para a massa trabalhadora. E, para garantia desse programa, foi largamente usado o nome de Prestes. Nos comícios, nos atos, nos artigos, nas conversas, os revolucionários de 30 não chegavam ao povo nem com o nome de Vargas, nem com o de Antônio Carlos, nem com o de Borges de Medeiros. Eram nomes gastos, o povo estava acostumado a ouvi-los ao lado dos de Bernardes, de Washington, de Júlio Prestes.

Apresentavam o nome de Luís Carlos Prestes. Em todos os momentos, enquanto ainda mantinham conversações com o chefe da Coluna, e depois quando este já os denunciara publicamente nos seus manifestos de maio e julho de 30, os outubristas usaram sempre perante o povo do nome acreditado e seguido de Luís Carlos Prestes, embora não sempre de maneira clara. E foi à base desse nome que conseguiram reunir em torno da Aliança Liberal os anseios e a adesão do povo brasileiro. Os oficiais revolucionários eram apresentados não apenas como Juarez Távora, como Eduardo Gomes, como João Alberto, como Cordeiro de Farias. Eram citados como Juarez, o subchefe do Estado-Maior da Coluna, Cordeiro e João Alberto, heróis da Grande Marcha, todos eles como homens da confiança de Prestes, seus amigos e representantes do seu pensamento. A exploração que os políticos hábeis fizeram em torno desses oficiais que, discordando naquele momento da linha política de Prestes de recusar sua colaboração à revolução de 30 por não crer nela, apoiaram a Aliança Liberal, vem mais uma vez mostrar o imenso prestígio de Luís Carlos Prestes no seio da massa brasileira. Ao explodir a revolução, os políticos que a dirigiam — apesar de tudo que Prestes já escrevera sobre eles — fazem correr no país a notícia de que ele é o chefe militar do movimento, que vem à frente das tropas. Logo depois os políticos irão trair os tenentistas que os haviam acompanhado. Os seus representantes mais puros são liquidados politicamente, em mais ou menos tempo: um Juarez, a princípio governando quase que ditatorialmente o Nordeste e o Norte, depois ministro, por fim deixando a política desiludido. José Américo, o grande escritor que era um dos mais expressivos intelectuais do tenentismo, anti-imperialista sincero, ministro a quem a Light derrubou, queimado depois por Vargas quando da sua candidatura à presidência da República em 37. Juraci Magalhães, revelação de administrador, honesto e sincero no seu antifascismo, sacrificado ao integralismo. E com estes Miguel Costa, Magalhães Barata, Cascardo, Felipe Moreira Lima, Eduardo Gomes, Tasso Tinoco, Nelson de Melo, Ari Parreiras... Essas liquidações mostram a evolução rápida da revolução de 30 das mãos dos tenentistas para as dos velhos políticos.

Repete-se o mesmo fenômeno dos primeiros tempos da República. Aí são os positivistas, pais ideológicos do tenentismo, Constant e Floriano, que terminam por perder a república para os mesmos homens que eram donos da monarquia. Idênticos foram os acontecimentos depois de 30. Os tenentes enganados, caso aprofundassem a análise da sua desilusão veriam que a razão estava com Prestes quando denunciara essa revolução como uma farsa, quando negara seu apoio a ela e quisera organizar novos quadros revolucionários que fizessem — esses, sim — a revolução agrária e anti-imperialista que o Brasil reclamava no momento.

Prestes andara muito caminho nesse tempo de 28 e 29. Agora tinha uma formação marxista, ganhara novos elementos para a sua visão revolucionária: o proletariado, a massa, e também o seu partido de vanguarda. Já antes de lançar a sua adesão ao Partido Comunista do Brasil, ele aparece em público com líderes do Partido Comunista Argentino, ocupando a tribuna ao lado deles.[110] Toma parte em *meetings* da Liga Anti-imperialista. As suas discordâncias com os seus companheiros de revolução e de marcha se agravam. Esses pensam no movimento da Aliança Liberal como uma solução completa para o caso brasileiro.

No início da preparação revolucionária de 30, ele tem contato com os getulistas. Mas se desilude deles. Às suas propostas concretas de uma revolução anti-imperialista, democrático-burguesa, eles respondem com evasivas, com adiamentos da discussão do verdadeiro programa da revolução. Prestes se afasta então e lança o seu manifesto de maio de 30. Nesse manifesto adere ao Partido Comunista do Brasil e declara que a hegemonia da revolução deve estar com o proletariado.

Mas ele compreendia, apesar dos detalhes extremistas que abundam na sua linguagem de então, que o momento não era para uma revolução soviética e sim para uma revolução democrático-burguesa. Daí vem a tentativa da fundação de um partido político que congregasse forças do proletariado, do campesinato, da pequena burguesia e da burguesia progressista. No manifesto de julho de 30, ele lança a Liga de Ação Revolucionária, partido com o qual queria contrabalançar a influência crescente da Aliança Liberal — que continuava a explorar o seu nome perante a massa — e com o qual pensava em preparar a revolução.[111]

A divergência entre eles e os tenentes chega ao seu ponto máximo. Osvaldo Aranha vem ao Prata e em Montevidéu recebe de Prestes a categórica recusa de colaborar com a revolução da Aliança Liberal. Logo depois ele reúne os exilados, seus companheiros de revoluções e da Coluna, e lhes explica a situação. Não prende ninguém, aqueles que queiram se juntar a esse movimento que o façam. Ele seguirá seu caminho já traçado. Agora encontrou as respostas às perguntas que fazia antes e não seria lógico que as esquecesse para tentar mais uma aventura desesperada.[112] A grande maioria dos tenentes se compromete com a Aliança Liberal. Juarez Távora parte para o Nordeste do Brasil onde irá ser o chefe da revolução de 30. Siqueira Campos vai agitar São Paulo e morrerá numa viagem para o Brasil. João Alberto e Cordeiro de Farias vão para o Rio Grande do Sul, de onde Miguel Costa partirá também chefiando as forças revolucionárias.

Uns poucos apenas, entre os revolucionários de 22 e 24 apoiam a

Liga Revolucionária. Renato da Cunha Melo, Silo Meireles, uns poucos mais. Mas a Liga vai fracassar. O Partido Comunista desconfia dela, já há uma organização de vanguarda para chefiar a luta do proletariado, para que outra? Por outro lado a massa seguia a Aliança Liberal, cuja propaganda e agitação eram enormes, enquanto a Liga, boicotada pelos jornais, sem imprensa, sem comícios, sua direção no exterior, era desconhecida. E, seguindo a Aliança Liberal, a massa estava certa de que seguia Prestes. Este, pouco depois, reconhece a inutilidade da Liga de Ação Revolucionária naquele momento. A revolução de 30 se processa, é vitoriosa, em seguida os políticos começam a era das traições aos proclamados ideais revolucionários. Prestes, de Montevidéu, onde se encontra, denuncia essas traições uma a uma. Num manifesto faz uma análise da situação brasileira.[113]

Prestes tivera que deixar Buenos Aires porque, tendo sido entrevistado por uma agência jornalística norte-americana sobre o movimento argentino de 6 de setembro, o qualificara de reacionário e pró-imperialista. A entrevista nunca foi publicada mas a polícia recebeu uma cópia dela, o que deu margem a que Prestes tivesse que partir para Montevidéu.

Daí dirige uma carta circular aos seus amigos e companheiros das lutas anteriores. Esclarece seu pensamento, agora já é o marxista quem fala, sua linguagem é uma linguagem nova, esses anos de estudos, de experiências, de discussões, de erros, de busca de um caminho, fizeram dele um revolucionário consciente. Agora já sabe o que o povo brasileiro precisa, já tem uma resposta para as perguntas que lhe fizerem. E nessa carta, convida aqueles que queiram vir colaborar com ele, na preparação da revolução brasileira, a embarcarem para Montevidéu. Ainda é cedo, no entanto, amiga, nesse começo do ano de 31, para que os tenentes se deem conta de que foram traídos e de que a razão está com Prestes. Apenas Silo Meireles, que havia sido reincorporado ao Exército e que devia ser promovido por aqueles dias, abandona tudo e parte para junto de Prestes.

Em Montevidéu ele explica, esclarece, estuda e agita.[114] Os brasileiros que se vão desiludindo da revolução de 30 voltam a cercá-lo. Emissários chegam do Brasil. Ele, após a tentativa da Liga de Ação Revolucionária, trabalha em colaboração com o Partido Comunista do Brasil. À massa pequeno-burguesa e proletária que lhe pede uma palavra de ordem, ele indica como a única possível, a única certa, a aceitação da linha do Partido Comunista do Brasil, o apoio a esse partido, o cerrar filas em torno dele.[115]

Encontrara o seu caminho, amiga. Esse homem para quem a honestidade intelectual tem sido uma norma constante de vida, não tem a mínima vacilação em penetrar na difícil estrada que está na sua frente. É a única estrada possível pela qual o Brasil poderá marchar para a sua redenção e para o futuro. Nos dias da Coluna nunca ele duvidara de entrar por picadas intransponíveis quando esse era o único caminho certo. Tampouco agora, negra. Ele bem sabe que os seus amigos de ontem, ao vê-lo na linha justa da revolução, ao lado da classe operária, irão ser seus inimigos mais terríveis. Ele bem sabe que seu futuro de caudilho que poderia chegar às mais altas posições militares e políticas dentro dos quadros de revoluções sem outro sentido que a mudança de governantes, ele bem sabe que isso terminou no dia em que aderiu ao Partido Comunista. Ele sabe que vão acusá-lo de tudo, os mesmos que ontem o aclamaram como general e chefe. E não tardam as acusações. Acusam-no de desviar dinheiro que lhe fora fornecido. Realmente, já depois de Prestes haver declarado que não aceitaria tomar parte na revolução armada que a Aliança Liberal preparava, Getúlio Vargas envia-lhe dos cofres públicos do Rio Grande do Sul mil contos de réis, pensando obter seu apoio. Prestes deposita esse dinheiro num banco argentino. Esse é dinheiro dos cofres públicos para uma luta que — pensa Prestes — não vai trazer benefícios reais ao povo brasileiro. Restituí-lo a Vargas é dilapidá-lo nessa revolução. Vargas vai despendê-lo na luta pelo poder.

Prestes o deposita então num banco, nunca retira dele um só real para a sua vida ou para a vida dos companheiros, esse dinheiro fica intacto até 1935, quando vai ser utilizado na financiação da Aliança Nacional Libertadora, isto é: quando vai ser útil ao povo brasileiro a quem pertencia.[116] Prestes, ao aderir ao proletariado na sua revolução, sabe que todos os ódios dos donos da vida vão acirrar-se contra ele. Mas, quando aceita o marxismo como concepção de vida, quando encontra nele as respostas às suas perguntas, não tem um minuto de vacilação. É o mesmo general Luís Carlos Prestes que atravessava por caminhos que faziam os demais estremecer. Ali está a verdade, ele a acompanhará.

Em Montevidéu, ele prepara a sua viagem para a União Soviética. Lá, no distante país do norte, homens novos estavam construindo uma nova civilização. Os homens que haviam tomado pela estrada pela qual ele ingressava agora. Um novo mundo nascia, os problemas resolvidos, as soluções encontradas.

Prestes estudara as teorias, amiga, agora vai constatar a obra da revolução que nascera dessas teorias. No exílio, negra, ele aprende em função do Brasil. Sua inquietação encontrara os verdadeiros rumos. Já aprendeu nos livros, agora vai aprender na vida nova, na vida socialista que se constrói na pátria soviética.

Nesse momento que vai de 28 a 31, seus anos de exílio no Prata, o Brasil também se buscava a si mesmo. Fizera a experiência de 30. Novamente aquele clamor de desgraça e de desespero vai subir aos céus, pedindo justiça. Clamando pelo nome de Prestes. Ele se prepara para atender mais uma vez a esse clamor, amiga. Para mais uma vez se colocar à frente do seu povo.

28

ESSE É O PAÍS DA UNIÃO SOVIÉTICA, AMIGA, PÁTRIA DOS TRABALHADORES do mundo, pátria da ciência, da arte, da cultura, da beleza e da liberdade. Pátria da justiça humana, sonho dos poetas que os operários e os camponeses fizeram realidade magnífica.

Antes, nessas terras brancas de neve, negras de petróleo e loiras de trigo, os homens eram escravos nos campos e nas fábricas, eram presos nas universidades e nas bibliotecas. Era desgraçada a vida desse povo, não havia riso nas bocas das mulheres, não havia alegria na face das crianças famintas. Um vento de fome e de opressão soprava por sobre as estepes da Rússia nos dias de ontem dos tzares e grão-duques. O chicote sobre os homens, os gritos das multidões silenciados pelo troar das metralhadoras varrendo o povo das praças públicas. Para uns poucos trabalhavam milhões, as madrugadas sobre a Rússia eram apenas a continuação de uma mesma noite de horrores. Céu sem estrelas da escravidão, dia sem sol, aurora sem esperança. Como os homens do Brasil nos dias em que apareceu a Coluna, amiga, os homens da Rússia, homens de todas as cores, brancos, amarelos e cor de cobre, não viam uma estrela no céu sem caminhos. Era uma noite de séculos, vinha de um passado milenar, parecia eterna como a terra e como o mar. Também lá, amiga, os camponeses supersticiosos diziam como nos campos do Brasil:

— Destino é coisa feita lá em cima...

Apontavam para o céu inclemente e concluíam:

— Ninguém pode mudar!

Ah!, amiga, o destino é coisa feita na terra, feita pelos donos da terra. São esses, os senhores do dinheiro e da vida, que escrevem nos seus livros de caixa o destino desgraçado dos trabalhadores e dos camponeses, da liberdade também. O destino é escrito por eles com letras de ouro.

Um dia, amiga, um homem veio e disse que o destino não era escrito no céu. Que essas leis que regem a vida são leis das mais terrenas, construídas pelos homens interessados nelas. Esse homem se chamava Karl Marx, lia Balzac, estudava a vida. E veio outro homem, nascido na noite da Rússia, e disse que se essas leis eram feitas por uma minoria contra uma maioria, no dia que esta quisesse poderia escrever as suas próprias leis, o seu próprio destino e então terminaria a noite, a madrugada irromperia sobre o mundo. Esse homem se chamava Vladímir Ilitch Uliánov, porém foi o seu nome de guerra, que era Lênin, o que correu a Rússia de lado a lado, como um vento de esperança, igual, amiga, ao vento de esperança que se chama Prestes sob os céus do Brasil. E os operários, amiga, e os camponeses, e os artistas e os sábios, e os soldados e os marinheiros, descobriram com ele que o destino dos patrões está escrito na mão dos trabalhadores. E, com letras de sangue, escreveram o novo destino dos homens sobre a terra. Destino da felicidade e da alegria, da fartura e do amor.

Antes aqui era a Rússia, amiga. Essa palavra queria dizer opressão e ódio, desgraça, fome em meio aos trigais, sede em meio à água dos rios, falta de roupa em meio aos teares tecendo. Raças inteiras escravizadas, nações dobradas ao chicote de um amo e uns poucos capatazes. Essa era a Rússia, amiga, há apenas vinte e poucos anos, parecendo uma coisa de centenas de anos atrás.

Na mão dos trabalhadores estava escrito o destino do mundo. Assim disse Lênin, e convidou a gente toda, aos pastores de gado, aos perfuradores de poços, aos colhedores de trigo, aos alfaiates e aos garções, aos operários das minas e das fábricas de brinquedos, aos escritores de poemas e aos escritores de livros sobre as plantas e sobre os minerais, aos médicos e aos professores, aos romancistas e aos barqueiros do Volga, aos oficiais e aos soldados, aos marinheiros e às mucamas, a todos os desgraçados do mundo e a todos os que viam a desgraça do mundo, a apagar o destino sem beleza e a criar a felicidade sobre a terra. Convidou a todos para a revolução, festa dos pobres.

Foi assim, amiga, que esse deixou de ser o país da Rússia, fome e escravidão, para ser o país da União Soviética, fartura e liberdade, alegria e amor.

Hoje aqui é a União Sovética, amiga, povos livres, pátrias e raças livres, homens felizes. Se acabaram os ricos e os pobres, hoje existem apenas homens na sua inteireza, donos da dignidade de viver. Durante vinte anos esses homens construíram um mundo novo. Essas crianças alegres nos campos e nas cidades da União Soviética trazem o riso na boca e não saberão jamais, amiga, o que é a desgraça de nascer escravo. Hoje, negra, as hordas da escravidão se lançam assassinas contra o país da felicidade humana. Os donos da vida e do dinheiro querem apagar do mapa esse exemplo de como o destino é feito na terra pelos homens. Mas não o conseguirão nunca, amiga, porque o povo soviético, que soube construir a felicidade, sabe defender o seu direito a ela, o amor à liberdade vive no seu peito de aço, do aço de Stálin, sol do novo mundo.

Para esse país da União Soviética, amiga, para a pátria da liberdade, onde os problemas humanos eram encarados de frente e resolvidos com coragem, viajou Luís Carlos Prestes, aquele que queria resolver os problemas do seu país e do seu povo, o que tinha ouvido, ele também, o convite de Vladímir Ilitch para a festa da revolução. Ele estudou essas teorias e vai trabalhar nessa realidade. Hão de se compreender bem esse país e esse homem. Ambos desejam a liberdade e a felicidade do homem sobre a terra.

Os anos de União Soviética são anos felizes para Luís Carlos Prestes. Seus anos de União Soviética são também anos de Brasil. Em função de sua pátria e do seu povo escravizado ele estuda, dia e noite, sem descanso.[117] Chega em Moscou num dia, no outro estava trabalhando. Era engenheiro do Tsentrálni Soiuzstroi.[118] Essa organização que superintende as empresas de construções do país soviético, ao mesmo tempo que utilizava o seu trabalho de grande engenheiro, possibilitou-lhe viajar toda a União Soviética, conhecendo o país nos seus detalhes, vendo como eram atacados e resolvidos os problemas. Como engenheiro do Tsentrálni Soiuzstroi trabalhou na construção de diversas fábricas e usinas da região industrial de Moscou, dos distritos próximos, das regiões longínquas, das zonas imediatas aos Urais.

Estudou a língua russa num ritmo acelerado, vencendo sua pequena aptidão para o estudo de idiomas, porque ele queria tomar posse da experiência soviética na sua maior profundidade. E se entregou a um rígido programa de estudos. Estudava marxismo, e estudava a experiência soviética. Estudava-a em todos os seus detalhes, como engenheiro nas construções, nos campos da União Soviética como homem que conhecia a vida do campo brasileiro, como general estudou profundamente a organização do Exército Vermelho, exército do povo, o primeiro do mundo, hoje se revelando ao mundo emocionado com as suas vitórias sobre as bestas hitleristas.

Estudava também organização política. Via as repúblicas soviéticas e as repúblicas populares, o gênio político dos trabalhadores. Estudava sem parar, sem descanso, ganhando experiência para o seu povo.

Esse homem, amiga, nunca fez nada pensando exclusivamente em si mesmo. Sempre realizou em função do seu povo, da felicidade do seu povo. Assim, nos seus dias de entusiasmo na União Soviética.

Chefe da revolução brasileira, chefe dos operários e do povo, agora não só vê com clareza absoluta os problemas brasileiros, como se sente dono das soluções para esses problemas. Sabe que a revolução democrático-burguesa, a revolução nacional-libertadora, deve ser feita. Ao ser eleito, no sétimo congresso, para o Comitê Executivo da Internacional Comunista,[119] como uma das cabeças dirigentes do proletariado mundial, ao lado de Stálin, de Dmítrov e de Mameiski, ele havia andado um longo caminho. Ontem era o capitão do Exército, general de uma revolução sul-americana, engenheiro em Buenos Aires, hoje está plantado sobre os seus próprios pés. Sua voz não se dirige mais apenas aos desgraçados do Brasil, como nos dias da Coluna, aos desgraçados da América, como nos dias do exílio no Prata. Sua voz universal de Herói e de companheiro, se dirige a todos os oprimidos do mundo. Desde a mais alta tribuna dos oprimidos, o Comitê Executivo da Internacional Comunista. Não foi essa, amiga, a estrada de um aventureiro. Foi a estrada de um gênio, em quem as qualidades de inteligência se aliavam às qualidades de caráter. Sua honestidade jamais discutida, seu gênio tantas vezes provado. Luís Carlos Prestes, condutor do proletariado mundial.

Mas também e principalmente, amiga, Luís Carlos Prestes, Herói e guia do seu povo. Até Moscou, onde ele trabalhava e estudava febrilmente, chegam os ecos do clamor do Brasil infelicitado. Seu nome como a única esperança, seu nome chegando dos sertões que ele percorrera com a Coluna, das cidades em que ele se levantara, dos rios e das montanhas, da selva e da caatinga. Seu nome atravessando os mares, um pedido de socorro. Seu povo o chama, necessita dele, sua presença, sua coragem, sua decisão, sua honestidade, seu saber e seu gênio.

No país da União Soviética, amiga, naqueles tempos existiram os traidores que o povo justiçou depois. Existiram aqueles que não pensavam na felicidade do povo e que, ávidos do poder, quiseram vender a pátria soviética aos inimigos da humanidade. Esse povo que havia construído um país em festa, na festa do trabalho, soube lutar contra esses traidores como luta hoje contra os assassinos nazis. Com a mesma serenidade e a mesma inflexibilidade. Luís Carlos Prestes cooperou nessa luta, descobrindo um plano de sabotagem na construção de uma fábrica. Certa vez, amiga, ele foi enviado com uma comissão de técnicos para estudar as causas do mau andamento de uma obra. Numa região pantanosa, nas imediações de Ijévsk, capital do território autônomo dos votiaks, estava sendo construída uma grande fábrica. O edifício, dada a natureza do terreno, era edificado sobre pilares. Mas ao chegar a certa altura, o edifício ruía e se fazia necessário recomeçar. Isso já se havia passado uma e duas vezes, com prejuízo para o povo que é o Estado no país da União Soviética. Prestes estuda o assunto com o mesmo rigor com que, no início da sua carreira, fiscalizara as construções de quartéis no Sul do Brasil. E conclui que se trata de sabotagem, uma sabotagem muito bem organizada. O chefe da comissão, um engenheiro russo que vivera muitos anos no estrangeiro, discorda do seu parecer, se mostra contrariado, declara que não existe sabotagem nenhuma e seu laudo culpa o material, a mão de obra e a organização de trabalhos soviéticos. Prestes mantém o seu ponto de vista e logo depois tudo é descoberto, a sabotagem é comprovada, e o engenheiro-chefe surge com sua verdadeira fisionomia: um sabotador, um inimigo do povo.

Prestes marchou esses anos ao lado do povo soviético, vivendo sua vida, aprendendo dele, ajudando-o no que podia. Seja como engenheiro, construindo edifícios, seja como militar, estudando o Exército Vermelho,[120] seja como técnico descobrindo sabotagem, seja como simples criatura humana, o primeiro que era a se apresentar nos *subotnks* para os trabalhos de benefício público, nas horas extras e não remuneradas. Quando os demais voluntários chegavam, alegres de poder prestar mais uma colaboração à construção da vida soviética, já encontravam a Prestes, o Herói lendário da América, o membro do Executivo da Internacional, a remover detritos dos poços de metrô em construção, a selecionar batatas nos grandes frigoríficos, a separar material velho nas construções. Feliz, em meio à alegria ambiente. Assim é ele, amiga, Luís Carlos Prestes.

Os caminhos do exílio foram palmilhados por ele com a mesma coragem e a mesma confiança no futuro que os caminhos do interior do Brasil. Em 1934, quando começa a preparar a sua volta à pátria, ele se havia encontrado, agora não tinha mais a tortura de uma busca de soluções. Agora sabia o que o povo necessitava. Agora os problemas eram de fácil solução, nesses anos longe da pátria ele encontra as suas estradas, estradas do povo do Brasil. Assim como rasgara os caminhos do interior agreste, pelos quais transitam hoje os carros de boi, os cavalos e os automóveis, ele, nos anos de exílio, rasgou os caminhos do pensamento político do Brasil.

O ciclo de revoluções que vinha de 22 a 32, a derrota em 24, a Coluna de 24 a 27, a vitória de 30, a luta de 32, representava um Brasil em busca de si mesmo. Um ciclo que se encerrava para começar outro, o do Brasil sabendo o que deseja, se levantando por consignas concretas. Vai começar, amiga, o ano de 1935, anos da Aliança Nacional Libertadora e da revolução de novembro. Uma nova era, o começo da luta de um povo contra o imperialismo, pela libertação econômica da sua pátria.

De todas as partes do Brasil, amiga, clamam por ele. É o grande ausente que está em todos os corações. Nas casas pobres do Nordeste, em torno ao seu retrato, continuam a arder as velas da esperança. Os meninos que nascem recebem o seu nome. Milhares de crianças se chamam Luís Carlos no Brasil, ardendo de amor pelo seu Herói. Ardendo de esperança. Clamando por ele na voz dos homens e das mulheres diante de um presente desgraçado, sonhando um futuro melhor para seus filhos. Um clamor imenso, amiga, vem por ele, o traz das ruas de Moscou para a vida ilegal no Rio de Janeiro. O seu povo necessitando dele. Um clamor, um pedido de socorro. Ressoando no coração de Luís Carlos Prestes, amiga.

QUARTA PARTE

CANTO DA ALIANÇA NACIONAL LIBERTADORA

Queremos uma pátria livre! Queremos o Brasil emancipado da escravidão imperialista! Queremos a libertação social e nacional do povo brasileiro!
(Do programa da ANL do Brasil)

Héroe de las épicas batallas del pueblo del Brasil.
Dolores Ibárruri (La Pasionaria)

Nunca se vio un movimiento político tan espontáneo, tan inmenso y tan solidario!
Jesualdo

29

NO ANO HEROICO DE 35, AMIGA, O POVO DO BRASIL SE RECORDOU de um verso de Castro Alves. Um dia o poeta dissera que a "praça é do povo". É nela que o povo vem dizer da sua inquietação, do seu desespero, que vem começar a sua revolução. No ano de 35, coberto pela bandeira da Aliança Nacional Libertadora, o povo do Brasil veio clamar nas praças públicas.

Lembra-te daqueles comícios, daqueles *meetings* nunca antes igualados, amiga, jamais superados depois. A multidão sobrava dos estádios pelas praças e ruas e daí clamava seu entusiasmo, sua adesão, sua esperança, que cresciam a cada palavra dos líderes. Muito pouca gente sabia, negra, que Luís Carlos Prestes se encontrava no Brasil, mas como que a gente o adivinhava, havia em cada rosto um ar de alegre expectativa.

Ah!, amiga, que ninguém ouse dizer que o povo do Brasil não ama o seu Herói! Que não o ama até o delírio, num amor feito de gratidão e de esperança. Estão próximos esses dias, eles são ainda de hoje, quando as multidões, milhares e milhares de homens, se atiravam ávidos de ouvirem aquelas verdades, aos *meetings* da Aliança Nacional Libertadora, onde a palavra de Prestes ia ser dita. E o delírio que era, quando o seu nome, pronunciado entre as consignas de uma pátria livre, provava aos homens que aquele não era um movimento de aventureiros e traidores. Ali não existiam as palmas compradas das manifestações oficiais. Era um povo que se jogava na rua para aplaudir o nome do seu Herói e as ideias que ele pregava. Os corações cheios de esperança, aqueles corações tantas vezes traídos antes, pelos políticos em quem confiaram. Sabiam que Prestes não era um político no sentido em que essa palavra é amesquinhada. Ele era um condutor de povos, um líder dos oprimidos, com o seu coração batia o coração da pátria.

Os comícios da Aliança, amiga, os seus jornais, os seus manifestos, a imensa massa humana que a acompanhava! Foi o mais belo espetáculo de civismo do Brasil, seu grande momento patriótico. A pátria estava em perigo, vendida, traída, escravizada. Luís Carlos Prestes lançava a palavra de ordem de salvar a pátria. Contra o imperialismo, contra o latifúndio, contra a escravidão dos campos e das cidades, pela libertação do povo brasileiro. E a multidão saiu à rua para aplaudir esse programa, para lutar por ele, para seguir o mais querido dos generais, o mais amado dos chefes. Foi como uma festa, amiga, não sei de outra comparação. Sei que foi alegre, dessa alegria comum a todos que nos faz apertar mãos desconhecidas na emoção dos comícios, abraçar aquele a quem nunca se viu antes mas que é um companheiro vibrando ao nosso lado. Foi alegre, era uma manhã radiosa se levantando sobre as nuvens de uma noite triste, sem lua e sem estrelas. Manhã da liberdade. Manhã de festa no Brasil.

Esse povo lírico e heroico, esse povo que sofre a escravidão há tantos anos, possui o encanto da palavra liberdade, ela o seduz como nenhuma outra. Liberdade era a voz da Aliança, era a voz sobre todas amada de Luís Carlos Prestes. O povo vinha para a rua, o povo na praça de punhos para o alto, rompendo cadeias.

Chegou o gaúcho de poncho e esporas. Dos ervais chegou o paranaense, o branco de Santa Catarina, o filho de italiano de São Paulo e o filho de bandeirante, os negros, mulatos e brancos da Bahia, os homens das usinas de Pernambuco, os que tinham sede no Ceará e os que lutavam nas selvas da Amazônia. Também chegaram de Goiás e Mato Grosso, das feiras de Sergipe e dos campos de Minas. Do Espírito Santo na voz de Rubem Braga, de Alagoas nos romances de Graciliano Ramos. Da beira do mar, na cidade do Rio. De todas as partes do Brasil, amiga. Eles vieram e marcharam todos, uma nova coluna, não eram desta vez 1500 homens, eram 1 milhão e meio, na frente o general Luís Carlos Prestes.

Bandeira da Aliança Nacional Libertadora mais uma vez desfraldada nesse ano de 35. Bandeira de Tiradentes nos dias da Inconfidência, sua dignidade na hora do suplício, nos degraus da forca. Bandeira de Zumbi dos Palmares na frente dos escravos fugidos na república imortal que os negros criaram. Bandeira de Benjamin Constant cobrindo os positivistas na manhã da República. Bandeira de Frei Caneca, bandeira dos Farrapos, bandeira da Confederação do Equador. Bandeira de Floriano Peixoto em defesa do povo. Bandeira da Coluna Prestes distribuindo justiça. Mais uma vez sobre o povo do Brasil a bandeira da Aliança Nacional Libertadora.

Vê, amiga, 1 milhão e meio de homens marcham sob essa bandeira. Vão oficiais, homens do Exército e homens da Marinha, Agildo e Sisson, Agliberto e Cascardo, vão soldados e marinheiros. Vão romancistas e sábios, jornalistas e poetas. Operários e camponeses, padres e comerciantes, médicos e engenheiros, choferes e estivadores. Vai gente de toda classe, vão ricos e pobres, todos os que têm um coração honesto trazem no peito o amor ao Brasil. E com eles vão, amiga, os heróis do passado. Os que durante os anos de Colônia, de Império e de República lutaram pelo povo, contra a opressão. Filipe dos Santos arrastado pela cauda de um cavalo nas ruas de Vila Rica, Tiradentes enforcado numa praça do Rio de Janeiro, Frei Caneca fuzilado contra um muro, Zumbi se atirando da montanha para não voltar a ser escravo, Pedro Ivo no seu cavalo negro, Constant discursando para os cadetes, Floriano fardado de marechal do povo. Vão eles também sob a bandeira da Aliança Nacional Libertadora, no ano heroico de 35. Na frente vai Prestes. Luís Carlos, o Cavaleiro da Esperança.

Foi assim essa festa, amiga. A festa mais bonita do Brasil, a mais popular, a mais alegre. Era a festa da liberdade se processando nas ruas e nas praças. Alegria nas faces e nos corações.

Nesses dias, negra, os que traíram o povo, os que amavam a tirania, a escravidão e a fome, tremiam no poder. Suas faces amarelas nos conciliábulos amedrontados. Lá fora a multidão rebentava cadeias. Nos palácios de governo, os tiranos tremiam. A voz do povo na praça pública, gritando o nome de Prestes, punha um frio de morte no coração dos inimigos da pátria. No ano de 35, amiga, ano do heroísmo e da esperança.

30

AS ONDAS VINHAM BATER MANSAMENTE NO CASCO DO NAVIO, AMIGA. O céu do trópico se vestiu de estrelas, se cobriu de luar, para saudar Olga, a esposa de Luís Carlos. As terras do Brasil estavam próximas, aquela já era uma noite brasileira, o Cruzeiro do Sul se confundia com o fogo-fátuo dos mastros. Luís Carlos e Olga olhavam o céu desde a amurada. Queriam penetrar a noite e vislumbrar a terra, a terra colorida da pátria que sabiam não estar distante. No marulhar das águas pensavam já distinguir os sons da música brasileira, sambas e cocos, modinhas e cateretês, gemidos melódicos de uma raça misturada e sofredora. Ele lhe falava do Brasil. Das cidades e dos campos, contava com sua voz profunda dos homens que ele vira na Coluna, que vira nas margens do rio São Francisco, do heroísmo indômito, do lirismo infinito. Gente heroica e lírica, Luís Carlos contava a Olga episódios a que assistira, nos sertões distantes, no exílio em La Gaiba. Falava das vivandeiras da Coluna, levando o fuzil dos homens, da loira austríaca Hermínia que se casara com o negro Firmino sob a magia do céu do Brasil.

Só agora, depois de muito ter combatido e de haver atravessado seu país, depois de ter procurado, numa angústia de febre, os caminhos para o seu povo e de tê-los encontrado, só agora, amiga, aos 36 anos, Luís Carlos Prestes pensou no amor. Este, amiga não buscara desesperadamente, como todos nós, no corpo das demais mulheres, a mulher da sua vida. Ele estava demasiado ocupado procurando os caminhos da liberdade, os caminhos da felicidade do seu povo.

Mas um dia, numa cidade da Europa, ele viu uma moça alemã. E compreendeu que a sua esposa chegara, aquela que seria dona do seu coração, mãe de seus filhos, que velaria por ele, em cujo ombro ele repousaria do seu cansaço, junto a quem ele trabalharia pelo Brasil, recebendo dela o calor de sua solidariedade de esposa meiga e compreensiva. Se amaram numa primavera europeia, as flores saudavam o casal de noivos, os pássaros vinham trinar à sua passagem, a primavera ia de cidade em cidade acompanhando-os pela Europa em busca do navio que os trouxesse ao Brasil. A primavera veio com eles até o porto, entregou-os à beleza do mar para que esse os entregasse à magia do Brasil.

Na amurada de bordo ele lhe fala da pátria, da sua pátria que agora é a pátria de Olga Benario Prestes. Ela, que amou o moço brasileiro, aquele cujo destino era o próprio destino do Brasil, já se sentia poderosamente ligada àquela terra do marido, de encantos e de mistérios líricos, sua terra também desde que se unira a Luís Carlos Prestes pelo casamento.

Falam do Brasil, próximas estão essas terras, costas de branca areia, sertões de verdes campos, céu de azul-anil. O moço brasileiro e a moça alemã estendem os olhos enternecidos querendo varar a negrura da noite e descobrir costas do Brasil. Ali, por detrás das estrelas, no rumo do Cruzeiro, está a pátria. Ele aponta, sua mão de bússola, ela sorri um sorriso quente de carinho. Agora ele lhe fala do soldado Joel, o que lhe deu a farinha que tinha para comer, o burro que possuía para ganhar a vida e depois a própria vida, tudo que lhe restava no mundo! Ela se comove, são tão belas as histórias que ele conhece, as histórias que ele viveu! Ela se enleva na sua contemplação, seu rosto sereno, seus olhos ardentes! O Herói de um povo, para ela o bem-amado que seus olhos haviam descoberto numa rua europeia num dia de primavera. Ela o aperta contra seu peito, como que a protegê-lo dos perigos futuros.[121] Cai um raio de luar sobre os recém-casados. Lua do Brasil sobre Luís e Olga.

Porque, amiga, essa é uma lua de mel diferente das demais. Eles não partem para distante dos homens, para o sossego de um esconderijo onde possam viver em dias de paz o seu amor. Eles partem para o Brasil, onde a entrada de Luís está proibida, para lutar junto ao seu povo e na frente do seu povo pela libertação da pátria. Eles partem para dias de vida ilegal, a polícia atrás dele, os inimigos a procurá-lo, no seu rastro não só os investigadores da polícia brasileira, no seu rastro homens da Gestapo e do Intelligence Service. Assim é essa lua de mel, amiga. Em meio aos perigos, em meio ao seu povo, nos dias da Aliança Nacional Libertadora, nos dias da revolução de novembro de 35.

Essa moça alemã que deu seu coração ao general brasileiro, não terá mais um dia de tranquila paz. Seu coração viverá sempre estremecendo pelo seu marido. Nas noites de conspiração seu sono será leve na espera que ele chegue. Depois não suportará mais e o acompanhará para protegê-lo, ela é como um guarda-costas, bem sabe que, se ele é amado como ninguém ainda o fora por esse povo brasileiro, em troca é odiado e temido como ninguém pelos inimigos do povo. Na sombra das ruas conspirativas ela o acompanha, seus passos ao seu lado, ânimo e carinho.

Como aquela Anita Garibaldi que nasceu nos campos do Brasil e acompanhou o italiano José Garibaldi em todos os combates. Agora a Europa paga ao Brasil essa dívida antiga. Como o Herói da Itália encontrara no Brasil a sua esposa e companheira, a que defendia sua vida com a força do seu amor, assim, o Herói do Brasil encontrara na Europa a esposa e companheira, a que o protegerá nesses dias da revolução, a que, como Anita, está sempre junto dele, nos momentos mais difíceis. Anita Garibaldi, Olga Benario Prestes! Deixa que eu junte esses nomes, amiga! Eles soam da mesma maneira, representam um destino igual. O destino das esposas heroicas, daquelas que casaram com homens cuja vida pertence à liberdade.

Outras mulheres, amiga, possuem totalmente seus maridos, seu corpo, seu coração e seu pensamento, sua vida inteira. Não têm que dividi-lo com ninguém. Mas ai, amiga, das mulheres que casam com os heróis e com os poetas. Estas têm que possuir apenas instantes do esposo. A liberdade e a poesia são ciosas dos homens, os prendem para sempre. O Herói tem o seu destino no campo de luta, a liberdade chama por ele com sua voz mais poderosa que a voz de qualquer mulher. É preciso que a mulher encha de compreensão o seu peito e saiba viver a vida do marido. Que se prepare para as horas mais duras de sofrimento e que saiba ter nessas horas uma dignidade igual à do seu esposo. Como tem sabido ter Olga Benario Prestes, da família de Anita Garibaldi. Para estas, o amor não vem cercado de exterioridades felizes. Ele se nutre de si mesmo e é necessário que ele seja grande como o mundo, imortal como o mar, para resistir aos embates da desgraça. De si mesmo, amiga, se nutre o amor de Olga por Luís Carlos.

Estranha lua de mel! Partem para a luta, para os comícios, as conspirações e a Revolução. Na sua frente nem um projeto de tranquila paz num lar sossegado. Na sua frente o mais incerto dos destinos. Todos os perigos, a vida ilegal, as casas provisórias, as noites de espera. Não importa, amiga. Mais poderoso que qualquer perigo e que qualquer desgraça é o amor, eterno sobre o mundo.

A noite do Brasil balança o barco como uma rede. O luar cai sobre Luís Carlos e Olga como um presente do povo, presente de bodas. Com o instinto divinatório das mulheres que amam, Olga pressente os dias negros do futuro. Ainda assim sorri feliz, amiga. Se arrima ao braço de Luís Carlos, mais forte que qualquer desgraça é a força do amor. Na madrugada que desponta, surgem as costas de coqueiros do Brasil.

31

A VITÓRIA DA REVOLUÇÃO DE 30 TROUXERA NO SEU BOJO A CONTRADIÇÃO. Dessa contradição Getúlio Vargas ia viver, com ela ia manter-se no poder. Com a revolução de 30 vinham os tenentes, amiga, os homens de 22, 24, 26, os homens da Coluna. Essa era a força revolucionária de 30. Após a vitória, o tenentismo apareceu como ideologia, livros se escreveram sobre ele, artigos, fundaram-se clubes: o Cinco de Julho, o Três de Outubro. Mas com a vitória vinham também grandes forças reacionárias da oligarquia, da mineira, representada pelos políticos tipo Bernardes e Antônio Carlos, da gaúcha e da nordestina, os grandes usineiros como Lima Cavalcânti. A aliança dessas forças em busca do poder no movimento da candidatura Getúlio Vargas, que trouxera a revolução, fora feita na base de um engano mútuo. Assim como em certos casamentos: a moça convencida de que o noivo é milionário, o rapaz jurando que os pais da noiva dormem sobre dinheiro. O tenentismo pensava se aproveitar dessas forças políticas para com a sua ajuda chegar ao poder e depois liquidá-las. Essas forças queriam apenas se aproveitar do prestígio militar e popular dos tenentes. E, por detrás, o imperialismo em luta. O dinheiro americano, entrando para as arcas da revolução, através de empréstimos rio-grandenses, a Wall Street pensando dar um golpe profundo no domínio da City que se fazia sentir através de São Paulo. Daí, por vezes a revolta de 30 dar a impressão de uma luta contra o predomínio paulista na economia nacional. No fundo eram Wall Street e a City em luta por uma colônia rica.[122]

Os tenentes foram jogados nessa aventura, muitos deles iam de coração limpo, certos de marchar para a libertação da pátria. Como as forças de esquerda mais conscientes — o Partido Comunista entre elas — ficaram à margem da revolução, negando-lhe o seu apoio, Prestes procurando desmascarar legalistas e revolucionários, os tenentes teriam que ser, como o foram, liquidados pelas forças da reação e da oligarquia, muito mais hábeis politicamente, muito mais poderosas economicamente. Faltou naquele momento unidade às forças revolucionárias. Se as esquerdas apoiassem os tenentes, levando até eles as massas mais uma vez desorientadas, muito possivelmente eles teriam se mantido no poder. É preciso não esquecer que os tenentes eram os únicos chefes militares de prestígio da revolução. Com um imenso prestígio entre as massas, prestígio que vinha da Coluna, dos Dezoito do Forte, do assalto em 25 ao 3º Regimento.

Os tenentes, sabotados pelos oligarcas, donos do poder, mas sem um partido de massas que os prestigiasse, não conseguem pôr a revolução para a frente. Demais, o programa da Aliança Liberal, por mais concreto que fosse, era ainda assim insuficiente para a inquietação do povo brasileiro, principalmente quando naquele momento já Prestes lançava os seus manifestos anti-imperialistas e antilatifundistas.

A primeira hora da revolução é a hora dos tenentes. Eles vinham à frente dos soldados, tinham todos os elementos para tomar o poder. A massa não via Getúlio Vargas, parecia ter se esquecido dele. A manifestação na sua chegada ao Rio, comparada à que teve Juarez Távora, o chefe das forças revolucionárias no Norte, foi uma passeata sem importância. Os homens populares eram Miguel Costa, Juarez, João Alberto, Eduardo Gomes, Cordeiro de Farias. Não era o retrato de Getúlio que se pregava nas paredes das casas. Era a reprodução daquele quadro célebre dos Dezoito do Forte marchando para a morte sobre as areias de Copacabana.

Os políticos tinham vindo à revolução em busca de proveito. Eles a sabiam inevitável. Os mais inteligentes[123] haviam compreendido perfeitamente que a Coluna despertara o país, deixara o germe da revolução no povo explorado. Se puseram então à frente dela, na esperança de conquistá-la para si e para os interesses que eles representavam. Assim o fizeram e com os melhores resultados.

É, amiga, dos mais curiosos o momento dos tenentes no poder. A reação que, com eles, dividia o governo, mas que estava evidentemente mais fraca, sem apoio popular, lança mão de todos os recursos para desmoralizar os tenentes perante o povo, tirando-lhes a sua base de massa. Começam levando ao ridículo o lado militar da revolução. Até hoje a revolução de 30 aparece perante o povo como uma revolução de governadores fugindo ante exércitos e chefes revolucionários que só existiam na sua imaginação.[124] Deram a entender que se chegasse a haver a batalha de Itararé os tenentes seriam derrotados e assim transportaram a vitória militar das mãos dos tenentes para as mãos dos generais que haviam dado o golpe no Rio em 24 de outubro. Em realidade, nada disso se havia passado. Os tenentes, com Juarez, Agildo Barata e Juraci Magalhães haviam dominado militarmente o Norte e o Nordeste do Brasil. Haviam dominado Minas, onde encontravam em Virgílio de Melo Franco e Gustavo Capanema, forças intelectuais que os apoiavam. Haviam dominado o Sul, Miguel Costa e João Alberto à frente das tropas, Oswaldo Aranha, o mais prestigiado dos chefes civis da revolução, sendo então um tenentista.

Mas as oligarquias recorrem a todas as armas. Fazem uma campanha de ridículo contra Juarez, transformam suas vitórias no Nordeste em anedotas mais ou menos pornográficas. Levantam a massa em São Paulo contra João Alberto, explorando sentimentos regionais e até separatistas. Quando Juraci Magalhães, por indicação de Juarez, vai para a interventoria da Bahia, os estudantes, a juventude, a massa popular, a mesma gente que pouco depois o iria estimar, defender e apoiar, o recebe com a maior das hostilidades, a oligarquia manejando o velho Seabra e o velho Seabra deixando-se manejar. Aí é também a exploração do regionalismo. No Pará recorrem a todos os meios contra Magalhães Barata, em Sergipe os grandes usineiros se unem contra Maynard Gomes.

Essas eram as posições que tinham os tenentes: Juarez, espécie de ditador do Norte e do Nordeste; João Alberto, interventor em São Paulo, Juraci Magalhães na Bahia; José Américo de Almeida, o magnífico romancista no Ministério da Viação e Obras Públicas, entrando em luta com as companhias estrangeiras, levando o programa do tenentismo até o anti-imperialismo; Ari Parreiras no estado do Rio; Antenor Navarro na Paraíba; no Maranhão Reis Perdigão e o padre Serra[125] se sucedendo no governo; no Rio Grande do Norte Irineu Jofily, corajoso e honesto; no Ceará, realizando um governo nitidamente popular, o coronel Moreira Lima, irmão do "bacharel feroz" da Coluna; no Espírito Santo, Plenaro Gley; no Piauí, Landri Salles; além de ocuparem inúmeros postos de menor importância. Tinham eles uma porcentagem grande de poder. Eram, sem dúvida, a força mais poderosa do país naquele momento. A massa simpatizava com eles e se não os apoiou ainda mais entusiasticamente é que eles ficaram temerosos e não levantaram alto o seu programa em realizações imediatas. Ao contrário, fazem grandes concessões, de início, aos reacionários. Nos estados onde fizeram um governo democrático ou popular — Juraci Magalhães na Bahia, Moreira Lima no Ceará, Antenor Navarro na Paraíba, Magalhães Barata no Pará, eles tiveram um apoio decidido da massa, e tão decidido que Juraci só irá ser derrubado em 1937.

De 1930 a 1932 o panorama é esse: os tenentes dividindo o poder com forças políticas imperialistas e latifundiárias, mas ainda assim com predomínio no governo. É o momento em que o gabinete de Vargas se apelida de Sovietes na intimidade das reuniões.[126] Quando José Américo abre luta contra a Light. Quando Irineu Jofily defende, contra a ganância dos politiqueiros, os dinheiros públicos. Quando havia uma liberdade de crítica, de opinião e de pensamento. Quando os próprios tenentes no poder diziam da necessidade de Prestes no país,[127] sentiam que ele seria o homem para resolver bem a situação. Quando havia uma orientação do governo no sentido do povo.

As forças da reação tremiam. Encontraram seu apoio imediato em Getúlio Vargas, atado aos compromissos assumidos com a Wall Street, atado aos compromissos assumidos com os políticos, namorando os oligarcas de São Paulo. Inicia-se uma política de entrega, abre-se luta contra os tenentes mesmo antes da revolução de 32. Põem-se todos os empecilhos aos interventores tenentistas, procura-se desmoralizá-los. Pouco a pouco os reacionários ganham a hegemonia no governo. Prestigiam manobras fascistas, negociam com os legalistas de ontem.

Os aventureiros de todas as revoluções e de todos os governos estão nessa hora desorientados. Plínio Salgado, farmacêutico que vivia das gorjetas dos latifundiários do Partido Republicano Paulista, faz, naquele momento, em um romance, o elogio de Prestes, quando a força do tenentismo parecia indicar que Prestes seria a solução para muito breve. Como essa solução tardaria, ele, logo depois, se vende ao Banco

Germânico, para fundar o partido que o imperialismo nazi necessitava como base para a sua penetração, cada vez mais crescente, no país. Já antes houvera a tentativa frustrada das "legiões revolucionárias", os "camisas-pardas" de Francisco Campos, o Chico Ciência das montanhas de Minas, que desfilam umas poucas vezes pelas ruas de Belo Horizonte, sob as vaias da massa. Essa tentativa abortou porque Chico Campos queria conciliar política com as suas sucessivas paixões românticas, provinciano se babando por quanta mocinha bonita via nas ruas elegantes da corte, no seu deslumbramento de jurista de roça virado em político, de tabaréu em mesa e cama de grã-fino. Ainda era muito forte o tenentismo para que pudessem vingar as legiões mussolinescas de Campos. Esse teve que voltar aos seus versos, feitos de colaboração com o gordo poeta Augusto Frederico Schmidt. As legiões desmoronaram entre os bíblicos poemas a meninas jovens e inatingíveis do volumoso bardo e a luta imediata que, para tomar posse de um ministério, Chico Campos sustentava contra um inimigo pessoal que, de chicote em punho, impedia, nas escadas do ex-Conselho Municipal, que o ministro nomeado ditasse as suas "leis" sobre educação.[128] Tendo afinal conseguido tomar posse, Chico Campos, o chefe fascista, o poeta neogrego de uma nova Helena, reforma a "educação" do país com um único decreto, seu primeiro decreto: transfere a si mesmo de professor de direito da Faculdade de Minas para o mesmo posto na Universidade do Rio de Janeiro. E deitou-se a dormir e a contar sílabas de versos, coisa que tampouco Schmidt sabia fazer.

O momento do tenentismo, o povo inquieto nas ruas clamando medidas, os reacionários de tentativa em tentativa procurando liquidar a revolução, repetição no tempo do momento histórico da República, positivistas contra senhores de escravos, o povo com Floriano, os oligarcas conspirando, tramando, usando todas as armas, é, sem dúvida, um dos instantes mais curiosos do Brasil moderno. Essa inquietação propicia o aparecimento da "moderna literatura brasileira". Os modernistas, poetas e prosadores a serviço da grande burguesia e do imperialismo, desaparecem do cenário. Eles eram para o esotérico elogio das oligarquias no poder. No mesmo momento em que a estrela de um Francisco Campos desaparece, a voz dos modernistas, voz muitas vezes efeminada e quase sempre em falsete, se cala. Como Francisco Campos, eles só irão surgir novamente nos dias de 37. Francisco Campos trará nas mãos a Constituição corporativa do Estado Novo, os modernistas irão ser novamente, como antes de 30, os "literatos" oficiais. No momento do tenentismo, do povo querendo conhecer os seus problemas e as soluções para esses problemas, surgem dos quatro cantos do país vozes novas de escritores, vozes honestas, que irão levantar a geografia dramática da vida do Brasil. Gilberto Freyre, Artur Ramos e Edison Carneiro, lançam novos rumos para os estudos sociológicos, históricos e econômicos. José Lins do Rego, narra a vida das populações do açúcar. José Américo fizera já a história dos retirantes da seca. Rachel de Queiroz desvenda o Ceará. Dionélio Machado e Erico Verissimo contam vidas do Rio Grande do Sul, Amando Fontes estuda as fábricas de Aracaju, Graciliano Ramos leva o romance nacional a uma altura antes desconhecida. Um modernista de gênio, passando adiante do modernismo, faz o necrológio do movimento e da burguesia do café em novelas candentes de sátira. Falando de um modernista de gênio tu já sabes, negra, que falo de Oswald de Andrade. Essa literatura nova, contra a qual a reação jogava o romance introspectivo de romancistas preocupados com mágicas gestas, vestidos com as calças frescas de Proust, encontrará em 1935 o seu apoio de massas no movimento da Aliança Nacional Libertadora, que permitirá tanto a José Lins, com *Banguê* e *O moleque Ricardo*, como a Graciliano Ramos, com *Angústia*, como a Erico Verissimo com *Caminhos cruzados*, os melhores momentos da sua criação artística.

Este é o ambiente do Brasil quando os reacionários, cada vez mais amedrontados, ante as forças revolucionárias do povo se lançam à revolta de 32. Levantam uma magnífica bandeira: a Constituinte. Mas — é preciso notar — a Constituinte após uma revolução oligárquica vitoriosa. Não tentaram sequer uma campanha ideológica, uma campanha de imprensa e comícios, pedindo a Constituição. Se essa viesse naquele momento seria amplamente popular, levaria em conta os anseios da massa, principalmente aqueles anseios que o tenentismo representava. Uma prova disso havia sido o Congresso Revolucionário, presidido por Juarez, altamente positivo apesar da sua confusão, apesar dos quinta-colunistas, como Plínio Salgado, metidos dentro dele. Os oligarcas queriam uma Constituição, mas feita após terem eles vencido as forças revolucionárias. É difícil esconder esse lado profundamente contrarrevolucionário da revolução de 32. Ela é a tentativa de liquidação pelas armas do tenentismo. Isso apesar de vários tenentes haverem participado dela. Esse detalhe pode dar ideia da confusão daquele momento. A verdade é que os tenentes não tinham conseguido transformar o tenentismo numa doutrina. Era uma palavra e alguns fatos. Daí vários tenentes terem acompanhado o golpe paulista, no canto de sereia de "Constituição". Por detrás de tudo estavam os interesses ingleses movendo as cordas dos "constitucionalistas", querendo ganhar o terreno perdido para os ianques com o movimento de 30.

Mas a verdade é que já em 1932, quando estoura a revolução em São Paulo, Getúlio estava totalmente envolvido pelas forças reacionárias, latifundiárias e imperialistas. Os tenentes conseguem sair vitoriosos da revolução de 32. Mas essa vitória se transforma em derrota. Os constitucionalistas haviam lançado mão de todas as doutrinas para a sua revolução, até do separatismo. O verdadeiro ideólogo da revolução de 32 é um separatista.[129] Vargas sentiu, com a sua habilidade de político frio, a força econômica e política dos latifundiários em armas. Sentiu por outro lado a fraqueza ideológica e a divisão dos tenentes, sentiu que, vitoriosos esses totalmente, só restaria um caminho e uma perspectiva: Prestes e a revolução popular. E então, tendo alcançado a vitória militar contra os constitucionalistas, ele trata, não de apoiar os tenentes e se apoiar nos tenentes, mas, sim, de ceder a todas as reivindicações dos oligarcas. Dá a anistia, convoca a Constituinte. A força que ainda restava aos tenentes vai impedir que a Constituição de 34 tenha um caráter nitidamente reacionário. O liberalismo dessa carta constitucional decorre ainda da vitória militar dos tenentes em 32, da agitação da massa, da educação do povo nos problemas do Brasil que a literatura moderna vinha fazendo, da fraqueza em que estavam apesar de tudo as forças reacionárias. Mas, durante a Constituinte, Vargas negocia com elas. Os tenentes e as esquerdas não conseguem uma união. As forças democráticas e de esquerda na Constituinte têm todos os matizes, desde os liberais até os socialistas e comunistas.[130] Não há uma união dessas forças e Getúlio Vargas tem que entregar-se aos latifundiários, os vencidos de ontem. Os seus mais ardorosos líderes na Constituinte não são, em verdade, os tenentes que haviam defendido seu governo de armas na mão. São os paulistas que haviam lutado contra ele. Com a sua eleição para presidente da República, ele liquida o tenentismo, Juarez não é mais o ditador do Norte. Vargas atende à Light e José Américo tem que deixar o Ministério da Viação. O governo de São Paulo é entregue aos mesmos homens que levantaram a bandeira de 32. A chefia de polícia vai para a mão do homem de confiança dos alemães, Filinto Müller. Em todos os estados o tenentismo, desunido, vem abaixo. As forças reacionárias se unem para derrubá-lo. Muitos tenentes, aqueles que antes de serem revolucionários eram aventureiros, se vendem e conservam assim uma parte do poder ou um cargo qualquer. Agora o espetáculo é outro. Idêntico ao da República, após a saída de Floriano do poder. Agora o ministro da Justiça não é mais um representante do pensamento revolucionário de 30. É Vicente Rao, um dos chefes da revolução de 32, que vai ditar logo depois a "lei monstro", procurando liquidar o que restava de democrata e de tenentista na carta constitucional de 1934.

Com o adubo do dinheiro nazi e sob a sombra protetora da polícia crescia o integralismo.[131] O imperialismo alemão era um termo novo na equação política do Brasil. Na preparação da guerra que desencadearia sobre o mundo, Hitler e os seus amos estudam o Brasil, com a sua percentagem de alemães em Santa Catarina, no Paraná e no Rio Grande do Sul, como a possível ponta de lança na América. A compra do chefe de polícia da capital, de uns quantos políticos, não lhes parecia bastante. A quinta-coluna no Brasil toma o aspecto de um partido político. É a Ação Integralista do Brasil, os "camisas-verdes" de Plínio Salgado. O governo os incuba, pensando em se apoiar neles no dia de amanhã, como irá fazer em 37. A liquidação do tenentismo é uma etapa nessa política de manobras. Sua etapa superior é o desenvolvimento do integralismo. É curioso constatar que o integralismo tem o apoio dos que representam mais imediatamente Wall Street, tem o apoio de Rao e dos que representam a City, tem o apoio entusiástico de Filinto e dos que representam Hitler. Plínio Salgado é apenas um caixeiro de Filinto e de Von Cossel, este instalado no Rio na chefia da espionagem alemã e do partido nacional-socialista. Plínio Salgado primeiro andara indeciso, sem saber para que lado sorririam as perspectivas mais imediatas do poder. Em 1931 está mascarado de anarquista, fala em Prestes, e, como não tem um negócio melhor, arriba com os cobres de uma loteria da qual tiveram a ingenuidade de fazê-lo tesoureiro. Mas, diante do brilho dos marcos do Banco Germânico, ele veste de verde os nazis do Sul e todos os desonestos do país. Alguns revolucionários vão atrás do palavreado fácil do integralismo. Esses irão se dar conta logo depois do que é, em realidade, o partido de Plínio e o deixarão no momento da Aliança Nacional Libertadora. O integralismo mistura numa literatura de cordel o *Minha luta*, de Hitler, na provocação anticomunista, e o *Por que me ufano do meu país*, do conde de roda Afonso Celso, no papaguear de mentiras patrioteiras. Foi um carnaval retórico e triste, a desonestidade solta na rua, a polícia formando nas passeatas integralistas, fantasiada de verde sob as ordens arianas de Gustavo Barroso, campeão de corrida na praça da Sé de São Paulo, no dia em que os operários paulistas demonstraram seu repúdio ao fascismo.

Nunca, em todo mundo, incluindo o "futurismo" de Marinetti no fáscio italiano, incluindo as teorias árias do nazismo alemão, nunca se escreveu tanta idiotice, tanta cretinice, em tão má literatura, como o fez o integralismo no Brasil. Foi um momento onde maior que o ridículo só era a desonestidade. Plínio Salgado, Führer de opereta, messias de teatro barato, tinha o micróbio da má literatura. Tendo fracassado nos seus plágios de Oswald de Andrade, convencido que não nascera para copiar boa literatura, plagia nesses anos o que há de pior em letra de fôrma no mundo. É a literatura mais imbecil que imaginar se possa.

Ao aparecer o integralismo, os "intelectuais" reacionários, os que vinham do modernismo como Menotti del Picchia, os que apareciam com 1930, como o donzelo Otávio de Faria e o sabido San Tiago Dantas, riram de Plínio e do seu partido, achavam tudo aquilo magnificamente ridículo. Mas riram pouco tempo. Logo descobriram que, por detrás de Plínio, estavam Filinto, Von Cossel e Hitler, o dinheiro do imperialismo, a reação contra o povo. E então os San Tiagos, os Otávios e os Tassos da Silveira, o terço numa mão, os olhos fitos em Hitler, cantavam, em prosa e verso, loas ao chefe nacional, cansando as gargantas frágeis de mocinhos bonitos de tanto gritar anauês delirantes à passagem do esqueleto de Plínio e das gordas nádegas de Gustavo Barroso. Se misturaram, num abraço comovente possibilitado pelos marcos-ouro, aos Viveiros de Castro, Madeiras de Freitas e Carlos Maul, fracassados da literatura, que aqueles "aristocratas" antes tanto deprezavam. E não só esses. Também, atendendo ao possível chamado do poder, todos os "céticos", aqueles que viam a vida sob um sorriso de desprezo, os "neutros" das conversas em livrarias, começaram a achar que Plínio não era tão idiota assim... E eles também bateram nos peitos contritamente...

O integralismo fazia todas as provocações. Armava os alemães do Sul; eram armados pelos nazis da Alemanha. Sua literatura policial e provocativa era distribuída pelos canais oficiais. Plínio aconselhava leis de repressão à liberdade e ao povo, e o "constitucionalista" Rao as redigia apressadamente. Governantes viam com ternura, à qual se misturava uma secreta inveja, os desfiles verdes. O dinheiro corria, quem queria se vender podia obter bons preços.

A liquidação do tenentismo se dera. O fechamento dos clubes tenentistas, o afastamento dos líderes mais importantes dos cargos de governo, a compra sistemática dos que quiseram se vender tinham reduzido a quase nada politicamente os verdadeiros vencedores da revolução de 30. Getúlio completara o primeiro ciclo da transformação do seu governo. Agora não mais se apoiava no povo e nos seus chefes tenentistas. Agora tinha como resguardo os latifundiários, os imperialistas, os fascistas. Nesses quatro anos modificara-se a face da revolução. Como nos anos iniciais da República, os senhores de escravos voltavam ao poder. Como os positivistas de então, os tenentes de agora tinham sido liquidados, a revolução tinha sido traída.

Novamente o povo só enxerga um caminho. Também os tenentes que não se haviam entregado à reação na volúpia de governar, só viam um caminho. Um nome percorre o país de ponta a ponta. Como uma bandeira, como a única saída, como a única possibilidade de salvação. Um nome em todas as bocas. Mais uma vez o povo chama pelo Cavaleiro da Esperança. Ele que previra o que se passava, ele que não quisera se unir aos inimigos do povo, ele que não quisera o poder contra o povo, ele que não se vendera, era a única esperança para os que temiam pela sorte do Brasil.

As finanças do país estão em crise. É a época dos créditos congelados e dos marcos compensados. É a época da queima do café, da vida por um preço absurdo, os salários miseráveis. É a ameaça do integralismo vendendo a pátria aos alemães. É a luta dos imperialismos entre si, cada qual querendo um quinhão maior no leilão do país.

Os tenentes mais consequentes, os que se deram conta do processo seguido pela revolução, diante da situação do país, da ameaça fascista, da liquidação da Constituição que Rao fazia metodicamente, unem-se às demais forças de esquerda, democratas verdadeiros, comunistas, socialistas e lançam as bases de um partido político anti-imperialista, antilatifundiário, popular e amplo. Os partidos de esquerda, os elementos realmente democratas, cerram filas em torno dele.

Como uma resposta ao clamor do povo mais uma vez traído, às ameaças que pesavam sobre a pátria, surge a Aliança Nacional Libertadora. E no seu comício de fundação, entre aclamações delirantes do povo que voltava a ter confiança, a Aliança proclama Luís Carlos Prestes seu presidente de honra.

Agora, amiga, novamente corre um vento de esperança por todos os peitos, um tremor de frio no coração dos traidores.

32

A MULTIDÃO SE COMPRIMIA NO TEATRO JOÃO CAETANO, SILENCIOSA. Aqueles que estavam sentados, ou se apertavam em pé por entre os corredores que conduziam às cadeiras, eram, amiga, os felizes que tinham conseguido entrar no teatro e conquistar um lugar. Uma multidão algumas vezes maior que a reunida no João Caetano e espalhava pela praça Tiradentes, transbordando do teatro, silenciosa também, esperando. Era gente de toda cor, brancos e negros, pardos e mulatos. Gente pobre, homens que haviam saído do trabalho árduo das fábricas, camponeses que haviam descido dos subúrbios, soldados, marinheiros, era gente rica ou gente remediada, comerciantes, oficiais do Exército e da Marinha, estudantes, intelectuais. Guardavam um silêncio de expectativa. Um grupo de tenentes e de homens de esquerda havia convidado o povo a assistir o lançamento de um novo partido político, que mais que um partido político era uma frente ampla de todos os que desejavam a libertação da pátria e do povo.

Lá dentro, no palco do teatro, era lido o manifesto-programa dos nacional-libertadores. A voz do orador, enérgica e clara, levava a todos aqueles corações a emoção de uma esperança.

Nos quatro anos que vinham de outubro de 30 a março de 35, a revolução que parecera vitoriosa havia sido vendida. O governo central já não se apoiava nos líderes revolucionários, naqueles em quem o povo confiava.[132] Todas as esperanças concebidas em 30, o desabrochar da flor revolucionária cuja semente a Coluna deixara no seu rastro, haviam morrido aos poucos. Como uma ameaça nova e mais violenta e mais odiosa alastrava-se, levado pela mão da polícia, o integralismo, inimigo da pátria, inimigo do povo, inimigo da liberdade e da cultura, inimigo da beleza e do amor. Nesse momento de perigo, do maior perigo, o povo, de todas as partes do Brasil, de norte a sul, de leste a oeste, das selvas do Amazonas aos pampas gaúchos, do Atlântico ao Planalto Central de Mato Grosso, murmurou, lembrou, disse e gritou um nome: Luís Carlos Prestes.

Os tenentistas que se deram conta de como a revolução estava sendo liquidada, aqueles que se conservavam com seus ideais e não se entregaram às forças da reação, as esquerdas que sentiam o perigo fascista nascendo dessa liquidação como o sustentáculo dela, acabavam de lançar uma força política destinada a apoiar a democracia, a realizá-la no Brasil, a afastar o perigo do fascismo. O povo se comprimia no Teatro João Caetano, transbordando pela praça Tiradentes. O orador fala:

> A Aliança Nacional Libertadora tem um programa claro e definido. Ela quer o cancelamento das dívidas imperialistas; a nacionalização das empresas imperialistas; a liberdade em toda a sua plenitude; o direito do povo manifestar-se livremente; a entrega dos latifúndios ao povo laborioso que os cultiva; a liberdade de todas as camadas camponesas da exploração dos tributos feudais pagos pelo aforamento, pelo arrendamento da terra etc.; anulação total das dívidas agrícolas; a defesa da pequena e média propriedade contra a agiotagem, contra qualquer execução hipotecária.

A cada reivindicação consignada, o manifesto era interrompido por aplausos. O povo sentia que as suas necessidades, que os seus problemas haviam sido tocados. Agora encontrava um programa para a sua revolução que vinha sendo feita a trancos e barrancos. O tenentismo dava um passo enorme, ao juntar suas forças mais consequentes no movimento da Aliança Nacional Libertadora. A massa vibrava a cada parágrafo:

> Queremos que a formidável quantia evadida do Brasil para os cofres dos magnatas estrangeiros seja empregada em benefício do próprio povo brasileiro, explorando as nossas riquezas e desenvolvendo as nossas forças produtivas, diminuindo todos os impostos que pesam sobre a nossa população laboriosa, e com isso, abaixando o custo de vida e desafogando o comércio; aumentando os salários e ordenados de todos os operários, empregados e funcionários; efetivando e ampliando todas as medidas de amparo e assistência social aos trabalhadores; desenvolvendo em enorme escala a industrialização.

Cada consigna, em meio aos aplausos, é murmurada até a porta do teatro e alcança a praça onde a multidão logo a conhece e a acolhe com entusiasmo. Os gritos de aplausos são ouvidos muito longe, vão perturbar o sono dos que haviam vendido e comprado a revolução. A imensa massa humana que se aglomerava na praça Tiradentes, silenciosa quando no teatro era lido o manifesto, se agita e aclama cada consigna que o orador lança. O manifesto chega ao seu fim.

Queremos uma pátria livre!

Uma pátria livre, sim. Desde há séculos os homens brasileiros vinham lutando por uma pátria livre. Aquela praça onde estavam levava o nome de um desses primeiros lutadores. Também Tiradentes, o alferes mineiro, pensara, ele que conhecia a vida desgraçada do povo sob o jugo da corte portuguesa, em libertar a pátria e pagara o seu sonho numa forca armada no Rio de Janeiro. Aí correra o sangue do mártir, dele nascera coragem e esperança.

Queremos o Brasil Emancipado da Escravidão Imperialista!

Sim, emancipado da escravidão moderna. Por isso lutara Floriano, lutaram os tenentes daquele tempo. Por isso deram seu sangue, suas vidas. Por isso, na sua confusão ideológica mas na procura de um caminho, se haviam levantado os tenentes de agora nos dias de 22 e 24, com Siqueira na praia de Copacabana, com Miguel Costa nas ruas de São Paulo, com Prestes nos pampas do Sul. Por isso haviam percorrido todo o país. Por isso haviam voltado em 30. E mais uma vez os políticos vendiam e entregavam o Brasil aos amos estrangeiros.

Queremos a Libertação Social e Nacional do Povo Brasileiro!

Sonho de hoje, realidade de amanhã. A multidão clama, amiga, está de pé. Assim grita o seu apoio, a sua adesão, a vontade de lutar. Mas falta algo. Sempre, em todos os momentos em que lhe prometeram e lhe convidaram para algo,[133] ela pedia uma garantia. Um nome, o único nome que para ela representa a certeza de que o programa, as consignas, as promessas não seriam vãs e inócuas. Que seriam cumpridas. E a multidão, no teatro e na praça, começa a gritar seu grito de guerra:

— Prestes! Prestes! Prestes! LUÍS CARLOS PRESTES!

Alguém desde o palco diz:

— Propomos o general Luís Carlos Prestes para presidente de honra da Aliança Nacional Libertadora!

E a multidão em delírio aprova a indicação com um aplauso que parece não ter fim. Agora tem certeza de que esse partido não será traído, nem vendido, nem entregue. Que seu programa será cumprido. Que a sua revolução será profunda e bela. Agora que à sua frente está o seu general, o seu chefe, o seu líder, o seu Herói. Agora que novamente na frente do povo está Luís Carlos Prestes. E nas ruas da cidade do Rio de Janeiro, por entre a multidão que se dissolve alegre e entusiasta, um nome fica vibrando, é o próprio coração da pátria: Prestes!

Fundada, amiga, em março de 1935, o seu manifesto assinado por um grupo de tenentes e de homens de esquerda,[134] a Aliança Nacional Libertadora vai ter uma vida legal brevíssima mas de uma intensidade antes desconhecida na história política do Brasil. Nos seus quatro meses e pouco de legalidade a Aliança se transforma no maior partido político nacional de todos os tempos. Mais de 1 milhão e meio de brasileiros acodem ao seu chamado de união. Os partidos políticos de esquerda, comunistas, socialistas, democratas, se unem em torno às suas consignas. A grande massa sem partido, a massa educada pela Coluna, cerra filas na Aliança. A moderna literatura brasileira a apoia. As mulheres em luta pelas suas reivindicações aderem ao grande movimento de Prestes. Mil e quinhentos núcleos da Aliança são fundados em menos de quatro meses em todo o território brasileiro. Nos primeiros dias a afluência à sede da Aliança no Rio é tal que os seus funcionários não dão conta do serviço. Cinquenta mil membros se inscrevem em poucos dias na cidade do Rio de Janeiro. Em São Paulo, onde Miguel Costa se põe à frente do movimento, a Aliança liquida o integralismo, se transforma num partido poderosíssimo. Numa pequena cidade de veraneio como Petrópolis, 2500 pessoas entram imediatamente para os quadros aliancistas. A caravana da Aliança, que viaja o Nordeste e o Norte, é recebida sob apoteoses em cada cidade onde passa. Através o Clube de Cultura Moderna as forças intelectuais mais poderosas do país apoiam a Aliança. Jornais são fundados, revistas, folhetos e livros circulam por todo o Brasil. Consigo a Aliança Nacional Libertadora leva a liberdade e a cultura. Mota Lima dirige *A Manhã*, o mais popular dos diários que já possuiu o Brasil, em São Paulo surge *A Plateia* e em Recife Rubem Braga lança a *Folha do Povo*, corajosa e violenta. Deputados tenentistas dão seu apoio ao programa aliancista.[135] Os revolucionários que ainda se encontram no poder simpatizam com o movimento. Inúmeros homens honestos que haviam sido enganados pela demagogia integralista abandonam as fileiras de Plínio Salgado para virem reforçar as da Aliança.

Os manifestos de Prestes, lançados a 13 de maio e a 5 de julho, em comícios memoráveis, alimentam a massa de esperança no futuro do Brasil. A Aliança realiza uma obra política admirável, cujos resultados se sentem até hoje.[136]

A palavra de ordem de um Governo Popular Nacional-Revolucionário surge da própria massa aderente à Aliança. Era ele a consequência natural da plataforma aliancista. Diante dos esforços da reação para se sustentar no poder, das limitações que a cada dia ela impunha à Constituição de 34, do prestígio que dava ao integralismo mantendo-o como uma espada sobre o pescoço do povo, das suas ligações cada dia maiores com os diversos imperialismos, o inglês, o alemão e o americano, o seu desprezo por qualquer tentativa de administração honesta, as manobras políticas cada dia mais sórdidas, faziam com que a massa não acreditasse possível a realização de qualquer das suas reivindicações senão dentro de um governo novo. De um governo chefiado pelo homem que nunca a traíra, cuja vida era toda ela a dedicação ao povo, o lutar pelos seus interesses, de um governo de Prestes.

Getúlio apoiava-se em uma trilogia trágica: Rao, Filinto e Plínio Salgado. Latifúndio, imperialismo e fascismo. O programa de um Governo Popular Nacional-Revolucionário era exatamente o de combate a estes inimigos do povo. Prestes prometia:

> Anulação e desconhecimento das dívidas externas.
> Denúncia dos tratados antinacionais com o imperialismo.
> Nacionalização dos serviços públicos mais importantes e das empresas imperialistas que se não subordinem às leis do governo.
> Jornada máxima de trabalho de oito horas; seguro social: jubilações etc., aumento de salários, salário igual para igual trabalho, garantia de salário mínimo, satisfação das necessidades do proletariado.
> Luta contra as condições escravistas e feudais do trabalho.
> Distribuição entre a população pobre, camponesa e operária, das terras e utilização das aguadas tomadas, sem indenização, aos imperialistas, aos grandes proprietários mais reacionários, inclusive os da Igreja, que lutem contra a libertação do Brasil e a emancipação do seu povo.

Devolução das terras arrebatadas pela violência aos índios.

Pelas mais amplas liberdades populares, pela completa liquidação de qualquer diferença ou privilégio de raça, de cor, de nacionalidade; pela mais completa liberdade religiosa e separação da Igreja do Estado.

Contra toda e qualquer guerra imperialista e pela estreita união com as alianças nacionais libertadoras dos demais países da América Latina, e com todas as classes e povos oprimidos.

Esse, amiga, era o programa de governo de Luís Carlos Prestes. Isso o que ele prometia ao povo, quando no comício de 5 de julho deu a consigna de "Todo o poder à Aliança Nacional Libertadora", consigna à qual o povo respondeu com um complemento:

Com Luís Carlos Prestes à frente!

A impressão, amiga, que dava o movimento da Aliança Nacional Libertadora, tal o entusiasmo do povo, tal a força que vinha dele, era que o governo popular-revolucionário seria implantado com uma passeata. O ímpeto do integralismo, ímpeto que nascia do apoio oficial e da falta de desmascaramento da sua demagogia, decresceu de uma forma assombrosa. Com a Aliança, o integralismo estava fadado a um desaparecimento rápido do cenário político. As forças esquerdistas, as forças tenentistas e as forças democráticas se uniam cada vez mais em torno da Aliança e de Prestes. Os aventureiros de sempre, os oportunistas que têm o olfato sutil para perceber por onde corre o vento da vitória, batiam contritamente nos peitos e procuravam se aproximar da Aliança. As forças da reação estavam literalmente estarrecidas ante a vitalidade revolucionária do povo brasileiro. A polícia desenvolvia uma violência antes desconhecida. Foi a época dos assassinatos dos militantes revolucionários, esses mesmos assassinatos, amiga, que hoje a polícia quer atirar sobre os ombros dos presos políticos. Foi a época das prisões a cada momento, mas nada disso era entrave para que o movimento crescesse a cada dia, os comícios reunindo multidões impressionantes, os manifestos de Prestes circulando pelo país de mão em mão, lidos comovidamente. O diretório nacional da Aliança não tinha mãos a medir no trabalho estafante da organização. A Aliança fez nos quatro meses de sua legalidade uma educação política das massas brasileiras, educação que até hoje se sente na sua reação tão densa ao Estado Novo de moldes fascistas. Se o Brasil não foi entregue à Alemanha, se hoje o governo faz uma política americanista, isso se deve fundamentalmente à massa que resistiu de uma forma heroica à fascistização do país e à sua entrega aos nazis. Trabalho ideológico feito pela Aliança, trabalho de Prestes. A Aliança deixou no povo uma força democrática e antifascista realmente poderosa, tão poderosa que se mantém viva através desses anos tão cruéis de reação organizada e cotidiana.

A quinta-coluna não se mantém inativa. Ante o crescimento impressionante da Aliança, ante o entusiasmo com que o povo marchava para o governo popular-revolucionário, o governo, por intermédio de Rao, toma a única medida que poderia colocar um entrave sério ao movimento nacional-libertador: coloca na ilegalidade a Aliança Nacional Libertadora por decreto de 11 de julho de 1935. É a lei de segurança, a "lei monstro", em plena execução. Os inimigos do povo se opunham aos partidos do povo, à sua vontade. Com o fechamento da Aliança como partido legal, vai se iniciar o regime do cerceamento completo da liberdade, vai começar o governo ditatorial. Com a lei de segurança a Constituição era letra morta. Não existia na prática. Pela válvula do Congresso os deputados protestam inutilmente. É esse ambiente que vai precipitar os acontecimentos e levar o povo à revolução de novembro.

Prestes entrara no Brasil em abril, e logo depois entrava Silo Meireles. Prestes vem diretamente para o Rio de Janeiro, Silo fica em Recife. Como em todos os grandes movimentos de libertação brasileira alguns estrangeiros amigos da liberdade se encontram ao lado de Prestes: o ex-deputado alemão Artur Ernest Ewert, Rodolfo Ghioldi, líder operário argentino, Leon Vallée, o norte-americano Baron que seria assassinado pela polícia do Rio, atirado da sacada de um quarto andar.

A exploração feita em torno a esses revolucionários estrangeiros que se encontravam no país e que emprestaram a sua colaboração ao movimento de novembro é a mais absurda e falsa historicamente. Com ela pretendeu inutilmente a polícia afastar a simpatia do povo do movimento aliancista. Como se fosse novidade na história do Brasil a colaboração de estrangeiros nos nossos maiores movimentos de libertação nacional. Na Inconfidência, o português Tomás Antônio Gonzaga é figura de primordial importância. Na Independência, o próprio Pedro I é um português, ingleses são lorde Cochrane, herói do Brasil e do Chile, francês é o general Labatut. Ligados aos norte-americanos, estavam os estudantes brasileiros que sonharam a Independência nos dias de 1700. Africano era o primeiro dos Zumbis, na República dos Palmares. Libero Badaró é italiano como italiano é Giuseppe Garibaldi na revolta dos Farroupilhas. Na Coluna, o ajudante de ordens de Prestes é Landucci, ex-capitão do Exército da Itália. No levante de 24 existia em São Paulo um batalhão alemão. Por que somente o movimento de 35 estava impedido de contar com a colaboração de todos aqueles estrangeiros que amavam a liberdade? Era o próprio programa do governo nacional popular revolucionário quem falava em abolir qualquer diferença de "raça, de cor e de nacionalidade". Amigos da liberdade, que por ela tinham lutado em várias partes do mundo, líderes do seu povo como o alemão Ewert, como o argentino Ghioldi, que se encontravam no Brasil, só podiam sentir simpatia e colaborar com o movimento de libertação do povo brasileiro. Toda a nossa história de povo está cheia de estrangeiros derramando o seu sangue junto ao nosso pela liberdade. Estrangeiros cujos nomes são cultuados ao lado dos nomes dos mártires brasileiros. Também o nome desses que em 35, amiga, se bateram conosco pela liberdade do Brasil, também eles não serão esquecidos no dia de amanhã. Eles são também heróis da liberdade no Brasil. Ewert, a quem chamavam Berger, que deu mais que sua vida, deu sua razão pelo bem do Brasil, Ghioldi, que sofreu nos cárceres imundos, entraram para a nossa história, estão ao lado de Garibaldi, de Libero Badaró, de todos os que sonharam a liberdade para essa pátria e para esse povo. São nossos, muito nossos, o seu sangue derramado o foi em bem do Brasil. Nenhuma exploração de mau nacionalismo poderá jamais fazer com que os brasileiros deixem de clamar pela liberdade de Berger, deixem de sentir amor pela figura de Rodolfo Ghioldi. Auxiliares de Prestes na obra de libertação do Brasil, eles ficam ao lado do Cavaleiro da Esperança, entre os mais corajosos e os mais dignos revolucionários brasileiros que lutaram e sofreram pela pátria.

Em torno de Prestes, novamente, se reúnem as figuras mais brilhantes, entre os oficiais moços do Exército. Homens que o haviam acompanhado desde os tempos da Coluna, generais como Miguel Costa, coronéis como Felipe Moreira Lima, homens que haviam feito todas as revoluções desde 22 como Silo Meireles, Costa Leite, Cascardo, Trifino, homens que surgiram em 30 na frente dos tenentes, como Agildo Barata, Sisson e Agliberto Vieira de Azevedo. A preparação da revolução se processa dentro de um ambiente do maior calor popular, da mais entusiástica adesão do povo. A Aliança na ilegalidade continua poderosa e viva.

Te disse que pouca gente sabia da presença de Prestes no país. Mas já te disse também que o povo adivinhava, que, na alegria de todos os semblantes, nos dias de 35, se poderia conhecer a proximidade do Herói, em todas as bocas o seu nome como o daquele que ia impedir que a pátria fosse ainda desonrada, vendida e traída. Havia um ar de festa, o Brasil se preparava para governar o seu destino.

A Aliança Nacional Libertadora havia despertado a massa, fizera a sua educação política, levantara em cada homem o amor à pátria, à liberdade e ao povo. Essa a sua tarefa realizada. Grande tarefa cuja repercussão se sente até hoje, amiga. Foi a força desses dias de entusiasmo que armou o povo do Brasil de suficiente resistência e dignidade para os dias de miséria e de desgraça que vieram depois, que duram até hoje. Foi a Aliança que em grande parte impediu, anos depois, que o Brasil fosse entregue de pés e mãos atados a Hitler e a Mussolini. O Brasil ao lado das democracias é também fruto da Aliança Nacional Libertadora, amiga.

33

LUÍS CARLOS PRESTES, AMIGA, O PORTUGUÊS ANTÔNIO VILAR, segundo o seu passaporte, trabalhava sem descanso nos dias de ilegalidade da Aliança. O terror policial se implantava no país, o integralismo em pânico com o crescendo revolucionário do povo fazia todas as espécies de provocação, Vargas se apoiava cada vez mais nas forças latifundistas e imperialistas. Colocada na ilegalidade, a Aliança não se enfraqueceu. Ainda é ela que centraliza a vida política do país. Sua marcha para um governo popular revolucionário não sofre solução de continuidade. As primeiras eleições lhe darão sem dúvida uma vitória absoluta. No Congresso, a Aliança, por intermédio dos seus deputados, consegue uma vitória estrondosa ao pleitear que a Câmara peça ao Executivo o fechamento do integralismo, como partido antidemocrático. A proposta aliancista é aprovada, mas Vargas e seu ministro da Justiça a desconhecem, encontrando que o integralismo era naquele momento o partido em que a reação mais se apoiava. O integralismo se presta a tudo: denuncia, espiona, sabota, provoca. O povo, cada vez mais descontente com o governo, aclama a cada passo o nome de Prestes, já se vislumbra o seu governo popular revolucionário conduzindo o país a dias felizes.

Os oficiais de Prestes acodem ao seu chamado. O seu general, aquele que cobrira de glórias o Exército nacional com os feitos da Coluna, o gênio militar da América, o sábio e o homem de bem, encontra em todos os corações honestos, em todos os que conservam as tradições do Exército democrático e popular de Floriano e Constant, partidários ardorosos.

Amiga, os traidores e os vendidos têm nos dias de hoje criado uma lenda em torno ao Exército brasileiro. Com essa lenda querem afastá-lo do povo. Esse exército que sempre foi a vanguarda da liberdade no Brasil, o melhor e o maior defensor do povo, tantas vezes coberto de glória nos campos de guerra, nas revoluções ao lado do povo, cercado sempre pelo carinho da massa, o mais popular dos exércitos da América, não pode ser julgado por umas quantas tristes exceções.[137] O Exército é o que nasceu das lutas da Independência, que se fortaleceu nos campos de guerra, que se negou a perseguir os escravos fugidos, que fez a República com os positivistas, que defendeu a República contra os senhores de escravos, que fez a revolução de 22 e a de 24, o que marchou com a Coluna na epopeia da travessia do Brasil, o que se levantou em 30 e em 35. É o Exército dos democratas de hoje que se opõem aos vendidos e aos traidores. É o exército de Manuel Rabelo fazendo o elogio da democracia em meio ao Estado Novo. É o exército de Prestes, ouvindo o grande prisioneiro no seu julgamento por um suposto crime militar e absolvendo-o com dignidade e com justiça. Esse é o exército, o verdadeiro, o grande Exército do Brasil, aquele que é amigo do povo, que está ao seu lado, a quem o povo deve estima e respeito. Não, amiga, não vamos julgar levianamente o Exército que é honra e glória da pátria.

Nos dias de 35, a Aliança reunia suas forças para a campanha eleitoral, para a conquista pacífica do poder. A ilegalidade não interrompera suas atividades. Os núcleos aliancistas continuam a surgir, os jornais da Aliança e os que apoiam o seu programa continuam a ser os mais populares do país. O nome de Prestes é a esperança de todo o povo. Uma onda de greves se desencadeia no país em protesto contra a reação. A Aliança e Prestes são bandeiras dessas greves, dessa agitação imensa, desse entusiasmo que cresce a cada momento. O integralismo, após a multidão haver dissolvido umas quantas passeatas puxadas pela Polícia Especial, não tem mais coragem de sair à rua. Plínio, Rao e Filinto lançam a provocação anticomunista. Como a provocação contra os estrangeiros que militaram na revolução de 35, essa é mais uma campanha sórdida e indigna. A Aliança era uma ampla frente democrático-revolucionária. Era o tenentismo evoluído, tendo encontrado sua concretização ideológica. Junto a ele as forças democráticas mais conscientes e as forças de esquerda, socialistas e comunistas. Os comunistas — já que o seu partido havia apoiado o programa aliancista — foram nacional-libertadores absolutamente coerentes com o programa que haviam apoiado. Trabalhavam pela transformação popular revolucionária da mesma maneira que os democratas e os socialistas. Os argumentos mais batidos e mais ridículos são utilizados então pelo integralismo. Falam em ouro de Moscou quando sabem que o dinheiro empregado na Aliança fora aquele mesmo dinheiro que Vargas, então o governador do Rio Grande, enviara a Buenos Aires numa tentativa de obter o apoio de Luís Carlos Prestes em 1929. Batem na tecla de que Prestes é membro do Partido Comunista e dirigente da Internacional. Se esquecem que foi o próprio povo, de quem ele é o Herói, que aclamou seu nome para presidente de honra da Aliança. Esquecem também que em 1930 a Aliança Liberal tudo fez para ter à frente das suas tropas aquele que já se havia declarado publicamente comunista. Falam em Internacional quando é o povo brasileiro que está nas ruas lutando corpo a corpo contra as hordas integralistas e policiais, essas sim pagas com o dinheiro alemão. Falam em estrangeiros, quando agentes do Intelligence Service trabalham na polícia do Rio e agentes dessa polícia se "educam" na Gestapo. Os que mais falam em "estrangeiros" são os nazis alemães do Sul. É uma sórdida provocação inútil. O povo a desconhece e tranquilamente a Aliança marcha para o poder, entre o entusiasmo das massas.

Essa marcha é interrompida em defesa dos interesses do povo. Os operários de Natal se encontram em greve geral. Culminando seu terrorismo o governo reacionário do estado do Rio Grande do Norte demite toda a guarda civil, democrática e amiga da população. Os sargentos e cabos do Batalhão de Caçadores local são também afastados das fileiras. O povo então toma armas e se levanta na revolução de novembro. Os revoltosos dominam a cidade e o estado. Pelo rádio pedem o apoio da Aliança Nacional Libertadora e de Prestes. Esperam do movimento libertador e do grande chefe que não os abandonem. O diretório estadual da Aliança vai ao encontro do pedido dos revolucionários e é implantado aí o governo popular-revolucionário. Esse governo durou quatro dias e mais uma vez provou concretamente qual era o verdadeiro sentido da revolução: um sentido nacional-libertador.

Foi um governo "popular, foi nacional, foi revolucionário".[138] Sua ação foi toda ela moldada dentro dessas palavras. Nunca se afastou delas. O povo o cercou e o apoiou.

Dois dias depois de iniciado o movimento de Natal, Silo Meireles levanta a bandeira da revolução em Recife. Silo vinha dos dias de 22. Era dos cadetes que haviam tomado parte na revolta da Escola Militar daquele ano, no primeiro 5 de julho. Desde então sua vida tinha sido prisão e conspiração, até que, atendendo ao chamado de Prestes, veio, em 1931, para Buenos Aires onde trabalhou na preparação do movimento político que a Aliança iria lançar em 1935. Viaja pela Europa, volta ao Brasil, será ele o condutor da revolução de novembro em Pernambuco. O povo de Pernambuco acompanha os revolucionários, luta-se nas ruas de Recife.

No Rio de Janeiro Luís Carlos Prestes, amiga, em defesa do povo, ordena às guarnições militares que se levantem na madrugada de 27 de novembro.

34

APESAR DA TRAIÇÃO, DAS MEDIDAS PREVENTIVAS TOMADAS PELO GOVERNO, os oficiais, os sargentos e os soldados obedecem às ordens de Luís Carlos Prestes. Em várias unidades a revolta não chegou a se realizar, os chefes presos pouco antes, as ligações perdidas com estas prisões.[139] Costa Leite, homem de confiança de Prestes, havia sido enviado pelo governo para o Rio Grande do Sul, afastado assim do Rio de Janeiro. Mas, com todas as dificuldades, amiga, os aliancistas saem em defesa dos homens do Nordeste que lutavam pelo governo popular-revolucionário. A precipitação do movimento revolucionário iria sem dúvida, como realmente o fez, dar, com o seu fracasso, uma nova força à reação. Porém, por outro lado, a Aliança Nacional Libertadora não podia deixar de correr em defesa do povo de armas na mão lutando no Nordeste pela liberdade. Prestes não podia, sem trair a confiança que nele depositavam, deixar de acudir ao apelo que os revolucionários de Natal e de Recife lhe faziam.

Na madrugada de 27 de novembro de 1935 o capitão Agliberto Vieira de Azevedo levanta a Escola de Aviação. No mesmo momento outro capitão, Agildo Barata, que estava preso no 3º RI, se põe à frente desse regimento na Praia Vermelha. Junto a Agliberto estão Sócrates da Silva, Benedito de Carvalho, Ivan Ribeiro, Dinarco Reis, Carlos

França, Gay da Cunha, Válter Benjamin da Silva, oficiais da Escola, além de todos os sargentos, alunos e soldados.

No 3º RI os revolucionários contam, entre outros, com Álvaro de Souza, Mário de Souza, Durval de Barros, David Medeiros Filho, Antônio Monteiro Tourinho, Leivas Otero, Celso Bicudo de Castro, José Gutman, Moraes Rêgo, Joaquim Silveira, Raul Pedroso e Tomás Meireles, morto heroicamente na luta.

A luta dura, amiga, toda a noite e toda a manhã de 27. Os aviões não podem voar por falta de gasolina, a Escola de Aviação é cercada por forças que deviam ter se revoltado. Também o 3º RI é cercado e incendiado pelo governo. À uma hora da tarde a revolta estava perdida. Os oficiais revolucionários da Escola de Aviação lutam até o último momento, depois tomam pela estrada Rio-São Paulo onde está o edifício da Escola. Os do 3º RI saem de dólmã aberto, um sorriso nos lábios em direção aos generais que os vão prender.

Há uma fotografia, amiga, que os mostra assim. Sorrindo, abraçados, marchando para diante das metralhadoras assestadas contra eles. O povo os aplaudiu quando eles passaram. Iam rindo, aquela revolução que fracassava era apenas o começo do movimento nacional-libertador. Também o movimento tenentista começara em 22 para vencer somente em 30. O povo confiava, sabia que Prestes velava sobre o seu destino. Vão rindo os oficiais, abraçados, a fisionomia aberta, o peito aberto também, haviam jogado suas vidas pela pátria. Agildo vai na frente, o valente Agildo que mil vezes arriscara a vida.

Quero te falar, amiga, dos dois chefes militares, do chefe do 3º RI, o primeiro regimento do exército popular do Brasil, de Agildo Barata e do chefe da Escola de Aviação, de Agliberto Vieira de Azevedo. Hoje eles pagam na ilha de Fernando de Noronha, presídio perdido no meio do Atlântico, onde só as moléstias encontram um clima favorável, o seu gesto de revolta contra a venda da pátria. Vinham eles de outras revoluções. Oficiais de coragem e de conhecimentos comprovados, sabiam que somente Prestes era capaz de levar o Brasil aos seus grandes destinos. Ouviram seu chamado na noite do Rio, levantaram seus homens. Sobre eles, como corvos negros, os tiranos iriam se banquetear na festa do seu ódio e do seu medo. Agliberto seria condenado a 27 anos. Agildo a dez. Mas esses nomes passaram a ser, desde esse dia 27 de novembro de 35, nomes imortais para o povo. Nunca mais foram ditos ao acaso. Desde então, junto com o nome de Prestes, eles são murmurados nas horas más, de desânimo, nas horas de terror e de miséria, nos dias desgraçados do império da reação, como símbolos de resistência, de coragem e de dignidade. Como bandeiras, amiga, Agildo e Agliberto. Desfraldadas sobre o Brasil na madrugada gloriosa de 27 de novembro de 1935. Quando, como um raio, Prestes cortou a noite, estrela da esperança brilhando um momento sobre os homens, clareando o céu da Pátria, apontando o futuro.

35

AGORA, AMIGA, É MAIS DENSA A NOITE. A reação se transforma em terror. Olga envolve Luís Carlos no seu carinho, seus olhos de esposa seguem seus gestos mais mínimos, o perigo é enorme, a polícia o busca desesperadamente. Mas Luís Carlos Prestes não pensa em fugir, em emigrar, em dar por perdida a revolução. O povo, em meio a todo o terror policial, murmura o seu nome e espera nele. Olga o vê partir para as conspirações, muitas vezes vai com ele, seu coração tremendo pelo marido e pela filha que já leva no ventre.

Enquanto as prisões se enchem, Prestes reorganiza os quadros revolucionários, refaz as ligações, prepara novamente soldados, oficiais e povo para marcharem contra o governo de opressão e de vingança. Seus dias são cheios de trabalho. Os chefes aliancistas estão presos, os dirigentes revolucionários são levados pela polícia, os oficiais dos quais o governo duvida são afastados dos seus postos. Prestes se desdobra para cobrir todos esses claros, para impedir que o movimento revolucionário se desmorone. Um vento de esperança ainda percorre o país. A Aliança Nacional Libertadora ainda existe e trabalha e conspira. Em meio à noite de terror um homem não treme, nem para de trabalhar. Em suas mãos se enfeixa uma enorme responsabilidade: é o chefe, aquele em que o povo confia e espera. Os dias de desgraça se abatem sobre o país mas a esperança não morre porque ele ainda está em liberdade e o povo crê nele e sabe que enquanto ele estiver livre o Brasil está se libertando, se preparando para romper as cadeias e partir para a felicidade.

Sobre Luís Carlos Prestes se debruça a sombra de Olga a cercá-lo de carinho, de ânimo, a protegê-lo com seu sorriso, com a sua presença, com o seu amor. Em torno de Luís Carlos Prestes, amiga, o povo esperando nele. Da sua liberdade vive a esperança do povo. Se ele está livre nada está perdido. Se ele está livre é que a madrugada de 27 de novembro foi apenas o primeiro clarão da aurora que chegará breve. Assim pensa o povo, amiga, nos dias de terror que se abatem sobre o Brasil.

36

E O PRENDEM, AMIGA, E O ENCARCERAM E O TORTURAM e o emparedam e o condenam. E ainda assim o povo tem esperança, ainda confia e ainda crê. Tem os olhos postos no grande prisioneiro, sabe que ele é o homem indicado para mudar a face do destino do Brasil. Enquanto ele estiver vivo, amiga, o Brasil está vivo, vive da sua dignidade na prisão, do seu heroísmo no sofrimento, clama pela sua boca com sua voz profunda nos tribunais, chicoteia com as suas palavras cortantes com a verdade os verdugos do povo, confia com a sua confiança no futuro da pátria. Se ele está vivo é que vivo está o Brasil. É que os dias de 35 foram apenas a madrugada do dia da liberdade. Dia próximo, amiga, quando esse prisioneiro rebentar as cadeias, as suas e as do povo, dia em que Luís Carlos Prestes trará novamente o sol para o Brasil e terminará com a noite da desgraça. O povo sabe, amiga, que o destino do Brasil não pode ser escrito pelos traidores. Na mão do povo, na mão de Prestes, está escrito o destino da pátria. E também o destino dos tiranos, negra. Se ele está vivo é que a liberdade não morreu e não tardará a rasgar os densos véus da noite. Assim pensa o povo, amiga, o povo que não se engana nunca porque com o povo está o gênio dos poetas e a força dos heróis. A liberdade, entre grades, na prisão de Luís Carlos Prestes. Romperá as grades um dia.

QUINTA PARTE

O CAVALEIRO DA ESPERANÇA

Chamado ao mundo! Chamado aos povos!
Salvemos a Luís Carlos Prestes!
Romain Rolland

En Méjico hay una niña
Que Anita Prestes se llama.
Ah los pueblos, nuestros pueblos
Con su niña rescatada!
Ahora hay que guardarla bien
Contra el odio y la desgracia.
Ahora hay que darle su padre
Y su madre, la alemana.
Ahora hay que salvarle a Prestes
La cabeza amenazada.
Mirta Aguirre

Não eu não sou daqueles que a descrença
Para sempre curvou, e sobre a cinza
Debruçam-se a chorar.
Fagundes Varela

37

AMIGA, RECLINA A CABEÇA NO MEU OMBRO. AGORA VOU TE FALAR de coisas tristes, te direi de homens pequenos, tão pequenos que perderam a sua fisionomia de homens, os seus sentimentos de homens, são como vermes ferozes, odiosos e desprezíveis, nojentos e perigosos. Vou te falar dos anos de prisão, de torturas, de indignidade humana, destes anos que se estenderam como uma capa de lama sobre o Brasil. Dos homens que se envolveram nessa lama, se vestiram com ela para a realização de tudo que degrada e envilece o ser humano. Amiga, vou te falar de coisas tristes, te direi de homens que nos fazem descrer no destino da humanidade. Dos torturadores, dos sem coração, dos que nasceram homens do conúbio de vermes com feras. Com a máscara de ser humano, apenas.[140]

Disse mal, amiga, quando te disse que eles fazem descrer no destino da humanidade. Fariam, amiga, se ao lado deles, sofrendo as torturas que eles impõem, não se levantassem outros homens, os presos, os torturados, os emparedados, os assassinados, cheios de uma grandeza, de uma dignidade humana, de uma força de caráter tamanhas, que mais que nunca acreditamos no homem e no seu destino sobre o mundo.

Vou-te falar, amiga, dos assassinos. Daqueles que matam friamente, devagarinho, no gozo do crime. Daqueles que torturam, daqueles que mandam torturar, e gozam com isso como se estivessem na cama com uma mulher amada. Te falarei também dos que não resistiram às torturas e traíram. São coisas tristes, amiga, degradantes e pequenas. Mesquinhas como todas as coisas dos tiranos e da escravidão. Encherei teu coração de tristeza na narração dessas misérias e dessas podridões.

Mas, negra minha, tão bela, te direi também dos homens que sofreram as torturas pelo bem do seu povo. Que por ele foram mortos, que por ele foram assassinados aos poucos, nos cárceres imundos. Te mostrarei homens pequenos como vermes, sedentos de sangue, monstruosos. Mas te mostrarei também homens na sua grandeza total, gigantes de coração e de caráter, imensos na sua dignidade, estrelas sobre essa noite, sobre a lama como um raio de luz que não se mancha nunca, que brilha sempre, é sempre límpido e formoso. Nunca os homens desceram tanto como nesses anos, amiga. Nunca os homens subiram tanto, amiga, foram tão grandes e tão belos, tão dignos e tão heroicos, como nesses anos.

Tuas lágrimas e teu ódio pelos assassinos serão pequenos diante do amor e da admiração que estes homens vão te merecer. Odiarás e desprezarás os outros, os torturadores. Mas que é esse ódio em vista do amor pelos que se levantam em meio a toda a imundície, limpos de coração, nem uma gota de sujeira sobre eles, luz no charco imundo com o mesmo brilho intenso?

Amiga, nunca os homens se mostram tão nus como nos dias da desgraça. Nesses dias eles se despem de todos os sentimentos superficiais e exteriores. Fica só o que é profundo e primordial no seu ser. De Luís Carlos Prestes, de outros de quem te falarei igualmente, ficaram grandeza e dignidade, glória do homem. Amiga, que imenso orgulho de ser homem quando são homens Luís Carlos Prestes e seus companheiros! Esses honram a sua espécie, honram a humanidade.

Reclina a cabeça no meu ombro, amiga. Vê, vai no alto do céu a lua amarela, no seu rastro sobre as águas veleja um barco negro. Ouve, negra, como os homens podem vencer os dias de desgraça, podem ser felizes e fazer os demais felizes com o seu exemplo nos dias de tirania, de morte e de torturas. Vê a luz brilhando sobre a lama, amiga.

38

DE CIMA DO MORRO VIAM-SE AS LUZES DA CIDADE. ERA LINDO o Rio de Janeiro, curvas de lâmpadas elétricas bordeando o mar verde onde o luar irrompia prateado. O rumor da vida da cidade, buzinas de autos, gritos de vendedores de jornais, a sirene de uma assistência, o ruído dos bondes superlotados, vozes longínquas de homens, a gargalhada distante de uma mulher, chegava todo esse rumor de vida até os ouvidos de Auguste e ela parou um instante a subida, para absorver esse sopro de vida que o vento trazia da cidade. Seu rosto irreconhecível, chagado de socos, os olhos negros, os cabelos desgrenhados, quase sorriu. Mas os homens a empurraram com brutalidade e ela recomeçou a caminhada, já não via a cidade ante seus olhos lá embaixo, já não ouvia o rumor de vida que subia do largo da Carioca. Agora se encontrava de novo, após aquele breve minuto em que sentira o espetáculo da vida, jogada dentro da sua realidade. Os pés se arrastavam na subida. Era difícil, ela estava infinitamente cansada, cada passo acordava as dores que iam pelo seu corpo. Doía-lhe tudo, nunca ela havia imaginado que a dor pudesse ser tão grande, ser tamanha. Doía-lhe tudo, os pés pareciam-lhe enormes, tinha a impressão de que estava com cadeias amarradas a eles. Fazia um esforço desesperado, um esforço como se fora levantar um peso imenso. O passo tardava, o corpo doía todo, agora ela não via mais nem as luzes da cidade, nem o luar sobre o mar, não ouvia nenhum ruído. Sua única sensação era uma dor por todo o corpo e aqueles pés pesados, de chumbo, que não se moviam.

Tentou mais uma vez. Era uma subida, seu rosto se contraiu num ricto doloroso. Os farrapos que vestia se abanaram com o vento, ela sentiu que seu coração ia parar. No seu rosto de trapo, sereno rosto de mulher dias antes, quase passa um sorriso de alegria. A morte seria o fim, com ela viria o descanso como um sonho bom e interminável. Tentou mais uma vez, os pés não se moviam, só a dor se movia pelo seu corpo, presente e todo-poderosa. O chefe dos policiais se aproximou. Então os homens se acercaram mais, eram os homens da Polícia Especial. Um a empurrou pelos ombros:

— Anda!

Ela sabia mal a língua do país mas dava para compreender. Fez outro esforço, maior, imensamente maior. A dor se prolongou, fina e violenta. O corpo se jogou para a frente mas os pés não se moveram e ela caiu, o rosto contra a terra, a boca semiaberta se enchendo de barro e mato seco. O chefe disse com sua voz gritante:

— Isso é comédia. Faz ela levantar.

Os homens da polícia caíram em cima de Auguste aos socos. Pegavam na cabeça, nos ombros, nos rins, era bom bater nos rins, pensava um deles, o mais forte. Outro dava-lhe pontapés nas nádegas. O chefe se aproximou mais, agora estava diante dela, soltou o pé na sua cabeça:

— Levanta, puta!

Sim, ela sentia. Mas não chegava perfeitamente a ter consciência dos homens que a espancavam. Sentia apenas a dor indo de um ponto a outro; aqui deviam ser os rins, por que doía-lhe tanto o pescoço, que peso tão grande se abatia sobre ela? Eram dez homens, amiga, pisavam-na, gritavam nomes, será mesmo que lá embaixo está uma cidade que vive, homens que andam, mulheres que riem e choram? Aqui parece um outro mundo, uma mulher estendida no chão, dez homens fardados que se abatem sobre ela numa chuva de pancadas. Dão com as mãos, dão com canos de borracha. E o chefe frio, elegante, risonho, que esmaga o rosto desta mulher com os pés calçados de grossas botinas. E os nomes, os palavrões, dominando todo o rumor de vida que vem da cidade.

— Levanta!

Ela tem uma leve consciência do que se passa. Com um esforço enorme traz a memória sobre a dor e sente que a espancam. Compreende também que querem que ela se levante e continue a caminhada. Sua cabeça é suspendida com um pontapé. Ela vai se incorporando aos poucos, vai se levantando entre as pancadas, o corpo atendendo ao apelo desesperado da vontade. É uma frágil mulher, amiga. Talvez nem seja mais, exteriormente, uma mulher. Nem parece um ser humano, seu rosto inchado de pancadas, seu corpo quebrado de sofrimento, seus olhos fundos, suas faces cavadas de fome. Antes era uma mulher forte. Auguste Elise Ewert, a esposa de Ewert, do alemão a que chamavam de Harry Berger. Talvez ninguém reconheça nesse trapo humano, que se levanta aos poucos entre os canos de borracha que caem sobre ela, uma mulher, flor da espécie humana. É um corpo exangue, coberto de farrapos. Mas no peito um coração grande como um mundo. Dele vem essa força maior que a dor que a levanta e a faz marchar. É infinita essa subida. Nunca terminará, pensa ela, levará anos e anos. O chefe dos policiais comenta para os homens suados:

— Não disse que era uma comédia?...

E dá-lhe um pontapé e ela novamente cai e agora sobe se arrastando, de quatro, se agarrando nos capins em torno. Os homens se divertem chutando suas nádegas magras, fazendo comparações sujas. E riem, e gargalham, e estão felizes e alegres. E não beberam, estão sãos, e se dizem homens, amiga.

Assim vão. É uma lúgubre procissão na noite de lua. Os rins... Por que doem tanto os rins?... Havia uma aldeia na Alemanha, era linda, linda, linda, a gente ria nas ruas, conversava nas esquinas, bebia cerveja. Será que houve mesmo isso em algum tempo, por mais remoto que ele fosse? Ela se lembra da China, morara lá, o povo gentil se libertando. Aquelas conversas longas, de sutis delicadezas. Não, não houve nada disso, nada, nada, só há a dor sobre o mundo e homens fortes que riem e gargalham e torturam. E ela sobe, os joelhos sangram ao contato com as pedras da ladeira. Vem de lá debaixo, de um cubículo imundo no quartel da Polícia Especial. Era meia-noite, não foi preciso que a despertassem. Ela já se despertara sozinha, sabia que aquela era a hora de apanhar, de apanhar até de manhã, todas as noites, invariavelmente. Durava mais de um mês e duraria mais de um ano. Pouco antes da meia-noite ela acordava e vivia os minutos de espera, os minutos de angústia, os minutos mais desgraçados ainda que as horas seguintes quando os homens a despiriam e deixariam cair sobre seu corpo frágil de mulher os canos de borracha, as mãos com soqueiras, os pés calçados de sapatos pesados. Depois, quando já fosse alta a manhã e ela, inconsciente, já não sentisse a dor das pancadas, três ou quatro vezes despertada dos desmaios com injeções, três ou quatro vezes recomeçado o alegre afã dos homens que batiam, a traziam de rastros para o cubículo onde somente a dor, a fome e a sede habitavam com ela. Também hoje ela despertara antes. Havia passado aqueles momentos terríveis de espera. Finalmente eles chegaram, e mandaram que ela saísse. Mas desta vez não a despiram logo e não começaram de imediato a bater-lhe. Se dirigiram para o morro atrás do quartel, iniciavam a subida da ladeira. Auguste procura inutilmente imaginar o que a espera.

Foi aquela subida como o Calvário, os homens guardaram a lembrança daqueles dias distantes quando mataram um outro homem. Agora levam uma mulher, ela vai de quatro, eles riem, pilheriam, um mais gracioso enfia a mão entre as nádegas magras da mulher num gesto obsceno. Ela sobe, sangram suas mãos, sangram seus joelhos, sangra seu rosto.

E enfim chegaram. Ela logo viu os homens, um grupo enorme, policiais fardados, alguns seguravam enxadas. Mas não viu logo o marido, Berger, cercado pelos polícias. Ela sabia que ele estava magro, marcado de pancadas, havia apanhado mais que ela, algumas vezes haviam apanhado juntos. Mas nem chegou a reconhecê-lo de imediato. Harry Berger estava uma posta de sangue. Antes era um homem gordo. Agora estava magro, os farrapos voavam em torno dele, e estava curvado que seu cubículo era o vão de uma escada de ferro na Polícia Especial,[141] onde ele não podia nem se pôr de pé nem se deitar. Estava roto de pancadas, era impossível descrevê-lo, porque não se pode descrever, amiga, o estado de um homem quando nem a sua esposa o reconhece.

Mas a trouxeram para perto dele e ela, sob aquela camada de dor, aquela massa informe, descobriu por fim algo do rosto do marido. Agora não estavam apenas os homens da Polícia Especial. Estavam os delegados da Polícia Civil, até o chefe viera para esse interrogatório que devia ser decisivo. Se adiantou, falou com sua voz suave:

— Agora já se sabe de tudo. É melhor vocês contarem também o que sabem. Não adianta esconder. Digam onde está Prestes. Quem são os outros revolucionários? Digam o que sabem porque, realmente, nós já sabemos tudo.

Marido e mulher se olham, Harry faz um esforço e sorri. Ela compreende que aquela espantosa careta é um sorriso de ânimo e sorri também. Fala em alemão:

— Têm te torturado muito? — há na sua voz uma ternura imensa, um amor profundo e denso.

Ele vai responder mas os policiais não dão tempo. O chefe descobre segredos imensos nessa frase, conspirações perigosíssimas. Os homens não esperam nem o seu gesto, já caíram sobre Harry vibrando os canos de borracha, o arrastam para longe da mulher. O chefe fala, agora sua voz não é suave:

— Então, não querem contar nada?

Faz um gesto para os homens, eles despem Harry e Auguste, os dois surgem nus em frente a todos. Os policiais riem, fazem pilhérias com os órgãos sexuais de um e outro. A lua ilumina a cena. Entre socos dão uma enxada a Auguste. E mandam que ela cave o túmulo do marido. Auguste fica parada, a enxada numa mão, um vento frio sobre o corpo nu. Berger diz de longe, em alemão:

— Não te importes, minha amiga, vamos morrer mas o povo não morre. Ele se libertará.

Então ela tem forças. Suas mãos se apertam contra a enxada e cava, enquanto dão no seu marido. São horas de trabalho. O corpo dói, quer ceder, mas a vontade é mais poderosa. Está pronto. O chefe manda formar o pelotão de fuzilamento. Harry Berger, nu, é colocado diante da cova que sua esposa cavou. Querem vendar-lhe os olhos, ele não aceita. Os soldados formam, um tenente da polícia comanda as ordens. Quando só falta dar a ordem de "fogo" o chefe diz:

— Ainda há tempo de falar.

Berger sorri para sua mulher, dá-lhe adeus.

Mas a ordem de fogo não vem. O chefe ruge de raiva, os seus dentes batem de ódio. Aqueles dois prisioneiros, torturados, nus e fracos são mais fortes que ele e que os seus homens escolhidos a dedo pela sua força e tamanho. Que força desconhecida é essa que vem do coração desse homem e dessa mulher, mais forte que a dor, que a ameaça de morte, que todas as torturas? O chefe tem ódio no seu coração. Se sente pequeno e por isso tem mais ódio. Mas sorri porque ele possuía ainda uma arma. Manda que tragam de junto do túmulo a Berger. Levam-no para perto de Auguste. E o chefe entrega a mulher aos homens como bestas. Que a usem na vista do marido. Auguste sorri para Harry, os segredos que eles conhecem a polícia não os terá jamais. Ela cerra os olhos, os homens abrem os de Harry para que ele veja. Os policiais, de sexo em punho como armas de tortura, se abatem sobre ela. Agora a lua se escondeu atrás de uma nuvem, amiga, para não ver o horror da cena. O chefe sorri mas logo treme de ódio porque nem assim esses dois dizem uma palavra. E novamente são as pancadas, socos, canos de borracha, culatra de fuzil. Os corpos rolam no sangue, os gemidos são abafados com as gargalhadas.

E depois tomam de Auguste e lhe cortam os seios. E torturam Harry no sexo. Isso, amiga, quando já a madrugada se levantava sobre a cidade do Rio de Janeiro. Era no morro de Santo Antônio, nos terrenos da Polícia Especial. Deformaram o sexo de Berger, cortaram os seios de Auguste. Nem uma palavra saiu da boca deles, nem um nome, nem uma indicação. Sim, amiga, a lua voltou sua pura luz sobre o espetáculo imundo. Porque ela queria encher seus olhos do espetáculo da grandeza desse homem e dessa mulher. A lua voltou, agora que os policiais cortam os seios dela devagarinho, com as suas navalhas, agora que cortam o sexo dele lentamente, o chefe sorrindo, os homens sorrindo. Mas, nos corações miseráveis o ódio ante aquela grandeza humana. Aquele homem e aquela mulher são mais fortes que eles.

— Alemães desgraçados — diz um polícia.

E enterra a navalha, pula o bico do seio da mulher como uma flor despetalada. Jorra o sangue no morro de Santo Antônio. A madrugada surge por entre a dor.

39

Posso afirmar que até agora todos os presos são tratados com benignidade...
Getúlio Vargas
(Discurso em 12 de maio de 1936)

A HARRY BERGER, EX-DEPUTADO ALEMÃO, PUSERAM LOUCO. NUNCA UM SER HUMANO foi de tal maneira torturado. A polícia requintou-se nos seus jardins de suplícios. Suplícios físicos, suplícios morais. Te contarei de uma noite, foram inúmeras noites se sucedendo diariamente. Trancado no socavão de uma escada, na Polícia Especial, onde não podia respirar, onde não podia se pôr de pé, tampouco se deitar, apanhando diariamente, tendo as unhas arrancadas a alicate, o sexo torturado com torqueses, vendo a sua esposa ser torturada na sua vista, ser violentada pelos policiais, ter os peitos cortados, ele perdeu a razão. Homem feito de aço e de honra. Ficou na polícia, amiga, a fama desse alemão. Até os tiras que o torturaram falam dele com respeito, como de alguém cujas convicções estão acima de toda a dor possível. Queriam que ele delatasse. Tudo lhe fizeram, tudo o que possas imaginar e o que não poderás imaginar jamais. Nunca sua boca, nem a doce boca de sua esposa transformada em pasto para os instintos bestiais dos policiais, nunca essas bocas se abriram para dizer uma só palavra.[142] Auguste Elise foi morrer na Alemanha das torturas sofridas no Brasil. Berger, homem forte e resistente, perdeu trinta quilos em poucos meses, perdeu a razão. Hoje é usado como instrumento de tortura contra Prestes, próximas as duas celas. Berger fala dia e noite, rompe a cabeça contra a parede. E essa é a única presença humana que Prestes sente próximo a si. Imagina, amiga, a profundeza desse sofrimento.

Tudo que o homem transformado em fera pode inventar para criar sofrimento foi aplicado em Harry Berger e sua esposa. Chama de velas acesas sobre as nádegas, alfinetes entre as unhas e os dedos, cigarros apagados nas suas costas, vandalismos sexuais, delírio de maldade.

Bando de torturadores recrutados entre os criminosos mais eficientes. Dos chefes ao último tira. Dos que formaram o Tribunal de Segurança aos investigadores sem importância. Nomes que dá nojo dizer. Desonra da espécie humana, indignidade vivendo, bestas vestidas de homens, excrescência de podridões, hálito fétido de latrinas.

Lama, sujeira, lixo, miséria, chagas podres, carne leprosa, pus de feridas, vômito e escarro, podridão humana, excremento de prostíbulos! Mais vale, amiga, encher a boca de sujeira que pronunciar o nome desses vermes com coração de feras, soltos sobre o Brasil, sua repugnante presença envilecendo a pátria. Os assassinos! Frios assassinos, covardes assassinos, bestiais e degenerados! Qualquer palavra suja, qualquer imundo substantivo, é doce palavra de poema lírico ao lado desses nomes podres! Leprosos por dentro, a lepra no coração infame.

Havia um estudante ianque, amiga, a polícia desconfiou que ele podia saber onde estava Prestes. Ele não o podia dizer, tudo indica que ele sequer o sabia. A polícia esgotou contra ele o seu "jardim de suplícios". Mil "sessões espíritas"[143] foram feitas para arrancar-lhe o nome da rua e o número da casa de Prestes. Victor Allan Baron, o estudante ianque, suportou heroicamente todas as torturas. A polícia brasileira se sentia algo diminuída ante os investigadores do Intelligence Service e da Gestapo que se encontravam no Rio, colaborando com a polícia política. E então recorreu a um médico de nome,[144] pedindo-lhe a sua ajuda técnica. O médico tentou resistir, mas a pressão policial e as promessas que lhe fizeram terminaram por vencer sua consciência. E, daí por diante, ele orientou as torturas aplicadas em Victor Allan Baron. Aplicaram-lhe o "soro da verdade" várias vezes. Estraçalharam seus nervos, com reativos poderosos, ora excitantes, ora deprimentes. Baron não falava. Dia e noite o interrogavam, em meio às injeções que o médico lhe aplicava. Baron já não via nada, já não ouvia, tinha sono, cansaço e dor. E o interrogatório não parava. Dias e dias. Noites e noites, as injeções se sucedendo. Nada lhe davam para comer, nada para beber, nem um minuto para dormir, nem um instante de sossego. Nem assim ele falou. O médico já não podia suportar a visão daquele suplício. Pediu que o deixassem ir. Mas a polícia precisava dele e ele teve que continuar ajudando a torturar um ser humano. Quando Baron já se encontrava quase totalmente inconsciente, deram-lhe bebidas fortes para ver se assim, embriagado, ele falava. Injeções de insulina eram aplicadas uma sobre a outra. Baron não falou. Então a polícia desesperada voltou às pancadas, abandonando os métodos do médico. Deram-lhe até matá-lo. Depois jogaram seu corpo do terceiro andar da Polícia Central, para dizer ao público que ele se havia suicidado, como se fosse possível um homem cercado de investigadores e trancado num cubículo se suicidar. Quem se suicidou, amiga, sob o peso da sua consciência bradando, foi o médico que se prestara a ajudar e orientar a polícia nas torturas científicas aplicadas em Victor Allan Baron. Deu um tiro na cabeça para assim poder deixar de ver, dia e noite, na sua frente, aquele corpo exangue do jovem que apanhava, tinha fome, tinha sede, e no qual ele injetava entorpecentes e excitantes. Os outros torturadores não se mataram. Já estavam acostumados à tarefa.

A Silo Meireles emparedaram em Recife. Os policiais de Recife não ficaram nada a dever aos do Rio e aos de São Paulo. Silo Meireles, o cadete glorioso de 22, o conspirador de todas as revoluções até 30, o chefe da revolução de 35 no Recife, tradição de luta de honra do Exército, foi colocado numa pequena cela de dupla porta de ferro, sem grades. Apenas um pequeno buraco gradeado no fundo da cela deixava entrar uma quantidade insignificante de ar. Assim ele passou um ano sem ver ninguém, gritando pelo cano da latrina para os companheiros nas outras celas. Davam-lhe comida uma vez por dia, uma vez por semana limpavam-lhe a cela e a latrina, quando o faziam.

O que havia de melhor no Brasil estava preso. Como as prisões não chegassem, o maior navio da frota do Lloyd Brasileiro, o *Pedro I*, foi transformado em prisão no meio da baía da Guanabara. Fábricas abandonadas em São Paulo viraram presídios políticos de fama trágica, como o Maria Zélia. Cárceres de torturas indescritíveis, onde a fome era a melhor companheira, onde as surras substituíam as refeições num novo processo de alimentação. O *Pedro I*, a Casa de Correção, a Detenção, os quartéis da Polícia Militar e da Polícia Especial, as salas de detidos da Polícia Civil. Homens com as costas negras de pancadas,[145] com queimaduras de acetileno nas nádegas, com as unhas arrancadas. Homens que haviam saído de mesas de operação em hospitais para o presídio[146] e aí, apesar de enfermos, foram logo torturados. Homens doentes, magros, tuberculosos ou se tuberculizando. E aí estava, amiga, o que havia de melhor no Brasil nas letras, nas ciências, no Exército, na Marinha. Ao lado de milhares de operários, camponeses, soldados e marinheiros. Os mais brilhantes professores universitários,[147] arrancados, por um decreto, das cátedras que haviam conquistado por concursos, escritores de larga popularidade, oficiais do Exército e da Marinha, médicos, engenheiros, padres, estudantes, funcionários públicos e bancários.[148] Dormindo pelo chão, sem um lençol que os cobrisse, morando duzentos numa sala onde cabiam cinquenta. Amontoados uns sobre os outros, sem direito a nada, senão a apanhar e a serem torturados.

As prisões nessa longa noite de desgraça sobre o Brasil não foram apenas um meio de vingança política e pessoal, de quanto policial e quanto fascismo existiam no país infelicitado. Foram também um meio de vida e de fazer fortuna.[149] Inúmeros judeus ricos foram presos exclusivamente para que suas famílias pudessem ser procuradas por investigadores, a mando dos chefes, investigadores que ofereciam a liberdade do preso em troca de muitos contos de réis. Assim entrou muito dinheiro para os cofres dos "defensores da civilização". Policiais mobilaram as suas casas com móveis e objetos trazidos das casas de presos políticos. Os espancamentos são sem conta, as torturas são inúmeras, os roubos não são menores, amiga.

Amiga, não vou te contar a vida nas prisões. A lua partiria de novo e ainda eu não teria te narrado uma pequena parcela dos casos ocorridos, da miséria de uns e do heroísmo de outros. É uma história longa e dolorosa, miserável e heroica, que um dia alguém há de escrever. Por que não será um dos muitos escritores que foram colocados, propositadamente, em salas ao lado daquelas em que os operários, soldados e marinheiros eram torturados? Durante a noite acordavam os escritores presos para que eles pudessem ouvir os gritos, os uivos de dor, as maldições dos seus companheiros espancados.[150] Muitas vezes eles viam os homens serem levados do seu lado, andando pelos seus pés, um olhar triste mas firme. E os viam voltar depois, quando silenciavam os gemidos, arrastados pelos polícias, negros de pancadas, com braços partidos, rosto rasgado, o sangue grudando a roupa no corpo. Muitos viram esses espetáculos, poetas e romancistas, jornalistas e sábios. Outros viram ainda pior. A Graciliano Ramos, o maior romancista do Brasil, trouxeram desde Alagoas devido a uma simples denúncia de um integralista. Em Recife, Newton Cavalcanti fez questão de insultá-lo. Daí veio no porão de um navio entre criminosos comuns, assassinos, ladrões e pederastas. No Rio mandaram-no para a Colônia dos Dois Rios, onde os presos políticos eram sujeitos a trabalhos forçados sob o chicote de policiais bêbedos.[151] Hoje Graciliano Ramos tem os pulmões comidos pela tuberculose. Crime da polícia brasileira contra um dos maiores escritores americanos.

Um dia alguém escreverá a odisseia trágica desses anos de tortura, dessa noite de terror, desse cotidiano de espancamentos. E falará dos assassinados: Yuman, o argentino, o capitão José Augusto de Medeiros, os soldados Abguar Martins e José Pinheiros, mortos em Dois Rios, o sargento Veiga, o cabo Jofre Alonso da Costa, o marinheiro Monteiro da Rocha, o chofer João Manuel Rabelo, o comerciante Carlos Zudio, o estudante ianque Baron, o andarilho cubano Silvio Cabrera, cuja viagem a polícia interrompeu para matá-lo pela simples suspeita de que ele fosse agente de ligação dos revolucionários. Falará dos que ficaram deformados e doentes, uma lista imensa de nomes. Falará do heroísmo de Rodolfo Ghioldi, da coragem de Carmem Ghioldi, daqueles extraordinários seres que foram Berger e Auguste Elise. Falará de Morales, sua grande figura, das mulheres presas e torturadas, dos deputados arrancados da Câmara, do senador insultado e agredido na prisão.[152] Falará do Vovô, o estivador maranhense de 94 anos, e dos meninos da Escola Militar, que apanhavam sorrindo. Falará de Dionélio Machado, o grande escritor, de Agildo, de Agliberto, dos que fizeram as grandes greves de fome, dos que não se dobraram nunca.

Falará da Colônia dos Dois Rios. Doença e dor. Falará de Fernando de Noronha, o presídio no meio do mar. Falará do quartel da Polícia Especial com sua câmara de torturas. Falará das salas de detidos da Polícia Central. Dos que perderam a vida, dos que perderam a saúde, dos que foram deformados, dos que ficaram aleijados e tuberculosos.

Contará daquelas noites quando os gemidos dos torturados partiam desde a polícia para o mar, gemidos que cobriam as vozes da cidade. Falará dessa imensa noite de terror. Quando a liberdade, a cultura, a beleza e a dignidade humana foram insultadas pelo governo do Brasil. Quando sobre os homens esse governo soltou mesquinhos vermes e ferozes animais. E então todo o povo saberá. Ninguém se engane sobre isso, amiga. Um dia o mundo ainda se espantará quando a história desses crimes for contada.

40

NOITE DE TERROR, AMIGA. IMENSA NOITE IRRESPIRÁVEL. Ninguém abria a boca para falar, a polícia tinha todos os direitos, o povo não tinha direito nenhum. No silêncio amedrontado das casas, se comentava em voz baixa os crimes do governo. Sobre o país passava um hálito de desgraça. No ar andavam os ais dos supliciados, milhares de homens morrendo nas prisões infectas.

Não foram, porém, apenas anos e anos de crime e de bestialidade. Foram também de infelicidade e de estupidez. Esses anos que se estendem pelos tempos afora, uma cultura esmagada, uma literatura proibida, uma arte limitada nos seus assuntos. A polícia buscava desesperadamente Luís Carlos Prestes. Mas buscava também, da mesma maneira desesperada, a dois escritores nacionais, um poeta e um romancista. E a um terrível agitador estrangeiro ao qual queria fazer o mesmo que vinham fazendo a Berger, a Ghioldi e a Baron. O poeta era Castro Alves, que por volta de 1868 dissera que a "liberdade não morre" e que os "frutos do mundo são comuns a todos". Era impossível encontrá-lo porque ele morrera em 1871, aos 24 anos de idade. Mas a polícia não sabia disso e os tiras levavam o seu nome encabeçando a lista dos que deviam procurar e prender. O romancista era Raul Pompeia, o ardoroso florianista dos começos da República, o que se suicidara no início do século quando assistiu às forças da reação, às forças dos senhores de escravos, tomarem novamente o poder. Mas, apesar disso e dado o conhecimento que os atuais donos do poder tinham do país e dos seus homens gloriosos, o nome de Raul Pompeia estava na lista de "perigosos". E quanto ao estrangeiro que devia sofrer a mesma sorte que Berger, era apenas Victor Hugo, autor, segundo a polícia de um livro extremista, chamado *Os miseráveis*, onde Filinto, Rao e outros eram atacados violentamente. Desse a polícia tinha ódio pessoal... Ah! se o encontrasse...

Foi durante essa noite de terror, amiga, noite de estupidez também, que um dos mais ardorosos e inteligentes deputados[153] do governo pediu, desde a tribuna da Câmara, a imediata prisão de um capitão de engenharia, devido a uma página que este senhor escrevera. Tratava-se do capitão Euclides da Cunha, também conhecido como escritor, já que havia escrito *Os sertões*, o maior livro do Brasil, clássico e glorioso. Não era só a polícia que desconhecia em que época haviam vivido os grandes escritores nacionais e estrangeiros. Tampouco os intelectuais da reação sabiam que Euclides da Cunha fora assassinado muitos anos antes.

Noite de terror e de estupidez. Noite de tirania sobre o Brasil. Um clima latrinário e bestial. Mas vive a esperança. A liberdade não morre, foi o poeta quem disse, e por isso a polícia o procurava. Ela está presa, emparedada nas prisões brasileiras. Está presa com Luís Carlos Prestes, na sua cela sem ar e sem luz. Mas nessa cela todo o Brasil tem os olhos fitos. Nela está o Cavaleiro da Esperança, dela sairá a liberdade mais bela ainda, amiga.

41

NA CASA SUBURBANA OLGA CAMINHA PARA O MARIDO, SENTA-SE AO SEU LADO. O silêncio da rua pacata entra pela janela semiaberta. A noite de lua é romântica, o som de uma serenata vem de muito longe. Olga tem um sorriso triste, um pressentimento no coração. Luís Carlos Prestes trabalha, curvado sobre papéis, escrevendo. Ela o olha de perto agora, vê o brilho intenso dos seus olhos. Sabe o que ele está pensando, que nada está perdido, que apesar das prisões, das torturas, da reação desencadeada, o povo anseia por liberdade, o povo quer lutar pelas suas reivindicações. Muitos companheiros caíram, vários foram assassinados pela polícia, outros estão sendo brutalmente martirizados. Mas os quadros se renovam no mesmo momento, o povo produz novos líderes e novos condutores. Luís Carlos Prestes, o chefe, o general, o condutor e a esperança de seu povo, trabalha infatigavelmente, sua mesa atestada de papéis.

Alguém bate na porta, as pancadas combinadas. Olga levanta-se e vai abrir. O companheiro entra, entrega os papéis que traz e parte em seguida. Pela porta aberta a voz que canta entrou de súbito na casa, rolou um pedaço de serenata na sala pobre.

Implorar só a Deus...
Mesmo assim às vezes não sou atendido...

Olga fica ouvindo: é um samba que o povo canta na rua. Toda a dor, todo o sofrimento humano vêm nele, nessa música cheia de infinita tristeza, de infinito desespero. O coração de Olga se confrange no pressentimento mau. Hoje ela queria estar alegre. Tinha por que estar alegre e, no entanto, seu coração se aperta, espera algo mau. Sobre os papéis que o visitante trouxe, se debruça Prestes. Responde a cartas, manda ordens, procura ligações novas, estabelece novamente contatos, está pondo em marcha todo o aparelho de luta do povo. Esperam nele, ele nunca decepcionou o seu povo.

Quando termina de trabalhar, toma da mão de Olga, que está sentada ao seu lado. Seus olhos ardentes se enchem de ternura, sua voz se enche de carinho:

— Não estás cansada? Vai dormir, eu ainda tenho o que fazer... Vai descansar...

Mas ela tem algo que lhe dizer... Gostaria de estar inteiramente alegre, de que esse pressentimento mau não apertasse como uma mão pesada o seu coração de esposa.

— Tenho uma notícia que te dar...

Ele sorri:

— Diz...

Ela recosta a cabeça no seu ombro:

— Vamos ter um filho, sabe?

Alegria nos olhos dele, as mãos que se apertam, as bocas num beijo doce de felicidade. Um filho... Gerado nesses momentos de inquietação e de luta, quando ela o amparava com o seu carinho.[154] Durante um momento ficam os dois em silêncio, um silêncio bom, no gozo tranquilo daquela certeza de que uma criança ia nascer, filha do amor de Luís Carlos e Olga.

Pela fresta da janela semiaberta novamente a voz que canta o samba triste penetra como uma mensagem. Olga sente de súbito que alguma desgraça vai suceder. Se aperta contra o marido, lhe diz de seu medo. Ele sorri:

— Não tenhas medo... Agora nada de mau nos pode suceder... Vamos ter um filho...

— Uma filha — responde Olga.

E novamente a felicidade enche a casa. Será um menino ou uma menina? A discussão entre risos. E ele que a deixa para voltar ao trabalho, seu povo espera nele, Prestes não tem tempo sequer para um momento de alegria familiar. Ele vai andando, ela corre, se abraça nele, agora o samba parou subitamente e ela sente um frio de medo percorrer-lhe o corpo.

Na porta batem pancadas violentas. Os homens entram, são cinquenta, são cem, trazem metralhadoras, com uma apontam para o peito de Prestes. Olga cobre o marido com o seu corpo, oferece seu coração à pontaria da metralhadora.

Em Copacabana eles chegaram numa casa vazia. Prestes já se havia mudado. Os investigadores estrangeiros, os da Gestapo e os do Intelligence Service, que haviam localizado a casa de Prestes, se lançaram novamente ao trabalho. A polícia do Rio se declarava impotente para descobri-lo. Nada adiantara matar Baron, nada adiantara torturar Berger, cortar os seios de Auguste Elise. Nada adiantara matar marinheiros, matar operários, matar soldados. Mas um dos investigadores estrangeiros chegou com a boa notícia. Conseguira localizar a rua. Restava descobrir a casa. Houve na Polícia Central e na Polícia Especial uma preparação idêntica àquela que haveria se fossem partir para uma guerra. Os homens, e são centenas deles, vão armados de metralhadoras. Vai toda a Polícia Especial, vão todos os do Departamento de Ordem Política e Social. Cercam a rua por completo, ante o assombro do subúrbio do Méier. Prendem todos aqueles que passam pela rua ou tentam atravessar a linha de policiais. Parece uma guerra, homens invadindo uma cidade inimiga. Ninguém diria que iam prender apenas um homem. Antes, o que vai chefiando[155] ouvira do chefe as ordens terminantes: "Matá-lo à menor tentativa de resistência". Tinha certeza que Prestes resistiria e assim se livrariam dele. Mas, se por acaso ele não resistisse, então que o matassem no caminho, diriam depois que ele "tentara fugir". O chefe tinha um especial interesse em matá-lo. Certa vez, em anos distantes, Luís Carlos Prestes o expulsara da Coluna como covarde e traidor.

Os investigadores vão de casa em casa, assustando as famílias, varejando os lares, até que entram na casa onde Luís Carlos e Olga falam do filho por nascer. O tira aponta a metralhadora contra o peito de Prestes, mas encontra o peito de Olga na defesa da vida do marido. Cercado, Prestes é preso. Olga vai com ele, não abandona seu braço um só minuto. Mais atrás vai a velha empregada, Júlia dos Santos, presa também. O primeiro lance dos policiais fracassou. Não puderam matá-lo, já que não houvera resistência à prisão. É necessário matá-lo agora, na viagem para a polícia. E tentam separar marido e mulher, levá-los em carros diferentes. Aí estão os automóveis. Num irá Prestes, nesse devem matá-lo. Mas como o fazer se Olga não se desprende dele, não o solta, ela sabe perfeitamente o que os policiais desejam? Primeiro pedem. Ela nem responde. Logo depois tentam separá-los brutalmente, à força. E nem assim conseguem, amiga, maior que tudo é a força do amor. Não houve força capaz de arrancá-la do lado do seu marido. Os investigadores se desesperam. Assim não poderão cumprir as ordens terminantes do chefe. Assim não poderão assassinar Luís Carlos Prestes sem testemunhas. Tentam todos os esforços para separar Olga do marido. Inútil. O amor dá-lhe uma força de gigante. A certeza que dentro do seu ventre leva um filho faz dela, daquela frágil mulher, o lutador mais poderoso do mundo. Agarrada a Luís Carlos, nada os pode separar. Foi assim, amiga, que naquela noite de março de 1936 Olga Benario Prestes salvou, para o povo do Brasil, a vida de Luís Carlos Prestes. Na noite da sua prisão, na mesma noite em que ela lhe disse que ia ter um filho. Quando as últimas estrelas se apagaram no céu do Brasil e a liberdade, e a democracia, e a cultura, a beleza e o amor foram encarcerados, correntes nos pés, grilhetas nas mãos. Olga impediu que matassem nesse dia a esperança de liberdade, de democracia, de cultura, de beleza e de amor sobre o Brasil. Seu corpo fraco de mulher protegendo a própria existência da pátria, amiga.

42

SOMENTE NA POLÍCIA CENTRAL, QUANDO JÁ NÃO HAVIA COMO MATÁ-LO sem que o país o soubesse, puderam arrancar Olga do lado de Prestes e levá-la para uma cela.

Nessa noite, amiga, as metralhadoras estavam assestadas em direção aos presos políticos nas salas de detidos. Todos os tiras haviam sido chamados apressadamente para guardar o corredor da delegacia. Sem dúvida, amiga, esse governo odiava muito Prestes. Mas o temia mais ainda, a sua presença bastava para que acreditassem pequeno todo o aparato policial, nunca antes visto no país, que haviam empregado contra os demais presos. Tinham-lhe um medo de morte. Medo que aumentou ao vê-lo chegar vivo. Esperavam ansiosos a notícia que ele fora "morto quando tentava fugir ou quando resistia à prisão". Já o chefe havia mandado preparar as notas para a imprensa. Agora, que o viam chegar, tremiam de medo, ante esse prisioneiro indefeso. Prestes passava entre os policiais acovardados com um gesto de absoluto desprezo. Às pressas arrumaram uma sala para o interrogatório. Os policiais espiavam o homem delgado e tranquilo que passava cercado pelos policiais gigantescos da Polícia Especial. Se recordavam que, presas aos lábios daquele homem, do que ele dissesse, presas à esperança de sua ação, viviam as populações do país. Sabiam que no interior, nos sertões, o seu retrato estava entre velas, como o de um santo,[156] que os camponeses conservavam como relíquias objetos em que ele havia tocado. Tinham a intuição que estavam prendendo a todo um povo ao prendê-lo. De longe o olhavam com medo. Ele ia tranquilo, seu gesto sereno. E assim, diante do delegado e do procurador criminal, que haviam chegado às pressas, ele assumiu inteira responsabilidade não só pelo manifesto de 5 de julho, da Aliança Nacional Libertadora, como a "inteira responsabilidade política" do movimento revolucionário de novembro, tanto no Rio como no Nordeste. Fez, ante os policiais acovardados, a sua patriótica profissão de fé. Disse dos seus ideais e das necessidades do povo brasileiro.

Novamente o aparato policial se movimenta para levá-lo a um sórdido cubículo da Polícia Especial. Ia começar o seu longo martírio. Ia começar também a mais impressionante fase da sua vida, aquela que o coloca ao lado das maiores figuras da humanidade. Com a sua prisão, o governo consegue que seja decretado o "estado de guerra". Os últimos vestígios de legalidade desaparecem do país. O Brasil mergulha na noite. Agora, amiga, restava somente a esperança brilhando com aquelas velas que iluminam nas horas de desespero o retrato do Herói nas casas pobres do Nordeste.

Desde então começou o período de incomunicabilidade.[157] No cubículo imundo em que o deixaram, ele iria passar mais de um ano sem falar a pessoa alguma. Nenhum outro, amiga, que não fosse Luís

Carlos Prestes, teria resistido à terrível prova que são esses anos de prisão, de 1936 até hoje.

Primeiro foi a Polícia Especial. No vão de uma escada estava Berger, tratado como um cão raivoso. Puseram Prestes numa célula, ante ele um homem que não lhe dirigia a palavra, que estava ali apenas para ouvir o que ele dissesse, para guardar e anotar uma a uma as suas palavras e levá-las ao chefe de polícia, Filinto Müller.

Impossibilitado de falar fosse com quem fosse, sem ver ninguém mais que o espião postado no outro lado, sem saber da sua esposa grávida e presa, sem poder ler nem jornal nem livro, sem ter com que escrever, sem poder sequer receber as cartas que sua mãe lhe escrevia. Num pequeno calabouço sem ar nem luz. Só uma coisa quebrava a sua solidão. Era, à noite, quando os policiais chegavam e abriam a porta do seu cubículo, permitindo que ele viesse até o corredor que as metralhadoras limitavam. E mal ele saía começavam a espancar na sua vista outros presos políticos, seus amigos e companheiros. Traziam marinheiros que haviam sido expulsos da Armada como revolucionários e, ante a cela de Prestes, queimavam as suas nádegas com acetileno. Sabiam que Prestes se atiraria sobre os policiais. E assim tinham o gosto de sujeitá-lo, de jogá-lo dentro do cárcere, onde ele não tinha como não escutar as palavras soluçadas, os uivos de dor dos martirizados. Aos seus protestos os policiais respondiam com palavrões e gargalhadas. Berger enlouquecia no vão de uma escada. Quiseram enlouquecer também Luís Carlos Prestes.[158] Quiseram matá-lo aos poucos, quebrar a sua resistência orgânica e moral, liquidar o Herói porque enquanto ele estivesse vivo, o perigo não desapareceria para os tiranos.

De 1936 a 1937, quando é transferido para a Correção, onde outros martírios o esperam, ele vive na Polícia Especial os seus dias sem ver a ninguém, sem falar com ninguém, sem ler, sem escrever, sem nada saber do mundo, sem nada saber dos seus entes queridos. Que teria acontecido com sua esposa? Ela levara no ventre uma vida humana. Que lhe teriam feito? E sua mãe, longe da pátria, que seria dela? E que martírios sofria o seu povo, que estaria acontecendo com ele? Seus dias eram esses pensamentos terríveis, essa solidão imensa, essa incerteza sobre tudo e sobre todos.

Suas noites eram a visão da bestialidade dos policiais torturando presos, queimando, cortando, surrando corpos humanos, marinheiros, operários e intelectuais que haviam desejado, como ele, libertar o Brasil.

Amiga, quando olhares para esse quartel da Polícia Especial de tão infame memória não o olhes somente com ódio. Que no teu olhar vá também amor e carinho. Aqui o Herói provou que era digno de chefiar o seu povo, de estar à frente dos que se libertavam. Aqui ele sofreu pela sua gente, aqui ele nos ensinou uma lição de heroísmo. Aqui ainda mais cresceu a sua figura humana de gigante. Não é apenas o Gênio e o Herói. É a fortaleza moral sobrepujando-se a qualquer dor. Em nenhum momento, por maior que fossem os sofrimentos, ele vacilou. Conservou sua integridade em todos os instantes. E a conserva até hoje. Assombrou o mundo com a sua grandeza. É um dos heróis desse século, a maior figura da América moderna.

Os processos contra ele eram feitos em meio a documentos falsificados, a testemunhas compradas, a depoimentos de traidores, com a cumplicidade dos juízes de um tribunal vergonhoso, o Tribunal de Segurança. Esses não são juízes, amiga. São policiais que vestiram a toga de juízes numa última humilhação à justiça brasileira.

Processavam-no também pelo crime de deserção. E um dia, de repente, ele é chamado para ser julgado por este crime, não na sala de um tribunal mas numa sala da própria Polícia Especial. Prestes já havia sido absolvido, em agosto de 1936, desse mesmo imaginário crime. Daquela vez não compareceu ao julgamento porque a polícia declarou ao tribunal que ele "era um réu de condução difícil, mesmo sob custódia". A sentença de absolvição foi, tão simplesmente, anulada[159] pelo governo e os militares que o absolveram passaram à categoria de suspeitos. Agora outro júri militar o espera numa sala da Polícia Especial para novo julgamento. O "tribunal" improvisado dista apenas cinquenta passos da sua célula. Prestes chega, cercado de policiais armados de metralhadoras e bombas de gás. Está sereno, seu rosto absolutamente tranquilo. Magro, há quase um ano[160] que sofre o indescritível na prisão. O presidente do tribunal fala:

— Pode sentar-se, capitão.

— Estou bem assim — responde Prestes, e continua de pé, cercado de dezenas de policiais.

O coronel Faria Júnior, que é um dos juízes, lhe informa que, de acordo com a lei, o tribunal lhe concede amplo direito de defesa, que pode nomear um advogado se quiser.

Prestes sorri e diz:

— Mas se eu não sei sequer do que se trata...

— O senhor vai responder a um Conselho de Justiça.

— E como posso sabê-lo, se faz um ano que me encontro segregado do mundo, completamente incomunicável, em meio a este terror policial? Antes de pensar em nomear um advogado devo saber, pelos menos, o crime de que me acusam.

Um juiz lhe explica: crime de deserção, segundo o artigo 117 do Código Penal Militar. Explicam-lhe também que a sentença que o absolvera em agosto de 36 fora anulada.

Prestes tem um gesto irônico e esclarece:

— Os senhores não ignoram a minha situação. Estando rigorosamente incomunicável como poderei defender-me? Há treze anos que estou afastado da vida militar. Estou informado que a lei, nesse período sofreu modificações e eu necessito pelo menos conhecê-la para poder defender-me.

Um juiz declara que os códigos não sofreram nenhuma modificação, mas o fiscal interrompe para dizer que Prestes tem razão, que houve modificações, e que ele acha que a bem da Justiça a sessão deve ser levantada e que o tribunal deve facilitar a Prestes todos os meios de defesa. Prestes ainda fala sobre a sua situação, a do país, a de todos os que defendem a liberdade no Brasil.[161]

Volta para o cubículo e agora, ante essa sua vitória, os policiais requintam em maldades, trazem novamente presos para serem espancados na sua vista. O governo pretende se vingar desse processo de deserção pelo qual não o consegue condenar, com o processo por crime político que o Tribunal de Segurança se prepara para julgar.

Tribunal de Segurança... Para dizer o que ele é, basta, amiga, que saibas que os juízes não sentenciam à base de provas e, sim, de acordo com a sua consciência. Como se eles tivessem consciência...[162] Esses juízes improvisados, miseráveis títeres nas mãos da polícia. As sentenças que o Tribunal de Segurança vai ditar foram enviadas muito antes por Filinto Müller. Há presos que já sabem quantos anos vão cumprir porque os investigadores por vezes falavam, em comentários irônicos, nos corredores da polícia. Assim funciona o Tribunal de Segurança.

Em janeiro de 37 Prestes é trazido à presença de Raul Machado, literato fracassado, poeta medíocre, que odeia todos aqueles que conquistaram um nome, já que ele nunca o pôde fazer. Capacho da tirania, único juiz civil que cometeu a indignidade de aceitar o cargo de membro do Tribunal de Segurança. Raul Machado vem para qualificar Prestes. O escrevente é o mesmo que o ouviu no interrogatório, o mesmo é o procurador. Só o delegado foi substituído por Raul Machado. Como no interrogatório, é numa sala da Polícia que o juiz o ouve. Que diferença existe então entre este tribunal e a polícia? Dão a Prestes três dias para organizar a sua defesa, apresentar provas, estudá-las com o seu advogado.[163] Em verdade, amiga, seria monstruoso se antes não fosse ridículo. Esse acusado nunca viu o seu advogado nem vai poder vê-lo senão muito depois de julgado. Não tem sequer um lápis com que escrever, não se comunica com ninguém, não sabe sequer do que o acusam e tem três dias para organizar sua defesa. Prestes recusa-se a participar dessa farsa trágica.

O seu advogado, quando tenta vê-lo, é repelido violentamente pela polícia. E o governo quer que o mundo acredite que houve um processo legal de julgamento... Processo mais cínico e mais ilegal que mesmo o de Dmítrov na Alemanha nazi. E isso na América livre... Na América livre, onde o Brasil era uma exceção, tirania sobre um povo amante da liberdade.

O Tribunal de Segurança Nacional o condena a dezesseis anos e oito meses de prisão. Será pouco ainda para o medo que o governo lhe tem. Depois conseguirão outro processo e o condenarão a mais trinta anos.

Os olhos do Brasil se voltam para este homem que sofre no quartel da Polícia Especial. Nada sabe da sua esposa. Teria nascido seu filho, que fim teria levado? Nada sabe de sua mãe que anda em terras estranhas lutando pela sua liberdade. Nada sabe do que se passa no mundo, não pode ler, não se avista com ninguém. Fala sozinho em voz alta para não perder a lembrança da voz humana. Até ele só chegam os gritos dos torturados. Ante seus olhos, somente a visão dos homens surrados e martirizados. Mas ele resiste, não é apenas um homem, amiga. É um povo. Concebido, criado e alimentado pelas necessidades de um povo, ele tem a força da liberdade. Resiste a todos os sofrimentos. Sua figura cresce cada vez mais, se alteia imensa sobre o Brasil. Esperança, amiga.

43

A NOTÍCIA CORREU PRIMEIRO PELA SALA ONDE ESTAVAM AS MULHERES, AMIGA. Mas logo se estendeu por toda a Detenção e daí chegou à Casa de Correção: iam levar Olga Benario Prestes, a esposa de Luís Carlos. A polícia entrou na sala, Romano à frente dos investigadores, para buscá-la. Ela se recusou a sair.

Fazia seis meses que ela estava presa, na incerteza do destino do marido, longe dele, um filho no ventre, nem uma sombra de esperança na sua frente. Agora a vinham buscar. Ali, pelo menos, ela tinha a presença amiga, o carinho das companheiras de prisão, as esposas de vários presos: Carmem Ghioldi, Eugênia Álvaro Moreira, Rosa Meireles, muitas outras. Haviam trazido também Auguste Elise Ewert e as mulheres a viam acordar pelo meio da noite, nas horas em que, na Polícia Especial, costumavam espancá-la. Acordava e se punha a chorar, em soluços nervosos, Auguste sabia que àquela hora Harry estava sendo torturado, arrancado do vão de escada onde arrastava o que lhe haviam deixado de vida, para servir de gozo aos policiais degenerados. Um dia levaram Auguste Elise. Elas viram quando a companheira partiu, as faces desfeitas, antes fora uma mulher de formoso porte, hoje era um trapo de gente que as torturas haviam deformado. Depois só vagas notícias que davam conta de que Auguste havia sido deportada para a Alemanha, onde morrera ao chegar. Agora vêm buscar a Olga.

Carmem Ghioldi mobiliza as companheiras. Estas avisam aos presos políticos, o protesto começa. São milhares de homens presos na Correção e na Detenção que gritam, que protestam, que clamam. Pelas grades dos cubículos gritam para a rua. Adivinham que Olga vai ser deportada, que a vão mandar para a Alemanha nazi. É verdade que ela é brasileira já que casou com um brasileiro. Assim o diz a lei, mas, amiga, de que vale a lei para os tiranos? Os presos protestam, Olga se recusa a abandonar a cama. Já não pode quase andar, a gravidez a torna pesada, uma gravidez sem cuidados, passada na prisão, com alimentação má e deficiente, sem tratamento médico, sem nenhum conforto, com o coração despedaçado. Os investigadores inventam mentiras. Declaram que ela vai para uma casa de saúde, para uma maternidade onde terá a criança. Desde as nove horas da noite que as prisões gritam fazendo o trânsito parar na rua. Afinal às três horas da madrugada a polícia consente que Olga seja acompanhada por um dos médicos presos e por uma das senhoras, também presa. Assim saem, e logo se dão conta que tudo não passou de um blefe. Mal saem da Correção, o médico e a senhora são trancados num carro celular e enviados para a Polícia Central e Olga é mandada para bordo de um navio que parte para a Alemanha.

Negaram-lhe o conforto de ver o marido. Negaram-lhe o direito de lhe escrever uma carta de despedida. Meteram-na no porão do barco. Era um cargueiro alemão. Ela estava a quase um mês do parto e ainda assim teve que suportar trinta dias de viagem num porão imundo, sem poder respirar um pouco de ar puro, sem que nem uma vez sequer viessem limpar aquele canto sujo em que a largaram. Com o jogo do navio — pequeno cargueiro num mar revolto — ela, grávida e doente, vomitava e sobre esse vômito teve que dormir os trinta dias que durou a viagem. Saída das mãos de títeres para as mãos de Himmler.

Presa no Brasil em começos de 1936, Olga não pôde ser acusada de nenhum crime. Nem mesmo um desses crimes políticos, que a polícia do Brasil era tão fértil em imaginar, foi possível lhe atribuir. Era uma mulher casada que cuidava da casa do seu marido, que tratava dele, dava-lhe a alegria do seu carinho e do seu desvelo. Além disso era uma mulher que levava no seu ventre uma vida humana, filha do amor de Olga e Luís Carlos Prestes. Um problema para os donos do país, amiga. Eis uma mulher que fora apenas a mais dedicada, a mais meiga e a mais corajosa das esposas. Nenhum crime cometera nem mesmo perante as leis que eles haviam criado para castigar aos homens que em 1935 se levantaram em armas para defender o povo dos desmandos do poder. Essa mulher no Brasil, em liberdade, seria um espetáculo a mais para comover e irritar o povo que continua a clamar pela liberdade de Prestes. Mandaram-na então para a Alemanha, num cargueiro que ia diretamente de um porto brasileiro a um porto alemão, já que o governo tinha medo não só do povo do Brasil, como também dos demais povos do mundo, de todo homem livre em qualquer parte onde ele estivesse. Um ser humano que levava outro no ventre. Material para torturas.

Nenhum crime lhe encontraram os verdugos. Em verdade, amiga, Olga tinha um crime tremendo, um imperdoável crime para aqueles que se fecharam na noite da tirania. O crime do amor. Eu bem sei e tu o sabes, amiga, que não há nada de mais esplêndido e magnífico que o amor. É o sol e é o céu, é a descoberta de súbito de todas as coisas que até então não havíamos sentido na sua máxima beleza: a descoberta do luar nas noites de verão, a descoberta da primavera brotando dos ramos, subindo da terra, a descoberta das flores, dos versos, das carícias ingênuas e doces. E pelo amor, amiga, nós o sabemos, deixamos tudo para tudo ganharmos. Assim fez Olga. Seguiu o seu amado que era o ser mais digno de amor na terra. Seguiu seus passos que eram os passos da liberdade, muito tinha ele que fazer, muito precisava do seu amor para construir a sua obra. Ela nada mais fez que ser digna e boa, a melhor das esposas, a mais amante, a mais terna, a mais fiel. Esposa é uma palavra bela, todos o dizem.

Mas há homens, amiga, que o dizem também, que falam em voz alta e bem sonante sobre as virtudes da esposa. Que falam em lealdade, em dignidade e doçura. Que dizem que só para a defesa dessas virtudes vivem e usufruem dos empregos, dos cargos, das posições. Desconfia desses homens, amiga, porque os seus discursos são falsos e o seu amor à virtude é tão somente amor aos empregos, aos cargos e às posições. Amor ao mando. Tudo que é nobreza, dignidade e doçura verdadeiras é odioso para esses homens a quem deram o nome de tirano. Por isso odiaram a Olga, à sua dignidade, à sua nobreza, à sua doçura de esposa. Aqueles que tremem de medo só ao ouvir o nome de Prestes porque este é um homem de grandes virtudes, arrancaram a esposa do esposo e, no máximo da sua hipocrisia, disseram que o faziam em nome de Cristo. Amiga, os opressores se apossaram de todas as palavras do mundo, até delas se tornaram donos. Da memória dos grandes homens e dos santos também. E em nome deles falam, e cometem crimes e cometem baixezas. Assim fizeram com Olga e com Luís. Ela era digna e fiel, doce e carinhosa. Os que arrogam coragem tiveram medo das mulheres do seu país. Se deixassem a esposa perto do esposo toda a gente veria que ela era digna, leal e amante. Nasceria uma criança, filha do Herói do povo. E em torno de Olga e da criança se uniriam as mãos das mulheres, as lágrimas dos olhos ternos das mulheres afogariam os opressores de coração morto para o amor, para a dignidade, para a amizade e para a lealdade.

Torturavam Prestes, era seu ódio maior, porque era seu medo maior. E torturavam Olga, a esposa de Luís, que trazia no ventre uma criança filha daquele amor. Descobriram então o maravilhoso presente, o regalo ideal, para mandar ao grande tirano Adolf. E enviaram-lhe Olga com o filho no ventre. Com certeza o grande tirano ficaria feliz. Um ser humano que levava outro dentro de si para que ele os torturasse à vontade. Assim fazem, amiga, os tiranos quando querem imitar os homens.

No cargueiro que reproduzia as viagens dantescas dos navios negreiros, Olga dormia sobre a sujeira dos vômitos, sentia dentro de si aquela vida bulindo, fruto do seu amor. No Brasil, nas mãos mesquinhas dos inimigos do povo, nas mãos desses homens que odeiam tudo que representa dignidade e beleza, ficava seu marido que era a própria dignidade e a própria beleza da vida. E ela, com um filho no ventre, ia para as mãos de um louco feroz que desgraçava sua pátria de nascimento. Um mês no porão infecto, sem ar, sem luz, como um fardo jogado sobre as sujeiras. Ouvindo os hinos hitleristas, as saudações odiosas, viajando para o próprio inferno.

Um dia, amiga, ela viu costas da Alemanha, sentiu as brisas de Hamburgo. Se lembrou de outros tempos, quando estas eram costas felizes onde corria o vento da liberdade. Hoje só a desgraça as habita. Olga se sobrepunha à sua própria fraqueza e vivia. Vivia para o marido preso no Brasil, para a filha que ia nascer na prisão.

A Gestapo estava no cais para receber o presente da polícia brasileira. Olga foi posta na sombria prisão de Barnimstrasse, onde a 27 de novembro de 1936, no dia em que o levante do Rio de Janeiro cumpria seu primeiro aniversário, nasceu a filha de Luís Carlos Prestes. Nasceu na prisão, iria crescer no exílio.

Olga a chamou de Anita Leocadia em homenagem a duas mulheres fortes: a Anita Garibaldi, a companheira do grande lutador, e a Leocadia Prestes, a mãe heroica de Luís Carlos Prestes. Conseguira que a criança nascesse sadia e robusta, que não trouxesse as marcas dos martírios, dos sustos, da tragédia que ela estava vivendo. Agora cumpria-lhe criá-la, fazê-la digna do pai e da avó, do povo do Brasil que considerava essa criança sua filha mais amada. Olga estava sozinha no mundo, nada sabia do marido, nada sabia, amiga, dos entes queridos, nada sabia da sorte que ia ter. Mas se atirou à tarefa de criar a filha. Com a mesma coragem com que acompanhara Luís Carlos Prestes nas noites sombrias de terror do início de 36, após o fracasso da revolução.

Porém, dias depois, faltou-lhe o leite nos seios magros. Sua alimentação deficiente, uma bebida pardacenta pela manhã à qual os nazis chamavam de café, um pouco de pão inferior e uma sopa de legumes secos, ao meio-dia, e mais nada[164] durante todo o dia — não lhe permitia criar a filha. Depois de cada mamada a criança gritava, desesperadamente, de fome. Começou Anita Leocadia a emagrecer ante os olhos estupefatos da mãe ansiosa, dessa mãe que nada podia fazer para salvar a filha. Nas noites de Barnimstrasse, noites de prisão longe de todos os entes queridos, Olga cantava para aplacar o choro faminto de Anita aquelas cantigas de ninar que Luís Carlos lhe ensinara:

Xô, xô, bicho-papão.
Sai de cima do telhado,
Deixa neném dormir seu sono sossegado...

Cantigas de ninar do Brasil distante, onde estava Luís... As lágrimas corriam pela face de Olga, enquanto Anita chorava de fome. Sua voz suave se elevava da prisão lúgubre de Barnimstrasse, adormecia os presos, calmava os sofrimentos infinitos. A pequena Anita, magra e esfomeada, terminava por dormir, seu rosto lavado de lágrimas. Lavado de lágrimas também, amiga, o rosto de Olga vendo a filha morrer de inanição. Seus seios que não tinham sustento para a sua filha. Nas refeições viscosas e malcheirosas a fome não chegava, mas Olga comia toda a comida na esperança de assim ter leite com que alimentar sua filha, único bem que os homens haviam lhe deixado. Quando Anita adormecia, Olga a fitava na cela imunda. Via-a magra e fenecendo como uma flor sem sol e sem água. Sabia que ela ia morrer. E seus soluços doloridos, saídos do coração rasgado, substituíam as cantigas de ninar na noite sombria de Barnimstrasse.

Anita não morreu, amiga, porque Leocadia Prestes conseguiu se pôr em comunicação com Olga e passou a lhe enviar alimentos. Assim se salvou a vida da criança e em breve a filha de Prestes era chamada pelos presos de "pequeno raio de sol de Barnimstrasse".

Raio de sol que sofria uma infância de miséria. Quando Anita tinha oito meses os nazis transferiram Olga para uma outra cela mais úmida e mais suja ainda. Aí não existia água corrente e tudo que Olga tinha para o seu asseio e o da criança, para a sua sede e para a de Anita, era um balde de água por dia. Se faltasse havia que esperar o outro dia... Quantas noites não foi preciso adormecer com cantigas de ninar do Nordeste do Brasil a menina sequiosa, chorando por um gole de água...

Anita aprendeu a engatinhar no chão de cimento duro e áspero. Suas mãos inocentes conheceram os calos antes que as mãos de qualquer outro ser humano. Mãozinhas grossas e inchadas daquele roçar contínuo no cimento úmido. Assim era, amiga, a vida de mãe e filha na prisão nazi na Alemanha.

Nesse tempo já Leocadia, a avó, revolvia céus e terras procurando reaver a neta, desenvolvia a sua extraordinária campanha na Europa pela conquista deste ser inocente. Mas a Gestapo de nada disso informava a Olga para que essa mulher não pudesse ter uma alegria por menor que fosse no meio dos seus sofrimentos. Fora para sofrer que a tinham mandado para Hitler. Que sofresse pois... E então lhe disseram que quando Anita completasse dez meses não poderia continuar com ela. Que seria internada num orfanato nazi e pelos nazis seria educada.

Esse foi o maior sofrimento. Faltavam dois meses e esses dois meses foram uma morte todos os dias, a espera cruel do momento em que levassem a filha para uma daquelas escolas de maldade e de ódio. Imagina, amiga, o sofrimento sem medidas dessa mãe a quem vão arrebatar a filha, que vai vê-la partir pela mão dos inimigos para viver no meio da infâmia e da maldade. Dessa mulher que já tem o marido preso numa situação em que não se encontram nem os animais ferozes. Que está ela mesma presa, sofrendo todos os horrores físicos e todos esses horrores morais. Quando a enviaram, como um presente régio, ao grande tirano da Alemanha, sabia que esse tiraria dela o máximo de sofrimento para a sua alegria de tarado. Nas noites de prisão rolam as lágrimas de Olga sobre o destino de Anita.

Anita começa a andar e a falar. Os carinhos de Olga, os seus cuidados, foram mais fortes que a maldade humana. A criança é bela e sadia, é o "raio de sol" da prisão. Tem um ano e não a levaram ainda. Uma leve esperança começa a brotar no coração angustiado de Olga.

Porém, de repente, na manhã de 21 de janeiro de 1938, o diretor da prisão aparece na sua cela e manda que ela prepare a criança. Era chegada a hora de se separar de sua filha. Olga não sabia que na sala de espera, protestando porque queria vê-la, se encontrava dona Leocadia Prestes, a quem Anita ia ser entregue.[165] O diretor, num requinte de maldade, que não ocorreria nem a uma hiena, diz a Olga que a criança, como ele já lhe havia avisado, ia para um orfanato nazi. Olga se resiste a entregá-la mas ele a toma brutalmente e deixa que Olga soluce na cela como uma louca.

E assim, feito uma louca, viveu meses de angústias, certa de que sua filha estava na mão dos bárbaros. Suas noites eram desgraçadas como ainda não o foram as noites de nenhuma mulher, amiga. Meses inteiros viveu assim, imagina!

Até que um dia a Gestapo permitiu que ela recebesse uma carta de Leocadia, uma das muitas que a sogra lhe escrevia, e pela qual soube que Anita estava com a avó. Dia de alegria que pagou todos os dias de desgraça. E Olga mais uma vez resolveu se sobrepor a toda a dor e todo sofrimento para viver pelo seu marido e pela sua filha.

Não tardou que a arrancassem da prisão de Barnimstrasse para o campo de concentração de Ravensbrück, em Fürstenberg, Mecklenburg, ao norte de Berlim, iniciando-se sua vida de trabalhos forçados. Aí as enfermidades, devidas ao frio, à fome e a toda sorte de privações, derrubaram-na várias vezes, várias vezes esteve à morte. Mas a sua vontade de viver para rever o marido e a filha tem sido maior que os sofrimentos e as moléstias. Não perde a esperança. Seu marido é o Cavaleiro da Esperança de todo um povo. Dela também. Da lembrança dele, das raras cartas que dele e da sogra lhe foram entregues,[166] ela se alimenta de esperança. E da certeza também, amiga, que um dia o povo rebentará as cadeias e se libertará dos tiranos. Essa é uma verdade que Luís Carlos Prestes lhe ensinou. Dessa certeza vive a sua esperança, nessa certeza reside a sua vida.

Uma vez ela escreveu desde o campo de concentração estas palavras tão dolorosas: "O apetite e o sono não me faltam". E acrescentou noutra carta: "Sou feliz porque trabalho muito, assim não há tempo para pensar. Quando regresso de noite, apenas tenho vontade de deitar-me e durmo como uma pedra, pelo que sou feliz também". Amargas palavras de mulher, mas por detrás delas, amiga, lateja uma esperança. No coração dessa grande esposa e mãe. Olga Benario Prestes, tão digna mulher de Luís Carlos Prestes!

44

O TINTUREIRO ENTROU NO PÁTIO DA CORREÇÃO, AGLIBERTO E AGILDO embarcaram. Minutos depois entrou outro carro celular, desta vez foi Rodolfo Ghioldi. Iam, amiga, para o julgamento de apelação do processo que os condenara no Tribunal de Segurança. Os advogados haviam apelado para o Supremo Tribunal Militar e diante dele os presos resolveram se defender. Esse era um tribunal de larga tradição no país, constituído realmente por juízes. Não fora improvisado para condenar, como o de Segurança. Por isso, diante do Supremo Tribunal Militar, os presos políticos resolveram se defender. Nesse dia será julgada a apelação de Luís Carlos Prestes, Harry Berger, Rodolfo Ghioldi, Agildo Barata e Agliberto Vieira de Azevedo. Prestes está condenado a dezesseis anos e oito meses, Harry Berger a treze anos e quatro meses, Rodolfo Ghioldi a quatro anos e quatro meses, Agildo Barata a dez anos, e Agliberto Vieira a 27 anos e seis meses. São considerados Prestes, Agildo e Agliberto, com Silo Meireles em Recife, os chefes do levante militar. E Berger e Ghioldi são particularmente perseguidos devido à sua condição de estrangeiros. Hoje eles partem em busca de um tribunal livre, que não fosse apenas uma dependência da polícia como o é o Tribunal de Segurança.

Do pátio da Correção o tintureiro que levava Rodolfo Ghioldi encaminhou-se para o pátio da Polícia Central. Aí ficou parado uns minutos. Até que um policial abriu a porta e ordenou:

— Desça...

Rodolfo desceu, outro tintureiro já o esperava. Esse era um daqueles tintureiros divididos em celas e numa delas Rodolfo foi colocado. Havia outro vulto. Um vulto magro e curvado. Rodolfo varou a escuridão com os olhos, estava quase ao lado do vulto mas não o reconheceu. Forçou a vista. Não sabia quem era. Só se deu conta que era Harry Berger, que ele conhecia tão bem, quando a voz falou em alemão:

— É você, Ghioldi?

A surpresa foi maior que Rodolfo:

— Não tinha lhe reconhecido...

Berger sorriu seu sorriso triste, perguntou:

— Lhe espancaram muito? A mim, me espancaram como nunca pensei possível...

Agora o tintureiro andava, em caminho do Tribunal Militar. Rodolfo olhava o homem ao seu lado. Antes era um homem forte e gordo. Hoje era um resto de ser humano, deformado. Berger voltou a falar, sua voz tinha um tom trágico dentro da escuridão do carro celular que cortava as ruas velozmente:

— E minha mulher?

A pergunta ressoava dramaticamente dentro do tintureiro. As notícias sobre Auguste Elise, depois que ela havia sido mandada para a Alemanha, eram desencontradas. Umas diziam aquilo que era a verdade: que ela morrera mal chegara à prisão alemã, em consequência das torturas sofridas no Brasil. Outras davam-na como viva. Rodolfo transmitiu a melhor das versões, a mais otimista. Sua voz tentou ser alegre no tintureiro onde a luz que penetrava pelos pequenos respiradouros fazia arabescos estranhos:

— Está em Paris... Foi arrancada do navio em Marselha...

A voz de Berger veio estrangulada:

— Não creio...

O silêncio durou um longo, um imenso segundo. Depois aquela voz repetiu uma, duas, três vezes:

— Não creio... Não creio... Não posso acreditar...

Silêncio novamente. Chegava de longe o ruído da cidade penetrando pelas frestas com os raios de luz. A voz de Berger, pesada como um martelo:

— Ela morreu... Tenho certeza que ela morreu...

Voltou a perguntar:

— Lhe torturaram muito, Ghioldi? A mim me fizeram o que nunca imaginei possível. Penso que não vou resistir e vou morrer. Deram-me muito na cabeça... principalmente na cabeça... Mesmo que eu não morra tenho certeza de que vou ficar louco... Tenho certeza... Vou ficar louco...

O ar pesado no tintureiro. A voz de Berger ressoava, havia algo nela que lembrava a Ghioldi as vozes do teatro grego de tragédia. Da cidade, pelas frestas do carro celular, chegava um rumor de vida. Mas ali dentro era a tragédia. O resto de uma gargalhada veio morrer dentro do tintureiro. A voz de Berger...

— Há noites em que já tenho alucinações... Vou ficar louco. Tenho absoluta certeza... Absoluta... Louco...

O carro celular parou, eles saltaram entre policiais. Vinham palavras, gritos, ordens, buzinar de automóveis. Rodolfo Ghioldi não ouvia nada. Nos seus ouvidos ressoavam apenas aquelas palavras de Harry Berger: "Vou ficar louco... louco...".[167]

A Polícia Especial e a Polícia Civil haviam tomado conta de todas as ruas adjacentes. Não passavam automóveis a não ser os que conduziam policiais. Não circulavam pedestres, a gente havia sido tangida das redondezas do tribunal. Os presos saltaram no pátio interno do tribunal, subiram as escadas para o primeiro andar. Agildo e Agliberto já estavam sentados. Sentaram-se mais o ex-secretário do Partido Comunista do Brasil, Berger e Rodolfo Ghioldi. Ficou uma cadeira vaga, próxima aos juízes.

Na parte do fundo da sala, amiga, estavam sobre um estrado circular os juízes militares: generais e advogados de renome que haviam sido escolhidos para aquele posto. E numa suprema afronta ao Exército e à justiça, por detrás desses juízes estavam os homens da Polícia Civil e da Polícia Especial, a intimidá-los. Por detrás da cadeira do presidente se encontravam Romano, da Polícia Civil, e o comandante Queiroz, da Polícia Especial. Ao lado direito dos juízes estava a assistência e resulta, amiga, que a assistência era formada na sua quase totalidade por investigadores e homens da Polícia Especial. Se estendiam ao lado da parede da direita e na parede que ficava em frente aos juízes. Ao lado da parede esquerda estavam os presos. Guardavam a seguinte ordem, partindo do ponto mais distante dos juízes: Agildo, Agliberto, Ghioldi, Berger, o ex-secretário do Partido Comunista e ao seu lado uma cadeira vazia.

Em frente uma tribuna de onde os acusados deviam falar. Cada um tinha quinze minutos para se defender de acusações tremendas. Atrás dos acusados os homens da Polícia Especial. Três atrás de cada um dos presos. Assim estava esse tribunal livre.

E, de súbito, se produz um burburinho na sala, gritos e vozes clamando. É Luís Carlos Prestes que entra. Sangra na boca, os policiais aproveitaram-se da confusão no saltar do carro celular quando quiseram corrê-lo para ver se ele trazia armas, ele que vinha de um cubículo da Polícia Especial!, e soquearam-no na boca. Agora o trazem arrastado, ele se defende, grita para os juízes:

— Generais, isso é um insulto ao Exército... Meu pai foi militar, eu fui militar, os policiais que me batem estão insultando o próprio Exército do Brasil...

Os policiais o arrastam, sua boca sangra, ele se livra dos que o pegam. E então, amiga, uma criança que está na assistência, filha de um outro preso político, abandona a mão da mãe que a segura e corre entre os policiais e se abraça nas pernas de Prestes, soluçando.

Os juízes intervêm, os policiais são separados de Prestes, este continua a falar:

— É uma indignidade o que está sucedendo no Brasil. É uma infâmia sem conta, é um crime demasiado grande...

Os outros acusados, quando ele entrou, tentaram se levantar para o saudar e para ajudá-lo a atravessar a sala. Os homens da Polícia Especial os forçaram a ficar sentados. Tudo isso se passava, amiga, no Supremo Tribunal Militar do Brasil, diante de velhos generais e velhos juristas, honra do Exército e honra da justiça, sobre os quais o governo cuspia seu desprezo.

O presidente do tribunal faz um apelo a Prestes para que ele se sente, que logo falará. Prestes atende e a acusação começa o seu libelo que dura duas longas horas. Depois Prestes fala. Tem quinze minutos mas o que ele diz é tão emocionante, tão poderoso e dramático, que ele fala, ante os juízes totalmente dominados pelo fogo da sua palavra, durante 45 minutos. Não se defende. Acusa. Sua voz vibra como um látego de fogo. Contra os inimigos do povo. Os poucos assistentes que não são da polícia choram de emoção. É o Cavaleiro da Esperança que alenta com suas palavras todo o Brasil escravizado.[168]

Suas acusações contra a polícia queimam como brasa. Ele aponta os policiais atrás do tribunal. Aponta um a um, descreve os seus crimes. O acusado levanta a sua voz para acusar. É todo o povo do Brasil que, pela voz do seu Herói, acusa um governo criminoso. Que pede contas. Que aponta para o dia de amanhã. O dia da liberdade.

O libelo contra a polícia, contra os crimes do governo, estremece as paredes do tribunal. Há lágrimas na assistência, os juízes estão presos das palavras de Prestes. Esqueceram até que por detrás deles se debruçam Romano e Queiroz, e os policiais, como uma ameaça a qualquer tentativa de fazer justiça, a qualquer mostra de simpatia pelos presos.

Quando termina de denunciar perante o país os crimes do governo, Prestes inicia a sua defesa. Lê a carta que escrevera ao seu advogado *ex officio*, dr. Sobral Pinto, carta que lhe fora arrebatada das mãos pela polícia quando ele tentara entregá-la ao seu destinatário. Prestes a havia reconstituído e agora a lê, seu libelo valente, sua defesa magistral, sua profissão de fé.[169]

Começa dizendo nessa carta, que os presentes ouvem cortados de emoção, da sua vontade de falar ao povo brasileiro:

> ninguém mais do que eu deseja explicar de público e bem alto, perante o povo brasileiro e toda a opinião pública mundial, meus gestos e atitudes. Permitam-me os senhores do governo, os seus lacaios da Polícia ou do Tribunal de Repressão[170] que eu fale; que examine o processo onde estão acumuladas ou forjadas pela polícia as *provas* de meus *crimes*; que eu ouça e possa inquirir as testemunhas que a Acusação tenha por bem apresentar; que sejam chamadas à presença do Tribunal que realmente me queira julgar, as testemunhas de defesa, numerosas, que posso apresentar e cuja inquirição desejo fazer; que tudo isto se processe de público e perante os representantes da imprensa nacional e estrangeira e depois disto, então, lavrem a sentença que eu merecer. Não sou eu, dr. Sobral Pinto, quem teme a luz da publicidade nem o exame meticuloso da opinião pública sobre todos os meus gestos e atitudes. Pelo contrário, eu só desejo expor com todas as minúcias os detalhes todos de minha vida de revolucionário. E, se são verdadeiras as acusações que a Polícia e os Himalaias,[171] com a sua imprensa, contra mim lançam, se sou um vendido, ou bandido, ou um louco, por que não me deixam livremente expor os meus gestos e atitudes?

A pergunta fica boiando no ar. Eis um homem que o governo apresenta ao país e ao mundo como um criminoso de crimes inconfessáveis, como um ser monstruoso. Mas, por que então o processo desse homem e dos seus crimes é feito longe do público, às escondidas, sob um estado de guerra, com a imprensa amordaçada, com a polícia desencadeando o terror sobre o povo? Prestes mostra a verdadeira situação, aponta os verdadeiros criminosos:

> São justamente aqueles que me acusam, que me caluniam, que contra mim e contra o meu Partido, à sombra de um regime de exceção e sob a proteção dos gases e das metralhadoras policiais, fazem a mais torpe e infame campanha de difamação, são justamente os senhores do governo, os que me atam de pés e mãos, amordaçam-me com violência inaudita e mandam depois que um senhor Raul Machado venha gritar aos meus ouvidos numa reunião clandestina que se realizou a 29 de dezembro de 1936 aqui,[172] neste antro de torturas e assassinatos, sob a evidente coação da chibata policial e ante o riso alvar dos policiais da reação: "Vamos, defende-te, que estou sendo pago para te julgar!".

Aí está retratado um governo, um tribunal e um homem que se diz juiz. O governo do estado de guerra, o Tribunal de Segurança Nacional, o juiz Raul Machado. Prestes recorda a farsa trágica daquela noite na Polícia Especial. Quando Raul Machado, plantando-se sobre a sua própria miséria, gritava cinicamente que estava pago para julgá-lo, ou seja, para condená-lo. Quando o pequeno homem confessava que nada mais era que um mísero instrumento traindo a tradição de justiça dos tribunais do Brasil. Sobre toda essa podridão a voz de Prestes na acusação para todo o Brasil, para todo o mundo:

> Ora, no pântano em que nos achamos atualmente tudo tresanda a venalidade, a covardia e a baixeza, e é com dificuldade ingente que os homens dignos conseguem evitar o lodo getulista que os cerceia, porque nem mesmo da Imprensa ou do Parlamento que sempre foram as últimas trincheiras de onde pela palavra escrita ou oral era possível a um ou outro mais audacioso lutar contra os déspotas, já não resta mais coisa alguma no regime policial em que vivemos. E a ditadura vai, então, utilizando com escândalo, com desembaraço e sem peias os serviços de todos aqueles que, ou por ignorância (a pior das ignorâncias, porque não aquela da grande maioria dos nossos patrícios que ainda não puderam aprender a ler, mas que a vão suprindo com a intuição da sua inteligência, geralmente tão lúcida e com o que aprendem na fábrica e no campo onde tudo produzem e tudo fazem), ou por erros de

educação, ou por fraqueza de caráter são facilmente influenciados pelo brilho fútil das posições ou pelos proventos materiais que delas lhes advêm.

O esteio máximo da ditadura, a sua polícia, que parece ser dirigida por profissionais da traição, orienta toda a sua atividade, no sentido de querer fazer de todos os nossos concidadãos, pela violência ou pela astúcia, seres indignos ou covardes. E por isso tortura, vingativa, os que não se sabem dobrar e, numa mania verdadeiramente doentia, que não poupa nem mesmo os amigos do governo, procura apresentar homens que foram sempre considerados dignos e honrados, como vis e miseráveis traidores.

Suas palavras vibram no tribunal. Saem pelas frestas das janelas fechadas, lavam do corpo imenso do Brasil a lama com que o cobrem. É todo um povo, pela voz do seu Herói, que rasga com o bisturi da verdade a carne podre de um governo, que o expõe nu e fétido perante a opinião mundial. Nesse dia, pela voz de Prestes, pela voz que se lhe seguiu dos seus companheiros, a liberdade, a coragem, a dignidade, provaram que ainda existiam no Brasil, no peito dos prisioneiros, que não eram apenas palavras vãs e sem sentido. Prestes cita Castro Alves, cita Gonçalves Dias, os gênios poéticos da raça, os que impedirão que, sob essa capa de lama, a dignidade do Brasil desapareça. Uma raça que deu aqueles gênios não perecerá. Uma raça que deu, amiga, também a Luís Carlos Prestes.

Faz o elogio dos poetas, o elogio do Exército, o elogio do povo brasileiro, dos grandes heróis do passado. Mostra o que há de podre no Brasil, mas mostra também o lado são, o povo esmagado mas querendo se levantar. É um libelo, mas é também um canto de esperança. Mensagem do Cavaleiro da Esperança ao seu povo. Mensagem poderosa que irrompe da sala trancada do tribunal e vai rolar sobre as ruas, sobre os campos, sobre as cidades e os latifúndios, eletrizando as populações, levantando os ânimos, enchendo os homens de fé e confiança. Como um raio de luz, amiga, cortando a lama podre dos charcos.

Sua voz e seu exemplo:

Para mim, na situação toda particular em que me encontro, o essencial é que se saiba que eu continuo lutando contra os que exploram e oprimem o nosso povo. Não me permitem falar? Não posso orientar com a palavra do meu Partido os milhões de concidadãos que a desejam ouvir? Pela minha atitude, então, eu procurarei fazer sentir ao nosso povo o quanto é necessário atualmente lutar pelos seus direitos constitucionais, contra a legislação terrorista da ditadura, pela liberdade dos perseguidos políticos e contra os policiais da reação.

Os raros assistentes que se encontram em meio aos policiais aplaudem com os olhos cheios de lágrimas, os corações cheio de confiança. Os policiais abafam brutalmente as palmas, os juízes se repõem lentamente da sua comoção. Prestes senta-se, ali está o chefe do povo brasileiro. Se ele já não o fosse, teria nesse momento grandioso conquistado o direito de marchar na frente do seu povo pelos caminhos da liberdade. Mas por estes caminhos já de há muitos anos ele vinha conduzindo o Brasil. Apenas, agora como nos dias da Coluna, ele abre picadas por onde o povo vai marchar em meio aos pantanais de lama infecta. Picadas que serão a larga estrada da liberdade no dia de amanhã, amiga.

E dão a palavra a Harry Berger. É como um cadáver que se levantasse do túmulo. Tem menos trinta quilos que no dia em que foi preso. Pensavam em matá-lo, em fazer calar para sempre a sua voz com as torturas mais bestiais. Mas ela se levanta de novo, varonil e severa, voz da Verdade, voz do Povo. Fala em inglês. O tradutor deturpa seu pensamento. Várias vezes Prestes e Rodolfo Ghioldi protestam contra as traições do tradutor de encomenda. Termina dizendo da sua confiança no povo brasileiro, nos povos do mundo:

> Qualquer que seja a minha situação, espancado como tenho sido, como serei ainda, com certeza; torturado diariamente; em caminho de uma morte bárbara; na certeza de que minha razão não resistirá a todo esse martírio; na certeza de que me aproximo a cada dia da loucura; quero, nessa hora em que me permitem falar, reafirmar a minha confiança no povo brasileiro, tão corajoso, digno e honesto, e no proletariado mundial, que, passe o que passe, conquistará a vitória final, libertando a humanidade da fome e da opressão!

Foram essas, amiga, as suas palavras finais. O tradutor, sob os protestos de Prestes e de Ghioldi, as deturpava cinicamente. Mas que valia a sua deturpação diante do espetáculo desse homem marcado de torturas, fisicamente liquidado, mas que se levantava sobre os seus acusadores com tamanha grandeza? Sua voz arrepia até mesmo os policiais.

E fala Agildo, o herói do 3º RI. Começa lembrando que todo o tribunal, os assistentes, e eles, os presos, haviam sido testemunhas da agressão ao general Luís Carlos Prestes. E pede aos juízes que mandem prender imediatamente os policiais que agrediram ante eles um preso que é também a maior figura do país. Que seja lavrado o flagrante da agressão e iniciado o processo. Cala-se, esperando. Os juízes não se movem, a sua voz vibra violenta no tribunal como uma bofetada:

— Como é? E a minha solicitação? Lavra-se ou não o flagrante delito?

E, ante o assombro de todos, o presidente do tribunal, desorientado, consulta Romano, o chefe dos investigadores que está atrás da sua cadeira. Romano dá ordens. E o presidente responde a Agildo que depois tratariam do assunto. E então o comandante do 1º Regimento do Exército Popular do Brasil inicia sua defesa e a dos seus companheiros na insurreição de 35. Agildo põe abaixo a exploração do governo de que a revolução de 35 fosse comunista. Explica as causas do levante de Natal e da revolta de Recife.[173] Mostra por que a Aliança Nacional Libertadora, pela sua direção militar, resolveu apoiar o movimento do Nordeste e ordenar o levante dos quartéis do Rio. Lembra que a exploração anticomunista, já havia aparecido em movimentos anteriores. Também a revolução de 30 havia sido acusada de comunista e a de 32 não escapara tampouco. Do movimento de 30 chegaram a dizer que era chefiado por Bela Khun, o comunista húngaro. Defende o Governo Nacional-Revolucionário de Natal, e sob a sua responsabilidade de oficial do Exército que lutara pela revolução de 30 e pela revolução de 32, afirma:

> O movimento de novembro de 1935 não foi comunista, foi nacional-libertador. Aspirava o poder para instaurar, não uma ditadura proletária mas um governo democrático-nacionalista, em que estivessem representadas todas as correntes de opinião legitimamente nacionais.

Agildo examina também a situação do país naquele momento, a ameaça fascista que logo depois iria tornar-se em realidade, as ligações do governo com o nazismo, o abandono da defesa nacional, e pergunta, encerrando seu libelo:

> A quem corresponde comparecer ante a justiça como réus do crime infame de traição à pátria?

A pergunta é respondida pelo povo do Brasil, em meio ao terror: os governantes do país.

E chega a vez de Agliberto. O comandante da Escola de Aviação, que estava condenado a 27 anos e seis meses de prisão, aquele sobre quem o governo quisera lançar o ódio dos seus colegas do Exército, Agliberto, símbolo de bravura e lealdade, defende a Aliança Nacional Libertadora, mostra por que ela apareceu no país, por que se desenvolveu, por que o povo a apoiou. Está ainda em meio da sua defesa quando o tribunal, mal terminados os quinze minutos concedidos a cada réu, lhe cassa a palavra, impedindo-o de continuar.

E fala Rodolfo Ghioldi.[174] Irônico, ele se diverte com as confusões de Virgulino Himalaia, o promotor, em torno da figura do revolucionário chinês Van Mine, que a polícia e o Tribunal de Segurança haviam transformado num holandês. Fala na solidariedade do proletariado mundial para com a União Soviética, mas põe abaixo de uma vez toda a sórdida mistificação da polícia em torno da revolução de 35. Prova como a Internacional Comunista nada tem a ver com o movimento. Mostra as falsificações que foram feitas no discurso de Van Mine. Sua defesa é uma peça de formosa literatura e de sutil ironia. Tão bem-feita que até um juiz do Tribunal Militar a deseja ler mais cuidadosamente, encantado com a sua beleza e a sua justeza jurídica. Diz por que, sendo comunista, ele se sentiu no dever de colaborar com o povo brasileiro na sua luta de libertação. Ele viu e sentiu a ânsia de liberdade desse povo. Se colocou, como criatura humana que também ama a liberdade, ao seu lado no seu momento de luta. O final do seu discurso é comovente, de profunda beleza, de intensa força revolucionária:

> De trinta meses de permanência no Brasil passei vinte no cárcere. A malícia poderia dizer que deste grande país só conheço o regime penitenciário. Mas, na Casa de Detenção, conheci brasileiros de todas as latitudes e profissões e das mais diversas orientações políticas. Aprendi a conhecer mais intimamente os anelos e sentimentos do povo brasileiro, ao qual me sinto ligado definitivamente pela mais viva simpatia e solidariedade. Vi quão profunda é essa sua vontade de liberação nacional. Comunista argentino que se orgulha de sê-lo me sinto igualmente cidadão da América Latina, que quero livre de ameaças fascistas, de prepotências imperialistas, do atraso econômico e cultural. Vítima das limitações do direito de asilo, luto pelo império das liberdades públicas. E, se me permitissem uma esperança nesta hora sombria em que assaltam nações como os bandoleiros assaltam os caminhantes nas estradas, em que alguns Estados-Maiores buscam situar a Manchúria na

América, e em que obscuras forças internas conspiram contra a dignidade e a integridade de nossos povos, diria que confio na capacidade dos homens conscientes de nossos países para unificar a paz continental e para repelir ameaças de agressões intoleráveis. Se há uma consciência continental, que eles a impulsionem e desenvolvam criando as bases de uma livre confederação de repúblicas anti-imperialistas na América Latina.

Com a defesa de Ghioldi a sessão está terminada. O presidente do tribunal manda que o público saia. E se retiram exatamente nove pessoas, de entre as dezenas de pessoas que aparecem como público. É que os demais são investigadores e policiais da Polícia Especial vestidos de paisanos. Então sobre a cabeça do presidente do tribunal o comandante Queiroz estende o seu pescoço e mais uma vez insulta o Exército e a justiça nas pessoas dos generais-juízes que ali estão, ao tomar a palavra e ordenar, aos berros, que os policiais que fazem de público também se retirem.

Os presos são levados. Mas não para a Detenção de onde, exceto Prestes e Berger, haviam vindo. São levados para a Polícia Especial para serem espancados. O que só não acontece porque entre os assistentes do julgamento estava o major Edmundo Macedo Soares, do gabinete do ministro Macedo Soares, que ao saber que fora dada pela polícia ordem para conduzir e espancar os presos na Polícia Especial, corre ao gabinete do ministro onde relata os fatos. Macedo Soares, o único ministro que procurou tratar os presos políticos como seres humanos, ordena que sejam levados às prisões de onde vieram e proíbe que sejam castigados. Mas para o conseguir, o major Edmundo, que levava a ordem do ministro, tem que sustentar uma violenta discussão com Filinto Müller, o chefe de polícia, que queria se vingar das verdades ditas pelos acusados. O major Edmundo é obrigado a lançar mão de toda a autoridade do ministro e da sua própria autoridade de patente superior ao capitão que fora expulso da Coluna Prestes no ano de 24 e que agora se vingava dessa expulsão por covardia e traição, torturando Prestes e seus companheiros.

A voz dos presos, voz alta e magnífica da liberdade, não morreu entre as quatro paredes do Tribunal Militar. Não importa, amiga, que sob a coação da polícia, o tribunal mantivesse as sentenças condenatórias lavradas pelo Tribunal de Segurança. Nesse dia Prestes havia rasgado caminhos na noite de terror, caminhos pelos quais o povo iria marchar na luta pela liberdade. Pelos quais marchamos hoje, amiga.

45

QUANDO A CÂMARA DOS DEPUTADOS E O SENADO, AMIGA, aceitaram, nos últimos dias de 1935 a provocação anticomunista do governo, suicidaram-se, encerraram realmente as suas atividades na vida política do país. Não foi a 10 de novembro de 1937 que o governo liquidou as câmaras, terminando com a representação do povo. Foram as próprias câmaras que se liquidaram quando votaram o estado de sítio e logo depois o estado de guerra, em abril de 1936, entregando quatro deputados e um senador à sanha da polícia.

A Câmara e o Senado ainda eram obstáculos poderosos à ação nefanda do governo. Aí os homens de mais coragem denunciavam os crimes da polícia. Através a tribuna da Câmara falaram até os presos políticos, em cartas enviadas das prisões por vias ilegais aos deputados assombrados perante tanta vileza e tanta bestialidade contra os revolucionários. Na Câmara a voz de João Mangabeira, a de Otávio da Silveira, a de Domingos Velasco, a de Abguar Bastos e a de Café Filho, no Senado a impressionante acusação de Abel Chermont. Através dessas vozes livres da Câmara e do Senado, o país foi informado dos crimes que eram praticados. Então a polícia exigiu o estado de guerra. A prisão de Prestes era o seu trunfo. Falsificou documentos, pressionou, o integralismo agitou-se num mar de provocações. Os deputados e senadores se amedrontaram e votaram o estado de guerra. E, mal o votaram, sentiram os seus efeitos. O primeiro golpe vibrado com a nova arma foi contra a Câmara e contra o Senado. Na mesma noite da decretação do estado de guerra quatro deputados eram presos e um senador era preso e surrado na polícia.

Apoiada nos oligarcas desejando uma ditadura, apoiada no integralismo que via se abrir para ele as portas do poder, já que era cada vez mais o partido em que o governo e reação se sustentavam, apoiada internacionalmente na Alemanha e no pacto anti-Komintern, o nazismo cantando loas ao governo brasileiro, Hitler pondo trezentos aviões à sua disposição se ele os necessitasse para reprimir qualquer movimento democrático, Hitler recebendo o presente do acordo dos marcos compensados (realizado por um integralista), apoiada por um pequeno grupo de altas patentes que conspirava com os integralistas, a reação governamental atingiu seu momento culminante.

A preparação do golpe de 10 de novembro começou em 1935, quando o governo criou para a palavra "comunismo" a mais ampla acepção. Comunista era todo aquele, democrata, liberal ou socialista, homem de esquerda ou homem de centro, que se opunha aos desmandos do poder. Nas prisões abarrotadas estava gente de toda a cor política. Agora não eram somente os aliancistas e os revolucionários de novembro que sofriam torturas nos cárceres. Os oposicionistas de todos os matizes eram englobados dentro da mesma definição: comunistas. O governador do Distrito Federal, Pedro Ernesto, médico que alcançara uma larga estima da população devido à sua gestão preocupada com a saúde e a educação do povo, pagava no cárcere a sombra que, com sua popularidade, fazia aos fascistas. Anísio Teixeira, secretário de Educação do Distrito Federal, responsável pela grande obra educacional aí realizada, teve que se demitir da secretaria sob a acusação de "comunista". O governo usava agora dessa provocação para se manter no poder.

O integralismo conspirava. Apoiava o governo, mas ao mesmo tempo almejava o poder. O chefe de polícia e alguns generais eram comensais da mesa de Plínio Salgado e viam nele o homem que poderia realizar os seus sonhos: o Brasil ligado definitivamente à sorte da Alemanha, o Brasil fascista.

Mas Vargas também se dava conta do que se passava. E, se utilizava o integralismo, não tinha o menor desejo de entregar-lhe o poder. Por outro lado, por maiores que fossem as suas concessões ao imperialismo alemão, ele tinha profundas obrigações para com os Estados Unidos. Era um jogo complicado e sutil, realizado à base da perseguição contra todos os democratas.

O povo, acorrentado e emudecido, esperava cada momento de aragem democrática para se manifestar amplamente. Assim, quando Juraci Magalhães, remanescente do tenentismo que continuava no governo da Bahia, fecha o integralismo nesse estado, após pôr à mostra uma conspiração dos "verdes" contra o governo, o povo o apoia entusiasticamente e desde este momento o acompanha como a um líder seu. Foi essa pressão popular, essa angústia que se transformava em gritos, que abriu os olhos da Câmara e do Senado fazendo com que, ao terminar o prazo do segundo estado de guerra, não fosse concedido o terceiro. O período governamental de Vargas se aproximava do fim e o povo correu às ruas na vibração de duas candidaturas democráticas. Parte dos presos políticos sem processo é posta em liberdade. O Brasil começa a respirar e a respirar profundamente, o amor à liberdade é um sentimento profundo no coração desse povo, amiga.

As candidaturas à presidência em 1937, com as campanhas que as rodeavam, eram a prova mais cabal do amor à democracia e à liberdade por parte do povo brasileiro. Dois candidatos democratas se apresentaram: o governador de São Paulo, Armando Sales de Oliveira, e o então ministro do Tribunal de Contas e ex-ministro da Viação, José Américo de Almeida. Também o integralismo fez do seu ridículo Führer candidato. Em torno das duas candidaturas democráticas o povo se juntou em comícios memoráveis. Na esplanada do Castelo, José Américo leu a sua plataforma anti-imperialista e popular. Foi uma tarde de delírio. Por seu lado Armando Sales prometia uma administração liberal, onde não se renovassem os crimes do governo de então. A campanha se desenvolvera dentro de um ambiente de exaltação democrática, o povo acorrendo com um entusiasmo transbordante aos *meetings*, às juntas eleitorais para se alistar, o povo querendo respirar. É o momento em que Macedo Soares substitui a Rao no Ministério da Justiça, visita os presos políticos, interessa-se pela sua sorte, abre luta contra o chefe de polícia.

José Américo reuniu em torno da sua candidatura o povo pobre do Brasil. Pela voz do integralismo, as grandes companhias estrangeiras fizeram espalhar o boato que também José Américo era comunista. José Américo vinha do Nordeste dramático das secas e da miséria total. O povo brasileiro primeiro o conheceu como romancista, descrevendo a vida desgraçada das populações nordestinas, iniciador de toda a literatura moderna do Brasil. *A bagaceira*, seu romance clássico, andava pela sétima edição em poucos anos, milhares de exemplares devorados pela gente ansiosa de conhecer a verdade sobre a vida do Brasil.[175] Depois o povo o vira à frente da revolução de 30, no Nordeste, como um dos representantes mais puros do pensamento tenentista, chegando ao Rio para ocupar o Ministério da Viação, onde abre luta contra as grandes empresas estrangeiras que exploravam o povo. No momento em que Getúlio se apoia nas oligarquias e faz todas as concessões aos imperialismos, José Américo foi afastado do Ministério da Viação. Agora é a ele que o povo vai buscar como seu candidato. Homem de integridade jamais discutida, com uma enorme vontade de acertar, homem do povo, tendo saído dele, artista que havia vivido os problemas da terra e do homem, ele respondia, sem dúvida, aos melhores anseios de libertação do povo brasileiro naquele momento.

A parte da massa que não apoiava José Américo estava com Armando Sales, governador de São Paulo, interessado nos problemas do país, homem culto e político hábil, governante preocupado com a cultura, com a infância, tendo realizado na sua administração em São Paulo obras culturais e sociais de grande envergadura. Realmente essas candidaturas não resultavam apenas de conchavos políticos. Um calor popular as cercava. Elas demonstravam quanto estava vivo no coração do povo o amor à liberdade e à democracia.

Então Getúlio procura o apoio de Plínio Salgado. Em torno de si o chefe de Polícia, Góes Monteiro, Dutra e Newton Cavalcanti, os oligarcas. Macedo Soares se demite, Getúlio chama Francisco Campos que surge com uma constituição fascista sob o sovaco jurídico. As entrevistas entre Plínio e Campos se sucedem, o integralismo é a base de massa em que Getúlio se vai apoiar para o seu golpe de Estado.[176]

Nesse momento faltou mais uma vez unidade às forças democráticas do país. Quando já era mais que evidente que Vargas, sob os aplausos dos países do Eixo e com a cooperação das forças políticas desses países no Brasil, respaldado no integralismo, ia dar um golpe de Estado de corte fascista, os democratas divididos nas duas candidaturas não souberam se unir. Tinham na mão os três estados mais poderosos do Brasil: São Paulo, do qual era governador um dos candidatos, Armando Sales; Rio Grande do Sul, onde Flores da Cunha o apoiava, e Bahia, onde Juraci Magalhães era o campeão da candidatura José Américo. E com Juraci estava Carlos Lima, governador de Pernambuco.

A união das forças democráticas, que as esquerdas, que os homens de Prestes aconselhavam, teria impossibilitado o golpe do Estado Novo. A fraqueza do governo era evidente. Sua política internacional, de franca simpatia pelo Eixo, fazia com que os Estados Unidos desconfiassem dele. Faltou exclusivamente tato político aos candidatos e aos que os apoiavam. As esquerdas gritavam por união democrática como a fórmula única de salvação. Os políticos se obstinavam em manter as duas candidaturas. O governo mais uma vez lançou contra elas — contra as duas ao mesmo tempo — a acusação de estarem dirigidas pelos comunistas. Ante a provocação que, se houvesse uma visão clara dos candidatos, daria lugar a uma união de todas as forças democráticas nacionais, os candidatos se apressam a fazer concessões enormes aos provocadores, certos de que esse era o caminho para que houvesse eleições. Os sabotadores se aproveitam das debilidades dos candidatos para lançarem a ideia de modificações do regime.[177]

O integralismo fazia passeatas na rua. Navios alemães deixavam armas nos portos de Paraná e Santa Catarina. Von Cossel, o enviado de Hitler para chefiar sua política no Brasil, havia ganho a medalha de ouro destinada ao nazi que fizesse melhor trabalho no estrangeiro. Ele não só havia criado 87 núcleos nazis de grande importância entre os alemães do Brasil, como havia formado o Partido Integralista.

Góes Monteiro surge com um documento ridículo e cretino, atribuído ao Komintern, com os planos mais idiotas para uma "revolução comunista no Brasil". Esse "documento" é enviado à Câmara e ao Senado.[178] Francisco Campos nesse momento estuda com Plínio Salgado a constituição corporativa do país.[179]

As câmaras, que já haviam iniciado seu processo de suicídio em 1935, o completam agora votando mais uma vez o estado de guerra. Ainda havia tempo para uma união das forças democráticas. Os elementos da esquerda, cuja visão não se havia obscurecido e que enxergavam o perigo, procuram convencer os chefes democráticos das duas correntes da urgente necessidade de uma frente única.[180] Mas os candidatos à presidência confiam nas garantias de que as "eleições presidenciais se realizariam". Acreditam nessas garantias e na que lhes dá a pequena ala integralista do Exército, que era a autora do documento. Em vez de se unirem, os candidatos fazem novas concessões, declaram que estão dispostos — eles também — a combater o suposto "perigo vermelho".

Diante do que os integralistas saem à rua, armados de punhais, ornados com a cruz suástica, com fuzis alemães, Newton Cavalcanti é enviado para fechar as câmaras, e Vargas dá, tranquilamente, o golpe de Estado. A 10 de novembro é comunicado ao país e ao povo que já não existe a República do Brasil, agora existe o Estado Novo corporativo, com uma constituição copiada da italiana e da portuguesa, sob os ardentes aplausos e votos de felicidade da Alemanha e da Itália.[181]

Vão começar, amiga, os anos ainda mais desgraçados do Estado Novo. O Estado Novo se caracteriza pelo desejo de arrancar do brasileiro todas as suas qualidades de caráter. É o regime do suborno, da absoluta e cínica despreocupação pelos interesses do país e do povo, é o regime da servilidade, da bajulação e da torpeza no seu máximo. Tirania na América. Degradante e criminosa.

46

UM DIA, AMIGA, QUANDO ELE CRUZAVA OS ÍNVIOS SERTÕES NA EPOPEIA DA COLUNA, o povo desesperado o chamou de Cavaleiro da Esperança. Esperança do Brasil, do povo pedindo liberdade. Estrela da manhã na noite de desgraça, rio de águas límpidas em meio à seca que mata os homens, coração humano entre os corações de feras de instintos desencadeados. Com o Estado Novo, amiga, nos dias de desgraças sobre o Brasil, transbordamento de lama e de vilania sobre a pátria, novamente dos quatro cantos, do norte, do sul, do leste e do oeste, o povo desesperado, esfomeado e amarrado a cadeias, o chama de Cavaleiro da Esperança.

Um dia, amiga, na marcha da Coluna, ele encontrou um homem em Goiás, amarrado a um tronco, os pés e as mãos e o pescoço. Fazia onze anos que um juiz bêbedo o condenara apesar da sua inocência. Com o Estado Novo também, amiga, o povo do Brasil se encontra amarrado num tronco, os pés, as mãos e o pescoço. Pés, mãos e pescoço, amiga, mas não o coração. Livre, livre como o vento, como a estrela e o mar, o coração do povo brasileiro pulsa com o seu Herói, pulsa pela liberdade, livre coração rebelde. Na prisão imunda, incomunicável e torturado, enfermo e longe de todos os seus, sobre ele a infâmia de acusações odiosas, sofrendo todos os martírios que pode inventar a imaginação doentia dos vermes traidores, Luís Carlos Prestes, Cavaleiro da Esperança do Brasil, tem o coração livre, pulsando pelo seu povo, pulsando pela sua pátria, pulsando pela liberdade. Seu coração de aço e sangue, humano e inquebrantável. Gênio e Herói, escrevendo com sua grandeza infinita o maior poema da raça brasileira. Nos versos de Castro Alves se construiu a liberdade do Brasil. Nos atos de Luís Carlos Prestes, nos anos de ontem na epopeia da Grande Marcha, nos anos de hoje na epopeia da sua dignidade na prisão e no sofrimento, a liberdade se alimenta e se faz carne e sangue do povo brasileiro. Desde o coração livre de Luís Carlos Prestes se estende a liberdade sobre o Brasil. Ela é, amiga, essa estrela nova, de rutilante brilho, que enxergaste no céu da pátria.

Nas casas pobres do interior desgraçado, amiga, a liberdade vive, luz vermelha das velas que ardem iluminando o retrato do Herói. Vive no carinho com que guardam os objetos que ele tocou, na voz dos pobres todos chamando por ele, dos camponeses que já não viram bandidos. No coração do povo, amiga, gravada com a força do heroísmo está a inscrição que nenhum sofrimento apaga: "Povo, o teu Herói é o Cavaleiro da Esperança". Inscrição que se aprofunda a cada dia, a cada ato da traição dos quinta-colunistas, a cada gesto coberto de nobreza do prisioneiro de coração de aço.

Sangue do seu coração alimentando o Brasil. De Luís Carlos Prestes. Negra, nos alimentos de esperança, de confiança, de coragem. A lama da vileza, a dor das torturas, a sujeira dos subornos não podem caber nos nossos corações lavados de toda a indignidade pela dignidade de Luís Carlos Prestes.

De entre a podridão e o sofrimento, amiga, da mais sórdida podridão e do mais profundo sofrimento, Luís Carlos Prestes se levanta, sua figura imensa, sua grandeza sem par. O poeta disse, amiga, que a liberdade, cada vez que a tirania a pisoteia e a martiriza, mais forte do chão se levanta. Assim Luís Carlos Prestes. Eis o Herói, amiga, aquele que o povo concebe, alimenta e cria. Eis o filho do povo, a imagem do povo, a quem os sofrimentos não dobram, as ofertas dos tiranos não tentam. Eis a liberdade de pé entre as grades, vivendo no coração dos homens de pés e mãos atados. Dentre os homens pequenos e miseráveis que se banqueteiam com a carne do povo, eis que Luís Carlos Prestes se alça, a liberdade com ele, com ele a esperança. Com o povo, amiga, sobre os tiranos, sobre os sofrimentos, sobre a miséria, sobre o terror, o Cavaleiro da Esperança.

Já te disse, amiga, que a prisão e os sofrimentos despem os homens de todos os sentimentos exteriores e superficiais. Fica tão somente o que está profundamente arraigado no coração do homem preso e torturado. Ai daquele, amiga, que traga apenas a máscara de homem digno, de homem de caráter, de amigo da liberdade e do povo! Ai daquele, negra, que traga a máscara de Herói! Ai dele no dia da prisão e do sofrimento. Essa máscara de enganos cairá ante os primeiros sofrimentos, ante as primeiras ofertas sedutoras e vis. Só aquele que tem um coração de aço e um caráter de bronze, a liberdade no peito, o heroísmo como uma condição de vida, só esse se conservará na sua altura de homem, na prisão e no sofrimento. Assim Luís Carlos Prestes, Herói do Brasil!

Ninguém mais temido que ele, amiga. Adorado pelo povo, acreditado como ninguém o fora antes. Então os tiranos que desejam enganar o povo o quiseram comprar. Em meio aos sofrimentos lhe ofereceram tudo: o poder, a glória, o conforto, a alegria do mundo. Tudo, contanto que ele se colocasse contra o povo. Ele nada aceitou, não houve ouro que o comprasse, não houve alegria que o dobrasse. Então tudo lhe fizeram, todos os sofrimentos, todos os insultos, a bestialidade solta contra ele. Ele não se dobrou, sua cabeça altiva, seu coração de aço, coração do povo.

Esse não traz a máscara de Herói posta sobre o rosto num engano trágico. Este é o Herói, aquele que foi alimentado, concebido e criado pelo povo e que, agora, alimenta o povo com o seu coração e com a sua grandeza.

Assim é o Herói, amiga. O povo o concebe, é o filho do povo, nasce das suas necessidades. E depois, na frente do povo, na frente da liberdade, é o pai do povo, alimentando-o com seu exemplo e seu valor.

Amiga, é dele que vivemos. Dele vem a esperança que respiramos, a nossa força de luta. Nos seus ardentes olhos nós vemos o futuro do Brasil. Esses olhos que as grades da prisão, que o emparedamento em vida, que a impossibilidade de ver as paisagens do mundo e as paisagens dos homens, não limitaram na sua perspectiva magnífica. Ele está de pé, é o Brasil quem está de pé, a liberdade também. Nunca se curvou, nunca se vendeu, não se vende, nem se curva a liberdade, amiga. Ela é milenar como o homem, é eterna como o gênio e a memória dos heróis. Ela é o povo, amiga. É Luís Carlos Prestes. Ele nasceu com o primeiro herói da terra brasileira, não morrerá nunca porque o povo não morre. O Brasil se chama também Luís Carlos Prestes, amiga, são sinônimas essas duas grandezas.

Vivemos dele, nós, o povo. Os escritores do povo, voz da gente escravizada. Vivemos dele, nós, o povo, os soldados, os camponeses que o viram já duas vezes sob os céus do Brasil. Os operários que ele conduz, os ricos e os pobres, todos os que amam a liberdade e a pátria. É dele que vivemos. Nos alimentamos da sua dignidade, do seu caráter límpido, da sua inteireza moral, da força da sua confiança, da sua superioridade no sofrimento, da sua certeza no povo, do seu gênio. Todo o Brasil vive desse prisioneiro, nunca um homem foi tão grande nos dias de desgraças como Luís Carlos Prestes. Mesmo aqueles que pensam noutros nomes quando pensam no futuro do Brasil, mesmo esses se alimentam de esperança, do exemplo de Luís Carlos Prestes. É ele quem permite o sonho do Brasil, quem possibilita a existência da dignidade sobre a lama, da liberdade da noite de terror.

Herói, amiga! Essa coisa tão grande, tão bela e tão difícil! Herói! Hoje como ontem, como amanhã, é nele que esperamos. O povo, um dia, o chamou de Cavaleiro da Esperança. Mais que nunca, hoje, como um grito, como um clamor, esse nome sobre o Brasil. Como uma luz na noite de desgraça. Cobrindo o desespero e a miséria. Rasgando estradas de libertação. Como uma luz na noite. Como um farol em meio ao mar de naufrágios, como uma estrela no céu de tempestade, como um coração latejando de amor. Cavaleiro da Esperança.

O povo do mundo inteiro, amiga, protestou contra a prisão brutal a que o submeteram. Na Polícia Especial ele vira monstruosidades sem conta, sofrera sofrimentos indescritíveis. Os seus companheiros espancados à sua vista, os juízes que entraram para o julgar declarando que o vinham condenar numa farsa ignóbil, sem poder escrever para sua esposa, para sua mãe, para suas irmãs, sem saber sequer se sua filha havia nascido, se Olga estava ainda viva na prisão alemã. Sem se comunicar com ninguém, impedido de ver até seu advogado.

Um dia mudaram-no de prisão. O protesto do mundo amedrontava os tiranos. No coração dos tiranos só há lugar para o ódio ao povo e para o medo ao povo. Quando o povo saiu à rua nos dias da campanha presidencial de 37, transferiram Prestes de prisão. O povo do Brasil, e os povos livres de todo o mundo, protestavam contra o seu encarceramento entre as torturas da Polícia Especial. Construíram então na Casa de Correção, no pavilhão dos tuberculosos, na enfermaria, uma cela para Prestes. Cela medieval, de paredes grossíssimas como as de um castelo antigo, triangular, sem ar e sem luz, a pequena abertura gradeada, coberta com tela de arame para que fosse impossível ao preso vislumbrar a luz exterior. Essa abertura olha para um pequeno pátio da penitenciária. Não dá para a rua, para que assim ele não possa nunca ver o movimento das gentes lá embaixo. Porta de chapa de ferro. Devido aos insistentes protestos do mundo inteiro e aos protestos do seu advogado *ex officio*, entregaram-lhe algumas cartas de sua mãe e de sua esposa. E permitiram que de quando em vez, ele lhes escrevesse.

Um homem, amiga, de coração e de coragem, lutara por ele no Brasil. Não pode existir um brasileiro amigo da liberdade que não sinta simpatia por Sobral Pinto. Esse foi nomeado pela Ordem dos Advogados para defender *ex officio* a Luís Carlos Prestes. Era um advogado de larga tradição no foro do Rio de Janeiro. Católico que ouviu realmente as palavras de Cristo, que não andava nas igrejas apenas para conquistar mais um título com que subir junto aos donos do poder, católico que não explora o nome de Cristo como uma desculpa para infâmias e misérias, verdadeiro cristão, ele compreendeu que estava ante um novo Calvário e soube sentir toda a grandeza que vinha desse prisioneiro. E soube, fiel à sua missão de advogado, honrando uma carreira tão desmoralizada por outros, honrando uma religião e um Deus que outros tantas vezes têm vendido, soube lutar para que o seu defendido, os seus defendidos, já que sobre os seus ombros caiu também a tarefa de defender a Harry Berger, fossem tratados como seres humanos. Não o conseguiu, que a miséria dos homens é espantosa. Porém, apesar de injuriado, de incomodado de todas as maneiras, de desacatado e de ter que lutar com os policiais, apesar de processado,[182] ele não se amedrontou e continuou lutando.

Quando foi entregue a ele a defesa de Prestes, os que só conheciam os católicos que vendiam Cristo diariamente nos leilões públicos dos empregos e das ambições, acreditaram que Sobral Pinto iria ser um títere a mais na farsa trágica que se representava. É que não conheciam esse católico, esse cristão, esse homem. Como ele soube admirar e compreender Prestes! Como tem sabido defendê-lo! Mil vezes tem protestado, mil vezes tem se dirigido aos poderes competentes, mil vezes tem se batido pela justiça. Esse tem honrado no Brasil a palavra catolicismo e o nome de Cristo.

Quando, em 1937, o ministro da Justiça[183] visitou Prestes no seu cubículo da Polícia Especial e lhe comunicou que ordenara a sua transferência para a Casa de Correção, Prestes lhe fez um pedido que dá uma marca da sua grandeza. Berger estava louco, uma psicose de situação, para ele mais que ninguém era necessária a transferência de presídio. E então Prestes pede ao ministro que em vez dele seja Harry Berger o transferido. Também, tempos depois, já na Correção, quando as autoridades brasileiras respondiam a Sobral Pinto que não davam um tratamento adequado a Berger porque esse não tinha com que pagar casas de saúde e médicos, Prestes pôs à disposição de Berger todo o dinheiro que tinha consigo, que sua mãe lhe havia enviado do exílio. Mas, como se tratava apenas de um pretexto das autoridades, não aceitaram e até hoje Berger continua na mesma situação.[184]

Construíram uma cela especial para Prestes. Próximo aos tuberculosos para ver se assim ele contrai a enfermidade e morre. Paredes grossíssimas, paredes construídas pelo medo de que o povo o liberte. E dividiram essa cela ao meio e num dos lados puseram um investigador que o vigia dia e noite. Próxima está a cela de Harry Berger. Essa presença humana, amiga, tão trágica, é a única que Prestes sente próxima a si. O seu amigo e companheiro que enlouqueceu. O técnico estrangeiro que ele trouxera consigo, que a polícia levara à loucura e à tuberculose com as torturas bárbaras. Berger passa os dias batendo com a cabeça contra as paredes, narrando as torturas que sofreu, que a esposa sofreu, fazendo comícios em inglês, gritando de súbito como se estivesse vendo a esposa ser martirizada, trágica presença ao lado de Prestes, separada dele apenas por uns quantos metros. Na mesma galeria da prisão, só os dois e os carcereiros.

Prestes vê quando, após cinco ou seis dias de gritos, de clamores, de romper a cabeça contra as paredes, de Berger se exaltando na sua loucura, vê quando os policiais passam para dar-lhe as injeções que o farão dormir durante dias e que apressam a sua morte. A presença trágica de Harry Berger louco é a única presença humana que Prestes sente diariamente. Imagina, amiga, o tamanho do seu sofrimento cotidiano, sofrimento que dura desde há quatro anos, desde que o transferiram dos outros sofrimentos na Polícia Especial.

Uma célula à prova de fuga. Escura, fria, doentia. Com guarda à vista, num pátio próximo, com um tira ao lado. Nenhuma visão humana lhe é permitida. Nenhuma visão da natureza tampouco. Durante os dois primeiros anos, os anos da Polícia Especial, nem um jornal, nem um livro, nem um lápis com que escrever. Hoje permitem-lhe um jornal que passa, apesar de todos os jornais do Brasil serem censurados, por uma nova censura da polícia. Um que outro livro deixam-no ler. Mas não permitem que escreva o livro de matemáticas que ele deseja escrever para a mocidade do seu país. A sua correspondência com a família vive sujeita aos caprichos da polícia. De quando em vez a proíbem. Por meses e meses ele fica sem nada saber de sua esposa, sem nada saber de sua mãe e de sua filha.[185]

Assim é a sua vida, amiga. Vida de torturas e de martírios. Certa vez ele escreveu a dona Leocadia: "Oh! se eu pudesse ao menos gozar da tranquilidade que é de supor existisse no isolamento total a que estou condenado...".

Porque nem a tranquilidade existe, amiga. Os processos, com que procuram afastá-lo do povo, continuam. Tiram-no da prisão para ser ouvido acerca de acusações sórdidas e infames. O chefe de polícia demite e prende um diretor da Casa de Correção porque este não perseguia Prestes como ele desejava. E nomeia outro, um homem que se celebriza por sua brutalidade quando diretor da Colônia Correcional dos Dois Rios, o presídio de mais tenebrosa memória.[186] E durante dia e noite, dia e noite de incertezas sobre a vida dos seus, sobre a vida do Brasil e do seu povo, ele ouve ao seu lado, na cela próxima, a presença de Harry Berger, falando, narrando aos gritos as torturas a que sujeitaram Auguste Elise Ewert. Assim vive Prestes, amiga.

Nada lhe é permitido. Sequer falar com seu advogado para se defender dos contínuos processos que lhe movem. As cartas que lhe escreve ficam dias e dias nas mãos da polícia.[187] Assiste aos funcionários policiais se lançarem contra o seu advogado para tomarem-lhe à força documentos. Assim é a sua vida, amiga.

Aqueles presos doentes, que estão nas proximidades da sua cela, vivem na revolta do que fazem com Prestes. Um cabo da Polícia Militar, prisioneiro comum, de nome Diogo, condenado por crime cometido no quartel, que contraiu a tuberculose na prisão, viveu meses e meses nas proximidades da célula de Prestes. E sentiu a grandeza do espetáculo da imensa dignidade do prisioneiro. E fez dele seu ídolo, apesar de nunca o haver visto, apenas pelo que sentia se processar em torno de si. Esse preso assistia diariamente a um dos guardas da penitenciária negar tudo que lhe pedia Prestes, as coisas mais simples e mais necessárias à vida humana. O cabo duas vezes chamou a atenção do guarda. Perguntava-lhe por que ele fazia aquilo. O guarda ria na sua cara, continuava na sua profissão mesquinha. Um dia o cabo, preso e tuberculoso, não resistiu. Se atracou com o guarda, deu-lhe até que o ódio que enchia seu coração se tornasse menor. Os presos comuns têm um respeito imenso por aquele prisioneiro invisível. Tudo fazem para melhorar a sua vida.[188]

E os presos políticos, os que estão solidários com Prestes e são seus soldados, todas as vezes que podem fazem chegar até ele a expressão da sua solidariedade e da sua esperança. Todas as noites, reunidos, saúdam num grande grito o seu chefe preso. Quando partiram da Casa de Correção para o inferno de Fernando de Noronha, arrancados de surpresa da cama tarde da noite, sem saber para onde iam sendo levados, temerosos de que fossem para as geladeiras da polícia, para novas surras, cercados por tiras e por homens da Polícia Especial, metralhadoras dentro do pátio, eles não saíram sem fazer uma manifestação ao seu general. Eram duas horas da manhã e os que iam para a vida entre as enfermidades em Fernando de Noronha, a ilha fúnebre no meio do mar, saíam entre os soldados um a um. Iam calados. Mas quando passavam pela enfermaria, junto ao calabouço de Prestes, todos pararam e o grito encheu a penitenciária:

— Viva o general Luís Carlos Prestes!

Mas estas coisas, esses protestos de solidariedade, o carinho do povo brasileiro, os protestos do mundo inteiro, irritam os traidores, fazem com que eles se vinguem na pessoa de Prestes.

Não têm coragem de fuzilá-lo, sabem que o povo se levantará. Não têm coragem de matá-lo de encontro a um muro, têm medo do povo. Então querem matá-lo aos poucos, querem enlouquecê-lo. Para isso puseram Berger ao seu lado, não deixam que ele fale com ninguém, dão-lhe uma comida contraindicada para os seus males do fígado, puseram-no no pavilhão dos tuberculosos. Para matá-lo ou para enlouquecê-lo, castigam-no tirando-lhe o direito de escrever e de receber cartas, de ler jornais, de ler livros. Dão-lhe uma comida miserável, negam-lhe um tratamento de ser humano.

Mas, ah!, amiga, os carcereiros não sabem medir os homens. Os traidores e os tiranos, os inimigos do povo sobre o povo, não sabem de que barro são feitos os heróis. Não sabem que força estranha corre pelo sangue de homens como Luís Carlos Prestes![189] Pensaram em comprá-lo, não o puderam comprar. Pensaram em dobrá-lo, não o puderam dobrar. Pensam em matá-lo mesquinhamente, covardemente. Pensam em enlouquecê-lo. Ele resiste, amiga, é o povo brasileiro quem resiste, é a liberdade que resiste. Seis anos já vão de torturas sem fim, de martírios sem conta. Seis anos em que ele salvou a dignidade da pátria, elevou bem alto o caráter, a força, a coragem de um povo. Os tiranos, amiga, esquecem que ele é o Herói do povo, o Cavaleiro da Esperança, que é imortal como o povo. Mas o povo, sim, esse que já o viu duas vezes sob o céu da pátria, sabe que o verá pela terceira vez, no seu cavalo negro, rasgando os caminhos da liberdade. Rotas as grades da prisão, terminados os dias de dor e de desgraça sobre o Brasil. Ainda o veremos, amiga, ao Cavaleiro da Esperança!

47

HAVIAM-NO CONDENADO, AMIGA, A DEZESSEIS ANOS E OITO MESES DE PRISÃO. Dessa prisão pior que a morte, incomunicável, sofrendo todos os castigos, tratado como um animal feroz e não como um ser humano. Mas a sua grandeza no sofrimento era um espetáculo que animava o povo e o fazia odiar ainda mais a tirania. Mais que nunca o povo via naquele prisioneiro o seu líder, o seu chefe, o seu general, o seu Herói.

Dezesseis anos e oito meses... Era pouco, amiga, para o ódio que lhe tinham, era pouco para o medo que lhe tinham. Os que rodeados dos seus sabujos, tremem à simples menção do nome de Luís Carlos Prestes, sentiam chegar o ódio do povo até eles, o amor do povo até o prisioneiro inquebrantável. O povo, que odiava a ditadura, odiou ainda mais o Estado Novo de corte fascista. O clamor pela liberdade de Prestes subia do país, chegava do estrangeiro, a tirania tremia no seu medo de morte. No seu medo de morte à liberdade, ao povo, a Luís Carlos Prestes.

As farsas preparadas pelos tiranos, como grandes golpes teatrais, só não são risíveis porque são trágicas, porque se vestem do sangue do povo. Assim a farsa que imaginaram para afastar o povo de Luís Carlos Prestes. Ridícula, porque nem perceberam que o povo não acreditava neles, a sua palavra não lhes merecia nenhum crédito. Ridícula, porque não perceberam que jogando lama sobre o líder do povo essa lama iria cobrir aos que a atiravam. Esqueceram-se de que ninguém pode cuspir sobre o que está muito mais alto que ele. O cuspe cai no seu rosto sujo. Assim, amiga, aconteceu no Brasil. Seria ridículo e cômico se não fosse trágico.

Um dia a polícia anunciou ao povo que Luís Carlos Prestes era responsável por um assassinato. O povo riu na cara da polícia, riu dos "documentos" apresentados. Desde há muito o povo conhecia a gênese desses "documentos". À base de um deles fora implantado o Estado Novo. Apoiando-se em sórdidos traidores vendidos, mais sórdidos que os próprios policiais, aproveitando a imprensa sob censura, o rádio sob censura, o livro sob censura, aproveitando o tribunal fantoche, o terror policial que impede que se possa falar, o governo inicia o processo absurdo. Como uma estrela no céu, o vulto poderoso de Luís Carlos Prestes na sua dignidade, na sua decência jamais abalada. Imagina a cena, amiga. Os verdugos, cercados dos gigantescos policiais encomendados de propósito, a cuspir para o céu na esperança de atingir o rosto do Herói. E o cuspe a voltar, a pousar no rosto dos verdugos e dos seus acólitos, a lavá-los de lama.

Acusavam Luís Carlos Prestes de ser o mandante intelectual da morte de Elza Fernandes, uma jovem que fora detida em 35. Ninguém soube como morreu Elza Fernandes. Soube-se, sim, que ela foi presa em 1935 e que desapareceu na polícia. Depois da prisão de Prestes, em 1936, a polícia um dia tentou levantar, como uma pedra de escândalo, o mistério do seu destino. Mas estava fresca na memória das gentes, a prisão de Elza e os anteriores assassinatos praticados nos subterrâneos e nos calabouços da polícia. Seria muito perigoso atribuir naquela hora a sua morte aos revolucionários. A polícia não pôde levar a provocação adiante. Mas, em 1940, a desenterrou dos arquivos da Central e declarou que ela havia sido assassinada pelos revolucionários a mando de Luís Carlos Prestes. Sob torturas e promessas, uns quantos indivíduos declararam que era verdade. A polícia empunhou uma carta que disse ser de Luís Carlos Prestes. Se bem a carta não falasse em nenhum momento nem em Elza Fernandes nem em morte, falsificação grosseira como os demais "documentos" do Estado Novo, ela foi o motivo da condenação de Luís Carlos Prestes a mais trinta anos de prisão, perfazendo um total de 46 anos e oito meses.

Na sua estupidez ou no seu desprezo pela inteligência do povo, os falsificadores datam a carta de quando Luís Carlos Prestes estava preso no quartel da Polícia Especial, isso é, quando estava totalmente incomunicável, de sentinela à vista, sem nenhum objeto com que escrever, nem um lápis, quanto mais caneta e tinta... Mas é, amiga, que a polícia não podia datar esta carta de antes, já que toda a gente sabia que Elza estava presa naqueles dias de 1935 e 1936. A sua liberdade foi anunciada após a prisão de Prestes. Não era, pois, possível à polícia dar à carta falsificada uma data que não fosse posterior à sua anunciada liberdade. E então já estava Prestes preso, incomunicável no quartel da Polícia Especial.

À base desse "documento" ridículo o Tribunal de Segurança o condenou a trinta anos de prisão celular. Não admira, amiga, porque esse não é um tribunal. É um balcão onde a justiça é vendida por baixo preço.

Primeiro quiseram fazer sensação para ver se assim afastavam de Prestes o amor do povo. Os traidores, que haviam saído das torturas para virarem galãs de cinema em filmes de provocação, se masturbaram em sensacionais entrevistas à imprensa onde, com um absurdo luxo de detalhes, narravam o "seu" crime. Os jornais controlados abriram colunas ao caso escandaloso e sensacional. E para fazerem mais completa a provocação os policiais reuniram uma noite os jornalistas e mandaram buscar na sua cela Luís Carlos Prestes, que de nada sabia, nem das acusações que lhe faziam, nem da traição daqueles homens que eram feitos do mesmo barro que a polícia. Chegou tranquilo e sereno, sua cabeça altiva, seus olhos ardentes, suas palavras de fogo. O delegado de Ordem Política e Social exibe-lhe a carta. Os jornalistas se aproximam, os tiras sorriem felizes. Prestes apenas a olha, faz um gesto de infinito desprezo ante aquela sórdida mistificação e diz serenamente:

— Todos conhecem o meu caráter e a minha vida. Podem perfeitamente julgar se eu sou ou não o autor disso...

Eis um homem, amiga, que sempre tomou a responsabilidade completa dos seus atos e dos atos realizados devido a ordens suas. Nunca fugiu a essa responsabilidade em momento algum. Ainda em

36 tomou toda a responsabilidade do movimento de novembro de 1935. Se tivesse ele alguma coisa a ver com a eliminação de uma revolucionária que a polícia declarava traidora, ele não a negaria, não a negaria com certeza.

Os jornalistas agora estão convencidos de que Prestes nada tem a ver com a morte de Elza Fernandes. A polícia ainda tenta recorrer aos que havia comprado e que ali estavam para acusá-lo. Mas Prestes nem os olha e sai da sala, sem ligar aos tiras, sem se preocupar sequer com a sua condição de prisioneiro. O delegado está embasbacado, os jornalistas estão entusiasmados. Luís Carlos Prestes sai tranquilamente, os tiras só voltam do seu espanto quando ele já está no corredor, onde o vão alcançar para levá-lo novamente para a sua cela triangular no pavilhão dos tuberculosos na Casa de Correção.

Apesar do fracasso monumental[190] da provocação, a polícia leva o processo adiante. Monstruosidade jurídica, um crime de assassinato sendo julgado por um tribunal de exceção. É que se fosse, como manda a lei, julgado por um tribunal comum, o júri formado por cidadãos, a defesa com seus amplos direitos, não haveria condenação possível. E o governo, tendo fracassado no seu intento de colocar Prestes mal perante o povo, agora quer vingar-se condenando-o mais uma vez. O processo vai ao Tribunal de Segurança.[191]

O tribunal está reunido, Prestes chega no carro celular. O povo o vê passar, magro, doente, mas de cabeça altiva, o gesto sereno, um sorriso nos lábios. Não pôde ver o seu advogado um só momento. Deste processo, tudo que ele sabe lhe foi dito naquela noite na polícia nos poucos minutos em que ele estava presente à sessão fracassada onde pensaram em pô-lo em ridículo. O advogado tenta aproximar-se dele, começa a lhe explicar algo, os policiais o afastam brutalmente. O tribunal dá início à sessão. O juiz que vai julgar Prestes é Maynard Gomes, o ex-tenente revolucionário de Sergipe, que se levantou duas vezes em apoio de Prestes nos anos de 24 e 26. As primeiras palavras de Prestes são para ele.

Esperavam, amiga, vê-lo humilhado perante este tribunal, a pedir melhoria para as suas condições de prisioneiro, a procurar explicar a burla e a falsificação da polícia, a discutir os "documentos" inventados. Os inimigos do povo preparavam-se para gozar o grande líder humilhado. Triste engano, amiga, daqueles que medem os homens pela sua mesma medida. Prestes primeiro verbera com palavras candentes a atitude de Maynard Gomes, ex-revolucionário que ele encontra agora se prestando ao sujo papel de juiz do Tribunal de Segurança.[192] Maynard esconde o rosto de vergonha, está de todas as cores, não sabe para onde olhar.

E eis que Prestes se volta para o povo que enche o tribunal, amiga. Escolheram para julgá-lo o dia 7 de novembro, aniversário da Revolução Russa. E Luís Carlos Prestes levanta a sua voz, mais uma vez fala para o seu povo:

> Quero aproveitar a oportunidade que me dão de falar ao povo brasileiro para render homenagens à data de hoje, uma das maiores de toda a história, dia do vigésimo terceiro aniversário da grande Revolução Russa, que libertou um povo da tirania...

Os juízes amedrontados mandam que ele se cale. Cassam-lhe a palavra. Mas de entre os assistentes partem os gritos de "Viva Luís Carlos Prestes!". Uma senhora é presa quando gritava, chorando de emoção o nome do grande líder. Há um burburinho no tribunal, o povo aplaude o seu Herói. A polícia retira às pressas Luís Carlos Prestes e o tribunal o condena sem a sua presença.[193]

Aos dezesseis anos e oito meses que ele já tinha de pena, juntaram mais trinta anos. Não importa, amiga. Mais valeram as suas palavras saindo desse tribunal para o meio do povo. Mais valeram os "vivas" do povo ao seu líder, a prisão de uma senhora que gritava o seu nome. Porque o coração da quinta-coluna estremeceu de medo nesse dia. Nesse dia Luís Carlos Prestes provou que os anos de prisão e de torturas não abateram seu ânimo, nem a sua fé no povo. E o povo mostrou que nenhuma provocação, por mais suja que seja, é capaz de afastá-lo do seu chefe, é capaz de fazer diminuir, quanto mais apagar, o imenso amor que o povo do Brasil sente por Luís Carlos Prestes. Condenaram-no a mais trinta anos. Não importa, amiga. Nesse 7 de novembro de 1940 mais uma vez o povo e Luís Carlos Prestes se encontraram unidos no mesmo amor e na mesma ânsia de liberdade para o Brasil.

48

NA VOZ DOS POETAS, NA VOZ DOS LÍDERES, NA VOZ DOS SÁBIOS, na voz dos governantes, na voz dos artistas, na voz dos jovens, das mulheres e dos homens, o mundo protestou e protesta contra o crime que no Brasil se comete. Uma ditadura tem como prisioneiro o maior líder antifascista da América, gênio e herói do Novo Mundo, Bolívar na nova Independência americana. A humanidade toda protesta, amiga, através as mais ilustres vozes do mundo. Os poetas e os sábios, os governantes, os grandes soldados, os condutores do povo. Um protesto imenso e universal. Grito que vem de todas as partes e ressoa no céu do Brasil, com uma acusação da liberdade contra a tirania.

Da Europa, da Ásia e da América, de toda parte vem esse clamor pela liberdade do Herói. De todas as partes telegramas, cantos, artigos e poemas, *meetings* e reuniões, pedindo que seja entregue novamente ao carinho da humanidade um dos seus grandes filhos neste século.

A obra imortal de Prestes, seja a obra de militar de gênio, seja a obra de educação social e política do seu povo, rompeu as fronteiras do Brasil para se tomar propriedade de todos os homens do mundo. Assim como os poemas eternos não pertencem a ninguém e são de todos, assim os feitos heroicos são bens de toda a humanidade, amiga. Assim a obra de Prestes. A Grande Marcha da Coluna é um dos orgulhos do mundo militar moderno. O gênio de Prestes pertence aos homens todos, muito tem ele ainda que dar à humanidade, sua prisão não é apenas um crime contra o Brasil. É um crime contra o mundo, amiga, um crime contra a liberdade.

Por isso de todas as partes mulheres e homens clamam por ele. Protestos, pedidos, poemas e cantos: pela liberdade de Luís Carlos Prestes. Seu nome em ruas e praças da Espanha republicana. Seu nome num Comitê de Ajuda à União Soviética, em Buenos Aires. Seu nome nos cartazes de comícios antinazistas, seu nome vitoriado pelo povo onde quer que se reúnam homens livres. Seu nome pronunciado na França, na Inglaterra, nos Estados Unidos, na China onde os guerrilheiros reproduzem os feitos da Coluna, no Chile, no México onde os seus estão exilados, na Tchecoslováquia, na Noruega e na Bélgica. Seu nome em todos os países do mundo como uma bandeira. De todas as partes chega o clamor imenso: liberdade para o Herói! Os poetas o exigem:

¡Libertad para el Héroe! Yo lo exijo
con todos los motores de mi canto.
!Libertad para el Héroe! — grita el mundo,
y hay temblor de estrella en cada mano.

É a voz argentina de Raúl González Tuñón, amiga. É a voz de Mirta Aguirre, chegando de Cuba:

Derrota fue de los nazis,
y fue derrota de Vargas.
De impotencia y de furor,
con dientes finos de rabia,
los enemigos de Prestes
se mordían las entrañas.

É a poderosa voz de José Portogalo, em nome dos operários da América, convidando os homens para libertar o Herói:

Por la paloma herida y por los ríos,
y por ti, compañero, por tu mano,
por la mía e por tu sangre, rescatemos
al Héroe de la cárcel del tirano;
rescatemos su sangre, su celeste,
su limpio aliento de astro,
ese aliento que sueña en las espigas
y se alarga sonoro en los sertões.
Por eso aclaro, amigos:
América en un grito ha de salvarlo!

Voz dos poetas da América e do mundo. Voz dos escritores e dos sábios: Romain Rolland, André Malraux, Langevin, Frances Jourdain, Álvarez del Vayo, Franz Boas, Upton Sinclair, Clifford MacAvoy, Jacques Roumain e os negros do Haiti, milhares de escritores do mundo: Guillén e Ballagas, Neruda e Alberti, Frangela e Serafín García, os poetas negros dos Estados Unidos, os poetas loiros da Escandinávia. La Pasionaria em nome do povo da Espanha, Batista, em nome do povo de Cuba, Lázaro Cárdenas e o Congresso do México em nome do grande povo mexicano. Deputados e senadores da Argentina, partidos de várias cores, políticos mas democratas todos, deputados ingleses, universitários, artistas de cinema e jogadores de futebol. Dolores del Río e Isidoro Langara, senhoras de alta sociedade e operários de fábricas. Grandes diários e pequenos jornais de classe. Escritores reunidos em Congresso na Argentina, escritores criando em todo o mundo. Todos protestando contra a prisão e o martírio do Herói. O poeta Ángel Cruchaga Santa María, o crítico Luis Alberto Sánchez, o Chile e o Peru. O colombiano César Uribe Piedrahita, o uruguaio Jesualdo, homens de todos os países. Mulheres de todos os países: Tereza Kelman, Sofia Macroff, Maria Rosa Olivier, Lila Guerrero, Julia Arévalo, Sofia Arzarelo, Maria Luísa Carneli, Clara Porset e Justina de Garay.

E os povos... O povo exigindo a sua liberdade nos *meetings* e nas reuniões. O povo clamando por ele, o povo contra a ditadura que o assassina lentamente. O mundo inteiro, amiga, exigindo a sua liberdade.

E na frente de todos, magnífica figura de mulher, lutando pelo seu filho, pela vida e pela liberdade de seu filho, vai Leocadia Prestes, setenta anos gloriosos. Vê, amiga, é uma velha mulher de cabelos encanecidos, de rosto marcado pela dor. Quem tem um filho bem pode compreender a sua angústia. Um filho é carne da nossa carne, é sangue do nosso sangue, é o nosso coração vivendo noutro corpo. Extraordinária figura humana essa velha Leocadia Prestes, que, sem um minuto de desânimo, de desespero ou de descanso, luta pela liberdade de Luís Carlos Prestes, seu filho. Digna mãe de tão grande homem!

Nas terras distantes do México, livres terras de América, vive Leocadia Prestes, setenta anos sem paz e sem alegria. Junto de si sua neta, Anita Leocadia Prestes, filha de um prisioneiro de Müller e de uma prisioneira de Himmler, resgatada por esta velha e pelos povos do mundo das mãos dos assassinos. Essa pequena Anita e essa velha Leocadia vivem no mais brutal e no mais angustioso sofrimento que uma mãe e uma filha possam imaginar.

Desde que seu filho foi preso Leocadia anda pelo mundo, pedindo pela sua liberdade, lutando pela sua liberdade. Essa velha de quase setenta anos é hoje, amiga, uma das grandes figuras da América. No futuro, quando se falar das mulheres que honraram e dignificaram o Novo Mundo não se poderá esquecer essa magnífica e esplêndida figura de mãe e avó, clamando pela liberdade do filho, da nora e da neta. Na idade em que a maioria das mulheres estão pacatamente em casa, gozando de toda a felicidade familiar, em torno o espetáculo alegre de uma família nascida do seu ventre, alimentada do seu carinho, nessa idade essa velha Leocadia sai pelo mundo afora, expulsa da sua terra, impedida de voltar a ela, impedida de ver seu filho, de ajudá-lo nas suas horas solitárias de sofrimento, impedida de ver sua nora, de gozar um sorriso da sua neta. Dedicou esses últimos e heroicos anos da sua vida a resgatar de mãos criminosas as suas pessoas queridas.

Primeiro foi a luta pela neta. O maior dos crimes seria deixar essa criança ser sacrificada aos instintos assassinos dos nazis. Eles amariam fazer da filha de Luís Carlos Prestes, Herói do povo e da liberdade, um monstro nazi, inimigo do povo e da liberdade. Na Europa de há três anos, cheia de tantos problemas, às portas da guerra, na Europa que tinha de ouvir tantas vozes diversas e trágicas, a voz dessa velha Leocadia foi tão poderosa no seu sofrimento que se fez ouvir. Procurou gente de toda espécie, movimentou Paris, visitou todos que podiam fazer algo pelos seus, falou em comícios, ela, essa mãe brasileira acostumada à vida no interior de sua casa. E procurou o povo. Falou para as imensas massas humanas, para a gente pobre que sabe o que é o sofrimento e por isso mesmo o valoriza. E o povo salvou Anita. O povo, com o seu clamor, arrancou essa criança inocente das mãos dos assassinos e a entregou à avó.

Uma vitória do povo mas também uma vitória dessa velha Leocadia, amiga!

Foi ela, a mãe do grande líder antinazista da América, até a Alemanha. Foi até o campo onde sua nora está presa e recuperou a sua neta se bem nessa hora de infinita alegria seu coração sangrasse, já que nesse mesmo campo ficava Olga, esposa de seu filho, tão cara ao seu sentimento.

Não bastou, porém, a Leocadia essa vitória. Três seres humanos tinha que arrancar de mãos criminosas, e apenas um estava a salvo. Não silenciou a sua voz com essa vitória. Ao contrário, a presença, o calor da presença da neta, lhe deu ainda mais coragem e ânimo. Desde o México sua voz ressoa para toda a América, para todo o mundo, e tão sofrida e poderosa é essa voz, que se faz ouvir apesar dos bombardeios, dos gritos da guerra que enchem os nossos ouvidos. Grita pela liberdade de Luís Carlos Prestes, pela liberdade de Olga Benario Prestes.

Nós sabemos demasiado, amiga, que inúmeras vozes clamam desde a Europa, desde a Ásia, desde a África e desde a Oceania, dramáticos gritos pelos sofrimentos causados pela guerra. Mas sabemos também que essa guerra foi gerada e alimentada sobre o mundo pela besta nazi e que, sem que ela seja destruída, a maldade não deixará de ser dona e senhora da terra. Esse imenso grito que vem dos campos de guerra, dos países invadidos, dos países sacrificados, é ao mesmo tempo para nós, americanos, um brado de alerta. Hoje sobre a Europa se estende a desgraça que é o nazismo. E o nazismo acreditou que o dia da América já havia chegado. Mas, amiga, os soldados soviéticos começam a dar fim ao monstro criminoso. E a América se une para combatê-lo. Os nazis pretendem precipitar a desgraça da escravidão sobre as pátrias da América. Por isso, muito mais nos são caras e necessárias hoje a vida e a liberdade dos líderes antinazistas americanos. Daqueles que em nossos países se levantaram e se levantam contra a besta nazi.

Tem num imundo cárcere, no Brasil, um dos maiores líderes democráticos da América. Esse homem tem atrás de si uma tradição mais que heroica, uma tradição épica. Numa pátria de grandes soldados ele foi e é o maior dos soldados, herdeiro de Floriano Peixoto. Numa terra de lutadores pela liberdade ele foi e é o maior dos lutadores, herdeiro de Tiradentes. Gênio militar, homem de honra, cultivando a dignidade sobre todas as coisas, ele é também o homem que soube se fazer amar por milhões de criaturas, o animador, o homem cheio de qualidades humanas, aquele que soube sempre estar junto de seu povo, na frente de seu povo. Luís Carlos Prestes é uma das garantias de liberdade e democracia na América. Para o povo do Brasil, o meu povo, o teu povo, negra, ele é a garantia da felicidade e por isso o chamaram de Cavaleiro da Esperança. Tê-lo preso, como o têm, é tirar a um povo seu general, é dar à barbárie nazista uma incomparável arma. É um dever das democracias e dos democratas americanos, de todos aqueles que amam a liberdade, a cultura, a beleza e a dignidade da vida, libertar Luís Carlos Prestes, prisioneiro do fascismo no Brasil.

Não é a minha pobre voz, amiga, de contador de histórias, que lança esses clamores tão verdadeiros sobre a América. É a voz poderosa de uma velha, poderosa voz de mulher e mãe! É um clamor de desespero e de esperança que chega desde as terras do México da boca dessa impressionante Leocadia, mãe de Luís Carlos Prestes, da boca desta pequena Anita, filha que apenas viu sua mãe sofrer num campo de concentração, filha que nunca viu seu pai, que nasceu na prisão e cresce no exílio, longe da pátria, a quem só terríveis notícias rodeiam.

Podes, amiga, imaginar mais trágica velhice, mais dramática infância que estas de Leocadia e de Anita? De quando em vez Leocadia tem uma carta do filho. É irregular essa correspondência, depende do humor dos que o conservam preso. Por vezes, e não são raras vezes, passam-se meses sem que essa mãe saiba do seu filho. Outras cartas trazem notícias tristes: ele está mais enfermo, nada sabe do mundo, tiraram-lhe os poucos livros que lhe davam, tiraram-lhe os diários. E após uma carta desta se sucedem os meses sem que outras cheguem. E Leocadia sabe que a ela não compete chorar, nem se entregar ao desespero. Que tem que se sobrepor ao seu sofrimento e continuar sua luta pela liberdade do filho.[194]

Imagina, amiga, essa velha mãe que não tem nem direito de chorar! No tempo da escravidão, no Brasil, um poeta falou sobre as mães negras, aquelas desgraçadas mulheres que não tinham o direito sequer de acarinhar os filhos. Assim está Leocadia. Não permitem sequer que ela volte ao Brasil e vá atender ao seu filho prisioneiro. Nem um direito, nem o de morar no seu país, na sua terra, para estar ao lado do filho. Tem que estar longe, viver na incerteza, seus dias cheios de angústias da chegada de uma notícia fatal. Os carcereiros de Prestes não estão apenas martirizando e assassinando a Luís Carlos Prestes. Estão também martirizando e assassinando uma velha mulher cujo único crime é amar seu filho. Assassinam-na da maneira mais miserável: deixando-a sempre na dúvida da sorte do filho, sabotando as cartas que ele lhe envia, caluniando o seu nome. É alguma coisa de bárbaro mas, amiga, atravessávamos no Brasil uma sombria noite de desgraça. Estávamos sofrendo a experiência fascista e assim aprendemos a amar ainda mais a liberdade. Quando o grito que vem da boca dos povos do mundo, que vem da boca de Leocadia e de Anita, da mãe a quem arrancaram o filho, e da filha a quem arrancaram o pai, quando esse grito libertar Luís Carlos Prestes, nós saberemos, amiga, valorizar a liberdade, já que sofremos a escravidão.

Esse grito pela liberdade de Prestes vem da boca de Leocadia, gloriosa na sua velhice, mas vem igualmente da boca dessa inocente Anita. Imagina, amiga, essa infância: nem uma hora boa, nem uma hora de completa alegria, de completa felicidade. No momento em que sua avó consegue arrancá-la das mãos do nazismo esse mesmo momento é triste, pois em mão dos bárbaros fica sua mãe. E esse, no entanto, é, em toda a sua breve vida, o único momento em que a existência lhe deu algo. Os homens tiraram-lhe pai e mãe, nunca viu sua pátria, o espetáculo de sua avó angustiada e sofredora é a única coisa boa que lhe resta. Assim é a infância de Anita, esperando ver um sorriso nos lábios da avó, consciente já do destino de seu pai e do destino de Olga. Um ser totalmente inocente sofrendo como um criminoso de inúmeros crimes. E essa menina de poucos anos é quem clama ao mundo pedindo pela liberdade de Luís Carlos Prestes, amiga.

Grito do mundo todo.[195] Pela liberdade do Herói. Para que o possamos ter ao nosso lado nessa hora terrível de luta contra os inimigos da felicidade do homem, contra os inimigos da beleza, da cultura e da liberdade do homem. Voz que vem dos quatro cantos do mundo, voz dos poetas, dos escritores, dos sábios. Dos líderes, dos generais, dos soldados. Dos almirantes e dos marinheiros. Dos operários, dos camponeses, dos marítimos e dos técnicos. Voz de todos os homens livres, de todas as mulheres de sensibilidade, de todos os jovens do mundo. Voz também, amiga, poderosa e profunda de Leocadia Prestes, a mãe gloriosa e martirizada. Voz também, amiga, doce, inocente e sofredora de Anita Prestes, a menina a quem os assassinos arrancaram pai e mãe. Voz também, amiga, do povo brasileiro pedindo o seu general, o seu chefe, o seu Herói. Grito imenso sobre o mundo, sobre a América, sobre o Brasil.

49

POVO HEROICO DO BRASIL, AMIGA! NOS ANOS DE TERROR O GOVERNO tentou plantar no solo da pátria a árvore daninha do fascismo. De 1937 até hoje esse tem sido o desesperado esforço da quinta-coluna. O povo recusou o fascismo, não se entregou jamais, seu livre coração rebelde! Num regime policial, sem nenhuma espécie de direitos, sem garantias sequer de vida, sem leis que o protejam, com a justiça desvirtuada, o povo se opôs ao fascismo, colocou-o no ridículo, se riu dele, impediu que os traidores entregassem o Brasil ao eixo Roma-Berlim, colocou o Brasil na senda dos países democráticos. Esforço heroico de um povo: levar um governo regido por uma constituição corporativa a abandonar os seus aliados naturais e a apoiar as democracias. Não resta a ninguém direito, amiga, de se enganar diante destes fatos. A posição internacional do Brasil de hoje não se deve ao Estado Novo, prenhe de quinta-colunistas, prenhe de germanófilos, indigestado com um apoio do integralismo. A atual posição internacional do Brasil, no que ela tem de simpático às democracias, deve-se ao povo, o povo a quem a Aliança Nacional Libertadora educou politicamente em 1935. A certeza de que esse povo jamais aceitaria ser levado a apoiar os nazis da Alemanha, os fascistas da Itália, os assassinos japoneses é que impeliu os governantes a abandonarem no meio do caminho a fúnebre procissão do Eixo, aventura que seria fatal a qualquer governo. Getúlio Vargas se encontrou numa difícil encruzilhada. As forças comprometidas com o nazismo queriam arrastar o Brasil a uma posição internacional à qual o povo se opunha violentamente. No primeiro momento Vargas pareceu acreditar na vitória alemã e se inclinar para o Eixo. É o momento dos seus discursos de junho e setembro de 1940. Quando as rádios nazistas respondiam aos discursos do presidente Roosevelt citando trechos de discursos de Vargas. Mas, ao mesmo tempo crescia a reação do povo. Vargas, com o tato político que o caracteriza, soube compreender perfeitamente que o povo do Brasil nunca embarcaria na aventura nazista. Viu com que apoio enorme o povo cercava Osvaldo Aranha que lutava bravamente pela aproximação com os Estados Unidos, por uma política americanista. No seu momento de indecisão Vargas sentiu a grande manifestação do povo baiano a Juraci Magalhães, líder democrático, sentiu o repúdio do povo a uma política de colaboração com o Eixo. Quando o povo paulista incendiou diários fascistas, Vargas tomou o pulso da opinião nacional e mudou os rumos da sua política internacional. Como terá que mudar os rumos da sua política interna se pretende se conservar no poder, para melhor levar a política de defesa nacional.

No Rio Grande do Sul o povo apoiava entusiasticamente a política antinazista de Cordeiro de Farias e Coelho de Souza. Cordeiro de Farias, comandante de regimento da Coluna Prestes, desmascara a infiltração nazi no Sul, apesar da guerra que contra ele movem os quinta-colunistas infiltrados no governo.

O apoio do governo ao Eixo tê-lo-ia derrubado. O Brasil se levantaria e partiria para o lado dos povos livres que lutam pela felicidade do homem sobre a terra. Para o lado dos Estados Unidos, dos países americanos em guerra, para o lado da União Soviética que realiza o maravilhoso poema que é a campanha dos exércitos soviéticos, para o lado da Inglaterra democrática, para o lado dos países invadidos mas não vencidos. Vargas o compreendeu a tempo, ao mesmo tempo que o prestígio militar do nazismo ruía nos campos da União Soviética, estraçalhado pelo gênio de Stálin.

Getúlio Vargas conduz então sua política num sentido de apoio às democracias. Mas, apesar de quanto tem feito ultimamente nesse sentido, os quinta-colunistas infiltrados no governo continuam a sabotar sua política. Impediram que de início ela tivesse a eficiência necessária.[196] Getúlio Vargas se quer realmente uma aproximação com o povo e uma cooperação com ele terá forçosamente que modificar os rumos da política interna do país. Desmascarar os quinta-colunistas, os elementos nazis, os advogados dos japoneses, os criados da embaixada italiana. Terá que democratizar o país, não se pode combater o fascismo tolerando-o em casa. Terá que anistiar os líderes antifascistas que estão presos exatamente porque se levantaram no Brasil contra o perigo fascista.

Como ter preso Luís Carlos Prestes no momento em que a pátria corre perigo? Como ter entre grades o maior líder antifascista da América, como ter entre grades o maior general da América, no momento em que se luta contra o fascismo, no momento em que a pátria em perigo necessita do gênio do seu general? Getúlio Vargas só apagará do povo a desconfiança que este lhe tem no dia em que mudar os rumos da sua política interna. Terá que fazê-lo. O povo o levará a isso, como o levou a apoiar as democracias e a lutar contra o Eixo.

Esse povo aprendeu da boca de Luís Carlos Prestes que nenhum perigo é maior que o perigo fascista, que nenhuma desgraça é maior que a desgraça fascista. "Prestes disse", costumam lembrar os brasileiros quando querem reforçar uma afirmação. Prestes disse que o fascismo era a desgraça sobre o mundo. E eis que o povo brasileiro, humilhado e sofrido, reagiu e resistiu à definitiva implantação do fascismo, resistiu e impediu a aliança do Brasil com a Alemanha, a Itália e o Japão.

A constituição corporativa do Estado Novo encontrou sempre uma inabalável resistência no povo. Povo heroico, amiga. Hoje esse povo luta contra a quinta-coluna. Fatalmente será levado a uma completa mudança na sua política interna. Esse é o seu caminho de governante já que é o caminho do povo.

Vê, amiga, a liberdade já vem. Ela está sendo construída pelos soldados soviéticos acabando com o fascismo sobre a terra, está sendo construída pelos povos democráticos da América, da Ásia e Europa. Pelos marinheiros ingleses, filhos do mar sem derrotas, pelos aviadores americanos, defensores da democracia, pelos soldados chineses na epopeia da guerra na China, pelos iugoslavos, pelos tchecos, pelos franceses matando alemães nas ruas de Paris, pelos poloneses, pelos holandeses tão valentes, pelos gregos e noruegueses, pelos russos defendendo a felicidade que construíram. Na frente vem Stálin, uma bandeira e um coração. Já vem a liberdade, amiga, se aproxima o fim da noite. Já vem sobre o cais, os olhos já a descortinam, ela vem com a madrugada, a estrela da manhã surge nos céus.

Surge nos céus, amiga, também no céu do Brasil, e vai brilhar através as telas de arame, as grades de ferro das pequenas aberturas da célula de prisioneiro de Luís Carlos Prestes.

Quarenta e seis anos e oito meses de condenação. Quando o condenaram no segundo processo, ele escreveu a dona Leocadia essas palavras tão belas e tão emocionantes:

> Esta sentença me livra dos últimos resquícios de orgulho ou de vaidade que eu ainda possuía, e me arroja definitivamente no mar imenso dos mais humildes e desgraçados. E isto, sinceramente, não me desgosta...

Amanhã é o dia dos mais humildes, amiga, dos que até agora só foram explorados pelo homem, para quem a vida só foi desgraça, humilhações e martírios. Amanhã, amiga, é o dia de Luís Carlos Prestes, condutor do povo brasileiro, de um povo martirizado, humilhado, ofendido na sua dignidade, castigado na sua honra. Amanhã, ao lado de todo o povo brasileiro na mais ampla unidade nacional. Amanhã, amiga, Luís Carlos Prestes partirá novamente da sua cela, ao seu lado irá a Coluna, serão milhões e milhões de homens, desde o Rio Grande do Sul até ao Amazonas, desde o Rio de Janeiro até Mato Grosso!

Para acalmar os protestos do mundo, permitiram que um jornalista o entrevistasse na sua cela.[197] O jornalista lhe pergunta qual a sua posição diante da política internacional. Prestes responde que, como é claro, apoia todos os países em luta contra o nazismo. Apoia na América a Roosevelt, neste momento.

— Então que se deve fazer, general Prestes?

— Decretar a mobilização agora mesmo; alistar 100 mil, 200 mil homens; colocar toda a nação em armas. Compreende?

Fala na necessidade de aumentar o número das fábricas de armas, sugere medidas práticas e eficazes.

Lá está ele, amiga, na prisão. Sobre as grades de ferro dos buracos por onde penetra um pouco de ar, as telas de arame impedem que ele veja a paisagem bela da cidade. Mas nada impede que seus olhos profundos vejam o desenrolar da vida, sintam e analisem e julguem os acontecimentos, que vejam o caminho a seguir.

Quando sua voz fala, amiga, é o gênio do povo que fala por ela, condutor da sua gente, general do Brasil, Herói da América!

Lá está ele na prisão imunda. Não lhe permitem falar nem com seu advogado, não lhe permitem escrever os livros que deseja escrever, cortam sua correspondência com a família, castigam-no de todas as maneiras, desde que começou a guerra ele não sabe da sua esposa, processam-no e julgam-no à sua revelia, dão-lhe uma comida insuficiente e contraindicada para as suas enfermidades, puseram-no nas proximidades dos tuberculosos para ver se o contagiavam, puseram ao seu lado o companheiro que enlouqueceu com as torturas para ver se assim o enlouqueciam também. Fizeram-lhe tudo que se pode fazer a um ser humano, a um animal para experiências de laboratórios de cientistas degenerados, trataram-no como a um cão hidrófobo. Lançaram sobre ele lama e lodo, pensando que assim afastavam dele o povo, que assim o tornariam impotente e inofensivo. Não tiveram coragem de matá-lo, temem o povo que se levantará para vingar a morte do seu Herói. Mas assassinam-no lentamente, com uma crueldade inaudita. Mantêm sua velha mãe numa tortura selvagem, mantêm ele sob regime inumano.

Não conseguiram dobrá-lo, não conseguiram afastar o povo dele. Todos os sofrimentos não diminuíram sua profunda visão do mundo e dos homens. Todas as misérias não diminuíram o amor que o povo lhe tem, a confiança que deposita nele, a certeza, de que o verá novamente partir pelos campos do Brasil na batalha definitiva da liberdade.

Lembra, amiga, de outras noites. Em outros portos, em portos da pátria, nesses dias de desgraça. Por vezes o desespero se infiltrava nos nossos corações: quando um conhecido traía e mergulhava no lodo e se vestia de lama. Então o nome de Prestes repetido por alguém que passava, a lembrança de uma atitude sua, era bastante para trazer novamente esperança e a certeza no amanhã. Seu povo não fraquejou porque ele o sustentou com o seu exemplo. Seu povo se alimentou do seu heroísmo. Viveu dele, sua carne e seu sangue, seu coração de aço, o Gênio e o Herói.

Lembra, amiga, de outras noites. Quando uma estrela nova de formosura nunca vista, brilhou nos céus do Brasil. Os negros no cais apontavam as estrelas do céu nas noites de Iemanjá: era o Cruzeiro do Sul, era Vésper, era Marte, milhares de estrelas brilhando sobre o mar, sobre os portos, sobre os campos, no sertão, nas cidades, nas montanhas e nos rios. Os negros sabiam outros nomes para as estrelas: aquela é Castro Alves, a outra se chama Zumbi dos Palmares, lá estão Pedro Ivo e Tiradentes, Frei Caneca e Felipe dos Santos. Os heróis da pátria, os poetas da liberdade, os homens valentes e dignos, estrelas no céu, estrelas no coração dos homens. E uma nova estrela, mais formosa e mais brilhante, límpida luz iluminando a noite. Os negros se riram, um tinha um P enorme tatuado no peito. Tu perguntaste se era um milagre, amiga. "Um milagre", te respondi, "um milagre do povo." Os negros soltaram sua gargalhada ampla, riram depois no cais, a gargalhada dos negros rolou sobre o mar, despertou Iemanjá que veio para junto de nós. Então o negro disse o nome daquela estrela: se chama Luís Carlos Prestes, sua luz vem de uma cela imunda, banha o Brasil de esperança. Se chama aquela estrela Cavaleiro da Esperança, da esperança do Brasil, amiga.

Sua voz de condor, sua voz de poeta, sua voz de soldado, sua voz de general. Sua voz sobre o Brasil no seu exemplo de dignidade. Um jornalista lhe perguntou faz pouco, amiga, se queria pedir alguma coisa por intermédio do seu jornal. Ele respondeu, sua voz sofrida:

— Quanto à minha pessoa nada tenho a pedir. Quanto à situação de minha esposa eu exijo que a retirem do campo de concentração para onde a mandaram. O México está disposto a recebê-la.

Mostrou a cela imunda e miserável:

— Vivo aqui sem que meus olhos tenham uma perspectiva, em um buraco, rodeado de paredes. O ódio dos ingleses a Napoleão foi selvagem. Porém, ainda assim, deram-lhe uma ilha. Meus inimigos me tratam com maior ódio que a Napoleão os seus.

Na prisão imunda não está ele apenas, amiga. Está o povo do Brasil, a liberdade, a beleza, a cultura, a dignidade da vida. E desde a prisão, como uma estrela de poderoso brilho e de límpida luz, ele espalha sobre o Brasil a esperança.

Amanhã, amiga, é o dia da liberdade. Sob os céus do Brasil, rotas as cadeias da escravidão, Luís Carlos Prestes, o Cavaleiro da Esperança, partirá na frente do seu povo para a festa de construir uma pátria feliz, livre da escravidão, pátria da alegria, do trabalho, da liberdade e do amor! Amanhã, amiga, o veremos novamente à frente do povo libertado, o Cavaleiro da Esperança!

50

UM DIA, AMIGA, TE NARRAREI O RESTO DESTA HISTÓRIA. No dia da liberdade, quando o Herói partir novamente no seio do povo para a festa da democracia. Te falei dele nos dias de luta, de triunfo, de exílio e de sofrimento. Te disse da sua grandeza, do seu gênio, do seu heroísmo. E, agora que o conheces, jamais o desespero habitará o teu coração por mais densa que seja a noite da tirania.

Sabes que em breve despontará a manhã da liberdade. Quando ele e o povo romperem as cadeias e partirem. Iremos com eles, negra, será uma festa, cordial e alegre, a liberdade e o amor.

É preciso libertar o Herói, negra minha. As noites serão de tristeza enquanto ele for prisioneiro. Nas areias dos portos, no cais e no campo, nas montanhas e rios, só se ouvirão ais de tristeza enquanto ele estiver preso. Negra do meu desejo, esposa do meu coração, companheira dos dias bons e dos dias maus, agora que a madrugada desponta e a lua parte novamente no rumo do Brasil, clama com tua voz de melodia, para a América, para o mundo, pedindo a liberdade do Herói. Liberdade para o Cavaleiro da Esperança, para o povo do Brasil que está preso com ele!

Quando amanhã ele partir novamente no seio do povo, amiga, as noites serão doces noites de amor, nas areias do cais os ais serão suspiros de amantes. Nas noites de hoje, de tristeza e de dor, gritemos pela sua liberdade. Levanta a tua voz, amiga, clama comigo, com toda a gente do cais, com todos os povos livres do mundo, clama até que teu grito seja ouvido:

— LIBERDADE PARA LUÍS CARLOS PRESTES!

Buenos Aires, 3 de janeiro de 1942
(no dia do 44º aniversário de Prestes)

Notas

1. O poeta Alceu Wamosy, por exemplo.

2. Escreve J. F. Normano (*Evolução econômica do Brasil*, Editora Nacional, São Paulo, 1939) o seguinte:

> A posição peculiar do Sul contribuiu para a formação do gaúcho, de ambos os lados da fronteira; esse tipo pertence à mesma família do caubói do Oeste dos Estados Unidos da América, os fronteiriços da fronteira mexicana, e o cossaco das estepes do sul da Rússia. O gaúcho brasileiro considera-se como a sentinela avançada da nação, cuja missão é defender a fronteira. No Norte do Brasil o tipo que lhe corresponde é o do jagunço.

3. É curioso notar que talvez em nenhum dos estados do Brasil Getúlio Vargas, ao tornar-se ditador, tenha sido tão impopular quanto no estado do Rio Grande do Sul, seu estado natal. É de notar também que no clima policial do Estado Novo, o Rio Grande do Sul é o estado em que mais se respira. Muito pouco, é verdade, mas sempre o seu clima é um pouco menos asfixiante que o do resto do país, onde a polícia é o único senhor. O gaúcho resiste bravamente à tirania.

4. Entre as diversas lendas que se formaram em torno da figura de Prestes há uma, de referência aos antepassados da sua família, que tenta ligá-lo aos bandeirantes paulistas. Deve-se isso, talvez, a que um ramo da família Prestes radicou-se em São Paulo.

5. O Exército era um organismo muito mais democrático que a Marinha de então. Os soldados eram recrutados ao deus-dará entre os trabalhadores e os camponeses, ascendiam na carreira devido aos feitos de armas, viravam muitas vezes oficiais de alta patente, quase sempre muito competentes, muito bravos mas sem nenhuma cultura geral, por vezes apenas sabendo ler. Mesmo os oficiais de curso provinham de famílias mais pobres, já que o Exército era uma carreira barata, onde o cadete além de ter o "enxoval" de graça ainda recebia soldo. O contrário da Marinha, de mais difícil entrada para um moço pobre, o "aspirante" devendo comprar seu enxoval e sem perceber vencimentos. Demais o Exército estava sempre no país, por vezes em longínquas regiões do interior, mais em contato com os problemas e com o povo. A Marinha ficava nas viagens pelo estrangeiro ou nos portos, os centros mais civilizados. Aliás, é preciso notar que entre os próprios oficiais do Exército havia

duas tendências: os oficiais "nobres", proprietários de terras e títulos, sempre conservadores, e os oficiais pobres, homens do povo que juntamente com os oficiais mais cultos, os "filósofos", os "doutores do Exército", como os chamavam na época, faziam a maioria progressista.

6. Luís Carlos foi sempre o neto preferido de dona Ermelinda. Essa senhora, que vinha de uma família patriarcal, evoluiu com as ideias e com o evoluir do seu neto. Acompanhou dia a dia, com enorme carinho, a sua carreira, interessando-se por ele nos momentos mais difíceis, no exílio, no cárcere, quando o ódio da reação procurava asfixiar a voz e impedir os gestos de Prestes. Basta dizer que na sua velhice interessou-se pelo marxismo e pelo seu estudo, ao saber que Luís Carlos havia abraçado essa doutrina. E às outras velhas que vinham lhe dizer que isso era uma invenção do diabo, uma coisa excomungada, ela refutava dizendo que "se Luís Carlos havia seguido essa ideia é que era sem dúvida uma boa e generosa ideia". Nunca duvidou do neto um só momento. Quando, em 1936, Prestes foi preso, ela foi a primeira pessoa a escrever-lhe, solidarizando-se com ele. Tinha então quase noventa anos. E sua voz clamou várias vezes, perante os donos do poder no Brasil, pedindo justiça para o neto. A Macedo Soares, quando este era ministro do Exterior, escreveu para que ele se interessasse a fim de evitar que a filha de Prestes fosse internada num orfanato nazi, na Alemanha. Ao general Andrade Neves, para que este interviesse no sentido de que cessassem os maus-tratos dispensados a Luís Carlos na prisão. Poucas semanas antes de morrer ainda mandou uma carta a Prestes, escrita com sua mão tremente, porém carta de um coração firme, solidária com o neto na hora em que a ditadura policial do Brasil tentava sujar o seu caráter com uma acusação miserável, no momento em que o condenavam a mais trinta anos de prisão.

O major Costa Leite narrou-me um fato que dá uma medida exata da têmpera de dona Ermelinda. Certa vez, no ano de 1935, passando pelo Rio Grande do Sul, Costa Leite conheceu dona Ermelinda. Contou-lhe então uma série de episódios da vida de Prestes, da sua agitada vida de revolucionário. Episódios emocionantes, heroicos, belos. Dona Ermelinda ouviu com a maior atenção, o rosto refletindo o orgulho que sentia pelo neto. Mas em nenhum momento deu mostras de querer chorar, não teve uma queixa pelo neto ter tomado o caminho da revolução em vez de fazer comodamente a sua carreira. Dona Ermelinda faleceu no ano de 1941, aos 92 anos de idade. Ela é bem o símbolo do valor das mulheres na família do Herói brasileiro.

7. Sobre a atitude de Pedro II em relação à abolição escreve Teixeira Mendes (*Benjamin Constant: Esboço de uma apreciação sintética da vida e da obra do fundador da República brasileira*, Rio de Janeiro, 1892) o seguinte:

Assim, o abolicionismo do ex-imperador levou até 1856 para acabar com o tráfico negreiro, apesar da enérgica intervenção da Inglaterra; até 1864 para emancipar os africanos livres; até o fim de 1871 para libertar os escravos da nação e os dados em usufruto à coroa, para impedir de um modo imperfeito a dissolução da família escrava, e para decretar a liberdade dos nascituros de mulher cativa, sujeitando-os, porém, ao domínio corruptor do senhor até 21 anos. Esse tíbio abolicionismo ainda em 1885 taxava o preço da libertação dos seus concidadãos escravizados, acautelando a cobiça dos verdugos deles; e em 1886 apenas em parte revogava uma perversa legislação criminal. Não lhe repugnou abusar da situação crítica da República Oriental do Uruguai para impor a esta em nome da *Santíssima e Indivisível Trindade*, a entrega dos escravos que lá fossem buscar abrigo contra a tirania de seus algozes; e nem se pejou de promulgar o decreto de 6 de novembro de 1866 que retirou do cativeiro os escravos da nação para mandá-los morrer em defesa do pavilhão imperial. Não admira quem teve coração e inteligência capazes de conciliar abolicionismo com semelhantes torpezas escravocratas, se ufane de jamais haver hesitado em harmonizar os atributos contraditórios de um *deus constitucional*, feito à sua imagem e semelhança. Mas o que é inadmissível é que se procure fazer de um monarca nessas condições um tipo legendário de dedicação cívica e de elevação filosófica, lançando falsamente sobre sua pátria a responsabilidade exclusiva dos erros cuja máxima parte compete a ele. Se alguma dúvida pudesse existir sobre tal responsabilidade, bastaria para dissipá-la o silêncio das falas do trono quanto à abolição, apesar de várias manifestações na Câmara, no Senado, e na Imprensa, em prol dos escravos, até que a vaidade imperial fosse incitada pela mensagem da Junta Francesa de Emancipação, em junho de 1876. E não é simplesmente inadmissível, é revoltante que os disputadores do produto do trabalho escravo, e que tiram da campanha abolicionista o seu lustre, tentem agora obscurecer a verdadeira origem das transformações políticas de sua nação, atribuindo-as a ignóbeis paixões. Basta, porém, que os contemporâneos reflitam que o ascendente social de móveis tão vis tornaria impossível qualquer nobre evolução, para que os autores e propagadores da pueril legenda imperial se consumam ao atrito de seus inofensivos despeitos aristocráticos.

8. Para mostrar até onde vai o medo que o Estado Novo e os seus homens têm de Prestes e da reação do povo a favor do seu grande líder, basta narrar o seguinte fato: em 1939, ao ser comemorado o cinquentenário da República, o governo publicou, entre outros documentos históricos, uma relação dos cadetes que acompanharam Benjamin Constant na célebre marcha contra o Paço e que fizeram o "pacto de sangue". E, deturpado, com o cinismo característico dos fascistas, a história retirou de entre esses nomes o do pai de Luís Carlos Prestes, para que assim não pudesse o povo, ao ler o nome de Antônio Pereira Prestes, voltar mais uma vez o seu pensamento para o heroico prisioneiro da ditadura.

9. Falo acerca dos professores que orientam a mocidade no sentido de doutrinas realmente civilizadoras. Mesmo porque, de referência àqueles professores que pregam o nazismo ou o fascismo nas suas cátedras, numa impatriótica atitude quinta-colunista, a estes nunca foi arrancada a cátedra e estes nunca foram aos cárceres. Da mesma maneira que o Império brasileiro nunca impediu que os professores reacionários fizessem propaganda de formas de governo ainda mais obscurantistas que a monarquia constitucional, como, por exemplo, a pregação da monarquia absoluta. Perseguidos têm sido somente os que pregam a liberdade.

10. Esses incríveis sonetos de Pedro II, que figuram por vezes em antologias, costumam ser atribuídos ao conde de Afonso Celso. Dizem que este os escrevia, e o imperador apenas os assinava. De qualquer maneira são sonetos horríveis. Mesmo porque uma qualidade que faltava totalmente ao conde de Afonso Celso, gigolô da monarquia e do clericalismo, era exatamente qualquer vocação poética. Esse conde papal foi o mais soporífero dos homens, que escreveram no Brasil.

11. À primeira vista, examinando-lhes apenas a fisionomia exterior, tanto Benjamin Constant como Luís Carlos Prestes, dão mais a impressão de professores, de mestres, que de impávidos líderes revolucionários. A mesma impressão, me parece, causam também à primeira vista Lincoln e Stálin.

12. Escreve o major Carlos da Costa Leite (em *Crítica*, de 24 de novembro de 1941, Buenos Aires) o seguinte:

> *Benjamin Constant me hace recordar a Prestes, es que, igualmente huérfano y de origen humilde, quería abandonar los estudios militares para ayudar económicamente a la familia. Explicador particular de matemática de sus colegas, pero desinteresadamente, solo por amor a ellos. Siempre altivo con los arriba y dulce con los abajo. Muy joven aún, profesor de la Escuela Militar. Igualmente ingeniero. También proselitista político, por lo que, como Benjamin, se transforma en el guía indiscutible de sus contemporáneos. A pesar de encarcelado y maltratado por un grupo de militares reaccionarios dominantes en el país, Prestes defiende con orgullo, delante del tribunal militar, el honor del ejército y su pasado glorioso. Sus destinos se parecen. Benjamin, propagandista y fundador de la Republica, Prestes, el abanderado de la liberación nacional y de la lucha contra el nazi-fascismo. Pocos ejércitos tendrán figuras y tradiciones como las del ejército brasileño. Si en esta hora dolorosa que vivimos el ejército brasileño quiere salvar la unidad, la democracia y la soberanía nacionales, es en la vida de Benjamin Constant y en la de Prestes que el debe encontrar su ejemplo animador, el camino a seguir en la defensa de la patria.*

13. Realmente esse filho plebeu que fugiu de casa para ser soldado, ofendendo tão

gravemente o orgulho de sua mãe, a fidalga dona Luísa de Freitas Travassos, sustentava com o seu pequeno soldo de tenente a velha mãe arruinada e ainda assim rabugenta, falando no seu sangue azul, e sustentava também uma irmã solteirona.

14. Um fato quase insignificante mas que serve para marcar a influência de dona Leocadia sobre Luís Carlos Prestes e de quanto ela se preocupava de fazer do seu filho um homem, é o seguinte: era ainda Luís Carlos um menino entre os seus quatro ou cinco anos quando um dia chegou em casa chorando, um companheiro mais velho lhe havia batido. Dona Leocadia não o mimou. Disse-lhe apenas: "Um homem reage e não chora". Desse dia em diante nunca mais Luís Carlos levou desaforo para casa.

15. Transcrevo aqui, sobre Luís Carlos, a seguinte frase que me mandou dona Leocadia Prestes:

> Luís Carlos foi um menino alegre e brincalhão como todos os da sua idade. Possuía essa alegria tranquila e resignada das crianças pobres que sabem que têm de conformar-se com bonecos de papel, porque os outros, bonitos, custam caro. Porém desde pequeno demonstrou uma compreensão da vida fora do comum. Era sensato, criterioso, muito sensível.

16. Na época em que conheci Zé Baiano, pouco antes da sua morte à traição, ele era geralmente estimado nos limites de Sergipe e Bahia. Tinha mais afilhados que mesmo os usineiros e os fazendeiros ricos da zona. Várias vezes ouvi camponeses dizerem: "Um homem bom é que ele é....".

17. Sobre o assunto escreve o capitão José Rodrigues, que foi contemporâneo de Luís Carlos Prestes na Escola Militar (*Luís Carlos Prestes: Sua passagem pela Escola Militar*, 2ª edição, Livraria São Paulo, Paraíba do Norte, 1929): "Havia curiosidade de saber quais eram os melhores alunos da turma. Murmurava-se que, não obstante a sua graduação maior, não era o comandante o melhor aluno, mas sim o major, que era Luís Carlos Prestes". E mais adiante:

> Por ocasião da escolha das armas, Prestes escolhe a Engenharia; o seu competidor, preferindo ser o primeiro em qualquer outra arma a ser o segundo na Engenharia, escolhe a Artilharia, onde obtém o primeiro lugar no fim do curso. Não era ele uma mediocridade, mas um verdadeiro talento, como o tem provado até hoje. Obteve o primeiro lugar na turma de Artilharia, colocação que obteve mais tarde na Escola de Aperfeiçoamento de Oficiais e também na Escola de Estado-Maior, competindo com colegas de grande valor. Mas era um talento e Prestes era um gênio!

18. Outra fonte, cuja procedência não estou autorizado a citar devido à situação

política do Brasil, me esclarece: "As injustiças perseguiram-no [a Luís Carlos Prestes] até o fim do curso. Pelos seus estudos e comportamento exemplar, tinha o direito a ter o posto honorário mais alto do colégio, que era o de comandante-aluno; porém esta honra foi conferida a outro colega".

19. Anos depois também, nos chamados noturnos para depor na polícia, por vezes Luís Carlos Prestes, com sua imensa dignidade, abandonou o interrogatório e a sala, após uma frase definitiva e esmagadora. E os tiras, dominados pela sua grandeza, abriam-lhe passo, esmagados, e só voltavam a si e corriam atrás dele quando alguns segundos já se haviam passado.

20. Sobre o quanto queriam a Prestes na Escola diz bem a seguinte frase do capitão José Rodrigues (obra citada): "Coberto de louros, distinto nas mais difíceis cadeiras do primeiro ano, adorado pelos colegas, admirado pelos professores".

21. É ainda o capitão José Rodrigues quem esclarece (obra citada):

> E não se pense que apenas alunos do primeiro ano recorriam ao auxílio de Prestes: colegas de anos mais adiantados não tinham o menor escrúpulo em consultá-lo em questões de matemática geral. Quantas vezes eu mesmo, já aluno do terceiro ano, recorria à boa vontade de Prestes quando encontrava nos compêndios de mecânica ou de resistência dos materiais, demonstrações pouco claras!

E o capitão José Rodrigues narra o seguinte caso interessante como prova da enorme inteligência de Prestes:

> Certa vez cursava eu o terceiro ano da Escola (primeiro do curso especial de Engenharia) e Prestes o segundo ano do curso fundamental, quando, no estudo de tesouras de telhado, encontrei uma certa dificuldade. Não querendo, por questão de vaidade, consultar meus colegas de turma, não tive escrúpulo em recorrer a Prestes. Ele não conhecia o assunto, mas, como se tratava de uma questão de aplicação de certas leis da mecânica e eu sabia qual o poder daquela inteligência privilegiada, à altura de compreender facilmente a questão, expus-lhe em traços ligeiros como se calculava uma tesoura. Feito isto, eu lhe mostrei qual a minha dúvida. Tratava-se de saber se uma determinada parte da tesoura estava sujeita a esforços de tensão ou de compressão. Parecia-me que se tratava de compressão mas eu não tinha certeza de haver conduzido bem a discussão. Prestes, estudando o caso, achou que a peça da questão era tendida e não comprimida. Divergimos. Aí ele, como sempre, fugiu à discussão, dizendo: "Você sabe que eu não conheço isto, pois nunca estudei; a razão deve estar com você, que conhece o assunto, pois que o estuda". Não fiquei satisfeito. Eu queria que ele discutisse, pois que da discussão nasce a luz ou a pancadaria. Retirei-me ainda em dúvida. Embora eu tivesse

certeza de estarem certos os meus cálculos, abalava-me a convicção o fato de ter, pela primeira vez, apanhado Prestes em erro. Não podia ser. Prestes não podia errar. Fui verificar os cálculos; achei-os certos. Ainda me não conformei. Reli a discussão do caso e encontrei meu erro. A discussão mal conduzida me havia levado a encontrar esforços de compressão onde os havia de tensão. Prestes, mais uma vez e como sempre, tinha razão. Não tive dúvida em, esquecendo que eu era aluno do terceiro ano e ele do segundo, lhe entregar minha mão à palmatória. Procurei-o. Confessei-lhe que o erro era meu, que ele havia acertado. Com aquela grandeza d'alma que tanto cativava os colegas, ele respondeu: "Não é um erro seu, é apenas um engano".

22. O major Antônio José Osório, professor de Prestes na Escola Militar, traça o seguinte perfil do seu aluno:

> Sempre sereno, como que absorvido em pensamentos interiores ou alheio ao que se passava em derredor; olhar firme e animado de expressão de bondade; gestos sem amplitude e poucas palavras pronunciadas pausadamente, como quem cultiva a virtude de falar e calar sempre a propósito — tais e tantos eram os característicos que se observavam no trato com esse jovem realmente singular, que, em palestras, não se perdia jamais em banalidades, senão versando matéria de reflexão, como se fora mais avançado em anos e carregado de responsabilidades. (Prefácio ao livro do capitão José Rodrigues.)

23. Esse fato se passou com um atual ás da aviação. Os colegas de Prestes o defenderam sempre contra as injustiças. Assim o fizeram não só desta vez como quando, por exemplo, na cadeira de resistência de materiais o professor sacrificava as notas de Prestes para ver se colocava seu filho como primeiro aluno desta matéria. Esse professor perdeu todo o prestígio na Escola. Tendo sido em anos anteriores paraninfo de sete turmas que concluíram o curso, nunca mais obteve sequer um voto para tal honra nos anos que se sucederam. Ficou inteiramente isolado dos alunos.

24. Uma carta de alguém que conheceu de perto a vida da família Prestes nesse momento e cujo nome não estou autorizado a citar, diz em certo trecho:

> Reservado com os estranhos, era alegre e muito comunicativo entre os seus. Adorava os serões familiares, muitas vezes tinha trabalho a fazer e preferia roubar horas de sono a privar-se do convívio da família. E se por acaso era obrigado a isso, não aguentava muito o isolamento. Ao cabo de pouco tempo deixava o trabalho e o seu ruidoso assovio enchia de novo a casa. Às vezes sua mãe lhe dizia: Rapaz vai passear, precisas divertir-se um pouco, ao que ele respondia: Aonde quer ir a senhora? Ah! Não vai? Pois então prefiro ficar em casa, e convidava-a a jogar a bisca ou a escopa.

25. Num artigo, o jornalista Brasil Gerson cita seguinte frase de Álvaro Moreira sobre o povo brasileiro:

> Povo decente este do Brasil! Fizeram tudo o que lhes parecia humanamente possível para levá-lo ao fascismo, e ele se conservou fiel às suas tradições democráticas! A polícia e os milionários quiseram forçá-lo a usar a camisa verde dos integralistas, e ele a recusou. Por muitos anos não lhe permitiram ouvir outra palavra que a dos fascistas e ele não a gravou no seu coração. Grande povo decente é esse. Como eu o admiro. (Citado por Brasil Gerson no artigo "Los tenentes están vivos".)

26. Escreve J. F. Normano (*Evolução econômica do Brasil*, Editora Nacional, São Paulo, 1939) sobre a borracha no Brasil:

> Nenhum dos produtos de consumo brasileiros teve uma história calma e pacífica, mas a agitada tragédia da borracha amazonense não tem nada que se lhe possa comparar. Está permanentemente envolvida com fatos políticos. Recorda-me os conflitos com o Peru e Bolívia, a sua localização no campo do interesse internacional, nas vizinhanças da concessão americana (concessão Ford), as concessões japonesas, e os interesses das companhias inglesas de navegação.

E mais adiante: "A alta do preço acelerou a vitória da borracha cultivada sobre a borracha nativa. No ano de 1909, a borracha das plantações inglesas e holandesas entrou no mercado mundial; em 1910 era vendida mais barata do que a borracha brasileira".

27. Quando estive em Manaus, em fins de 37 e começos de 38, ainda conheci um português que mendigava nas ruas da cidade. Contaram-me a sua história: fora um dos milionários da Amazônia no tempo da alta da borracha e, para uma amante dele representar, fizeram construir um dos mais belos teatros que hoje possui a cidade de Lisboa, no seu país natal. Em 37 pedia esmolas nas ruas de Manaus. Muitos outros assim.

28. Escreve o comandante Roberto Sisson, secretário-geral da Aliança Nacional Libertadora (*La revolución democrática progresista brasileña*, Ediciones Rio-Buenos Aires, 1939) o seguinte:

> *Sin embargo, ese grandioso esfuerzo nacional progresista* [se refere à época que precedeu e sucedeu imediatamente à República] *se paralizó, pues la marcha pacifica de esa revolución democrática fue estorbada por el fortalecimiento de las posiciones del capitalismo extranjero a partir de la presidencia Campos Sales. Nuestra economía nacional no había alcanzado el desarrollo necesario para impedir la dominación de esos capitales, que debían ser recibidos como auxiliares y no como señores, como sucedió con los Estados Unidos. Por lo tanto, nuestro naciente capitalismo nacional fue vencido por el competidor más fuerte que, expulsándole las mejores*

posiciones, lo obligó a vivir de sus migajas, subvirtiendo así nuestra economía que nunca más pudo ser dirigida en pro de los intereses nacionales, y si de los extranjeros.

29. Esta frase sobre a época é de Oswald de Andrade, no prefácio de um dos seus grandes romances (*Serafim Ponte Grande*, Ariel Editora, Rio, 1933). Escreve ele:

A situação revolucionária desta bosta sul-americana apresentava-se assim: o contrário do burguês não era o proletário — era o boêmio. As massas, ignoradas no território e, como hoje, sob a completa devassidão econômica dos políticos e dos ricos. Os intelectuais brincando de roda. De vez em quando davam tiros entre rimas.

30. Segundo Normano (obra citada), o número de fazendas de mais de 1 milhão de pés de café, em 1927, é de 21 com um total de 34 milhões de cafeeiros. E as fazendas entre 100 mil pés e 1 milhão são apenas 2398. Ou seja, para esses 2400 homens trabalhavam mais ou menos um milhão de pessoas.

31. É ainda Normano quem escreve (obra citada):

Quando o café se tornou "rei", São Paulo assumiu a liderança na União e a política começou a influir na situação do café. Todo o período da Primeira República é dominado pela inter-relação existente entre o café e a política. A revolução de 1930 foi o protesto contra essa situação. A Segunda República esforça-se por tornar o café um produto nacional e não local. Isso significa uma amplitude maior da economia dirigida.

Até aí Normano. Eu faço notar que a revolução de 30 é a confirmação da revolução de 22 e da de 24.

32. Até hoje o tifo, a varíola e outras moléstias são endêmicas em determinadas regiões do país. Na zona do cacau, o tifo nunca deixou de existir como uma praga terrível. Continua a matar gente da mesma maneira que há trinta anos. Em outubro do ano passado, percorrendo mais uma vez essa zona encontrei em toda parte o fantasma do tifo, junto com outros fantasmas como a crise, a fome e a lei de salário mínimo do Estado Novo, além do mais inaplicada. A varíola em todo o Nordeste é o mesmo que uma coceira banal de crianças. Em 1936 e em 1938 encontrei no interior da Bahia e Sergipe vilas inteiras enfermas de alastrim, como chamam aí o determinado tipo de varíola. Nas feiras gente vendia frutas, carne e verdura com os rostos e as mãos cheias de cicatrizes ainda por fechar. Me recordo de uma noite que passei num hotel de Boquim, cidade sergipana na margem da Estrada de Ferro Leste Brasileira: a arrumadeira que fez a minha cama, a mulata que serviu a mesa e o menino que levou as minhas malas tinham as marcas da varíola ainda por cicatrizar.

33. Vários desses artigos se encontram reunidos num volume intitulado *Bagatelas*, livro realmente precioso e geralmente desconhecido.

34. Escreve Oswald de Andrade (obra citada): "A valorização do café foi uma operação imperialista. A poesia Pau-Brasil também. Isso tinha que ruir com as cornetas da crise. Como ruiu quase toda a literatura brasileira de vanguarda, provinciana e suspeita, quando não extremamente esgotada e reacionária".

E, noutro ponto, pergunta: "O movimento modernista, culminado no sarampão antropofágico, parecia indicar um fenômeno avançado. São Paulo possuía um poderoso parque industrial. Quem sabe se a alta do café não ia colocar a literatura nova-rica da semicolônia ao lado dos custosos surrealismos imperialistas?".

35. Luís Carlos Prestes se encontrava no momento da revolução de 1922 gravemente atacado de tifo e este foi o único motivo por que não tomou parte no levante.

36. Era comandante do forte o capitão Euclides Hermes. O governo mandou convidá-lo a ir a palácio, com a liberdade garantida, para discutir a possibilidade de um acordo entre o governo e os revolucionários. Chegando a palácio foi preso pelos governistas. As promessas de respeito à sua liberdade e que ele, se fracassassem as negociações, poderia voltar ao forte, eram apenas uma cilada.

37. Os oficiais e ex-soldados do Forte do Leme em vista da artilharia deste forte não se encontrar em estado de enfrentar uma luta, se encerraram num bonde, baixaram as cortinas, atravessaram Copacabana e foram se reunir aos companheiros do Forte de Copacabana.

38. Nesse tempo ainda não se falava em tenentismo. Essa palavra só veio a aparecer em 1930, quando da vitória da revolução desse ano. Sob essa denominação ficaram agrupados não só os chefes das revoluções de 22, 24 e 30, como ela é a expressão do seu pensamento político. O tenentismo seria em última análise a revolução nacional-libertadora na sua fase de indecisão ideológica. Sobre o tenentismo escreve um dos mais ardorosos tenentistas, comandante Roberto Sisson (obra citada): "*En suma, definiendo al tenientismo, diríamos que es la expresión revolucionaria de las clases medias brasileñas*".

39. Siqueira Campos, que era um grande artilheiro, provou nessa revolução as suas qualidades, mandando um canhonaço exatamente sobre o quartel-general. O Forte de Copacabana bombardeou vários pontos da cidade.

40. O tenente Mário Carpenter não fazia parte da guarnição do forte. Servia na tropa que ficara fiel ao governo. Mas, sendo revolucionário, conseguiu chegar ao forte e se juntar aos companheiros.

41. Não consegui estabelecer se de fato, como consta, Siqueira chegou a marchar para o paiol de pólvora com um facho aceso. As versões variam, se bem a lenda insista que sim. Mas a destruição do forte por esse processo parece que foi decididamente discutida.

42. Chefiava os governistas o general Potiguara, e as crônicas da época falam em 5 mil homens avançando contra o Forte de Copacabana. Barbosa Melo fala em 6 mil (*Luís Carlos Prestes y la revolución brasileña*, Librería Fuyo, Buenos Aires). A verdade é que o forte estava cercado, milhares de soldados governistas na praia, e no mar a esquadra bombardeando os revolucionários.

43. Dos dezoito homens, dezesseis morrem e apenas dois, apesar de gravemente feridos, escapam com vida: Siqueira Campos, o grande comandante, que irá morrer num desastre de aviação quando conspirava para a revolução de 30, tendo feito antes toda a Coluna Prestes, e Eduardo Gomes, hoje coronel da aviação, que também fez a revolução de 24.

E, ainda no Hospital Central do Exército, em 29 de outubro de 1922, Siqueira Campos e Eduardo Gomes escreviam no álbum de uma senhorita as seguintes frases, que transcrevo:

5 de julho de 1922

Rufos de tambores... Longínquos ecos de clarins... Passos cadenciados e vivas de soldados... Era o Exército! Era o desfile dos herdeiros das valorosas tradições de brasilidade, mortos!

Moças brasileiras, jovens, nobres corações, escutai!

Rufos de tambores... Longínquos ecos de clarins...

Senhoritas de minha terra, fechai os olhos, voltai o rosto ao Exército que passa! Estes não merecem vossos olhares; caracteres dobrados à rajada de indignidade, só lhes arma o peito o prêmio

da desonra: a vitória de 6 de julho.

a) Antônio Siqueira Campos

Hospital Central do Exército, 29.X.1922

E de Eduardo Gomes:

Companheiros de jornada de 6 de julho, que na praia de Copacabana, lutando pela justiça cerrastes para sempre os olhos à luz do dia!...

Companheiros cujo sangue eu não choro, porque foi derramado pela honrada nossa Classe, de tão belas tradições, e pela autonomia de Pernambuco, terra que é mãe e túmulo de tantos mártires da nossa Independência!...

Companheiros que felizes entrastes na Eternidade, porque na terra tínheis sofrido pela justiça...

... a morte para vós foi uma desgraça.

e para nós, a lembrança de vosso esforço generoso é um raio de retidão que para sempre iluminará a estrada da nossa vida, e que... quem sabe? mostrará, ainda, ao Exército transviado, que é o de hoje, o caminho da honra e do civismo!

a) Eduardo Gomes

Hospital Central do Exército, 29.X.1922. (Documentos do arquivo da sra. Rosa Meireles.)

44. Por vezes, no seu interessantíssimo livro sobre a Coluna, Lourenço Moreira Lima (*Marchas e combates*, Editora do Globo, Pelotas, 1931) faz verdadeiros discursos contra a indiferença do povo em relação à Coluna, nos primeiros tempos da marcha, indiferença que lhe parece resultar de o povo estar vendido ao governo. Não compreendeu o autor que o povo, no momento inicial da Coluna, não tinha ideia do que ela era e de que diretivas era portadora. É o próprio Moreira Lima quem, na continuação do seu livro, à proporção que a Coluna penetra pelo interior e atende às necessidades e aos problemas mais imediatos do povo, queimando processo de terra, libertando gente etc., vai notar que o povo começa a apoiar a Coluna para logo depois apoiá-la entusiasticamente, ingressando nas suas fileiras, protegendo-a. Quanto mais a Coluna viu, compreendeu e tentou solucionar problemas existentes, tanto mais o povo a apoiou. Ao terminar a marcha a Coluna era adorada.

45. Euclides da Cunha teve a visão genial do sertão. O seu grande livro conserva a mesma intensa atualidade do momento em que foi escrito.

46. Vários profetas encontrei nas minhas viagens pelo Nordeste do Brasil. Lembro-me do "Profeta do Século xx, o Científico Hagapito José Amor de Jesus", que conheci em Estância, estado de Sergipe, em 1938. Esse profeta, que era um mulato sertanejo, totalmente delirante, entre cínico e risonho, pregava o fim do mundo, contava as suas lutas contra o demônio, o seu namoro com a Virgem Santíssima, vendia o Biotônico Fontoura, e fazia propaganda do integralismo. Esse partido fascista brasileiro, dirigido por outro *détraqué*, igualmente cínico, só aproveitou muito do desequilíbrio a que a vida de miséria conduziu as populações sertanejas para arrebanhar entre os sertanejos que viraram loucos ou assassinos muitos dos seus eficientes elementos. O "científico" Hagapito recitava um "poema" onde não deixava de fazer a sua propaganda integralista. Transcrevo esse "poema" para que o leitor

possa avaliar até que espécie de loucura as condições sociais do Nordeste podem levar os seres humanos lá abandonados. E aí vai o "poema":

Essas pessoas nobres
É do meu gosto exaltar
Assim como exalto a estrela que mais brilha
E a prenda mineral.

Em louvor dessas pessoas nobres
Quero ver palmas soar
Das palmas nasceu palmas
De palmas nasceu palmilhas
Outra reforma de palmas
Em louvor de Deus Pátria e Família
Fora do partidarismo político
Bateu a palma na palma
Bateu as palmas da mão
Outra reforma de palmas
Em louvor dos brasileiros cidadãos

Viva os espíritos de luzes
Viva a nossa nação brasileira
Viva os brasileiros cidadãos
Viva a reunião da sociedade social
Viva outro viva e viva.

47. A Coluna Prestes é considerada um feito do Exército brasileiro. Mesmo aqueles generais que odeiam a Prestes e são dos mais responsáveis pelo que ele tem sofrido na prisão, mesmo esses se vangloriam dos feitos militares da Coluna.

48. Tal era o prestígio de Joaquim Távora entre a tropa que o comando revolucionário escondeu dos soldados a notícia da sua morte durante três dias, temeroso que essa notícia liquidasse o moral da tropa.

49. Muito curioso é o detalhe que narra Lourenço Moreira Lima no seu tão documentado livro sobre a Coluna. Conta ele com a sua curiosa prosa de advogado, militar e jornalista, referindo-se a episódios da manhã de 5 de julho de 24 em São Paulo: "Dizia-se que 3 mil obreiros se tinham mandado oferecer ao general Isidoro,

e que este não aceitara os seus serviços com receio de ser desvirtuado aquele movimento pela irrupção de um levante bolchevista".

Aliás, é interessante notar que até a chegada de Prestes para o meio dos revolucionários, a revolta era quase que a própria confusão. Os revolucionários não só não sabiam perfeitamente o que queriam, como agiam da maneira mais alucinada possível. Alguns fatos bastam para comprová-lo. Segundo Moreira Lima (obra citada) o velho João Francisco se nega a cumprir uma ordem do comando revolucionário porque "ele era um general e aquilo era coisa para ser feita por um coronel". Isidoro e Miguel Costa trocam de mal e depois ficam de bem, a propósito de coisas insignificantes. O comando revolucionário considera a revolta perdida no mesmo momento em que o governo foge da cidade. Um soldado, após um tiroteio em que baixou dois inimigos, vem perguntar a Isidoro se por acaso não é um criminoso. Os revolucionários do encouraçado *São Paulo* não bombardeiam a cidade do Rio por sentimentalismo.

No entanto, quase ao mesmo tempo, na revolta de Prestes no Sul, um dos seus oficiais bombardeia uma cidade na qual se encontrava a sua própria esposa nos dias de dar à luz. Esse oficial colocava o seu dever revolucionário acima de qualquer sentimentalismo. O contraste entre essa decisão revolucionária e o "não-saber-que-fazer" dos comandados de outros chefes nos demais setores da revolução é tão evidente que não preciso me demorar nele.

50. Hercolino Cascardo virá a ser, em 1935, o presidente da Aliança Nacional Libertadora, tendo se comportado à altura de suas tradições de bravura não somente durante a legalidade da Aliança, como nos tempos da ilegalidade e nos tempos de prisão.

51. Esse Filinto Müller, expulso da Coluna em 1926, é o mesmo chefe de polícia do Estado Novo, carcereiro de Prestes desde 1935, torturador do grande general e de milhares de revolucionários brasileiros. A sua evolução é justa e certa. O Estado Novo não podia encontrar ninguém melhor para seu chefe de polícia que o ex-revolucionário, expulso da Coluna por traição.

52. Na sua marcha para o Paraná, a Coluna do Rio Grande havia perdido mais de metade dos seus efetivos, e haviam morrido em combate os seguintes oficiais: Anibal Benévolo, Mário Portela, Santos Paiva e Ernesto Pinto.

53. Escreve sobre esta manobra Lourenço Moreira Lima (obra citada): "Havíamos quebrado o fundo da tal garrafa em que Rondon, segundo mandou dizer para o Rio, nos tinha metido e esperava fechar, sem se lembrar que, sendo de vidro, poderia ser despedaçada com um simples pontapé, como de fato aconteceu".

54. Foi o seguinte o documento enviado às autoridades paraguaias:

Sr. comandante:

Forçados por circunstâncias excepcionais e inapeláveis, entramos armados em território de vossa pátria. Não nos move nesse passo extremo a que nos atiram as vicissitudes de uma luta real, mas intransigente, pela salvação das liberdades brasileiras, nenhuma ideia de violência contra os nossos irmãos da República do Paraguai.

Queremos apenas evitar, a todo transe, a renovação de um espetáculo, cuja brutalidade, certamente, vos revoltaria.

Há poucos meses, tropas governistas brasileiras invadiram o território da República Oriental do Uruguai, para degolar, fria e cruelmente, vinte soldados e oficiais que, vencidos em luta desigual e heroica, buscavam abrigo, desarmados, à sombra da soberania daquele povo!

E nada nos garante, nesta contingência, que esses singulares "defensores da civilização de nossa pátria", desistam de repetir, em vosso país, o gesto vil de barbaria com que já uma vez afrontaram os sentimentos de humanidade dos nossos vizinhos do Uruguai. Não descemos, por isso, desarmados o rio Paraná, ao longo do qual, em toda a costa brasileira, estacionam tropas governistas, cujo escrúpulo não trepidamos em igualar à inconsciência feroz daqueles monstros que em pleno dia do século xx, e além de uma fronteira estranha, tripudiaram sobre os cadáveres mutilados dos seus irmãos!

Rogamo-vos, pois, que transmitais aos legítimos representantes do povo paraguaio a expressão sincera do nosso respeito e os certifiqueis que praticamos simplesmente um ato de legítima defesa. Comprometemo-nos, explicitamente, a respeitar as vossas leis, ajudar-vos, se tanto for mister, a defender a integridade de vossa soberania.

Declaramos outrossim que praticando esse ato de defesa extrema, fizemo-lo à revelia de nossos chefes dr. Assis Brasil e marechal Isidoro Dias Lopes — com quem nenhuma ligação podemos ter no momento crítico de sua decisão.

Assumimos, assim, a inteira e exclusiva responsabilidade dele, certos de que a maioria do povo brasileiro — vosso amigo leal e desinteressado — vos pedirá excusas para aqueles que tudo têm sacrificado pelo ideal sacrossanto da sua liberdade — e vós, satisfazendo a petição de quase 30 milhões de oprimidos — sabereis ser justos sendo generosos.

Acantonamento em Porto Mendes, 26 de abril de 1925.

aa) General Miguel Costa, coronel Luís Carlos Prestes, tenentes-coronéis Juarez Távora, João Alberto Lins e Barros, Oswaldo Cordeiro de Farias, João Cabanas; majores Coriolano de Almeida Júnior, Paulo Kruger da Cunha, João Virgílio R. dos Santos; capitães Djalma Soares Dutra, Henrique Ricardo Hall, Ari Salgado Freire, Lourenço Moreira Lima, Emídio da Costa Miranda.

55. Não posso me furtar à vontade de citar aqui o momento de emoção do "bacharel feroz", o dr. Moreira Lima (obra citada), quando de uma curva da estrada de ferro, ele vê toda a coluna em marcha. Escreve:

Em dado momento, pude ver, de um ponto onde me colocara, toda a Coluna avançando dentro daquela curva imensa.

Era um espetáculo empolgante o daqueles numerosos cavaleiros, bem montados, carregados de armas, com os grandes lenços vermelhos trançados ao pescoço, desfilando em perfeita ordem militar, à luz de um belo sol de ocaso que descia lentamente no horizonte distante como um soberbo disco de fogo.

56. Sobre o papel de Prestes na Coluna escreve Moreira Lima (obra citada): "A opinião de Prestes era sempre predominante nesses conselhos". E noutro ponto: "A sua atividade [de Prestes] era inigualável, resolvendo todos os assuntos dos mais transcendentes aos mais simples. Tudo sofria a sua influência. Aparecia em toda parte, na vanguarda, nos flancos, no centro, na retaguarda".

O comando da Coluna ficou, nesta ocasião, assim constituído:

Comandante: general Miguel Costa.

Chefe do Estado-Maior: coronel Luís Carlos Prestes.

Subchefe do Estado-Maior: Juarez Távora.

Secretário: Lourenço Moreira Lima.

Os destacamentos tinham os seguintes comandantes:

Primeiro comandante: Oswaldo Cordeiro de Farias; fiscal: major Virgílio dos Santos.

Segundo comandante: João Alberto; fiscal: major Manuel Lira.

Terceiro comandante: Siqueira Campos; fiscal: capitão Trifino Correia.

Quarto comandante: Djalma Dutra; fiscal: major Ari Freire.

Pertenciam ao Estado-Maior os majores Paulo Kruger e Peri, os capitães Costa e Landucci e os tenentes Sadi, Nicácio e Morgado. Chefiava a segunda seção de M. P. o tenente João de Souza.

57. Sobre as potreadas escreve Moreira Lima (obra citada):

lembro-me de três que atravessaram longas zonas até atingir a Coluna: a do sargento Menotti, que se apartou com dez homens ao norte de Goiás, indo se reunir perto da fronteira de Mato Grosso, tendo perdido três companheiros em combate; a do capitão Euclides Krebis, com quinze homens, saída igualmente do norte de Goiás, reunindo-se já naquele estado, com quatro perdas; e a que se separou com quinze camaradas a oeste de Mato Grosso, tendo percorrido a vasta zona que vai de Porto Esperidião à fazenda de Escalvados, onde a encontrei na minha volta de Libres, quando seguia em busca da Coluna.

58. Todos os nomes e todos os fatos (como aliás todos os nomes e todos os fatos deste livro) são autênticos. Eu os encontrei no livro de Moreira Lima (obra citada). Como detalhe, vale a pena citar que o único regimento onde as vivandeiras nunca conseguiram se estabelecer foi no de Siqueira Campos. Siqueira as expulsou violentamente, achava que elas perturbavam os homens e atrapalhavam a marcha. Elas, como vingança, o apelidaram de "olho de gato" e "barba de arame".

59. A primeira dessas lendas, a da rapidez, é referida por Moreira Lima (obra citada). A segunda, a dos meninos nascendo em cima dos cavalos e pegando em fuzil, eu a ouvi cantada, em 1934, por um cego tocador de violão, numa beira da vila da Conceição da Feira, no Recôncavo Baiano.

60. Trecho de uma entrevista concedida por Luís Carlos Prestes, quando já em La Gaiba, na Bolívia, a um enviado especial de *A Esquerda*, diário que Pedro Mota Lima, o grande jornalista da Revolução, dirigia no Rio de Janeiro. Essa entrevista foi publicada em janeiro de 1928. Como detalhe, acrescento que estou informado de que o jornalista que entrevistou Prestes foi o escritor Astrojildo Pereira, um dos melhores ensaístas do Brasil, ao tempo secretário-geral do Partido Comunista do Brasil. Outro detalhe curioso: a pessoa que, com tanta coragem, procurou na Biblioteca Nacional do Rio de Janeiro a coleção de *A Esquerda* daquele ano para copiar essa entrevista e me enviar, não conseguiu encontrar exemplares do referido jornal na Biblioteca. Teve que copiá-la de uma transcrição feita na época pelo jornal do sr. Carlos de Lima Cavalcanti, o *Diário da Manhã*, do Recife. A pessoa se interessou em saber que fim tinham levado os exemplares do diário de Mota Lima, que forçosamente deviam existir na Biblioteca. Foi informada então que esses exemplares haviam sido queimados pelo Estado Novo.

61. Me parece que Moreira Lima não tem razão quando atribui simplesmente a motivos de ordem estratégica as modificações dos planos de marcha de Prestes. Creio que mais que razões de ordem militar, a visão da vida no interior fez Prestes modificar seus planos se demorando com a Revolução entre as populações escravizadas.

62. Moreira Lima (obra citada) fala no *riso triste de Prestes*.

63. "A maior tragédia é morrer de fome na terra de Canaã", diz José Américo de Almeida no prefácio de *A bagaceira*, o romance iniciador de toda a moderna novelística brasileira. Não sei se as palavras da frase são exatamente estas, pois cito de memória. Mas sei que era isso que o romancista queria dizer de referência à tragédia das terras do Nordeste.

64. Segundo me informa Pedro Mota Lima, a biblioteca mandada de presente a Prestes foi a mais completa possível. Mesmo livros dos quais só havia um exemplar em todo Rio de Janeiro foram enviados, os donos se desfazendo deles para presentearem a Prestes. Essa biblioteca influiu muito nos estudos de Prestes.

65. Sobre são João Batista eu recordo um magnífico artigo de Graciliano Ramos, publicado se não me engano no *Vamos Ler!*, onde nos apresenta o santo numa visão curiosíssima.

66. Transcrevo uma carta de um admirador a Prestes, para que o leitor tenha ideia do carinho com que o tratavam pessoas que nunca o tinham visto ou que o tinham tratado uma ou duas vezes, na marcha, mas para as quais ele era a única fonte de esperanças:

P. Seguro, 18 de dezembro de 1925.

Ilmo. sr. cel. Prestes.

Saudações.

Desejo-lhe que tenhas feito ótima viagem até Barão de Grajaú, ficarei sempre lembrando-me do distintíssimo coronel, de cuja lembrança e para mais uma prova de amizade na pracinha em frente de minha casa vou preparar como uma lembrança sagrada um monumento e escrever PRAÇA CORONEL PRESTES para ali então mais tarde se Deus me ajudar mandar preparar uma estátua, para tornar mais brilhante a praçazinha. Confio portanto que o coronel aprovará o meu ideal.

Fineza desculpar-me, e fica aqui sempre um criado inteiramente às suas dignas e apreciadas ordens.

De Vmce.

Am° Cr° Obr° atrazc. Raimundo Ramos.

Como essa, Prestes recebia centenas de cartas.

67. Para se ter ideia da vida nessa região dos ervais, região do Paraná, igual no Brasil, no Paraguai e na Argentina, eu recomendo a leitura dos vigorosos relatos de Marcos Kanger, escritor e líder obreiro argentino, cheio de um denso calor humano. Alguns desses relatos foram publicados em *Orientación*, semanário de Buenos Aires. E o livro de Alfredo Varela, *El río oscuro*, no qual a Coluna Prestes é personagem.

68. Moreira Lima (obra citada) transcreve um discurso de um chefe índio, traduzido por um intérprete. Apesar de desconfiar que Rondon aparece no discurso um pouco por sectarismo do "bacharel feroz", eu o cito aqui porque ele dá uma ideia do desespero dos índios. Dizia o cacique: "Generá, tuxaua tá dizendo qui cristão toma muié de caboco; não deixa caboco caçá; mata caboco; qui Rondon não s'importa cum caboco; tá pidindo você dê cavalo cansado a ele, dê inxada, dê ispingarda, dê roupa veia, dê dinheiro".

69. Na cidade de Carolina, Moreira Lima (obra citada) ouviu de velho vaqueiro a seguinte frase — no momento em que o fogo devorava os livros de impostos — a respeito de processos injustos: "Seu capitão, eu já tenho 78 anos e inté hoje foi a coisa mió que vi fazê na Carolina, pruquê os dereitos são um despotismo".

70. É portador dessa carta o bispo do Piauí, d. Severino Vieira de Melo, que conversa com os revolucionários. Nela Juarez pede que Prestes desista de libertá-lo para não perder forças da Coluna e não sujeitar a população de Teresina aos percalços de um combate.

71. É um oficial governista, o tenente-coronel Elísio Sobreira, quem, num relatório (Moreira Lima, obra citada), conta do que são formadas as forças governistas. O tenente-coronel está revoltado com o que vê. Escreve:

> Ser-me-ia dispensado dizer a V. Exa. que a tropa do coronel Pedro Silvino [chefe político local] não conduzia dinheiro nem para comprar um cigarro, se assim me posso expressar.
>
> Daí a minha preocupação em acautelar os haveres dos nossos sertanejos. Era que os patriotas extorquiam àqueles que lhes não davam por vontade, conforme documento em meu poder. Eles, os patriotas, satirizavam as famílias e arrombavam as portas, como fizeram no município de Sousa, em a casa do coronel Apromano, a quem deram prejuízos incalculáveis.
>
> Ameaçaram de morte o coronel Emídio Sarmento, se este não lhes entregasse o que exigiam. Estabeleceram o regime das requisições, prática essa que nos deu prejuízos talvez superiores aos que nos deram os rebeldes, a menos que o coronel Pedro Silvino ainda as venha a pagar. Foram vítimas desse ciclone patriótico as cidades de Sousa, Pombal e a vila de Piancó, os povoados de São José de Lagoa Tapada, Caruna e Santana de Garrotes. Alguns quilômetros deste último os prefalados patriotas simularam um tiroteio, motivando a retirada dos negociantes moradores do povoado, onde eles chegaram somente para expandir o saque e a desonra, atentada pelo estupro de uma mocinha. Não foram menos infelizes Misericórdia, Princesa e Patos.

72. Os poetas viram mesmo heróis de lendas e de anedotas. Todo o sertão conhece Camões mas não como o genial épico português, conhece Bocage mas não como um grande poeta da língua... Conhece os dois poetas maiores de Portugal como as figuras principais de histórias de aventuras pouco honestas e de anedotas pornográficas. É comum ouvir no sertão, de um cabra qualquer, uma história começar assim: "Era uma vez o Camões...". E vem uma anedota sujíssima.

73. Landulfo Prata ouviu de um camponês do Nordeste a seguinte frase (*Lampião*, Ariel Editora, Rio de Janeiro) sobre as desgraças do sertanejo: "Seu doutô, o sertão veve debaixo de uma carga pesada. De um lado Lampião e a seca. De outro lado a polícia...". Como cito de memória, longe dos meus livros, não garanto pela transcrição das palavras. Mas o sentido da frase é esse.

74. As lendas contadas neste capítulo ou são citadas por Moreira Lima (obra citada) ou foram ouvidas por mim no Nordeste. O ABC que cito eu o recolhi em Conceição da Feira, Bahia, em 1934.

75. Moreira Lima fala (obra citada) em 100 mil homens perseguindo a Coluna pelo país.

76. Um trecho de um telegrama apreendido pela Coluna diz: "Estou autorizado pelo dr. presidente da República a assegurar aos chefes civis que quem liquidar esse movimento terá o prêmio de quinhentos contos de réis e autorizo a oferecer esse prêmio aos seus amigos. a) Geraldo Rocha". Esse telegrama de Geraldo Rocha era dirigido ao dr. Diocleciano Teixeira, em Caiteté.

77. Para que o leitor tenha uma ideia da confiança que os oficiais e os soldados da Coluna depositavam em Prestes, cito as seguintes palavras de Moreira Lima (obra citada): "O meu estado de espírito era tal, nessa campanha, que se Prestes resolvesse ir ao Inferno, eu o acompanharia...".

O mesmo Moreira Lima nos conta dessa saborosa frase de um homem da Coluna sobre Prestes: "O general Prestes é muito homem para vadear o mar-oceano e virar a Oropa em frege".

Essa a opinião que os combatentes da Coluna faziam de Prestes, esse Prestes que certa vez Moreira Lima procura com o olhar, na parte mais dura dessa dura travessia de Sento Sé e vê: "Procurei, certa vez, com o olhar, o nosso Aníbal, e vi-o marchar com a água e a lama acima das botas, com aquela expressão de serena e indomável energia que se estampa na sua face nos momentos trágicos...".

78. Esse recorde é conquistado no dia 29 e superado no dia 1º de junho.

79. Nesses 5 mil quilômetros estão incluídos os quilômetros feitos em Minas Gerais, já que a penetração deste estado não foi mais que um detalhe glorioso da campanha da Bahia.

80. Para dizer da importância de *A Manhã*, jornal que alcançou uma popularidade

sem precedentes no Brasil, basta dizer que o governo do Estado Novo, demagogicamente, ao querer publicar um matutino seu, pôs-lhe, numa tentativa de popularizá-lo, o título de *A Manhã* atentando contra a prosperidade de Mota Lima, da mesma maneira violenta com que em 1935 empastelara as suas oficinas. Não é preciso dizer que, apesar de toda a publicidade, apesar de haver conseguido comprar a colaboração de alguns antigos colaboradores d'*A Manhã*, o jornal getulista não tem venda, o povo não é tão facilmente ludibriado.

E para dar uma ideia do que era *A Manhã*, a nossa, a de Mota Lima, a do povo, basta citar alguns nomes de redatores e colaboradores: Otávio Malta fazia a secretaria. Entre outros estavam na redação Osvaldo Costa, Aporelly, o grande humorista, Rubem Braga e Brasil Gerson. Braga fazia diariamente uma daquelas suas crônicas tão cheias de calor popular. Álvaro Moreira também fazia diariamente uma notável crônica. Assinavam colaboração Anísio Teixeira, o grande pedagogo, ao tempo secretário de Educação do Distrito Federal, o professor Hermes Lima, José Lins do Rego, Edison Carneiro, o professor Artur Ramos, Dias da Costa, Eugênia Álvaro Moreira, Jorge de Lima, Aníbal Machado, Rachel de Queiroz, muitos outros. Oswald de Andrade fazia a crítica de livros nacionais. Santa Rosa, Paulo Werneck e Di Cavalcanti ilustravam o jornal. Eu tive a honra de ser redator e colaborador desse diário.

81. Atendendo à possível curiosidade de algum leitor, tomo um dos números que tenho na minha frente do *Cinco de Julho*, devido à gentileza de Rosa Meireles, a cujo arquivo eles pertencem, e dou uma resenha da matéria contida: um artigo sobre a data de 5 de julho (esse número, casualmente, corresponde a 5 de julho de 1926), uma notícia da morte de Cleto Campelo, com seu clichê, uma nota sobre a morte de Waldemar de Paula Lima, um quadro com os "Motivos e ideais da Revolução", um artigo sob o título "A Revolução é invencível", um estudo sobre a situação militar da Coluna Prestes, um chamado de um revolucionário sob o título de "Pelo Brasil", uma outra nota sobre o levante da Paraíba e a transcrição do manifesto dos revolucionários que não chegou a ser distribuído ao povo, a transcrição de trechos de um discurso do deputado Azevedo Lima, na Câmara, uma nota sobre Maynard Gomes, uma nota sobre José de Barros, operário que faleceu na revolta de Cleto Campelo. E por fim uma pasquinada contra Bernardes. Isso tudo em quatro pequenas páginas.

82. Esses fatos se deram na capital paraibana em 1926.

83. Não tenho nenhum documento que me leve a afirmar que o Partido Comunista do Brasil tenha apoiado oficialmente o levante de Cleto, não tenho tampouco nenhum documento que prove o contrário. Agora, tenho documentos que mostram que comunistas pernambucanos tomaram parte nesse levante. Aliás é de notar que muitos operários se juntaram aos revolucionários. E mais: que Josias Leão, o homem que estabelece a ligação entre Cleto e Prestes, era, naquele momento, membro do Partido Comunista do Brasil, do qual iria se afastar depois.

84. Numa nota que, a meu pedido, Pedro Mota Lima escreveu sobre o *Cinco de Julho*, na qual, modestamente, se coloca num segundo plano, informa entre outras coisas:

> A polícia instituiu um prêmio de cinquenta contos para quem oferecesse uma pista que conduzisse à sua oficina ou apontasse os seus redatores e principais distribuidores. Entre os que trabalhavam no jornal se devem destacar como elementos de maior eficiência o fundador e redator principal, Antônio Bernardo Canelas, e Paulo Mota Lima, que tinha então apenas dezesseis anos e tomou a responsabilidade da distribuição geral e da ligação do aparelho do jornal com a massa de leitores, contribuintes, fornecedores de papel, tinta etc.

Quanto a Canelas, informa Pedro Mota Lima: "Canelas se sujeitou a viver encerrado num quartinho, nos fundos de uma casa do subúrbio, onde instalou a pequena oficina, comia, dormia, vivia privado de tudo só aparecendo às poucas pessoas autorizadas a falar-lhe nesse esconderijo". Diz ainda Pedro Mota Lima: "sempre enérgico em suas críticas, bem informado sobre a marcha dos acontecimentos militares e políticos, e pontual: o *Cinco de Julho* foi talvez o mais pontual semanário que já teve o Rio de Janeiro".

85. Os estados atravessados pela Coluna foram São Paulo e Paraná (pelas forças paulistas que deixavam a capital de São Paulo), Rio Grande, Santa Catarina (pelas forças de Prestes que no Paraná se reuniram às paulistas), Goiás, Mato Grosso, Piauí, Maranhão, Ceará, Rio Grande do Norte, Paraíba, Pernambuco, Bahia, Minas. A maior parte desses estados foram atravessados mais de uma vez. A Coluna cruzou também um trecho da República do Paraguai.

86. Um telegrama de Horácio de Matos ao capitão Luís Tavares Guerreiro narra esse combate da seguinte maneira: "Ligaões rebeldes sustentaram oito (*sic*) horas de fogo no dia 18, recuando para tornar investir das onze às dezenove horas até forçarem passagem do rio Sapão e serra do Piauí, tomando direção Goiás. As forças estavam distribuídas em muitos lugares, o campo de operação muito vasto" etc.

87. Sobre esta marcha Siqueira escreveu uma memorável carta a Prestes, de Buenos Aires (30 de abril de 1927). É onde ele comunica a Prestes haver dado seu nome a

uma estação de estrada de ferro. Diz: "Oficialmente mudei o nome da estação [Pires do Rio] para *Prestes*; não sei se eles [os governistas] respeitarão a ideia". Nessa carta Siqueira dá conta não só da sua marcha, com todos os detalhes técnicos, como narra as pilhérias feitas com os governistas, os telegramas passados para assustar o inimigo etc. É uma carta preciosa.

88. Entrevista de Prestes concedida a um jornalista chileno (José Joaquim da Silva) e publicada em *La Nación*, de Santiago, em 28 de dezembro de 1941.

89. Muitos meninos se incorporavam de quando em vez à Coluna, acompanhando-a largos trechos, alguns praticando verdadeiros heroísmos. Sobre o assunto escreve Moreira Lima (obra citada): "Durante a marcha muitos meninos de doze a catorze anos se incorporavam à Coluna, distinguindo-se alguns pela sua bravura. Entre outros lembro-me dos seguintes: Jaguncinho e Aldo, aos quais já me referi atrás, Tibúrcio maranhense, Pedrinho e José Tomás de Aquino, piauienses. O último desses meninos foi promovido a anspeçada por ato de bravura".

90. Depois desse combate ainda houve dois tiroteios, sem maior importância. Um a 29, dois destacamentos da Coluna atacados por jagunços que logo fugiram ante a reação dos soldados. O outro a 30, os jagunços de Franklin Albuquerque tiroteando da margem esquerda do rio Jauru os revolucionários que estavam na outra margem. Os jagunços não tentaram transpor o rio e se foram após alguns tiros.

91. Sobre a Coluna Prestes escreveu Romain Rolland no seu chamado ao mundo pela liberdade de Luís Carlos Prestes em 1936:

> Os ditadores do Brasil que creem poder, graças ao dinheiro dos seus amos, os capitalistas da Europa e da América, graças ao silêncio comprado da imprensa cúmplice, afogar na sombra o jovem Herói da Independência se enganam assombrosamente sobre a repercussão mundial da sua epopeia, e sobre o amor que rodeia a figura legendária do Cavaleiro da Esperança. Luís Carlos Prestes entrou vivo no Panteão da História. Os séculos cantarão a canção de heroísmo dos Quinhentos da Coluna Prestes, e sua marcha de três anos através da imensidade do Brasil, desde o Paraná ao Atlântico. A unidade das raças e das almas do Brasil se forjou através dela. Insensatos seriam os amos do Brasil, que não vissem que ao golpear Luís Carlos Prestes é o Brasil mesmo que golpeiam. É mais! Um Luís Carlos Prestes nos é sagrado. Pertence a toda a humanidade. Quem o golpeia, golpeia a toda humanidade.

92. Tenho aqui diante de mim uma fotografia desse soldado Joel tomada quando ele já estava preso na ilha de Trindade, após ter feito grande parte da marcha, até cair prisioneiro (fotografia do arquivo da sra. Rosa Meireles). É o tipo do sertanejo. Caboclo, olhos miúdos, a boca semiaberta num sorriso breve.

93. Para que o leitor faça uma ideia perfeita da curiosa e admirável figura que era Lourenço Moreira Lima, transcrevo na íntegra a carta que ele dirigiu a Prestes, em 1935. Transcrevo-a do processo que lhe foi movido pelo governo após a revolução de novembro de 35 e do qual resultou sua condenação a, se não me falha a memória, três anos de prisão (Polícia Civil do Distrito Federal, "A insurreição de 27 de novembro", Relatório do delegado Eurico Bellens Porto, Rio de Janeiro, 1936):

> Meu caro Prestes: Respondo a sua carta de julho próximo. Estou de pleno acordo com você e já venho, há muito, trabalhando pela vitória da Revolução. Confio no triunfo. A mocidade e o povo estão inteiramente ao nosso lado. Os elementos retrógrados se acham em pânico. Econômica e financeiramente o Brasil está falido. E o saque por parte do governo é absoluto. Para a esquerda é a frase que se ouve em todas as bocas. Estou certo de que, se você entrar no Brasil, à frente de uma Coluna, esta camorra cairá com a maior facilidade. Enfim, pode contar comigo para a paz e para a guerra. Filipe manda-lhe grande abraço. Queira aceitar um abraço do seu velho amigo e camarada. — a) Lourenço Moreira Lima.

94. Esteve, por exemplo, nessa ocasião, escondido em casa do dr. Júlio de Mesquita, diretor e proprietário de *O Estado de S. Paulo*, possivelmente o mais importante dos diários do Brasil. Reconstruo o perfil de Siqueira Campos em grande parte baseado em informações fornecidas por gentileza do dr. Júlio de Mesquita.

95. Sobre essa marcha do destacamento Siqueira Campos escreve Moreira Lima (obra citada):

> Siqueira cumpriu cabalmente essas instruções. Como, porém, não tivesse podido encontrar a Coluna, por circunstâncias imprevistas e independentes da sua vontade, realizou o mais brilhante *raid* de quantos foram levados a efeito pelos nossos destacamentos, traçando uma circunferência grandiosa de mais de mil léguas em torno da cidade de Cuiabá, invadindo Goiás e, por fim, o Triângulo Mineiro, de onde marchou para a República do Paraguai, que alcançou, nela se internando.

A marcha total desse *raid* de Siqueira atingiu 9 mil quilômetros.

96. O *Cinco de Julho*, num dos seus números, publica os seguintes "motivos" e "ideais" da revolução de 24:

> *Motivos*: desordem financeira e econômica: impostos exorbitantes; desonestidade

administrativa; falta de justiça; mentira do voto; amordaçamento da imprensa; perseguições políticas; desrespeito à autonomia dos estados; falta de legislação social; reforma da Constituição sob o estado de sítio.

Ideais: assegurar o regime da Constituição de 24 de fevereiro; estabelecer o ensino primário gratuito e o ensino profissional e técnico em todo o país; assegurar a liberdade de pensamento; unificar a justiça, colocando-a sob a égide do Supremo Tribunal Federal; unificar o regime eleitoral e estabelecer o voto secreto obrigatório; unificar o fisco; assegurar a liberdade municipal; castigar os defraudadores do patrimônio do povo; acabar com a anomalia de um tesouro público endividado enquanto os políticos profissionais vivem prósperos; rigorosa economia dos dinheiros públicos a par de eficiente auxílio às forças econômicas do país.

97. Rodolfo Ghioldi traça o seguinte paralelo entre o golpe de 6 de setembro na Argentina e o movimento da Aliança Liberal:

Poco después, en octubre, se daría el movimiento de la Alianza Liberal en Brasil. Hay autores, americanos y europeos, que ponen en igual plano ambos movimientos. Error craso. La Alianza Liberal tenía un programa popular muy amplio y realizó su movimiento con apoyo de las masas; en cambio, el de setiembre fue un movimiento militar sin apoyo de masa — aunque inicialmente sin hostilidad de la masa — y antiprogresista y reaccionario por su contenido. La degeneración de la Alianza Liberal vendría después. Pero uno de los secretos de la permanencia de Getúlio es que el llegó al poder en brazos de la masa.

98. Entrevista citada.

99. Entrevista citada.

100. O jornalista que entrevistou Prestes, Astrojildo Pereira, um dos homens que melhor escrevem e pensam no Brasil, teve o seguinte comentário sobre essas frases de Prestes:

Estas coisas ditas por Prestes têm uma importância fundamental. Elas mostram que a Revolução, para Prestes, não é um mero motim militar. Ela é um fenômeno social infinitamente mais complexo. Para resolver os problemas nacionais, a Revolução tem que ser um vasto e profundo movimento popular em que o elemento militar desempenhe o papel — já de si imenso — de dínamo propulsor. Evidentemente, movimento desta natureza, assim amplo e difícil, não pode ser obra de um simples momento de exaltação. Ele exige, pelo contrário, longa, paciente, laboriosa preparação. E a esta preparação devem consagrar-se, coordenadamente, todas as forças progressistas do país. (Entrevista citada.)

101. Esse é o motivo de um poema de Raul Bopp, o único poeta que, no momento do modernismo cantando loas aos governantes, tratou da Coluna Prestes. Infelizmente não tenho cópia do poema comigo, motivo por que não o transcrevo na íntegra. O título é "Buena dicha".

102. Sobre o estado físico e a maneira como se vestia Prestes, transcrevo dois depoimentos. Um de uma reportagem da Agência Brasileira, distribuída à imprensa no dia 3 de janeiro de 1928 e que diz:

> E, nesse empenho, percorreu [Prestes] léguas e léguas debaixo de chuva, algumas vezes, outras vezes ardendo em febre [em La Gaiba para conseguir trabalho para os soldados]. À noite num pouso ou em plena mata, estendia no chão a sua capa molhada e dormia até o clarear do dia, quando acordava e partia. Uma família que o encontrou então neste estado de saúde e pobreza, andrajoso e de barba crescida, deixou-se tomar de medo. Enquanto a mãe o atendia, receosa, as filhas, já moças, corriam para o mato, julgando-o um malfeitor. Mas, logo desfez a impressão às primeiras palavras. E hoje essa senhora, que é dona Ana Rossi, mato-grossense, residindo em San Martín, recorda, tristemente, esse lúgubre encontro, depois que soube tratar-se do general Prestes, esse homem bom de quem tanto se ouve falar.

O outro é de Moreira Lima, que encontrou novamente a Coluna em La Gaiba, quando da sua volta da missão que Prestes lhe confiara (obra citada):

> Clousét [um francês empregado da companhia em La Gaiba], depois de saber de quem se tratava, levou Prestes para sua casa, deixando-o só, por alguns instantes, na sala de visitas. A mulher de Clousét, uma boa senhora boliviana, de grande simplicidade, apareceu na sala e vendo aquele homenzinho barbudo e mais ou menos maltrapilho, de botas rasgadas, indagou de donde viera; e, ao saber que procedia de Santo Corazón, perguntou-lhe se não trouxera queijos para vender, por ser costume das pessoas vindas daquela vila os conduzirem para negócio. Prestes respondeu-lhe que não. Nesse momento surgiu Jean Clousét que, ao ouvir aquela conversa, disse a sua mulher que aquele homem era o general Prestes.

103. Sobre Prestes em La Gaiba escreve o major Costa Leite (*Luís Carlos Prestes, general y ingeniero*, Buenos Aires, 1941) o seguinte:

> *Viajábamos un día, juntos, hacia el pueblo de Santo Corazón. Prestes inspeccionaba sus trabajos. Yo fuera llevarle, y a la Coluna, el apoyo y la solidaridad de algunos centenares de oficiales del ejército, que seguían siendo sus soldados y amigos incondicionales y mandaban ofrecerle su vida y su espada por el Brasil. A cierta altura, en la carretera, le pregunto a Prestes como se fuera posible elevar, y en algunos casos, más que duplicar, los sueldos de sus trabajadores, en tan lejana región. "Muy sencillo", me contesta. "Mi preocupación fundamental es facilitar la repatriación de mis compañeros, a sus mismos hogares, donde ingresaron en la Coluna. Para ellos obtengo buenos contratos en la compañía, que cumplo rigurosamente, y el dinero lo empleo en buenos sueldos que más deprisa*

permitirán a cada uno reunir los medios necesarios al viaje de regreso." Mas adelante, le pregunto quienes dirigían grupos de trabajadores junto a los cuales nos detuvimos, que perforaban pozos, construían casas, hacían levantamientos topográficos. "Ya esperaba tu pregunta", me responde. "Realmente, aquí está un gran número de trabajadores especializados, viejos amigos míos y amigos entre sí. Pertenecían al Batallón Ferroviario de Santo Ángelo, desde donde me acompañan. Pero, en realidad, ellos no necesitan capataces, no solo porque cada uno conoce su tarea, como porque no precisan de nadie que les obligue a trabajar. Saben por cuanto contraté este trabajo, cuanto son y cuanto les toca a cada uno. Y tienen prisa de termina-lo, para empezar otro. En tales casos, para que capataz, sino para crear problemas?" Poco después uno de los trabajadores me respondió a una pregunta indiscreta que le hice: "Queremos tanto al general", se refería a Prestes, "porque, más que un jefe, él fue siempre un padre, un buen amigo, que no nos abandonó nunca en los momentos difíciles. Ahora mismo él, que todo lo hace, que sabe más que todos nosotros reunidos y que recibe un platal de la compañía, cobra en la hoja lo mismo que cualquiera de nosotros". Finalmente se desvendaba para mí el secreto de tantos éxitos magníficos. Al caer de la tarde, nuestros burros continuaban trotando por la carretera abierta en la selva boliviana por los soldados de la Coluna y por los indios chiquitanos, trabajando como hermanos. No sé porque, mi pensamiento fue a parar en el Nortdeste brasileño, en cuyos hogares pobres se encuentra el retrato de Prestes, o simplemente su nombre escrito en la pared, con una vela encendida como a un santo. Tuve que disminuir la marcha quedándome para tras ocultar mi emoción. Tenía razón el pueblo de mi tierra. Aquel hombre era, realmente, el "Caballero de la Esperanza".

104. Escreve a Agência Brasileira (reportagem citada) sobre a vida de Prestes em La Gaiba: "Morando e vivendo na mesma simplicidade dos tempos de campanha, comendo da mesma mesa dos seus trabalhadores de machado, desenvolve Prestes, em Gaiba, e por todo o oriente boliviano, uma atividade assombrosa".

105. Como uma nota curiosa transcrevo aqui, sobre as qualidades de administrador de Prestes, a seguinte opinião do sr. Getúlio Vargas. Essa transcrição é feita de uma entrevista realizada com o então candidato à presidência da República e governador do Rio Grande do Sul pelo jornalista Otávio Malta, ao tempo enviado do *Diário da Manhã*, de Recife, a Porto Alegre. A edição do *Diário da Manhã* que publicou a entrevista tem a data de 4 de setembro de 1929. Diz a entrevista:

Uma última pergunta ao dr. Getúlio Vargas:

— Que pensa Va. Excia. relativamente à figura de Luís Carlos Prestes?

Manifestou-se o presidente gaúcho elogiosamente a respeito do chefe militar da revolução. E, terminando, acrescentou:

— Aliás, já certa vez, em São Paulo, declarei, publicamente, que Luís Carlos Prestes é um grande caráter e um grande espírito. Um homem feito antes para construir do que para destruir, e somente circunstâncias especiais o levaram à guerra civil.

106. Escreve sobre Prestes nessa época Rodolfo Ghioldi: "*No solo los brasileños lo buscan. Los uruguayos, los paraguayos, los bolivianos. Creydt se lo aproxima. Los revolucionarios sudamericanos lo reconocen como el mayor; lo admiran, esperan su consejo*".

107. Nessa ocasião é enviado a Buenos Aires, como emissário dos revolucionários, o dr. Jurandir Magalhães, para ouvir a decisão de Prestes, segundo me informa o engenheiro Pompeu de Acioli Borges.

108. Sobre o seu primeiro encontro com Prestes escreve Oscar Creydt ("Tres etapas de una vida heroica", *El Siglo*, Santiago do Chile, 10 de janeiro de 1941):

> *Conocí a Luís Carlos Prestes en el año 1928, en la ciudad de Santa Fé, Rep. Argentina. Dirigía, en calidad de ingeniero, la construcción de una importante avenida en esa ciudad, capital de la provincia de Santa Fé. Me habló de la situación económica del Brasil, de la crisis del café, de la inestabilidad del régimen gubernativo imperante, demostrando una fé serena en el porvenir. En esa época, Prestes comenzaba a interesarse en la lectura de literatura marxista. Estaba en un período de análisis, de autoexamen, de crítica retrospectiva.*

109. Palavras de Raúl González Tuñón ("Salutación a Rodolfo Ghioldi", em *Canciones del tercer frente*, Editorial Problemas, Buenos Aires, 1941). A estrofe completa diz:

> *Nunca vi compañero más magnífico que éste,*
> *más puro y más plantado en la tierra en que vive:*
> *y él tiene, sin embargo, como tienen los niños*
> *una atmósfera azul, casi aérea, de nube.*

110. Escreve Oscar Creydt (artigo citado, segunda parte):

> *Fue en el Salón Auguesteo, con motivo de un ato público organizado por la Liga Antiimperialista. Prestes pronunció un discurso sobre la situación del Brasil, planteando ya la necesidad de una revolución de carácter antiimperialista y agrario. Esto éra un gran paso hacia adelante. Más grande aún lo fué por el hecho de que Prestes en ese ato ocupó la tribuna justamente con Rodolfo Ghioldi, lider del Partido Comunista Argentino, del partido de la clase obrera de la Argentina.*

111. Transcrevo aqui alguns trechos do manifesto de Prestes lançando a Liga de Ação Revolucionária, em julho de 1930. O manifesto é datado de Buenos Aires e no Brasil foi publicado em diversos jornais, entre outros em *O Jornal do Rio de Janeiro*, edição de 2 de agosto de 1930. Diz Prestes:

> Esse documento [se refere ao seu manifesto anterior, em que adere publicamente ao PCB] declarou definitivamente findo para os verdadeiros revolucionários aquele sistema de golpes militares que inevitavelmente, embora contra a vontade dos seus chefes iniciais e apa-

rentes, conduziram o movimento às mãos da classe exploradora e imperialistas e proclamou a supremacia incontestável das próprias massas exploradas à sua execução.

Sobre a Liga de Ação Revolucionária diz:

A Liga de Ação Revolucionária, a cuja organização estamos neste momento dedicados, aparece, portanto, para corresponder à tarefa mais essencial que ficou indicada ao movimento emancipador das massas oprimidas do Brasil, pelo manifesto de maio. Passado o período preliminar da classificação do ambiente político e feito o levantamento inicial dos elementos que se dispunham a caminhar com firmeza no verdadeiro sentido revolucionário, torna-se urgente congregá-los na formação de um bloco destinado a preparar praticamente aquele levante generalizado das massas oprimidas, pela propaganda, pela agitação e pela organização efetiva e material das forças revolucionárias.

E sobre as condições do Brasil escreve:

As condições peculiares à nossa categoria de país dominado pelos grandes senhores da terra, por um regime semifeudal de latifundiários ou da exploração das massas semiescravizadas dos campos e ainda do país semicolonial dependendo do imperialismo estabelecem como etapa imediata do movimento emancipador do Brasil a revolução agrária e anti-imperialista. A dominação que esses latifundiários exercem sobre a ditadura política, apoiados no imperialismo, na terrível opressão do capitalismo estrangeiro, torna estes pontos os mais sensíveis do nosso sistema explorador e portanto aqueles sobre os quais se têm de concentrar os seus esforços revolucionários.

Nota curiosa, eu informo que tive quase que adivinhar o que esse manifesto dizia, pois *O Jornal*, do sr. Assis Chateaubriand, o sabotou completamente com complementos, gatos, trocas de linhas e todas as espécies de erros de revisão.

112. Um ex-oficial da Coluna Prestes, cujo nome não estou autorizado a citar, me enviou uma carta descrevendo a cena entre Prestes e os companheiros de Coluna, quando o general narrou do seu encontro com Osvaldo Aranha e da sua decisão de não apoiar a revolução de 30. Segundo esse meu informante, Prestes teria dito, depois de declarar sua posição: "Contudo não quero deter a ninguém nesse exílio que dura como três anos. Sei que muitos têm seus problemas pendentes no Brasil e não são obrigados a seguir-me".

113. No manifesto de 12 de março de 1931, publicado sob o título de "A realidade brasileira", Prestes analisa longamente a situação econômica do Brasil. E conclui dizendo: "Só com a expulsão dos imperialistas, a desapropriação das grandes empresas nacionais e estrangeiras, o cancelamento sumário das dívidas imperialistas, em cujo pagamento se escoa todo o suor dos trabalhadores, será possível resolver a crise atual".

114. Escreve sobre Prestes em Montevidéu o escritor uruguaio Alvaro Gillot Muñoz ("Salvemos a Prestes!", *La Hora*, 12 de janeiro de 1941):

> *Sentado frente a una mesa atestada de tazas de café, rodeado de varios deportados políticos, el indómito luchador brasileño explicaba con voz suave e ademán pausado el problema medular de la liberación económica de todo el continente americano. Pequeño de estatura, con tono de apóstol laico, Luís Carlos Prestes planeaba las bases de la unidad de las grandes masas ciudadanas de Nuevo Mundo para liquidar de una vez por toda el imperialismo tentacular.*

115. Escreve Prestes ("A realidade brasileira", manifesto citado), em maio de 1931:

> a todos os revolucionários sinceros e honestos, à massa trabalhadora que nesse instante de desilusão e desespero se volta para mim, só posso indicar um caminho: a revolução agrária e anti-imperialista, sob a hegemonia incontrastável do partido do proletariado, o Partido Comunista do Brasil, seção brasileira da Internacional Comunista.

116. Sobre esse assunto escreve a irmã de Prestes, em uma carta aberta à imprensa americana (eu transcrevo de *La Hora*, Buenos Aires, 3 de janeiro de 1940), refutando calúnias de Carlos Lima Cavalcânti, embaixador do Brasil no México, referentes a Luís Carlos Prestes:

> *Prestes resolvió guardar la plata, contestando a los que la reclamaban que la plata pertenecía al pueblo y sería utilizada por él, un día, en beneficio del pueblo. De hecho: fue con esa plata de las arcas del estado de Rio Grande del Sur que se financió al movimiento de la Alianza Nacional Libertadora, auténtico movimiento de emancipación nacional. Eso fue declarado públicamente por Luís Carlos Prestes, el 19 de setiembre de 1937, en el Supremo Tribunal Militar, al defenderse del cargo que se le hacía entonces de haber utilizado oro de Moscú en la revolución de 1935. Y ni el sr. Getúlio Vargas ni el dr. Oswaldo Aranha se atreverán a desmentirlo, sino que este último hasta se vió precisado a confirmar la veracidad de los hechos denunciados por Luís Carlos Prestes.*

117. Uma pessoa que acompanhou sua vida na União Soviética e cujo nome não estou autorizado a citar me informa, na carta que sobre o assunto me escreveu: "Sua estada na União Soviética compreende um período de febril atividade. Trabalhava e estudava sem dar-se um minuto de repouso. Numa terra em que o descanso está assegurado pela lei, uma única vez consentiu em ir a uma casa de descanso porque não queria romper nem por uma semana o ritmo acelerado com que realizava o seu plano de trabalho".

118. Truste de todas as empresas construtoras da União Soviética.

119. O Comitê Executivo da Internacional, eleito no sétimo congresso, entre outros nomes, constava dos seguintes: Stálin, Mameiski, Dmítrov, Kutusnen, Thorez, Salin

Aboud, Cachin, Togliatti, Luís Carlos Prestes, Mao Tsé-tung, José Díaz, Dolores Ibárruri, Bela Kun, Pollit e Gotwald. Entre os suplentes dois latino-americanos: Rodolfo Ghioldi e o cubano Blas Roca.

120. Tenho aqui, diante de mim, um longo e magnífico artigo de Prestes sobre o Exército Vermelho, estudo escrito na União Soviética e publicado pela revista *Informaciones*, de Montevidéu, no seu número de 19 de julho de 1934. Hoje, quando o Exército Vermelho derrota as tropas hitleristas, ao ler esse artigo, de há sete anos, pode ver-se como Prestes soube calcular a força do Exército da União Soviética. Em certo trecho diz Prestes: "*Cuanto al material soldado, como ya hemos dicho, es indiscutible la superioridad del hombre soviético que lucha conscientemente por la defensa de sus conquistas sobre los soldados de ejércitos imperialistas*".

121. Olga Benario, esposa de Prestes, é filha de um advogado de Munique, Leo Benario, já falecido, e de uma senhora da pequena aristocracia bávara. Olga nasceu a 12 de fevereiro de 1908. Uma pessoa que a conheceu nos dias de 35, no Brasil (não estou autorizado a citar o nome dessa pessoa), assim me escreve sobre ela:

> Por ele [Luís Carlos] não temeu arrostar os perigos da vida no Brasil, embora sabendo que arriscava tudo se fosse descoberta. Era a sua amiga, a sua companheira de leituras, a confidente segura, com quem podia se abrir livremente e cujos conselhos eram sempre acertados e oportunos. E também a sua protetora. Velava por ele dia e noite e o defendeu com o seu corpo, com perigo da própria vida, até no momento da prisão, quando o bando desenfreado dos investigadores invadiu a casa com as metralhadoras apontadas contra ele. Também foi Olga quem protegeu a sua vida quando, chegado o momento de subir nos automóveis que deviam conduzi-los à Polícia Central, negou-se a seguir num carro separado, abraçando-se com Luís Carlos Prestes de tal forma que não houve força capaz de separá-los. Graças a ela, Luís Carlos Prestes não foi encontrado "morto misteriosamente" em sua casa ou abatido por "tentativa de fuga" durante o trajeto para a Polícia.

Outras pessoas que conheceram Olga em diversas fases da sua vida, entre elas a poetisa Lila Guerrero, que a conheceu na Europa, me informaram que Olga é uma criatura sã, risonha e alegre.

122. Muito curioso para marcar a importância que tinha para os interesses ingleses a candidatura de Júlio Prestes é o seguinte detalhe: vitoriosa a revolução de 30, o sr. Júlio Prestes se acolhe ao consulado inglês em São Paulo. A Inglaterra, que nunca aderira ao tratado de direito de asilo, não só asilou a Júlio Prestes como transferiu para São Paulo sua embaixada no Brasil, comunicando-o ao governo, já que os consulados não têm direito de extraterritorialidade. Tanto lhe merecia o candidato à presidência.

123. Dizem que o sr. Antônio Carlos pronunciou nas vésperas da revolução a seguinte frase, muito significativa: "Façamos a revolução antes que o povo faça".

124. Característicos, como prova dessa desmoralização, são os dois poemas de Murilo Mendes que cito a seguir (*História do Brasil*, Ariel Editora, Rio de Janeiro, 1933). O primeiro, sob o título de "Itararé", diz: "A maior batalha da América do Sul/ Não houve". E outro assim descreve a revolução:

No meio do caminho
Me atacou um delírio patriótico.
Resolvi embarcar pra Itararé.
No meio do caminho
Entrei num botequim,
Tomei um bruto pifão.
Quando acordei
O papão já estava deposto
E eu já era major.

125. Esse padre é uma figura curiosíssima. Teve um grande prestígio popular. Um filho seu se chamava Lenine.

126. Um ex-ministro de Vargas, ministro nessa hora exatamente, narrou-me certa vez uma reunião de gabinete. Tratavam-se os ministros entre si de "camaradas" e chamavam o ministério de "soviete".

127. Em 1931 o hoje general Mendonça Lima, ministro da Viação e Obras Públicas, bebia à saúde de Prestes, "o grande ausente".

128. Todo o Rio de Janeiro sabe que o sr. Francisco de Campos, ao ser nomeado ministro da Educação, passou três ou quatro dias sem poder tomar posse efetiva do cargo porque o sr. Adalberto Correa se postou de chicote na mão, nas escadas do ministério, à espera do novo ministro para dar-lhe uma surra. Foi necessária a intervenção de amigos para que o sr. Campos pudesse tomar posse tranquilamente.

129. O verdadeiro teórico do movimento de 32 é Alfredo Ellis Júnior, cuja obra toda respira separatismo (ver seus livros publicados na Brasiliana pela Editora Nacional).

130. Havia um deputado classista, Álvaro Ventura, estivador de Santa Catarina, que era filiado do Partido Comunista do Brasil.

131. É o próprio Plínio Salgado quem informa sobre essa proteção na "Carta do chefe nacional da AIB ao sr. presidente da República", publicada nos princípios de 38. Escreve ele entre outras coisas: "As relações entre o integralismo e o presidente da República sempre foram, pela força da própria doutrina do Sigma, as de respeito do primeiro pelo segundo e de acatamento do segundo pelo primeiro". E em outro trecho dá conta da sua colaboração com a polícia: "Eles [os integralistas] organizaram e fizeram funcionar um serviço secreto voluntário e sem remuneração [*sic*] de espionagem e vigilância contra o comunismo e dos resultantes desse esforço podem atestar a V. Ex.ª. o chefe do Estado-Maior do Exército, os chefes de Polícia e os comandantes de região militar em todo o país". E depois continua: "Uma só cousa [desejam]: continuar a prestar, pelos métodos adotados durante cinco anos e que surtiram tão magníficos efeitos — como ninguém poderá melhor atestar que V. Ex.ª — os serviços [*sic*] à nação". Mais de uma vez nesse documento Plínio lembra a Getúlio que os integralistas foram o seu sustentáculo, o seu aliado etc.

132. Escreve sobre esse momento o comandante Roberto Sisson (obra citada):

En efecto, con el pretexto de que el tenentismo se mantenía desunido y en continuo sobresalto, como consecuencia de su acción sin unidad ideológica, el gobierno central lo abandonó, alegando que él no le ofrecía un seguro apoyo, lo que permitió la reconciliación de los cuadros desunidos de nuestra burguesía desde 1930, bajos los auspicios de sectores imperialistas inspiradores de revolución de 1932.

133. Falando sobre o Congresso Revolucionário de 1932, presidido por Juarez Távora, esclarece Sisson (obra citada): "*culminó* [o Congresso] *en una verdadera apoteosis al jefe ausente de la revolución brasileña, Luís Carlos Prestes*".

134. Assinavam o manifesto-programa da Aliança Nacional Libertadora a Comissão Provisória de Organização composta do capitão-tenente Hercolino Cascardo, capitão Amauriti Osório, capitão-tenente Roberto Henrique Sisson, jornalista Benjamin Soares Cabello, dr. Francisco Mangabeira, dr. Manuel Venâncio Campos da Paz. O primeiro diretório nacional da Aliança foi composto desses mesmos nomes e de mais alguns outros, entre os quais recordo o do major Carlos da Costa Leite, o do capitão Trifino, o do capitão-tenente Muniz Freire e o do então estudante Ivan Pedro de Martins. Era presidente da Aliança o comandante Cascardo, e secretário-geral o comandante Sisson.

135. Os deputados federais que apoiaram a Aliança foram Abguar Bastos, romancista e deputado pelo estado do Pará, capitão Domingos Velasco, deputado por Goiás, e o dr. Otávio da Silveira, professor da Faculdade de Medicina do Paraná e deputado por este estado.

136. Escreve o comandante Sisson ("Carta aberta ao sr. dr. Getúlio Vargas ante a livre consciência democrática brasileira e americana", Montevidéu, 1940):

> E da sua curta vida legal traz ela [a Aliança] um formidável saldo. Com efeito, planteou ela pela primeira vez ante o povo brasileiro, clara e concretamente, a ideologia e o programa da nossa democracia nacional. Assim deu ela uma ideologia orgânica às nossas classes nacionais, máximo à nossa pequena burguesia revolucionária, até então puramente subjetivista e anarcoide. Desmascarou o integralismo como vanguarda do fascismo estrangeiro. Alertou o povo brasileiro contra seus verdadeiros inimigos fundamentais, a saber, o feudalismo latifundista e o imperialismo e fascismo estrangeiros. Infundiu a esse povo uma definitiva consciência democrática concreta, com a qual até nossos governos mais reacionários terão de contemporizar, limitando consideravelmente as possibilidades de futuras fascistizações do Estado em benefício do feudal-imperialismo. Planteou como principal problema nacional a industrialização do país baseada na siderúrgica resolvida por nossas forças econômicas e em benefício das mesmas.

137. Sobre o assunto escreve o tenente Antônio Monteiro Tourinho ("Prestes, oficial del ejército y leader del pueblo", *Justicia*, 3 de janeiro de 1942) o seguinte: "*Todo aquél que estudia la Historia del Brasil, confrontándola con las de otros países, se sorprenderá con el rol verdaderamente revolucionario que en ella ha jugado el Ejército, siempre al lado del pueblo. Sus tradiciones demócratas, sus revoluciones de contenido popular hacen de él un Ejército raro en el mundo*".

138. Essas palavras são de Agildo Barata, o chefe do levante do 3º RI do Rio, na sua defesa perante o Supremo Tribunal Militar. Realmente nada prova melhor que o caráter comunista emprestado pelo governo ao movimento de 35 era simples provocação. Disse Agildo, com a sua responsabilidade de oficial do Exército de brilhante carreira o de chefe da insurreição de 35: "Pouco depois o povo e a tropa aclamam e instauram o governo popular nacional-revolucionário de Natal. Durou quatro dias. Foi popular, foi nacional, foi revolucionário. Que os detratores provem o contrário". E mais adiante: "No Rio Grande do Norte não foi organizado nenhum soviete; nenhum conselho obreiro com ação governamental. No governo revolucionário participaram funcionários públicos estaduais de alta categoria".

139. É o próprio governo quem informa, pela voz do delegado Beléns Porto, que estava informado da revolução (obra citada):

> Assim que se verificaram os acontecimentos do Nordeste, em 23 de novembro, entrou de prontidão a guarnição federal, aqui aquartelada, prontidão que mais rigorosa se tornou na tarde de 26, por isso que começaram a chegar ao conhecimento das autoridades informações de que, na noite daquele dia, rebentaria um movimento armado nesta capital, não se positivando, entretanto, bem, de que corporação ele irradiaria.

E mais adiante: "Os serviços de segurança, entretanto, foram aumentados na noite de 26 para 27, em face dos boatos que circulavam".

140. Todos os fatos narrados nos capítulos que se sucedem a este não são apenas absolutamente verdadeiros. São os que não podem sequer ser discutidos. Eu deixei de lado, sem aproveitar, todo e qualquer fato, de referência à vida nas prisões e ao tratamento dos presos, que não tivesse um elemento imediato de prova. Uma infinidade de fatos verídicos como os que narro aqui, eu não os aproveitei porque sobre eles não tinha provas imediatas. Os narrados por mim são fatos absolutamente comprovados.

141. Os fatos narrados neste capítulo, como em todos os demais, nada têm de imaginário. São baseados em fontes absolutamente fidedignas. Apenas tenho certeza de que nenhuma imaginação pode descrever o que sofreram os presos políticos no Brasil. E em especial o que sofreram Berger e sua esposa. Lembro apenas que o advogado Sobral Pinto, num dos requerimentos feitos em defesa de Berger, reclamou para ele a aplicação da lei de proteção aos animais. Já não pedia nada de referência a seres humanos. Pior que um animal se encontrava Berger. Num requerimento ao dr. José Carlos de Macedo Soares, ministro da Justiça em 1937, antes do golpe de novembro dado por Vargas, e o único ministro que se preocupou com a sorte dos presos políticos, escreveu o dr. Sobral Pinto:

> Harry Berger está reduzido à humilhante condição de animal hidrófobo. A prisão que lhe deram é um socavão de uma escada no quartel da Polícia Especial. Privado de ar renovado, de luz, e de movimento, nada lê, nem jornais, nem livros, nem revistas. Não o privaram só de toda e qualquer convivência humana. Foram além. Não lhe dão sequer cama e roupas. E a alimentação que lhe ministram é o que, na linguagem presidiária, chamam "meia ração".

142. Sobre a situação de Berger e o que ele sofreu transcrevo aqui trechos de documentos jurídicos do dr. Sobral Pinto, petições a tribunais e a ministros. Um deles diz: "Tudo tenho feito, dentro das minhas energias e da minha limitada capacidade, para obter que as autoridades brasileiras tratem a Harry Berger e a Luís Carlos

Prestes como membros da espécie humana". Noutro, no documento em que pede que Berger seja mudado de prisão, devido ao seu estado de loucura, diz: "agora que perdeu a razão, e marcha a passos largos para o sepulcro onde por fim vai repousar". Há aí, como se vê, uma clara acusação de assassinato feita pelo ilustre advogado contra a polícia do Rio. Noutro documento o dr. Sobral Pinto volta a pedir a mudança de Berger para um cárcere melhor. E fundamenta seu pedido no laudo dos médicos que, a mando do ministro do Interior e Justiça, examinaram Berger e declaram-no louco, sofrendo uma "psicose de situação".

143. "Sessões espíritas" era o nome que os policiais davam às sessões de torturas, aos interrogatórios.

144. Trata-se do dr. Pontes de Miranda, que não podendo resistir ao remorso se suicidou algum tempo depois do assassínio de Victor Allan Baron.

145. Muitos homens assim eu vi quando estava preso na sala de detidos da Polícia Central em 1936. Entre outros um espanhol, Romero, que era acordado todos os dias para apanhar. Vi também Clóvis de Araújo Lima, que havia apanhado uma noite inteira, ainda cheio de equimoses. Sobre esse caso nada fala melhor que o seguinte documento firmado por médicos presos:

> Os abaixo-assinados, médicos diplomados pela Universidade do Rio de Janeiro, certificamos que, do exame procedido em Clóvis de Araújo Lima, em 8 de fevereiro último, verificamos as lesões seguintes: grande palidez do tegumento cutâneo, dificuldade de qualquer movimento determinante de fortes dores, sejam articulares, sejam musculares; grande equimose na região retrolombar, estendendo-se até o meio da região renal de ambos os lados; grande hematoma nas regiões látero-superiores dos membros inferiores, equimoses difusas de toda a região inferior do abdome, de espasmos dolorosos vesiculares, depois das micções, e só possíveis estas depois de grande forçamento da bexiga; devido ao traumatismo da região dorsal inferior, há ainda uns estertores da congestão pulmonar traumática; na boca observa-se a fratura de dois dentes. A bordo do *Pedro I* (presídio político) — 8 de fevereiro de 1936. Ass.) dr. Manuel Venâncio Campos da Paz, dr. Flávio Poppe, dr. Edmundo Edgard de Arruda.

146. Entre outros me recordo na sala dos detidos do radiotelegrafista Nelson Maciel, que foi trazido da casa de saúde onde acabara de ser operado nos olhos e que por pouco escapou de ficar cego na prisão, por falta de tratamento.

147. De memória cito os seguinte professores presos: Hermes Lima, Carpenter, Castro

Rebelo e Leônidas de Rezende, da Faculdade de Direito da Universidade do Rio, Pedro da Cunha e Maurício de Medeiros, da Faculdade de Medicina, Sampaio Lacerda, da Faculdade Politécnica. Vários eram os professores de faculdades do interior do país.

148. Seria muito longa uma lista das pessoas de grande importância na vida cultural do país que se encontravam presas. Além dos professores que já citei, recordo uns quantos nomes: os romancistas Graciliano Ramos e Dionélio Machado, os médicos Campos da Paz, Ilvo Meireles, David Rabelo, Edgard Arruda, Flávio Poppe, Isnard Teixeira, Valério Konder, Waldemar Bessa etc., os engenheiros Pompeu Acide Borges e Macedo Soares, o escritor Sussekind de Mendonça, os jornalistas Otávio Malta, Osvaldo Costa, Benjamim Cabelo, Sebastião da Hora, deputado por Alagoas, Pedro Luís Teixeira, o grande humorista Aporelly, o dr. Pedro Ernesto, prefeito da cidade do Rio de Janeiro, dr. Francisco Mangabeira, Lourenço Moreira Lima, o "bacharel feroz" da Coluna Prestes, que sairia da cadeia para morrer foragido, já que fora condenado; o coronel Felipe Moreira Lima, o capitão Amauriti Osório, o poeta Tavares Bastos, o professor Pascoal Leme, o dr. Mesplé, dr. Carlos Brenor, o juiz Alfonso Rozendo, o escritor Caio Prado Júnior, o dr. Osório César, o padre Manuel Macedo, o dr. Luís Parigot de Sousa, as sras. Eugênia Álvaro Moreira, Rosa Meireles, Maria Werneck de Castro, Amanda Álvaro Alberto, o comandante Roberto Sisson, o comandante Cascardo, o general Miguel Costa, além de todos os oficiais que haviam tomado parte no levante e de todos os oficiais suspeitos fossem do Exército ou da Marinha. Essa é uma lista muito incompleta. Muitas outras figuras de grande projeção na vida do país passaram pela prisão ou nela ainda se encontram.

149. Os escândalos foram tão grandes que o governo teve que afastar um dos chefes do Departamento de Ordem Política e Social (Dops), o chamado Romano. Processado por roubo e expropriação de bens de presos, foi condenado.

150. Ainda em 1940 a polícia usou do mesmo processo para com o escritor Álvaro Moreira, que durante dois meses teve que ouvir todas as noites os gritos dos supliciados. E não só os escritores eram sujeitos a isso. Também os oficiais do Exército. No seu discurso perante a Câmara, em 11 de junho de 1937, o deputado João Mangabeira relatou: "Agulhas quentes nos dedos, golpes que fraturavam os membros e as costelas, descargas elétricas, pontas de fogo". O capitão Válter Pompeu não podia dormir no seu quarto no hospital da polícia devido aos gemidos de um marinheiro que tinha as nádegas destroçadas. Suplícios repugnantes como os de mulheres completamente nuas e torturadas com alicates. O padre Macedo quando foi solto deu uma entrevista a *O Radical* onde disse: "Vi mais nesses oito meses de cárcere que o que os meus largos anos de contato com as chagas morais da humanidade me haviam demonstrado". E adiante: "Não, não são coisas que desejo narrar. Poderia dizer como Vieira, são coisas que mesmo supostas e imaginadas causam horror".

151. Sobre a Colônia dos Dois Rios, transcrevo, para esclarecimento do leitor, um trecho da carta que os presos políticos que aí se encontravam enviaram à Câmara de Deputados. Diz:

> As humilhações a que nos submetem aqui são contínuas e de toda a natureza. Nos obrigam a andar de braços cruzados desde a hora da formatura, que começa às quatro da madrugada, e assim devemos permanecer até para falar com os simples guardas. O regime neste presídio é muito pior que o das senzalas nos tempos da escravidão. Todos fomos obrigados a raspar os cabelos como os presos comuns... A cada instante os presos são chamados e golpeados pelo próprio chefe do alojamento, um tal Aguiar. Somos no barracão 360 detidos, dos quais menos de dois terços são presos políticos. Não se pode conversar em pequenos grupos, mesmo de quatro pessoas, porque isso é tomado como conspiração. E os que são surpreendidos conversando são imediatamente conduzidos a uma célula que é um lugar tal de martírio que deve ser inédito no mundo inteiro. Disse o chefe dos guardas: dez dias de célula representam dez anos de vida perdidos. Somos também obrigados aos trabalhos mais brutais nas formas mais humilhantes: carregar areia, barro, tijolo, pedras, vigas etc., tendo ao lado guardas armados que nos obrigam a correr com a carga nas costas. Disto resultou, por exemplo, que a 1º de maio, o sr. Antônio Florêncio perdesse dois dedos de uma mão desfeitos por uma pedra.

152. Foram presos quando do estabelecimento do estado de guerra o senador Abel Chermont, que foi agredido na Polícia Especial, e os deputados federais João Mangabeira, Otávio da Silveira, Domingos Velasco e Abguar Bastos.

153. Foi o deputado Adalberto Correia, um dos que mais se extremaram na perseguição aos revolucionários, que ao ouvir a leitura feita por outro deputado, de uma página de Euclides da Cunha, datada segundo creio de 1901, interpelou o orador perguntando quem escrevera aqueles conceitos comunistas. O orador respondeu que o "capitão Euclides da Cunha, o autor de *Os sertões*". E Adalberto Correia, excitadíssimo, gritou:

— É preciso prendê-lo imediatamente... Esse capitão é um comunista. É um inimigo da sociedade...

Parece anedota, mas é fato. Também os crimes cometidos pela polícia, as torturas em massa, parecem invenções de uma imaginação delirante e são fatos autênticos.

154. O dr. Elieser Magalhães, ilustre médico, hoje exilado em Buenos Aires, baseado na data de nascimento da filha de Prestes, calcula que ela tivesse sido concebida pouco antes da sua prisão.

155. Esse "chefe" Galvão que prendeu Prestes, com todo esse aparato, e que não pôde assassiná-lo como lhe haviam ordenado, devido à atitude de Olga, foi ele pouco depois assassinado por outro policial, policial este que minutos depois era liquidado também, na Polícia Central atirado como Baron de um terceiro andar. O que consta, com visos de verdade, é que Galvão não soubera guardar segredo sobre as ordens recebidas em relação a Prestes quando da sua prisão. Que em roda de amigos dissera da raiva do "chefe" ao saber que Prestes não fora assassinado. E então fecharam a indiscreta boca de Galvão para sempre...

156. Sobre a verdadeira adoração com que os sertanejos tratam tudo que se encontra ligado a Prestes, transcrevo aqui uma informação que me envia o tenente Antônio Tourinho, que tão bem conhece o interior do Brasil: "Na Bahia, em Jacobina, há em uma casa uma cadeira presa à parede, quase no teto, como se fora um quadro. E o dono da casa mostra orgulhoso a todo visitante aquela cadeira onde Prestes se sentou quando ali passou a Coluna...".

157. Escreve num documento de apelação perante o Tribunal Militar o dr. Sobral Pinto, advogado de Prestes: "Preso, em março de 1936, este acusado [Prestes] se viu logo reduzido à mais rigorosa incomunicabilidade, mantida dia e noite através de sentinela à vista. Desde então, não lançou mais a vista sobre qualquer jornal, não leu mais um só livro, não empunhou mais um só instrumento de escrita, não falou mais a nenhuma pessoa, não pôde sequer corresponder-se com sua própria mãe".

158. Numa carta dirigida ao dr. Osvaldo Aranha, ministro do Exterior, sobre o caso de Prestes, escreve o dr. Sobral Pinto, seu advogado: "Harry Berger, sr. Osvaldo Aranha, já perdeu a luz da razão. E receio muito que Luís Carlos Prestes sofra o mesmo destino".

159. Parece incrível, mas é verdade.

160. O Conselho de Justiça se reuniu na Polícia Especial a 26 de março de 1937, às duas horas da tarde.

161. Prestes só será julgado por este suposto crime de deserção em 1941, quando é mais uma vez absolvido pelos juízes militares.

162. Sobre o Tribunal de Segurança Nacional do Brasil escreve o eminente advogado francês Marcel Willard, num livro curiosíssimo onde trata dos processos políticos mais monstruosos do mundo, entre os quais inclui o de Prestes (*La Défense acuse...*, Paris, 1938):

> *A l'école hitlérienne. En surenchère même sur les montres de "droit" issus des cerveaux aryens du dr. Frank et du dr. Kerrl! Pas de défense orale. Limitation à cinq du nombre des témoins à décharge, qui doivent se présenter spontanément, sans citation. Droit pour de tribunal de rejeter les questions de la défense lorsqu'elles lui semblent susceptibles, non seulement d'excéder les cadres du procès, mais d'en prolonger le cours. Faculté de condamnation, sans preuve, par "libre conviction".*

163. Escreve o dr. Sobral Pinto (apelação citada):

> Com Luís Carlos Prestes, entretanto, tudo se faz diferentemente. Não obstante se achar preso numa situação de absoluta incomunicabilidade, não conhecer nada das acusações contra ele levantadas, não poder entender-se, livre ou restritamente, com parentes, amigos ou partidários e não dispor sequer de um lápis, de uma caneta, ou de um pedaço de papel, para as mais ligeiras notas, o prazo que lhe concedem para imprimir rumo à sua defesa, trocar ideias com o advogado que lhe dão *ex officio* e que ele nem sequer conhece, é o de três dias!

164. Esse detalhe, como os demais deste capítulo, me foram fornecidos por uma pessoa que teve em mãos a correspondência de Olga com os familiares de Prestes. Não há no que escrevo o mínimo exagero.

165. Dona Leocadia e seus advogados tudo fizeram na prisão para que fosse a própria Olga quem lhes entregasse a criança, assim essa mãe martirizada teria a certeza de que a filha ia ficar com a avó. O diretor da prisão respondeu, textualmente: "Estão pedindo impossíveis".

166. Com a guerra a correspondência entre Olga e Prestes e os seus familiares cessou completamente. A família de Prestes desde maio de 1941 que não tem nenhuma notícia de Olga.

167. Este capítulo é feito à base de informações de alguém que tomou parte nos acontecimentos narrados: Rodolfo Ghioldi. Quanto aos trechos dos discursos citados, eles foram tomados de transcrições feitas na imprensa argentina, exceto a carta de Prestes ao dr. Sobral Pinto que ele leu nessa sessão, da qual possuo uma cópia, enviada por uma pessoa do Brasil. Exceto também as palavras de Berger que foram reconstruídas por mim à base das recordações de Rodolfo Ghioldi. Pode ser que as palavras de Berger não sejam exatamente as mesmas que transcrevo, mas o seu sentido era exatamente esse.

168. Comentando esse julgamento escreve sobre Prestes o advogado francês Marcel Willard (obra citada):

> *Le jeune héros de la délivrance, de l'indépendance, le nouveau Bolivar de l'Amérique Latine. Luís Carlos Prestes, mérite et possède l'amour des masses brésiliennes. Il incarne leurs intérêts et leurs aspirations profondes, leur volonté de libération sociale et nationale. On a beau d'efforcer d'étouffer sa voix, elle porte haut et loin. Elle est entendue, non seulement et malgré le secret, malgré la censure, dans toutes les régions, par tout le peuple de cet immense pays semi-féodal et semi-colonial (grand comme l'Europe et peuplé comme la France) dont l'avenir est illimité, mais encore dans tout le nouveau continent, dans les deux continents, dans toutes les parties du monde.*

169. O primeiro original dessa carta foi brutalmente tomado das mãos de Prestes e entregue a Filinto Müller, na Polícia Especial.

170. Prestes se refere ao Tribunal de Segurança.

171. Prestes se refere a Virgulino Himalaya, procurador do Tribunal de Segurança.

172. Prestes se refere ao quartel da Polícia Especial onde estava preso.

173. De referência ao movimento em Recife, nada mais taxativo no sentido de pôr abaixo a exploração do governo, ao dizer que a revolução de 35 tinha caráter comunista, que as palavras do próprio procurador que funcionou no processo, Francisco de Paula Leite e Oiticica Filho, que chegou à conclusão de que o movimento nada tivera de comunista. Assim noticia o *Jornal do Commercio* de Pernambuco, em agosto de 1938, a intervenção do procurador em relação ao assunto durante o julgamento:

> Terminada a exposição dos fatos acima narrados, o adjunto de procurador Francisco de Paula Leite e Oiticica Filho, que funcionou durante o julgamento, passou a expor a responsabilidade, frisando aí que no estudo completo dos autos chegara à conclusão, não obstante a denúncia, que o movimento de 35 naquela Unidade da Federação não tivera caráter comunista. Fora um movimento de natureza política, destinado a modificar a Carta Constitucional e substituir as autoridades constituídas, não, porém, com fundo subversivo, de natureza comunista ou integralista. Para provar que não eram

comunistas os envolvidos nessa sublevação, o procurador Oiticica passa a narrar alguns fatos, frisando a eloquência dos mesmos para corroborar as suas afirmativas.

174. Escreve Marcel Willard (obra citada) sobre a defesa de Rodolfo Ghioldi: "*Quant à Rodolfo Ghioldi, nous possédons son remarquable plaidoyer, qui est un modèle de mesure, d'ironie et de fierté*".

175. A candidatura de José Américo e o apoio popular que ela teve é uma prova do prestígio da moderna literatura brasileira perante o povo. O povo confiava em José Américo não só devido à sua ação no Ministério da Viação, como também por ser ele o autor de *A bagaceira*.

176. É o próprio Plínio Salgado, o "chefe nacional", que narra (manifesto citado): "O dr. Francisco Campos, dizendo sempre falar após entendimento com V. Ex.ª [Getúlio], pediu o meu apoio para o golpe de Estado e a minha opinião sobre a Constituição, dando-me 24 horas para a resposta".

177. Escrevem Mota Lima e Barbosa Melo (*El nazismo en el Brasil*, Editorial Claridad, Buenos Aires, 1938):

El señor Assis Chateaubriand, director del mayor consorcio periodístico del Brasil, desde donde defiende sin ceremonia la causa de las empresas imperialistas, luego de un viaje de observaciones y propaganda del señor Salles de Oliveira, al interior del país, anunció que el pueblo estaba "emborrachado por la demagogia del señor Almeida". Y concluyó que la única solución sería la continuación del señor Getúlio Vargas en el Catete.

178. Ainda era ministro da Justiça quando da apresentação desse célebre "documento" o sr. Macedo Soares. Vale a pena, como prova da evidente falsidade do documento, ver que o ilustre jurista em nenhum momento afirma, ao enviar o documento às câmaras, a sua autenticidade. Diz sempre que são os generais que a afirmam etc. Macedo Soares lava as mãos como Pilatos.

179. É ainda Plínio Salgado quem informa (manifesto citado): "Pediu-me [Chico Campos], então, para ficar oito dias com o projeto da Constituição, a fim de que lhe apresentasse um parecer".

180. Nas vésperas do golpe de 10 de novembro Pedro Mota Lima, condenado já pelo Tribunal de Segurança, e ainda escondido no país, tenta convencer o general Flores da Cunha da necessidade de uma frente única democrática.

181. *Il Messagero*, jornal fascista italiano, escrevia sobre o golpe de 10 de novembro: "os círculos norte-americanos da Europa olham os acontecimentos do Brasil como um grave golpe, não somente para a política de Roosevelt, como também para a doutrina norte-americana que pretende que o fascismo é um produto europeu que não pode ser exportado para o Novo Mundo". E o *Popolo d'Italia* esclarecia, pela voz do presidente do Senado italiano, Federzoni, que havia recentemente visitado o Brasil: "É indubitável que as escolas e a imprensa fascistas italianas contribuíam, em forma material, para a criação do Estado Novo brasileiro". Quanto aos alemães, chegaram a anunciar que o Brasil ia aderir ao Eixo, por intermédio do pacto anti-Komintern.

182. Parece incrível mas é verdade: o advogado de Prestes, no cumprimento da sua missão jurídica, foi atacado corporalmente pelos policiais e como se defendeu foi processado por "desacato à autoridade".

183. Era ministro da Justiça o dr. José Carlos Macedo Soares, o único que se preocupou com a sorte dos presos políticos. Os dois que o precederam e sucederam, Vicente Rao e Francisco Campos, nunca se preocuparam sequer em saber como viviam os presos políticos.

184. Numa solicitação ao ministro da Justiça (Chico Campos) sobre a situação em que se encontra Harry Berger, o dr. Sobral Pinto comunica ao ministro que Prestes põe à disposição de Berger, para o seu tratamento, todo o dinheiro de que dispõe e que é suficiente para esse tratamento. É claro que nem recebeu resposta. (Nota da primeira edição brasileira: Berger encontra-se hoje no Manicômio Judiciário.)

185. Numa outra petição ao ministro da Justiça escreve o dr. Sobral Pinto:

> Excetuados os funcionários encarregados da sua guarda, ele a ninguém fala, com ninguém se comunica, a não ser por cartas, e isto mesmo de vez em quando, com sua velha mãe, exilada atualmente, no México. Esta própria correspondência epistolar — onde, para evitar retenções injustificadas, só são tratados assuntos exclusivamente familiares — é interceptada meses seguidos, a fim de mergulhar mãe e filho em agonias atrozes permanentes, pela ausência, em que ambos ficam, de notícias recíprocas. Enquanto os demais presos sentenciados políticos dispõem da mais absoluta liberdade de movimento, e de comunicação entre si, dentro dos presídios do Estado, e os que se acham nas prisões desta capital podem receber as visitas dos seus parentes e amigos, Luís Carlos Prestes vive segregado de todo e qualquer convívio humano, entregue, deste modo, a um isolamento alucinador, não se lhe permitindo sequer falar a seu advogado, senão

através de licenças especiais, que levam meses a serem concedidas, e, quando o são, apresentam-se com as restrições que estão sendo agora denunciadas pela décima vez.

E num excelente artigo, muito bem documentado, sobre a vida de Prestes na prisão, escreve dona Maria Luísa Carneli ("Luís Carlos Prestes en la celda triangular", México, 1941) o seguinte, de referência à suspensão sistemática que sofre a sua correspondência com dona Leocadia:

> *Y, sin embargo, esta correspondencia familiar, el único contacto de Luís Carlos Prestes con la vida, se lo suspende por meses y meses... Durante los primeros catorce meses de prisión la incomunicación fue total. En vano su madre exigía y pedía se reconsiderase esa medida tan atroz. Las órdenes eran terminantes y partían del propio Getúlio Vargas que odiaba y temía a un tiempo al gran leader recluido. Más tarde, iniciada al fin la correspondencia esta quedaba sujeta a los más curiosos arbitrios y contingencias. Así, en 1937 fue suspendida por treinta días; en 1938 por más de tres meses; en 1939 cerca de seis meses; en 1940 treinta días, y este año de 1940 ya ha habido dos meses de suspensión.*

186. Numa carta ao sr. Osvaldo Aranha, ministro do Exterior, escreve o advogado de Prestes:

> Com o advento, porém, do golpe de Estado vitorioso de 10 de novembro, o capitão Filinto Müller fez prender nessa mesma manhã de 10 de novembro, o então diretor da Casa de Correção, dr. Carlos de Lassance, sob a falsa alegação de que se mostrava frouxo em face de Luís Carlos Prestes e conseguia fazer nomear para dirigir aquele presídio o selvagem tenente Canappa, que se notabilizara pelas suas brutalidades, na administração da Colônia Correcional dos Dois Rios, na ilha Grande, onde não passara, até então, de submissa criatura do chefe de polícia desta capital.

187. Numa petição ao ministro da Justiça escreve o dr. Sobral Pinto:

> Nem mesmo quando teve de oferecer embargos ao acórdão do Supremo Tribunal Militar, que confirmara a condenação de Luís Carlos Prestes a dezesseis anos e oito meses de prisão, imposta pelo Tribunal de Segurança Nacional, pôde o Suplicante avistar-se com o seu cliente para com ele conversar sobre a orientação e o rumo que deveria seguir neste último e derradeiro recurso que a legislação do país lhe permitia utilizar. As próprias imunidades da Defesa são ostensiva e impunemente desrespeitadas, porquanto a censura da Casa de Correção se faz exercer, cheia de rigor, sobre as cartas que Luís Carlos Prestes, de vez em quando, dirige a seu patrono, sendo ainda de notar que tais cartas levam seis e mais dias para percorrer a ridícula distância que vai da rua Frei Caneca para a rua da Assembleia.

188. O tenente Antônio Tourinho, que esteve muito tempo preso na Casa de Correção, escreve-me sobre o assunto: "Aliás os presos comuns em geral fazem o que podem por ele [Prestes]. Seja o faxina, o cabeleireiro, e mesmo a comida eles procuravam na cozinha melhorá-la por sua conta".

189. Escreve sobre Luís Carlos Prestes o jornalista Brasil Gerson ("Semejanza entre Prestes y Tiradentes", *Justicia*, Montevidéu, 3 de janeiro de 1942):

En la cárcel, torturado física y moralmente, Prestes también es, como Tiradentes, un hombre que no se doblega. Si el Héroe muerto nos orgullece, cuando los miramos en las estatuas, el Héroe vivo, la más alta demonstración de virilidad y de la firmeza de nuestro pueblo en este siglo nos llena de confianza y de valor, porque su sola persistencia admirable en la lucha, en estos tiempos tormentosos, es una prueba de que las virtudes fundamentales de la nación brasileña no se han agotado. Y con Prestes prevalecerán.

Escreve Manuel Paraguaçu ("El corazon y el pensamiento con Prestes!", *Justicia*, 3 de janeiro de 1941):

Pensar en Prestes, en su vida, en su obra, es pensar en la vida de un pueblo tan sufrido, tan generoso como es el brasileño. Pensar en Prestes es hacer un alto en nuestras preocupaciones diarias para reavivar en nosotros la fibra de combatiente, cuando nos sentimos faltos de fé y de ánimo.

190. Foi tamanho o fracasso dessa provocação que os jornais do Brasil, para tratar dela, haviam até esquecido a guerra. A primeira página dos diários era dedicada ao "caso Elza Fernandes". Quando foi do interrogatório de Prestes, anunciado amplamente, prometidas notícias sensacionais, o caso, ante a atitude de Prestes, quase sumiu dos jornais, passando às terceiras e quartas páginas. Prometiam sensacionais notícias para a noite do inquérito de Prestes. Tudo se reduziu no dia seguinte a um quarto de coluna da qual saltava, apesar de toda a censura, a imensa impressão que a dignidade de Prestes causara aos jornalistas.

191. As irmãs de Prestes (carta citada) escreveram à imprensa sobre o caso Elza Fernandes:

Sobre el caso Elza Fernandes los periódicos brasileños no han publicado, hasta ahora, sino los comunicados, comentarios y deducciones presentados por la Jefatura de Policía". E noutro trecho: *"Por otra parte es voz corriente en Brasil que los verdaderos asesinos de la citada menor deben ser procurados entre los miembros de la misma policía brasileña.*

192. Sobre o Tribunal de Segurança Nacional, escreve Ivan Pedro de Martins ("Salvad a Prestes!", *Progreso*, Montevidéu, 1941):

Los tribunales especiales son títeres inmorales movidos por sórdidos intereses de las comisiones terroristas del espionaje político que los ensalzan para mejor servirse de ellos. La toga perdió su dignidad, y hasta los adeptos del Estado Novo saben que la justicia es una farsa.

193. Sobre o que disse Prestes nesse julgamento, escreve Rodolfo Ghioldi ("A un año de distancia", *Orientación*, Buenos Aires, 1941):

Pocas fueron las palabras, pero claras y puras como una esperanza, perfectas de solidaridad y terribles de acusación. Aún deben de estar ardiendo en la conciencia de la comparsa bárbara. Pocas fueron, pero fundamentales. Pertenecen a aquellas que definen la grandeza moral de un hombre y que marcan el tono de una época.

E a revista *Ahora*, de Buenos Aires, escreveu na época do processo e da condenação o seguinte:

La endeblez jurídica de los argumentos que se esgrimieron para afrentarlo [a Prestes] con esta última condena que se ha pretendido infamante, surge con una evidencia tal que en lugar de manchar al detenido se vuelve contra los propios acusadores.

194. Sobre dona Leocadia Prestes escreve Enrique Zamora ("La madre de Prestes", *El Siglo*, Santiago do Chile, 19 de janeiro de 1941):

Hay una especie de santidad en esta mujer, anciana ya, de cabellos blancos y vestidos negros, que vive su vida en una lucha tremenda y continua por su hijo. En su castellano imperfecto, suavizado por un dulce acento portugués, hay sin embargo reciedumbre cuando se trata de su hijo, de hablar de "mi hijo", (dice ese "mi hijo" con un fervor en que se mezcla el amor maternal y la admiración hacia el héroe), y de aquellos que lo han puesto en una obscura prisión, en donde vive, en donde muere día a día físicamente, desde hace más de cinco años.

195. Tenho na minha mesa de trabalho, diante de mim, uma parte do que se escreveu no mundo, artigos, folhetos, conferências, poemas, entrevistas, prospectos, manifestos, periódicos, transcrições de cartas, telegramas etc., clamando pela liberdade de Prestes. Tão somente as assinaturas ilustres e as assinaturas de admiradores e de populares encheriam volumes se eu as fosse citar uma por uma. Só da Argentina foi enviado um pedido a Vargas com mais de 10 mil firmas. E enormes volumes daria esse material de artigos, conferências e folhetos, se fosse reunido em livros. Há páginas comoventes e páginas de grande beleza. Em todo esse enorme material há um sopro admirável de liberdade. E em cada linha se sente a importância e a grandeza da figura de Luís Carlos Prestes que se faz admirar por gente tão distinta e de tão diversa altura intelectual. Por todos aqueles que amam o heroísmo, a beleza e a dignidade. De Dolores del Rio à mais humilde operária, de Lázaro Cárdenas ao camponês mais rude. De Batista ao soldado raso. De Romain Rolland e André Malraux ao homem que mal sabe assinar o nome. Do ídolo popular Langara ao garção desconhecido. Homens de todas as raças e de todos os matizes políticos. Unidos todos na admiração ao Herói brasileiro, pedindo todos pela sua liberdade. Hão de libertá-lo, com certeza.

196. Para dizer da situação dos elementos simpáticos aos Estados Unidos basta dizer que contava no Rio de Janeiro com grandes visos de verdade, que o telefone do ministro Osvaldo Aranha era censurado pela polícia.

197. Trata-se de uma entrevista obtida por um jornalista chileno de nome José Joaquim da Silva e publicada em *La Nación*, de Santiago, em 28 de dezembro de 1941.

posfácio

O Cavaleiro da Esperança: Vida de Luiz Carlos Prestes – uma obra de valor histórico[1]

Anita Leocadia Prestes

O Cavaleiro da Esperança: Vida de Luiz Carlos Prestes, obra de Jorge Amado publicada pela primeira vez em espanhol, na Argentina, no ano de 1942, foi dedicada à minha avó Leocadia, mãe do biografado, "*la madre heroica*", segundo Pablo Neruda. A dedicatória dizia: "*Lejos de su hijo, en tierras que no son las suyas, sufre y lucha doña Leocadia Prestes. Escribi este libro, amiga, para que lo ofrezcas a la madre de Luiz Carlos Prestes como una dádiva del Brasil*".

Era a primeira biografia do meu pai, da qual Jorge Amado se dizia orgulhoso, ao escrever de próprio punho uma outra dedicatória no exemplar destinado a Leocadia Prestes e enviado ao México, onde então morávamos minha avó, minha tia Lygia e eu. Vivíamos "os anos mais tormentosos" de nossas vidas, segundo palavras de Leocadia em carta dirigida ao filho, prisioneiro da ditadura Vargas.

Jorge Amado, que havia publicado aos dezenove anos, em 1931, seu primeiro livro, *O país do Carnaval*, participara das lutas contra o

1. A autora optou por utilizar a grafia original do prenome de seu pai, "Luiz".

fascismo no Brasil e das jornadas promovidas pela Aliança Nacional Libertadora (ANL) durante o ano de 1935. Com a derrota do movimento, foi preso em 1936 e, novamente, em 1937, após o golpe que instaurou o Estado Novo. Seus livros foram proibidos no Brasil, inúmeros exemplares apreendidos pela polícia e queimados em praça pública em Salvador. Perseguido no país, Jorge Amado exilou-se na Argentina, onde escreveu a biografia de Prestes entre dezembro de 1941 e janeiro de 1942. A publicação em espanhol veio à luz em maio daquele ano pela Editorial Claridad, de Buenos Aires. Proibida no Brasil, a obra em espanhol, passou a circular clandestinamente no país.

É o próprio autor que, no prefácio da primeira edição brasileira, publicada em 1945 pela Livraria Martins Editora, narra a história do livro:

> Traduções para outras línguas foram feitas sobre a tradução espanhola; no Brasil, além dos exemplares daquela edição vendidos clandestinamente, por vezes por preços absurdos, apareceram cópias datilografadas e até em fac-símile fotográfico... Os exemplares aqui vendidos nunca chegaram a ser propriedade individual de alguém, viveram sempre de mão em mão. O povo se referia a este livro com os mais diversos nomes: *Vida de são Luís*, *Vida do rei Luís*, *Travessuras de Luisinho* etc. Depois também sua edição argentina foi proibida e queimada em Buenos Aires, por ordem do governo Perón. Valorizaram-se ainda mais os exemplares que circulavam no Brasil. Houve quem vivesse do aluguel de exemplares.

Adiante, Jorge Amado destaca: "Na luta pela anistia, pela democracia e contra o Estado Novo, mas principalmente contra o fascismo, este livro foi uma arma". Indiscutivelmente esse foi o grande papel desempenhado pela obra do famoso escritor brasileiro. Ele recorda: "Junte-se a tudo isso a emoção que ele [o livro] despertou na América espanhola, onde quebrou recordes de venda, e pode-se imaginar quanto não me envaideço dele, quanto não me orgulho de ser o seu autor". Efetivamente, durante meses a fio, a edição espanhola foi o livro mais vendido na América Latina.

Para escrever a obra, Jorge Amado correspondeu-se com Leocadia e Lygia Prestes, no México, e consultou amigos e correligionários do biografado. A edição argentina continha apêndice com documentos sobre diversos momentos da vida de Prestes, um mapa do Brasil com o traçado da Coluna Prestes e algumas fotos de Prestes, de seus familiares e de combatentes da Coluna. Adotando estilo semelhante ao empregado na biografia de Castro Alves, escrita um ano antes, o autor se dirige permanentemente a uma leitora imaginária, a quem chama de "amiga" e também de "negra", com o intuito de falar diretamente ao povo brasileiro, apelando aos leitores para que assumam posição na luta pela democracia e pela liberdade. Jorge Amado escreve que "este não é nem pretende ser um livro frio", mas uma obra escrita "com paixão, sobre uma pessoa amada". Trata-se, pois, de uma biografia romanceada do Cavaleiro da Esperança, que como tal deve ser hoje apreciada e inserida, portanto, no momento histórico em que foi produzida.

No Brasil, o livro só pôde ser publicado após a decretação da anistia aos presos políticos em abril de 1945. Pessoalmente, tive o privilégio de, aos oito anos de idade, ser presenteada pelo autor com o exemplar nº 1 dessa edição histórica, valorizada por dedicatória em que Jorge Amado me recomendava a "aprender na vida do [meu] Pai um exemplo de dignidade humana". A edição brasileira continha um belo e original retrato de Prestes, obra do artista plástico Clóvis Graciano, assim como fotos e documentos que, em alguns casos, não haviam sido incluídos na edição argentina.

Até o golpe militar de 1964, o livro teve várias reedições no Brasil. Na nona edição, publicada em 1956 pela Editorial Vitória, pertencente ao Partido Comunista Brasileiro, a capa foi ilustrada por expressiva gravura alusiva à Coluna Prestes, de autoria do artista rio-grandense Vasco Prado. Nessa edição foi incluído posfácio do autor, no qual é lembrado que, após a primeira edição brasileira, sucederam-se rapidamente outras seis edições. Assinalava-se ainda que a obra já havia sido até então traduzida para cerca de vinte idiomas diferentes e também adaptada para o rádio. Com o golpe reacionário de 1964, o livro desapareceu das livrarias, só voltando a ser publicado em 1979.

Sou testemunha de que várias gerações de jovens brasileiros, e também estrangeiros, tornaram-se revolucionários e aderiram ao comunismo, ingressando muitas vezes nos partidos comunistas dos seus países, sob o impacto provocado pela leitura da biografia de Luiz Carlos Prestes escrita por Jorge Amado. Em Portugal, durante a ditadura de Salazar, ele era leitura obrigatória dos militantes do Partido Comunista Português, para os quais a vida do Cavaleiro da Esperança — sua coragem, dignidade humana e dedicação sem limites à causa revolucionária — tornara-se um exemplo a ser seguido por todo comunista.

Na qualidade de historiadora, mas também de filha de Luiz Carlos Prestes, tenho me empenhado em pesquisar e escrever sobre a vida desse grande brasileiro, ainda pouco conhecido inclusive por seus compatriotas. Prestes foi um patriota, um revolucionário e um comunista convicto. Pablo Neruda escreveu a seu respeito: "Nenhum dirigente comunista da América Latina teve uma vida tão trágica e portentosa quanto Luiz Carlos Prestes".

Como foi sempre coerente consigo mesmo e com os ideais revolucionários a que dedicou sua vida, sem jamais se dobrar diante de interesses menores ou de caráter pessoal, Prestes despertou o ódio dos donos do poder, que sempre procuraram criar uma história oficial cuja tônica tem sido a falsificação tanto de sua trajetória política como da história brasileira contemporânea. Entretanto, para o historiador comprometido com as lutas populares, com os interesses dos explorados e dos oprimidos, a meta deve ser outra: contribuir para a elaboração de outra história, comprometida não só com a evidência, mas também com o imperativo de construir um futuro de justiça social e liberdade para o nosso povo.

Para o historiador empenhado na elaboração de uma História do Brasil, para quem valoriza o papel destacado de Luiz Carlos Prestes nas lutas populares do século XX em nosso país, *O Cavaleiro da Esperança: Vida de Luiz Carlos Prestes* é um livro indispensável. Sua reedição é uma contribuição importante para compreender melhor uma época de nossa história, para que, aprofundando o conhecimento de nosso passado, as novas gerações de brasileiros possam transformar o presente, construindo o futuro ao qual Prestes dedicou sua vida.

Anita Leocadia Prestes é historiadora.

cronologia

Este livro, situado entre o relato político e a biografia romanceada, apresenta inúmeros fatos históricos do período de 1856 a 1941: a campanha abolicionista no Império, a ascensão das oligarquias cafeicultoras na República Velha, a Intentona Comunista (1935) e o início da Segunda Guerra Mundial. Entre as personalidades históricas citadas, estão Lima Barreto, Émile Zola, Lampião, Antônio Conselheiro, Filippo Marinetti, Plínio Salgado e Gilberto Freyre.

Mas o principal evento que serve de pano de fundo à obra é a lendária Coluna Prestes. Marcha de 25 mil quilômetros realizada por mais de mil homens, entre 1925 e 1927, atravessou vários estados brasileiros para denunciar a exploração das camadas mais pobres, exigir o voto secreto, a obrigatoriedade e a gratuidade do ensino, a nacionalização das indústrias. Embora a Coluna não tenha conseguido derrubar o governo vigente, os tenentistas que dela participaram tiveram papel central na Revolução de 30 e na Intentona Comunista, sobretudo Luís Carlos Prestes.

Em 1931, Prestes mudou-se para a União Soviética, onde trabalhou como engenheiro e estudou o marxismo-leninismo. Regressou clandestinamente ao Brasil, em 1935, com a esposa Olga Benario, e se tornou presidente de honra da recém-constituída Aliança Nacional Libertadora (ANL). Após ter publicado um manifesto exigindo o fim do governo Vargas, foi preso e sua mulher, judia, deportada para a Alemanha nazista.

1912-1919

Jorge Amado nasce em 10 de agosto de 1912, em Itabuna, Bahia. Em 1914, seus pais transferem-se para Ilhéus, onde ele estuda as primeiras letras. Entre 1914 e 1918, trava-se na Europa a Primeira Guerra Mundial. Em 1917, eclode na Rússia a revolução que levaria os comunistas, liderados por Lênin, ao poder.

1920-1925

A Semana de Arte Moderna, em 1922, reúne em São Paulo artistas como Heitor Villa-Lobos, Tarsila do Amaral, Mário e Oswald de Andrade. No mesmo ano, Benito Mussolini é chamado a formar governo na Itália. Na Bahia, em 1923, Jorge Amado escreve uma redação escolar intitulada "O mar"; impressionado, seu professor, o padre Luiz Gonzaga Cabral, passa a lhe emprestar livros de autores portugueses e também de Jonathan Swift, Charles Dickens e Walter Scott. Em 1925, Jorge Amado foge do colégio interno Antônio Vieira, em Salvador, e percorre o sertão baiano rumo à casa do avô paterno, em Sergipe, onde passa "dois meses de maravilhosa vagabundagem".

1926-1930

Em 1926, o Congresso Regionalista, encabeçado por Gilberto Freyre, condena o modernismo paulista por "imitar inovações estrangeiras". Em 1927, ainda aluno do Ginásio Ipiranga, em Salvador, Jorge Amado começa a trabalhar como repórter policial para o *Diário da Bahia* e *O Imparcial* e publica em *A Luva*, revista de Salvador, o texto "Poema ou prosa". Em 1928, José Américo de Almeida lança *A bagaceira*, marco da ficção regionalista do Nordeste, um livro no qual, segundo Jorge Amado, se "falava da realidade rural como ninguém fizera antes". Jorge Amado integra a Academia dos Rebeldes, grupo a favor de "uma arte moderna sem ser modernista". A quebra da bolsa de valores de Nova York, em 1929, catalisa o declínio do ciclo do café no Brasil. Ainda em 1929, Jorge Amado, sob o pseudônimo Y. Karl, publica em *O Jornal* a novela *Lenita*, escrita em parceria com Edson Carneiro e Dias da Costa. O Brasil vê chegar ao fim a política do café com leite, que alternava na presidência da República políticos de São Paulo e Minas Gerais: a Revolução de 1930 destitui Washington Luís e nomeia Getúlio Vargas presidente.

1931-1935

Em 1932, desata-se em São Paulo a Revolução Constitucionalista. Em 1933, Adolf Hitler assume o poder na Alemanha, e Franklin Delano Roosevelt torna-se presidente dos Estados Unidos da América, cargo para o qual seria reeleito em 1936, 1940 e 1944. Ainda em 1933, Jorge Amado se casa com Matilde Garcia Rosa. Em 1934, Getúlio Vargas é eleito por voto indireto presidente da República. De 1931 a 1935, Jorge Amado frequenta a Faculdade Nacional de Direito, no Rio de Janeiro; formado, nunca exercerá a advocacia. Amado identifica-se com o Movimento de 30, do qual faziam parte José Américo de Almeida, Rachel de Queiroz e Graciliano Ramos, entre outros escritores preocupados com questões sociais e com a valorização de particularidades regionais. Em 1933, Gilberto Freyre publica *Casa-grande & senzala*, que marca profundamente a visão de mundo de Jorge Amado. O romancista baiano publica seus primeiros livros: *O país do Carnaval* (1931), *Cacau* (1933) e *Suor* (1934). Em 1935 nasce sua filha Eulália Dalila.

1936-1940

Em 1936, militares rebelam-se contra o governo republicano espanhol e dão início, sob o comando de Francisco Franco, a uma guerra civil que se alongará até 1939. Jorge Amado enfrenta problemas por sua filiação ao Partido Comunista Brasileiro. São dessa época seus livros *Jubiabá* (1935), *Mar morto* (1936) e *Capitães da Areia* (1937). É preso em 1936, acusado de ter participado, um ano antes, da Intentona Comunista, e novamente em 1937, após a instalação do Estado Novo. Em Salvador, seus livros são queimados em praça pública. Em setembro de 1939, as tropas alemãs invadem a Polônia e tem início a Segunda

Guerra Mundial. Em 1940, Paris é ocupada pelo Exército alemão. No mesmo ano, Winston Churchill torna-se primeiro-ministro da Grã-Bretanha.

1941-1945

Em 1941, em pleno Estado Novo, Jorge Amado viaja à Argentina e ao Uruguai, onde pesquisa a vida de Luís Carlos Prestes, para escrever a biografia publicada em Buenos Aires, em 1942, sob o título *A vida de Luís Carlos Prestes*, rebatizada mais tarde *O Cavaleiro da Esperança*. De volta ao Brasil, é preso pela terceira vez e enviado a Salvador, sob vigilância. Em junho de 1941, os alemães invadem a União Soviética. Em dezembro, os japoneses bombardeiam a base norte-americana de Pearl Harbor, e os Estados Unidos declaram guerra aos países do Eixo. Em 1942, o Brasil entra na Segunda Guerra Mundial, ao lado dos aliados. Jorge Amado colabora na *Folha da Manhã*, de São Paulo, torna-se chefe de redação do diário *Hoje*, do PCB, e secretário do Instituto Cultural Brasil-União Soviética. No final desse mesmo ano, volta a colaborar em *O Imparcial*, assinando a coluna "Hora da Guerra", e em 1943 publica, após seis anos de proibição de suas obras, *Terras do sem-fim*. Em 1944, Jorge Amado lança *São Jorge dos Ilhéus*. Separa-se de Matilde Garcia Rosa. Chegam ao fim, em 1945, a Segunda Guerra Mundial e o Estado Novo, com a deposição de Getúlio Vargas. Nesse mesmo ano, Jorge Amado casa-se com a paulistana Zélia Gattai, é eleito deputado federal pelo PCB e publica o guia *Bahia de Todos-os-Santos*. *Terras do sem-fim* é publicado pela editora de Alfred A. Knopf, em Nova York, selando o início de uma amizade com a família Knopf que projetaria sua obra no mundo todo.

1946-1950

Em 1946, Jorge Amado publica *Seara vermelha*. Como deputado, propõe leis que asseguram a liberdade de culto religioso e fortalecem os direitos autorais. Em 1947, seu mandato de deputado é cassado, pouco depois de o PCB ser posto na ilegalidade. No mesmo ano, nasce no Rio de Janeiro João Jorge, o primeiro filho com Zélia Gattai. Em 1948, devido à perseguição política, Jorge Amado exila-se, sozinho, voluntariamente em Paris. Sua casa no Rio de Janeiro é invadida pela polícia, que apreende livros, fotos e documentos. Zélia e João Jorge partem para a Europa, a fim de se juntar ao escritor. Em 1950, morre no Rio de Janeiro a filha mais velha de Jorge Amado, Eulália Dalila. No mesmo ano, Amado e sua família são expulsos da França por causa de sua militância política e passam a residir no castelo da União dos Escritores, na Tchecoslováquia. Viajam pela União Soviética e pela Europa Central, estreitando laços com os regimes socialistas.

1951-1955

Em 1951, Getúlio Vargas volta à presidência, desta vez por eleições diretas. No mesmo ano, Jorge Amado recebe o prêmio Stálin, em Moscou. Nasce sua filha Paloma, em Praga. Em 1952, Jorge Amado volta ao Brasil, fixando-se no Rio de Janeiro. O escritor e seus livros são proibidos de entrar nos Estados Unidos durante o período do macarthismo. Em 1954, Getúlio Vargas se suicida. No mesmo ano, Jorge Amado é eleito presidente da Associação Brasileira de Escritores e publica *Os subterrâneos da liberdade*. Afasta-se da militância comunista.

1956-1960

Em 1956, Juscelino Kubitschek assume a presidência da República. Em fevereiro, Nikita Khruchióv denuncia Stálin no 20º Congresso do Partido Comunista da União Soviética. Jorge Amado se desliga do PCB. Em 1957, a União Soviética lança ao espaço o primeiro satélite artificial, o *Sputnik*. Surge, na música popular, a Bossa Nova, com João Gilberto, Nara Leão, Antonio Carlos Jobim e Vinicius de Moraes. A publicação de *Gabriela, cravo e canela*, em 1958, rende vários prêmios ao escritor. O romance inaugura uma nova fase na obra de Jorge Amado, pautada pela discussão da mestiçagem e do sincretismo. Em 1959, começa a Guerra do Vietnã. Jorge Amado recebe o título de obá Arolu no Axé Opô Afonjá. Embora fosse um "materialista convicto", admirava o candomblé, que considerava uma religião "alegre e sem pecado". Em 1960, inaugura-se a nova capital federal, Brasília.

1961-1965

Em 1961, Jânio Quadros assume a presidência do Brasil, mas renuncia em agosto, sendo sucedido por João Goulart. Yuri Gagarin realiza na nave espacial *Vostok* o primeiro voo orbital tripulado em torno da Terra. Jorge Amado vende os direitos de filmagem de *Gabriela, cravo e canela* para a Metro-Goldwyn-Mayer, o que lhe permite construir a casa do Rio Vermelho, em Salvador, onde residirá com a família de 1963 até sua morte. Ainda em 1961, é eleito para a cadeira 23 da Academia Brasileira de Letras. No mesmo ano, publica *Os velhos marinheiros*, composto pela novela *A morte e a morte de Quincas Berro Dágua* e pelo romance *O capitão-de-longo-curso*. Em 1963, o presidente dos Estados Unidos, John Kennedy, é assassinado. O Cinema Novo retrata a realidade nordestina em filmes como *Vidas secas* (1963), de Nelson Pereira dos Santos, e *Deus e o diabo na terra do sol* (1964), de Glauber Rocha. Em 1964, João Goulart é destituído por um golpe e Humberto Castelo Branco assume a presidência da República, dando início a uma ditadura militar que irá durar duas décadas. No mesmo ano, Jorge Amado publica *Os pastores da noite*.

1966-1970

Em 1968, o Ato Institucional nº 5 restringe as liberdades civis e a vida política. Em Paris, estudantes e jovens operários levantam-se nas ruas sob o lema "É proibido proibir!". Na Bahia, floresce, na música popular, o tropicalismo, encabeçado por Caetano Veloso, Gilberto Gil, Torquato Neto e Tom Zé. Em 1966, Jorge Amado publica *Dona Flor e seus dois maridos* e, em 1969, *Tenda dos Milagres*. Nesse último ano, o astronauta norte-americano Neil Armstrong torna-se o primeiro homem a pisar na Lua.

1971-1975

Em 1971, Jorge Amado é convidado a acompanhar um curso sobre sua obra na Universidade da Pensilvânia, nos Estados Unidos. Em 1972, publica *Tereza Batista cansada de guerra* e é homenageado pela Escola de Samba Lins Imperial, de São Paulo, que desfila com o tema "Bahia de Jorge Amado". Em 1973, a rápida subida do preço do petróleo abala a economia mundial. Em 1975, *Gabriela, cravo e canela* inspira novela da TV Globo, com Sônia Braga no papel principal, e estreia o filme *Os pastores da noite*, dirigido por Marcel Camus.

1976-1980

Em 1977, Jorge Amado recebe o título de sócio benemérito do Afoxé Filhos de Gandhy, em Salvador. Nesse mesmo ano, estreia o filme de Nelson Pereira dos Santos inspirado em *Tenda dos Milagres*. Em 1978, o presidente Ernesto Geisel anula o AI-5 e reinstaura o *habeas corpus*. Em 1979, o presidente João Baptista Figueiredo anistia os presos e exilados políticos e restabelece o pluripartidarismo. Ainda em 1979, estreia o longa-metragem *Dona Flor e seus dois maridos*, dirigido por Bruno Barreto. São dessa época os livros *Tieta do Agreste* (1977), *Farda, fardão, camisola de dormir* (1979) e *O gato malhado e a andorinha Sinhá* (1976), escrito em 1948, em Paris, como um presente para o filho.

1981-1985

A partir de 1983, Jorge Amado e Zélia Gattai passam a morar uma parte do ano em Paris e outra no Brasil — o outono parisiense é a estação do ano preferida por Jorge Amado, e, na Bahia, ele não consegue mais encontrar a tranquilidade de que necessita para escrever. Cresce no Brasil o movimento das Diretas Já. Em 1984, Jorge Amado publica *Tocaia Grande*. Em 1985, Tancredo Neves é eleito presidente do Brasil, por votação indireta, mas morre antes de tomar posse. Assume a presidência José Sarney.

1986-1990

Em 1987, é inaugurada em Salvador a Fundação Casa de Jorge Amado, marcando o início de uma grande reforma do Pelourinho. Em 1988, a Escola de Samba Vai-Vai é campeã do Carnaval, em São Paulo, com o enredo "Amado Jorge: A história de uma raça brasileira". No mesmo ano, é promulgada nova Constituição brasileira. Jorge Amado publica *O sumiço da santa*. Em 1989, cai o Muro de Berlim.

1991-1995

Em 1992, Fernando Collor de Mello, o primeiro presidente eleito por voto direto depois de 1964, renuncia ao cargo durante um processo de *impeachment*. Itamar Franco assume a presidência. No mesmo ano, dissolve-se a União Soviética. Jorge Amado preside o 14º Festival Cultural de Asylah, no Marrocos, intitulado "Mestiçagem, o exemplo do Brasil", e participa do Fórum Mundial das Artes, em Veneza. Em 1992, lança dois livros: *Navegação de cabotagem* e *A descoberta da América pelos turcos*. Em 1994, depois de vencer as Copas de 1958, 1962 e 1970, o Brasil é tetracampeão de futebol. Em 1995, Fernando Henrique Cardoso assume a presidência da República, para a qual seria reeleito em 1998. No mesmo ano, Jorge Amado recebe o prêmio Camões.

1996-2000

Em 1996, alguns anos depois de um enfarte e da perda da visão central, Jorge Amado sofre um edema pulmonar em Paris. Em 1998, é o convidado de honra do 18º Salão do Livro de Paris, cujo tema é o Brasil, e recebe o título de doutor *honoris causa* da Sorbonne Nouvelle e da Universidade Moderna de Lisboa. Em Salvador, termina a fase principal de restauração do Pelourinho, cujas praças e largos recebem nomes de personagens de Jorge Amado.

2001

Após sucessivas internações, Jorge Amado morre em 6 de agosto de 2001.

IMAGENS: ACERVO PESSOAL DE ANITA LEOCADIA PRESTES

Luís Carlos Prestes em quatro momentos: aos dezoito anos; aos 26, no Rio Grande do Sul (1924); em Moscou, aos 36 anos (1934); e na prisão, em 1945

Soldados da Coluna Prestes

Siqueira Campos

Prestes (no centro), com Djalma Dutra e Cordeiro de Farias, na Bolívia (1927). A foto traz a dedicatória: "Ao Jorge Amado, que tão bem soube sentir a significação de nossa marcha através do Brasil, esta lembrança dos tempos do exílio na Bolívia. Rio, 23 de maio de 1944. Luís Carlos Prestes"

ACERVO FUNDAÇÃO CASA DE JORGE AMADO

ACERVO PESSOAL DE ANITA LEOCADIA PRESTES

Cabana em que Prestes viveu na Bolívia

Revolucionários do 3º Regimento de Infantaria deixam o quartel em 1935. À esquerda, Agildo Barata

IMAGENS: ACERVO PESSOAL DE ANITA LEOCADIA PRESTES

Prestes com a mãe e a irmã, dona Leocadia e Clotilde, em Montevidéu (1930)

IMAGENS: ACERVO PESSOAL DE ANITA LEOCADIA PRESTES

Olga Benario em foto tirada na Polícia do Rio de Janeiro, quando foi presa (1936)

Dona Leocadia (sentada, ao centro) e Lygia (primeira à esquerda, sentada) durante a campanha pela libertação de Prestes, em Paris (1936)

Prestes sendo conduzido ao Conselho de Justiça, em fevereiro de 1937

Prestes diante do ex-revolucionário Maynard Gomes (ao centro), que pronuncia a sentença que o condena a trinta anos de prisão (1940)

IMAGENS: ACERVO PESSOAL DE ANITA LEOCADIA PRESTES

Prestes na prisão, após greve de fome (1941)

IMAGENS: ACERVO PESSOAL DE ANITA LEOCADIA PRESTES

Anita Leocadia e a tia Lygia (irmã de Prestes) no velório de Leocadia Prestes (mãe dele), em junho de 1943

Anita aos oito anos, no México

Prestes por Clóvis Graciano, ilustração publicada na primeira edição brasileira, em 1945

CLÓVIS GRACIANO

ACERVO FUNDAÇÃO CASA DE JORGE AMADO

Jorge em campanha pela libertação de Prestes (1945)

Jorge Amado recebe Pablo Neruda em São Paulo, para o comício em homenagem a Prestes, recém-libertado da prisão (julho de 1945)

Prestes entre o poeta chileno e o escritor brasileiro (1945)

- 24 -

às fronteiras, leva mais além do seu valor atual a palavra heroísmo e a palavra grandeza. Nós o vemos, o adolescente libertário, o gênio da poesia, o militante dos escravos, o pregador da democracia, o profeta das revoluções vindouras, o moço baiano Castro Alves, redivivo, na face luminosa de saber, no sorriso paternal sob os largos bigodes, na flamejante espada vitoriosa do Marechal Josef Stalin.

São Paulo, 17 de Janeiro de 1945, dia da libertação de Varsóvia
~~Salvador, ... Janeiro de 1945~~
Jorge Amado

Nós o vemos, finalmente, de novo em meio ao seu povo, à sua frente, conduzindo-o agora na cruzada da libertação economica da pátria, nesse momento decisivo do Brasil, nós o vemos, ao poeta Castro Alves, redivivo na figura daquele cuja vida é o mais belo poema do Brasil atual: Luis Carlos Prestes.

Em texto comemorativo sobre a libertação de Varsóvia, Jorge Amado faz uma analogia entre o Poeta dos Escravos e o Cavaleiro da Esperança.

Castro Alves, "o gênio da poesia, o militante dos escravos, o pregador da democracia, o profeta das revoluções vindouras, o moço baiano", está, com Prestes, "de novo em meio ao seu povo, à sua frente, conduzindo-o agora na cruzada da libertação econômica da pátria, neste momento decisivo do Brasil". Pois Prestes é "o mais belo poema do Brasil atual"

Zélia Gattai, Jorge
Amado e Prestes no
Rio de Janeiro,
c. 1958

Jorge Amado com
Lygia e Anita
em Moscou (1951)

ACERVO FUNDAÇÃO CASA DE JORGE AMADO

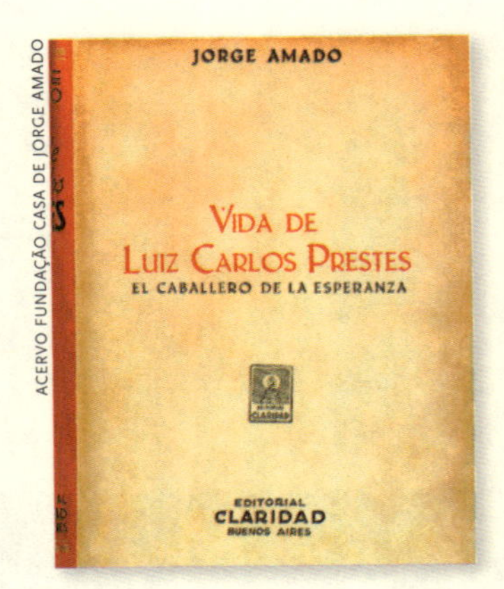

A primeira edição do livro saiu na Argentina, em 1942

No Brasil, a primeira edição só pôde ser publicada após a decretação da anistia aos presos políticos em abril de 1945. Antes circulava em cópias clandestinas

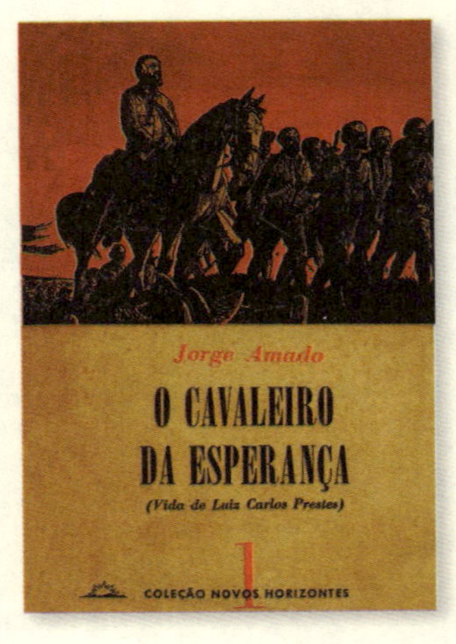

Em 1956, o livro chegou à nona edição, com capa de Vasco Prado, pela Editorial Vitória

DR/ RENINA KATZ

Gravura de Renina Katz, que ilustrou uma edição especial de quinhentos exemplares também publicada em 1956

ACERVO FUNDAÇÃO CASA DE JORGE AMADO

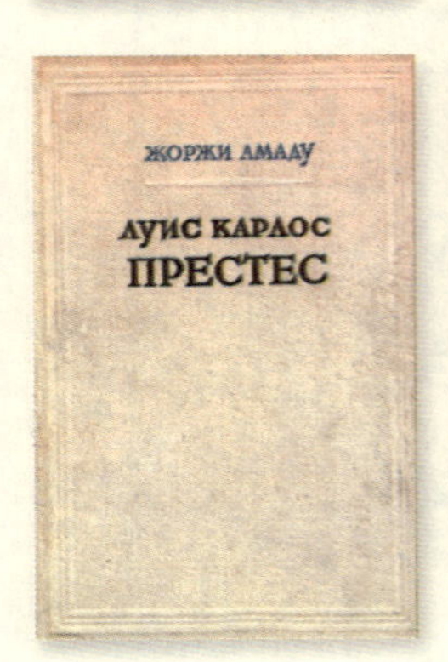

A homenagem apaixonada de Jorge Amado encantou leitores no mundo inteiro: Portugal, Hungria, Israel, Japão, Polônia, Líbano, Rússia e Tchecoslováquia, entre outros países